MÉXICO Y ESTADOS UNIDOS
EN EL CONFLICTO PETROLERO
(1917 – 1942)

LORENZO MEYER

MÉXICO Y ESTADOS UNIDOS EN EL CONFLICTO PETROLERO (1917-1942)

EL COLEGIO DE MEXICO

Primera edición, 1968

288971

Impreso y hecho en México
Printed and made in Mexico

por

GRÁFICA PANAMERICANA, S. DE R. L.
Parroquia, 911   México 12, D. F.

A VIRGINIA Y YOLANDA

A MI ESPOSA

SIGLAS DE LOS MATERIALES DE ARCHIVO QUE
FUERON CONSULTADOS

AGN   Archivo General de la Nación, México.

AREM   Archivo de la Secretaría de Relaciones Exteriores de México [Las iniciales LE indican que el número de expediente corresponde a su clasificación topográfica; en caso contrario, el número se refiere a la clasificación decimal.]

CDHM   Correspondencia Diplomática Hispano-Mexicana. Biblioteca de El Colegio de México. [La inicial R indica el rollo de micropelícula.]

JDP   Josephus Daniels Papers, División de Manuscritos de la Biblioteca del Congreso, Washington, D. C.

NAW   National Archives, Washington, D. C. Records of the Department of State. [Las siglas RG 59 indican el Record Group 59. (Papeles del Departamento de Estado.) Cuando a continuación de los números de serie 812.6363 aparezcan las iniciales R y E, éstas indican el rollo de micropelícula y el número de la exposición; en caso contrario, las siglas se refieren al documento original.]

WWP   Woodrow Wilson Papers, División de Manuscritos de la Biblioteca del Congreso, Washington, D. C.

Objetivos. Una de las modalidades de las relaciones entre los miembros de la comunidad internacional que suscitan mayor interés es la que resulta de la inversión de capitales de unos países en otros de menor desarrollo económico; este movimiento, especialmente si se trata de una inversión directa, equivale a una extensión fuera de sus fronteras de los intereses nacionales de los Estados económicamente más poderosos en las áreas "periféricas", y ha producido, entre otros, dos resultados de particular interés: por una parte, ha contribuido a desarrollar ciertos sectores de la economía de los países subdesarrollados explotados deficientemente por falta de capitales y mercados; por otra, también ha contribuido decisivamente a la existencia de un imperialismo económico y a la formación de los llamados "enclaves económicos".[1] Esto último, si las circunstancias se conjugan, conduce al país que recibe la inversión a intentar un cambio de la situación en su favor, lo que motiva conflictos de orden internacional.[2]

El estudio del desarrollo de la industria petrolera en México, desde sus inicios a principios de siglo hasta su nacionalización, ofrece la oportunidad de examinar de cerca uno de estos procesos. La circunstancia de que el desarrollo de esta industria haya coincidido con el advenimiento de un cambio político y social interno de grandes proporciones, entre cuyos fines figuró la liquidación de las características coloniales de la economía nacional y en particular de la industria petrolera, y el hecho de que, después de una larga lucha, el cambio político mencionado culminara en la transformación deseada por los gobiernos mexicanos, prestan mayor interés al estudio de la mecánica del surgimiento, desarrollo y terminación de lo que puede considerarse un caso típico de imperialismo económico en la primera mitad del siglo xx. Sin perder de vista que cada situación es única y cualitativamente diferente, este examen puede servir para comprender mejor el carácter de las relaciones entre los países industriales y las naciones subdesarrolladas a que ha dado lugar la inversión internacional de capital en este siglo.

A diferencia de otras revoluciones modernas, la Revolución Mexicana fue en ocasiones incoherente y desorganizada. Se trató de una rebelión, sin plan previo, en contra de la explotación ejercida por un

---

[1] Por *imperialismo económico* se entiende aquí la penetración pacífica del capital extranjero en países políticamente débiles y económicamente poco desarrollados, hasta el punto de que éstos se ven impedidos para dominar sus propios recursos de la manera que consideran más adecuada. Se considera como *enclave económico* aquella industria dominada por el capital extranjero que explota algún recurso natural de un país periférico para ser consumido en mercados externos, que generalmente se encuentran localizados en el país inversor o en otros de igual desarrollo. En esta forma, el "enclave" se encuentra prácticamente desligado del país en donde se halla situado físicamente y es parte integral de otro u otros sistemas económicos.

[2] La situación será potencialmente más propicia a un conflicto si la inversión

7

grupo formado por los terratenientes, la burocracia, los capitalistas extranjeros y la Iglesia. Poco a poco la dirección del movimiento fue consolidándose en manos de las clases medias surgidas durante el Porfiriato, que se propusieron como meta general acelerar la transición del país de una economía rural anacrónica a una economía capitalista moderna, pero sin seguir el camino tradicionalmente recorrido por los países industriales de Occidente. No obstante la vaguedad de las metas de la Revolución Mexicana, es indudable que entre ellas destacó, además de la democracia política y una mejor distribución de la riqueza, la subordinación de los intereses extranjeros a los nacionales.[3] A diferencia del antiguo régimen, los gobiernos revolucionarios se propusieron impedir, de una manera u otra, que el desarrollo del país continuara basándose en los capitales anglonorteamericanos. La piedra angular debía ser el capital nacional. La estrategia de esta política —no siempre seguida con igual firmeza por todas las administraciones— consistió en tomar en forma directa o indirecta el control de los principales sectores económicos ya dominados por los intereses foráneos e impedir que tal dominio pudiera aparecer en las nuevas actividades.

La reforma del *status* jurídico de la industria petrolera fue el campo más importante entre los elegidos por los gobiernos surgidos de la Revolución para poner en práctica la nueva política de inversiones extranjeras. Las corrientes nacionalistas que se fueron manifestando exigieron que el capital del exterior fuera complementario de la inversión interna, cooperara al desarrollo del país, se mantuviera fuera de los sectores económicos estratégicos y estuviera siempre subordinado a los requerimientos del interés público. En la industria petrolera —cuya gran prosperidad no era compartida equitativamente con el Estado— se encontraban ausentes estos elementos y al mismo tiempo existía teóricamente la posibilidad de que todos fueran implantados. Los gobiernos revolucionarios, desde Venustiano Carranza hasta Lázaro Cárdenas, se vieron comprometidos de tal manera en el problema de lo que llamaremos la reforma petrolera, que el concepto de propiedad definido por la Constitución de 1917, y en gran medida todo el programa de reformas al sistema de propiedad, dependió de su solución.

Límites de la investigación. Este trabajo se ciñe únicamente al examen de la controversia diplomática que suscitó la cuestión petrolera entre los gobiernos de México y Estados Unidos; por consiguiente, no se examina el papel que desempeñaron las inversiones europeas ni los aspectos económicos del problema, salvo en la medida en que constituyen un antecedente útil para comprender el asunto principal. Aunque la "cuestión petrolera" es anterior a 1917, el trabajo se refiere principalmente al período comprendido entre este año y 1942. En 1917 la

de que se trata se dedica a explotar un recurso natural no renovable, y los ingresos fiscales que recibe el país cuyos recursos están siendo extraídos no son considerados como una compensación adecuada.

[3] Daniel Cosío Villegas, *Extremos de América* (México: Tezontle, 1949), p. 12.

promulgación de la nueva Constitución, al modificar el régimen de propiedad del subsuelo, formaliza el conflicto de puntos de vista del gobierno mexicano y del gobierno y los intereses petroleros norteamericanos en esta materia; en 1942 el conflicto queda solucionado al firmarse los últimos convenios para indemnizar a las empresas norteamericanas expropiadas en 1938.

Fuentes. El número de libros y artículos escritos en torno al problema petrolero mexicano es considerable, aunque la calidad de gran parte de ellos deja algo que desear, quizá porque su propósito original fue más bien político - propagandístico que de análisis objetivo de los acontecimientos. La mayoría de las fuentes secundarias estudiadas está constituida por trabajos de autores mexicanos y norteamericanos; en esta bibliografía se encontrarán escasas obras europeas; ello se explica por el hecho de que no se abordan, salvo de un modo indirecto, las relaciones de México con las empresas y las cancillerías del viejo continente. También debe tenerse en cuenta que las bibliotecas mexicanas no son muy ricas en esta clase de materiales.

Las fuentes primarias impresas empleadas en este trabajo son de dos clases: noticias aparecidas en la prensa mexicana y norteamericana y ciertas publicaciones periódicas y folletos editados en ambos países. Por lo que respecta a la prensa mexicana, los principales periódicos consultados fueron *El Universal, Excélsior* y *El Nacional,* y algunos diarios, como *El Demócrata,* que aparecieron en la capital de la República durante algún momento del período que abarca este estudio; sólo excepcionalmente se examinaron diarios de provincia. Se consultaron varios periódicos norteamericanos importantes, el *New York Times* especialmente, por considerársele uno de los más influyentes; *The Nation* fue consultado para ciertas épocas, porque si bien su importancia fue mucho menor, sus opiniones eran representativas del sector que apoyaba la posición mexicana frente al gobierno de Estados Unidos y las compañías petroleras. Entre las publicaciones periódicas y folletos mexicanos destaca el *Boletín del Petróleo,* editado por la Secretaría de Industria, Comercio y Trabajo a partir de 1916, y que hasta 1933 publicó, junto con artículos técnicos, otros de carácter político, jurídico o económico sobre la materia. De las publicaciones periódicas norteamericanas, la más importante fue *Foreign Relations of the United States,* que contiene parte de la correspondencia diplomática de ese país, y fue consultada únicamente para el período comprendido entre 1933 y 1942, o sea para los años en que no fue posible examinar toda la correspondencia diplomática del gobierno americano en sus archivos. Las compañías petroleras, especialmente la Standard Oil Company of New Jersey, publicaron una larga serie de folletos, sobre todo en los momentos de crisis, que resultan útiles para conocer su posición oficial ante un gran número de problemas.

Las fuentes primarias no impresas consultadas fueron documentos del Archivo de la Secretaría de Relaciones Exteriores de México, de los Archivos Nacionales de Washington y de la División de Manuscritos de la Biblioteca del Congreso, de Washington, D. C. También se utilizaron algunos documentos del Archivo General de la Nación y de la correspondencia diplomática hispano-mexicana. Cuando este trabajo se llevó a cabo, desafortunadamente el Archivo de la Secretaría de Relaciones Exteriores de México no se encontraba a disposición de ningún investigador; los documentos de ese archivo aprovechados en este trabajo pudieron ser consultados en El Colegio de México por cortesía de los miembros de su Seminario de Historia, quienes habían realizado una investigación anterior. Esta importante documentación, sin embargo, no abarcaba todo el período que comprende este trabajo, y sólo fue posible utilizarla para las administraciones de los presidentes Carranza y Obregón, y principios del gobierno del general Calles. La documentación proveniente de los archivos norteamericanos es mucho más completa: los papeles del Departamento de Estado, referentes al problema petrolero, que se conservan en los Archivos Nacionales de Washington con la clasificación 812/6363, abarcan los años transcurridos entre 1910 y 1933 y son de extraordinario valor. Este material, contenido en 20 rollos de micropelícula y un legajo con documentos originales correspondientes a los últimos años de ese período, está constituido principalmente por: a) las notas diplomáticas intercambiadas entre los gobiernos de México y Estados Unidos; b) informes de la embajada, consulados y enviados especiales de Estados Unidos en México; c) instrucciones del Departamento de Estado a su embajada, consulados y enviados especiales en México y, ocasionalmente, a sus misiones en otros países; d) memoranda de conversación y notas cursadas entre el gobierno norteamericano y los representantes de otros países con intereses petroleros en México; e) memoranda y otros documentos intercambiados entre las compañías petroleras norteamericanas que operaban en México y diversas dependencias gubernamentales norteamericanas y mexicanas; f) folletos y recortes de prensa, y g) algunos documentos confidenciales que, se supone, tuvieron su origen en dependencias gubernamentales mexicanas. La imposibilidad de obtener el permiso necesario para continuar la investigación con los documentos del Departamento de Estado correspondientes a los años de 1934 a 1942, origina una laguna importante en la documentación primaria de estos nueve años; sin embargo, esta laguna no es total: en parte pudo ser llenada con *Foreign Relations of the United States* y, muy particularmente, con los archivos de Josephus Daniels, ex embajador de Estados Unidos en México, que se encuentran a disposición del público en la División de Manuscritos de la Biblioteca del Congreso de los Estados Unidos;[4] estos voluminosos archivos son evidentemente de

[4] Los documentos consultados en el archivo del embajador Daniels fueron aquellos clasificados bajo los siguientes rubros: 1) diario; 2) correspondencia entre Josephus Daniels y Franklin D. Roosevelt, 1913-1945; 3) correspondencia, 1933-1941; 4) correspondencia con funcionarios mexicanos y norteamericanos, 1933-1941; 5) correspondencia relativa a las relaciones mexicano-norteamericanas, 1933-1942; 6) discursos, conferencias de prensa y entrevistas; 7) discursos y artículos; 8) *dossiers* relativos a los problemas con México: petróleo, expropiaciones, etc., 1933-1941; 9) memoranda relativos a los problemas pendientes entre Estados Unidos y México, 1934.

menor interés que los del Departamento de Estado. En la primera parte del trabajo también se incorporaron datos de algunos documentos pertenecientes a los archivos del presidente Woodrow Wilson, que se conservan en la misma División de Manuscritos.

Salta a la vista que existen importantes omisiones documentales. La principal es la ausencia de los documentos pertenecientes a las empresas petroleras; el día en que éstas abran sus archivos a la investigación será posible tener un panorama mucho más completo del desarrollo de la industria petrolera mexicana y de sus implicaciones políticas, aunque lo que hoy conocemos al respecto quizás no se modifique esencialmente. No debe olvidarse que parte de esta documentación no es desconocida: las notas intercambiadas y las conversaciones sostenidas por los representantes de las empresas con los funcionarios del Departamento de Estado y otras dependencias gubernamentales, y aquellos documentos que por una u otra razón las empresas petroleras entregaron a esos funcionarios, como los memorandas de sus múltiples negociaciones con el gobierno de México, se pueden consultar en las colecciones del Departamento de Estado. También es de importancia, aunque bastante menor, la omisión de algunos archivos privados pertenecientes a personas que desempeñaron un papel relativamente destacado en la cuestión petrolera; algunas de estas colecciones, sobre todo norteamericanas, están abiertas a los investigadores.

CAPÍTULO I

EL DESARROLLO DE LA INDUSTRIA PETROLERA EN MÉXICO

La historia moderna del petróleo empieza en agosto de 1859 cuando se perfora el célebre pozo de Pensilvania. Habría que esperar la invención del motor de combustión interna para que este combustible se convirtiera de simple iluminante en una de las principales fuentes de energía del mundo actual: el auge del petróleo se inició con la utilización del automóvil, cuya fabricación en serie coincidió con los inicios de la Revolución Mexicana.

Los primeros intentos de explotación industrial de las chapopoteras mexicanas datan de 1863, pero no fue sino dos décadas más tarde cuando estas tentativas adquirieron un carácter más serio; para entonces norteamericanos e ingleses se encontraban presentes. La aparición de los primeros exploradores norteamericanos que vinieron en busca de petróleo se explica por varias razones: en primer lugar, porque la demanda del combustible era ya importante, sobre todo en los países industriales; en segundo término, México constituía la prolongación natural de los campos petroleros tejanos y, por último, porque al finalizar el siglo XIX, Estados Unidos era definitivamente un país exportador de capital.[1] Durante todo el período en que el petróleo mexicano fue dominado por el capital externo, Estados Unidos produjo las dos terceras partes del combustible extraído en el mundo, y su demanda interna, en general, fue cubierta con su propia producción; por tanto, el petróleo mexicano no le era esencial, pero dado el carácter mundial de los mercados abastecidos por la industria petrolera norteamericana, la producción de México fue destinada a satisfacer la demanda extranjera.[2]

La primera empresa petrolera que se estableció en México, la Waters Pierce Oil Co., fundada en 1887, no tenía el propósito de explotar el combustible, sino de importarlo de Estados Unidos y refinarlo en el país para satisfacer la demanda local, principalmente de los ferrocarriles; fue la empresa formada en 1901 por el norteamericano Doheny la que inició la producción de petróleo en México.[3] El presi-

---

[1] Pese a que conservaba su calidad de importador neto, los círculos políticos y financieros norteamericanos vislumbraban ya el día en que su país se convertiría en uno de los centros financieros del orbe, cf. Cleona Lewis y Karl T. Schlotterbeck, *America's Stake in International Investments* (Washington, D. C.: The Brookings Institution, 1938), pp. 1-2.

[2] Daniel Durand, *La política petrolera internacional* (Buenos Aires, Argentina: Editorial Universitaria de Buenos Aires, 1965), p. 29; James Neville Tattersall, *The Impact of Foreign Investment on Mexico* (tesis inédita de maestría: University of Washington, 1956), p. 60; y Cleona Lewis, *op. cit.*, p. 218.

[3] Para el estudio pormenorizado de esta primera época se pueden consultar, entre otras, las siguientes obras: Carlos Díaz Dufoó, *México y los capitales extranjeros* (México: Librería de la Vda. de Ch. Bouret, 1918); José Domingo Lavín, *Petróleo* (México: E.D.I.A.P.S.A., 1950); Miguel Manterola, *La industria del petróleo en México* (México: Secretaría de Hacienda y Crédito Público, 1938).

dente Díaz vio con simpatía estos primeros esfuerzos que prometían independizar al país del uso del carbón —que de 1900 a 1910 representó entre el 2.2 % y el 3.7 % de las importaciones totales—[4] como única fuente de energía, y su gobierno echó mano de las exenciones fiscales para alentar la naciente industria petrolera.[5]

Desde sus comienzos la actividad petrolera estuvo dominada por los intereses norteamericanos e ingleses.[6] Las empresas formadas por Doheny, norteamericano, y Pearson, inglés, darían paso en los años veinte a la Standard Oil Co. of New Jersey y a la Royal Dutch-Shell (Royal Dutch Petroleum Co. y Shell Transport and Trading Co., Ltd.), respectivamente. El progreso fue rápido: en 1901 brotaba el primer pozo de valor comercial, en 1908 era fácil percibir los signos de un inminente auge, en 1910 el éxito estaba asegurado: Doheny descubrió el campo de "El Ébano" y Pearson los de Campoacán y San Cristóbal. Las fotografías de pozos fuera de control, que lanzaban al aire 100 000 barriles diarios, circularon por todo el mundo difundiendo la noticia de la enorme riqueza mexicana. Los productores aumentaban la extracción a velocidad acelerada, con Pearson a la cabeza.[7] Las compañías formaron sus flotas de buques-tanque (algunos de los cuales se encontraban entre los mayores del mundo) y empezaron a establecer agencias distribuidoras en el exterior. Se preveía un futuro brillante: sólo Doheny calculaba las reservas de sus campos en cinco mil millones de barriles.[8]

Los principales consorcios petroleros del mundo volvieron sus ojos hacia México.[9] En 1913 y 1916 la Standard Oil intentó adquirir "El Águila" y sus filiales; Pearson rehusó la oferta y en cambio trató de persuadir al gobierno inglés de la conveniencia de formar una asociación entre ambos, pero la administración británica no se interesó en el plan: el presidente Wilson hubiera vetado semejante arreglo; sin embargo, tanto Gran Bretaña como Henry Detering, que do-

[4] El Colegio de México (ed.), Estadísticas económicas del Porfiriato: comercio exterior de México, 1877-1911 (México: El Colegio de México, 1960), p. 249.

[5] Al respecto puede verse el testimonio de Doheny ante el Senado norteamericano. United States Congress, Senate Committee on Foreign Relations, Investigation of Mexican Affairs. Preliminary Report and Hearings of the Committee on Foreign Relations United States Senate Persuant to Senate Resolution Nº 106 Directing the Committee on Foreign Relations to Investigate the Matter of Outrages on Citizens of the United States in Mexico, 66th Congress, 2nd. Session. (Washington, D. C., 1920.)

[6] En conjunto, la inversión norteamericana fue casi siempre superior a la británica, pero individualmente la compañía inglesa "El Águila" fue la más importante.

[7] En opinión de su biógrafo, Desmond Young, posiblemente Pearson fue, después de Cortés, la persona que amasó la mayor fortuna en México; Member for Mexico. A Biography of Weetman Pearson, First Viscount Cowdray (Londres: Cassell and Co., Ltd., 1966), pp. 4-5.

[8] Carlos Díaz Dufoo, La cuestión del petróleo (México: Eusebio Gómez de la Puente (ed.), 1921) p. 100, y Clarence W. Barron, The Mexican Problem (Cambridge, Mass.: Houghton Mifflin Co., 1917), p. 94.

[9] Una descripción más detallada de la formación de las empresas de Doheny y Pearson aparece en las declaraciones de Doheny ante el Congreso norteamericano; United States Congress, Senate Committee on Foreign Relations, Investigation of Mexican Affairs... y Desmond Young, op. cit.

minaba la Shell, parecían poco dispuestos a que los norteamericanos monopolizaran el combustible de México, y en 1919, con el beneplácito de Su Majestad Británica, Detering adquirió para su compañía los intereses de Pearson, ya entonces Lord Cowdray.[10] La absorción de los intereses de Doheny por las grandes empresas tardó un poco más, pero en 1925 el grupo de la Pan American Petroleum and Transport Co. of Delaware, que él dominaba, fue traspasado a la Standard Oil de Indiana que, a su vez, lo transfirió a la Standard Oil de New Jersey.[11]

1. EL DOMINIO EXTERNO SOBRE LA PRODUCCIÓN PETROLERA

Desde un principio los grandes depósitos petrolíferos del mundo fueron dominados por un puñado de compañías gigantescas (hasta cierto punto Estados Unidos fue una excepción, en parte como consecuencia de su legislación contra los monopolios). La franca lucha que surgió entre la Standard Oil (N. J.), la Royal Dutch Shell y otras compañías de menor importancia, fue seguida más tarde por una serie de acuerdos para estabilizar precios y delimitar zonas de influencia.[12] Desde el comienzo Latinoamérica fue la esfera natural de operaciones de las compañías norteamericanas, en tanto que el Cercano Oriente lo fue de las inglesas; [13] sin embargo, los intereses de estas últimas continuaron siendo importantes en México hasta el último momento, y, tras el descubrimiento de los yacimientos de Poza Rica en la década de los años treinta, igualaron y aun sobrepasaron a los norteamericanos, aunque sólo por un corto período.[14] Con anterioridad a 1920, el país fue

[10] Pearson retuvo cierto número de acciones. Desmond Young, *op. cit.*, pp. 188-190, y Arthur C. Veatch, "Oil, Great Britain and the United States", *Foreign Affairs*, Vol. IX (julio de 1931), p. 66. Según despacho del cónsul general norteamericano en Inglaterra del 10 de diciembre de 1920, la Shell pagó diez millones de libras esterlinas por las propiedades de Pearson. NAW, 812.6363/A217/E0296.

[11] Doheny también estuvo en contacto con banqueros y círculos petroleros ingleses interesados en sus propiedades; *New York Times* (11 de marzo de 1925).

[12] La literatura sobre la rivalidad entre las compañías petroleras es muy amplia. Algunos títulos de interés sobre el particular son los siguientes: Harvey O'Connor, *El imperio del petróleo* (México: Editorial América Nueva, 1956); Frank C. Hanighen, *The Secret War* (Nueva York: The John Day Co., 1934); Pierre L'Espagnol de la Tramerge, *La lutte mondiale pour le pétrole* (París: Editions de "La Vie Universitaire", 1921); Francis Delaisi, *Oil; Its Influence on Politics* (Londres: Labour Publishing Co., 1922); Ludwell Denny, *We Fight for Oil* (Nueva York: Alfred A. Knopf, 1928).

[13] Willy Feuerlein y Elizabeth Hannan, *Dólares en la América Latina* (México: Fondo de Cultura Económica, 1944), p. 68.

[14] En 1920 las compañías petroleras británicas tenían más de un millón y cuarto de hectáreas de terrenos petrolíferos, o sea, aproximadamente la mitad de todos los denunciados por las compañías. Manuel de la Peña, *La cuestión palpitante. Estudio jurídico, político y económico sobre el artículo 27 constitucional* (México: Imprenta de la Cámara de Diputados, 1921), pp. 100-101. Para 1933 "El Águila", la principal compañía británica, producía el 37% del petróleo extraído en México. JDP, Informe del agregado comercial al embajador Daniels, de 24 de abril de 1934. De acuerdo con Domingo Lavín, en 1926 "El Águila" y la Standard (N. J.) llegaron a un acuerdo para delimitar sus respectivas zonas de influencia en México, lo que era un reflejo de sus acuerdos en el plano mun-

casi exclusivamente el único campo extranjero que interesó a los petroleros norteamericanos,[15] por ello, al finalizar la segunda década del siglo, prácticamente todas las empresas petroleras norteamericanas habían hecho inversiones aquí. Ésta fue casi la única actividad a través de la cual se dejaron sentir en México los efectos de la exportación de capital norteamericano desde el fin de la Gran Guerra.

Después de la cesión de los derechos de Doheny y Pearson, las principales compañías petroleras que operaron en México se convirtieron en subsidiarias de otras que operaban en escala mundial.[16] Los grupos de mayor importancia eran: el de la Royal Dutch Shell, el de la Standard Oil (N. J.), el de la Gulf Oil Corporation, el de la Sinclair Oil Co., el de la City Services y el de la Warner-Quinla; de menor consideración fueron las compañías Continental Oil, Union Oil, South Penn, Mexican Seabord y Pierce Oil. El conjunto de estas empresas produjo más del 90 % del petróleo extraído entre 1901 y 1938; la producción de las restantes fue insignificante.[17] Estas últimas eran peque-

dial. El campo inglés quedó al sur del paralelo que pasaba por Tampico y el más prometedor, el del norte, quedó asignado a la Standard. Al descubrirse Poza Rica, pocos años después, los ingleses quedaron en posesión de los depósitos más productivos en ese momento. José Domingo Lavín, *Petróleo*, p. 84.

[15] Daniel Durand, *op. cit.*, p. 31.

[16] Informe de la Asociación de Petroleros de 20 de mayo de 1931; NAW, 812.6363/2731.

[17] El grupo de la Shell dominó a la Cía. Mexicana de Petróleo "El Águila", S. A., que en 1927 contaba con diez subsidiarias, más los derechos que el presidente Díaz concedió a Pearson. Antes de adquirir los intereses de Pearson, la Shell estuvo presente en México a través de "La Corona" y sus tres subsidiarias. La Standard Oil (N. J.) inició sus actividades en México a través de la General Petroleum Corporation of California y la Transcontinental Petroleum Co. y sus subsidiarias. Con la adquisición de la Pan American de Doheny y sus siete subsidiarias —entre ellas "La Huasteca"— la Standard aumentó considerablemente sus intereses en México. Las Standard de Indiana, California y Nueva York, en

PRINCIPALES GRUPOS PETROLEROS EN MÉXICO EN 1927

	Terrenos petrolíferos adquiridos antes de 1917 (Has.)	Capacidad de refinación	Capacidad de los oleoductos	Capacidad de almacenamiento (Barriles)	Inversión en equipo (Dólares)
		(Barriles diarios)			
"El Águila"	850 000	85 000	90 000	11 500 000	63 000 000
Standard Oil (N.J.)	31 000	...	...	...	20 000 000
Huasteca	500 000	162 000	205 000	8 500 000	115 000 000
Gulf	100 000	...	12 000	500 000	15 000 000
Sinclair	62 000	...	...	1 250 000	30 000 000+
City Services	500 000	No tenía	No tenía	...	...
La Corona	...	...	...	...	62 500 000+
Warner-Quinla	...	...	...	...	16 000 000+

+ Pesos oro.
... No se encontraron datos en la fuente consultada.
FUENTE: Informe del cónsul en Tampico al Departamento de Estado de 15 de diciembre de 1927. NAW, 812.6363/R230/E1067-1125.

ñas empresas "independientes", propiedad de extranjeros y mexicanos, cuyo número llegó a ser de varios centenares.[18] Muchas de ellas nunca llegaron a producir, y las que tuvieron éxito en sus perforaciones se encontraron enteramente bajo la dependencia de las grandes empresas para el transporte, elaboración y distribución del combustible; en ciertas ocasiones su desaparición fue también obra de los grandes consorcios.[19] El capital mexicano, que sólo se hizo presente en la industria petrolera a través de estas empresas "independientes", osciló entre el 1 % y el 3 % del total. Esta insignificante proporción permite afirmar que virtualmente no hubo participación de capitales nacionales en la industria petrolera.[20]

El vínculo inicial de la industria petrolera con la actividad económica interna se debilitó bien pronto; en poco tiempo se convirtió en una actividad destinada a satisfacer primordialmente las necesidades de los mercados externos; sólo a través del pago de impuestos, salarios y rentas —cuya importancia se examinará más adelante— se relacionaba con la economía nacional. Estos gastos representaron una parte muy reducida del valor total de la producción; sin embargo, los impuestos pagados fueron durante cierto tiempo muy importantes dentro del conjunto de los ingresos fiscales. Por otra parte, como también se verá más adelante, en el momento en que la producción petrolera llegó a su máximo, el consumo interno de ese combustible ascendía a una fracción muy poco importante.

La falta de vinculación de la inversión petrolera con la economía nacional fue resultado de la combinación de tres factores: en primer lugar, el descubrimiento de los grandes depósitos de la costa del Golfo, que ofrecían excepcionales facilidades naturales para la exportación por su cercanía a los puertos de embarque; en segundo, el aumento de la demanda mundial; y, finalmente, la escasa demanda interna. Durante la Revolución, este estado de cosas permitió al sector petrolero un ritmo acelerado de expansión, mientras las empresas extran-

determinadas épocas, también estuvieron presentes. El grupo de la Gulf contaba con dos subsidiarias y tenía contratos con otras. El grupo Sinclair contaba con tres subsidiarias. El grupo de la City Services que pertenecía a Doherty, dominaba doce subsidiarias; no poseía oleoductos propios ni refinerías. El grupo Warner-Quinla dominó a la AGWI que adquirió en 1927 de la Atlantic Gulf, más otras dos subsidiarias. Si se desea profundizar en la estructura e importancia de estos grupos y del resto de las compañías de menor importancia hasta 1927, puede recurrirse al informe que el cónsul norteamericano en Tampico envió al Departamento de Estado el 15 de diciembre de 1927. NAW, 812.6363/R230/E1067-1125.

[18] Carlos Díaz Dufoo calculó en 1921 que existían 500 de estas empresas. Véase *La cuestión del petróleo*, p. 95. Posteriormente el número descendió.

[19] José Domingo Lavín, que en aquella época perteneció a este grupo de "independientes", señala la hostilidad de las grandes empresas hacia las pequeñas. Véase *Petróleo*, pp. 120-121.

[20] En el momento de mayor auge de esta industria, en 1921, las empresas mexicanas sólo representaron el 1% del capital total. La proporción aumentó a 3.02 % en 1926, para bajar a 1.04 % dos años después y mantenerse alrededor de esta proporción hasta 1938. *Boletín del Petróleo*. Vols. x, p. 306, xiv, p. 185; AREM, L-E 533, T. i, Leg. 2, f. 195; Miguel Manterola, *op. cit.*, p. 41; y Max Winkler, *Investments of United States Capital in Latin America* (Boston: World Peace Foundation Pamphlets, 1929), p. 225.

jeras dedicadas a la minería, los ferrocarriles y la agricultura se veían obligadas a suspender temporal o definitivamente sus actividades en México.

Los minerales habían sido tradicionalmente el renglón principal de las exportaciones mexicanas, y la explotación petrolera sólo acentuó este hecho.[21] En su momento de mayor auge, el petróleo mexicano se exportó a 27 países. Se embarcaba principalmente con destino a los puertos norteamericanos y europeos —sobre todo ingleses—, y sólo una pequeña parte se dirigía a otras regiones del globo. En numerosas ocasiones los puertos norteamericanos fueron únicamente el destino temporal del combustible mexicano, que en seguida era reexportado a Europa.[22] Hasta 1922 el grueso de las importaciones de petróleo hechas por Estados Unidos provinieron de los campos mexicanos, mas a partir de esa fecha el aumento de las importaciones procedentes de Venezuela, Perú y Colombia, combinado con la baja en la producción mexicana, determinó que el producto mexicano perdiera la importancia que había tenido en los mercados extranjeros.[23] En el cuadro 1 se consignan cifras ilustrativas de la evolución de la producción petrolera y de su distribución entre exportaciones y consumo interno.

Cuando la producción disminuyó, el consumo interno cobró mayor importancia relativa, especialmente al iniciarse la quinta década de este siglo; el petróleo suministró entonces alrededor del 65 % de la energía consumida en el país.[24] El aumento de la proporción destinada al consumo interno fue resultado de la baja de la producción en términos absolutos y, en los años que siguieron a la Gran Depresión, del aumento de la demanda local originada por la incipiente industrialización, la cual, a su vez, fue suscitada por la sustitución de importaciones a que obligó la menor entrada de divisas.[25]

La nueva situación propició los intentos frustrados del gobierno

21 Entre 1920 y 1927 los minerales formaron el 78 % de las exportaciones mexicanas, y de ese total el 60 % correspondió al petróleo. En la década siguiente, las exportaciones de plata y oro desplazaron al petróleo del primer lugar. Joaquín Santaella, *El petróleo en México, factor económico* (México, s.p.i., 1937), pp. 48-50.

22 Gobierno de México, *El petróleo de México. Recopilación de documentos oficiales de orden económico de la industria petrolera con una introducción que resume sus motivos y consecuencias* (México, D. F.: Gobierno de México, 1940). Reedición de la Secretaría del Patrimonio Nacional, 1963), p. 45. En 1921 el 78 % de las exportaciones petroleras mexicanas se dirigieron a los Estados Unidos; en 1927 la proporción disminuyó a 69 %, pero al concluir la década la proporción había aumentado a 90 %. Es probable que el descubrimiento del campo de Poza Rica, hecho por los ingleses pocos años después, haya aumentado posteriormente la proporción exportada directamente a Europa. *Boletín del Petróleo*, Vols. XVIII, XXI, XXIV y XXV; Max Winkler, *op. cit.*, p. 222; y NAW, 812.6363/2731, pp. 39-40.

23 John Ise, *The United States Oil Policy* (New Haven: Yale University Press, 1926), p. 455.

24 Emilio Alanís Patiño, "La energía en México", *Investigación Económica*, Vol. XIV (primer trimestre, 1954), p. 42.

25 En 1936 se dedicaba al consumo interno el 16.9 % del petróleo pesado y el 99 % del ligero; esto equivalía al 43.5 % de los productos refinados. Wendell C. Gordon, *The Expropriation of Foreign-owned Property in Mexico* (Washington: American Council on Public Affairs, 1941), p. 80.

CUADRO 1

PRODUCCIÓN DE PETRÓLEO EN MÉXICO, 1901 A 1937,
Y SU DISTRIBUCIÓN ENTRE EXPORTACIONES
Y CONSUMO INTERNO EN CIERTOS AÑOS

Años	Producción (barriles)	Exportaciones (%)	Consumo interno (%)	Años	Producción (barriles)	Exportaciones (%)	Consumo interno (%)
1901	10 345	...	...	1910	87 072 954	...	...
1902	40 200	...	...	1920	157 068 678	...	...
1903	75 375	...	...	1921	193 397 587	...	...
1904	125 625	...	...	1922	182 278 457	99.0	1.0
1905	251 250	...	...	1923	149 584 856	...	...
1906	502 500	...	...	1924	139 678 294	89.3	10.7
1907	1 005 000	...	...	1925	115 514 700	...	...
1908	3 932 900	...	...	1926	90 420 973	89.5	10.5
1909	2 713 500	...	...	1927	64 121 142	...	...
1910	3 634 080	...	...	1928	50 150 610	79.0	21.0
1911	12 552 798	...	...	1929	44 687 887	...	...
1912	16 558 215	...	...	1930	39 529 901	...	...
1913	25 692 291	...	...	1931	33 38 853	70.0	30.0
1914	26 235 403	...	...	1932	32 805 496	62.5	37.5
1915	32 910 508	...	...	1933	34 000 830	...	...
1916	40 545 712	90.0	10.0	1934	38 171 946	...	...
1917	55 292 770	...	...	1935	40 240 563	...	...
1918	63 828 326	81.0	19.0	1936	41 027 915	...	...
				1937	46 906 605	61.0	39.0

FUENTES: Cifras de producción: Miguel Manterola, *op. cit.*, p. 97. Cifras de exportaciones y consumo interno: *Boletín del Petróleo*, Vols. I, XXIV, XXXI, XXXV; Gustavo Ortega, *Los recursos petrolíferos mexicanos y su actual explotación* (México: Talleres Gráficos de la Nación, 1925), p. 43; Merrill Rippy, "El petróleo y la Revolución Mexicana", en *Problemas agrícolas e industriales de México*, Vol. VI, Nº 3, de julio-septiembre de 1954, p. 93; Gobierno de México, *El petróleo de México, recopilación de documentos oficiales de orden económico de la industria petrolera, con una introducción que resume sus motivos y consecuencias*, p. 94.
No se encontraron datos en las fuentes consultadas.

del presidente Abelardo Rodríguez, encaminados a fomentar la creación de empresas petroleras nacionales [26] que atendieran mejor las necesidades del mercado interno, pues el ritmo de las exploraciones era lento y, encontrándose la actividad de la industria petrolera orientada hacia el exterior, algunas regiones alejadas de los centros productores, sobre todo en la costa occidental, tenían que cubrir sus necesidades de combustible con importaciones.[27] A partir de la expro-

[26] Véase el Cap. VIII.

[27] En 1925 el 3% de la demanda interna fue satisfecha con importaciones; para 1928 esta proporción aumentó al 10%, y en 1932 alcanzó el 14%. *Boletín del Petróleo*, Vols. XXII, XXVI y XXXV. Sólo en vísperas de la expropiación, "El Aguila" tendió un oleoducto hacia el interior del país —de Papantla a su refinería en Azcapotzalco— para atender las necesidades locales.

piación de 1938, el destino de la producción petrolera cambió radical mente: la industria se dedicó al abastecimiento de las necesidades del país, no sólo por la pérdida de los mercados extranjeros, sino fundamentalmente por el incremento del consumo interno que trajo consigo la aceleración del ritmo de industrialización promovido por la segunda Guerra Mundial. Después del conflicto, el consumo interno habría de absorber más del 90 % de la producción total.[28]

2. EL DESARROLLO DE LA INDUSTRIA PETROLERA

Entre 1901 y 1938 se pueden observar cuatro etapas del desarrollo de la industria petrolera; la primera coincide con los últimos años del porfiriato y va de 1901 a 1910, período durante el cual la producción es relativamente baja y su ritmo de crecimiento modesto; la segunda etapa puede situarse entre los años de 1911 y 1921: ésta es la época dorada de la industria petrolera (nunca se volverían a alcanzar los niveles de 1921); la producción de los campos mexicanos únicamente fue superada entonces por la de Estados Unidos. En el tercer período, que transcurre de 1922 a 1932, la producción sufre un descenso radical e ininterrumpido. El último período comprende los años que corren de 1933 a 1938, en que la producción experimentó una ligera pero constante mejoría. (Véase el cuadro 1.)

En el período inicial, Doheny y Pearson descubrieron los primeros campos en la zona del Golfo y perforaron los primeros pozos de valor comercial. En un principio, esta modesta producción tuvo un mercado restringido (por entonces sólo se pretendió satisfacer la demanda local), pero el problema desapareció al abrirse el mercado internacional a las empresas que operaban en México. Al finalizar este período, entre 1909 a 1910, algunos de los primeros pozos en explotación fueron invadidos por el agua salada y en consecuencia la producción disminuyó temporalmente, pero en las postrimerías de 1910 y en los once años siguientes se descubrieron las nuevas zonas que permitirían el rápido incremento de la producción.[29]

El hallazgo de los nuevos yacimientos coincidió con el comienzo de la fabricación en serie del automóvil y con la Gran Guerra. El aumento de las reservas mexicanas, combinado con el de la demanda, dio origen a la bonanza por la que atravesó la industria petrolera mexicana entre 1911 y 1921. Al final de la contienda europea los campos mexicanos aportaban el 15.4 % de la producción mundial,

[28] La ausencia de otras fuentes de energía abundantes y baratas en el momento en que México entraba de lleno en la etapa de la industrialización, contribuyó a que la industria petrolera nacionalizada no resintiera, a la larga, la pérdida de sus mercados externos. La dependencia energética de los hidrocarburos ha convertido a México en "el país más petrolero de la tierra". Ernesto Lobato López, "El petróleo en la economía", en México: 50 años de Revolución. La economía (México: Fondo de Cultura Económica, 1960), p. 314.

[29] En 1910 se descubrieron dos importantes zonas petroleras en la cuenca del Pánuco. Éstas, junto con los yacimientos del Álamo y Cerro Azul, descubiertos en 1913 y 1916, respectivamente, serían las fuentes del auge de la segunda época.

porcentaje que se elevó al 25.2 % en el momento más favorable, 1921, cuando el *boom* inicial de Texas desaparecía y el Medio Oriente aún no era explotado a fondo.[30] Si la producción era impresionante, los cálculos que entonces se hacían de las reservas realzaban aún más la importancia de la industria petrolera mexicana, en una época en que se temía una escasez mundial de hidrocarburos.[31] En 1917, cuando se iniciaba la explotación petrolera en Venezuela, se calculaba que México podría producir un millón de barriles diarios en los cuarenta años siguientes. El único obstáculo que entonces se veía era la falta de transportes.[32] La embajada española, interesada en las posibilidades de los campos mexicanos, y tras conocer las opiniones de los expertos, informó a Madrid que México iba en camino de convertirse en el primer productor mundial de hidrocarburos.[33] Doheny vaticinaba que la producción continuaría en aumento durante treinta años más. Se llegó a pensar que sin los campos mexicanos habría una escasez mundial de petróleo.[34] Pero en 1921, cuando la producción alcanzaba su nivel máximo, empezaron a expresarse dudas sobre el brillante futuro que se había augurado. En opinión de ciertos expertos, en uno o dos años más se agotarían los depósitos en explotación sin que se hubieran descubierto aún nuevos campos para sustituirlos.[35]

Cuando en Venezuela se descubrieron los yacimientos del lago de Maracaibo, en 1922, la euforia de los círculos petroleros de México comenzó a desaparecer, y poco tiempo después, ante el ritmo sin

[30] Al concluir este segundo período, las veintiuna principales compañías contaban con 28 terminales en los puertos mexicanos, oleoductos con capacidad para 942 000 barriles diarios y 15 refinerías con capacidad para 400 000 barriles diarios, todo ello para colocar una producción que provenía solamente de 250 pozos, casi todos ellos localizados en cinco campos: los distritos de Ébano (al oeste de Tampico), de Pánuco, de la Huasteca, de Tuxpan y de Telmontepec-Tabasco. Informe de la Asociación de Petroleros de 20 de mayo de 1931. NAW, 812.6363/2731, pp. 5-6; y Carlos Díaz Dufoo, *La cuestión del petróleo*, p. 107.

[31] Este temor surgió durante la primera Guerra Mundial y continuó por algún tiempo, sirviendo de acicate a la competencia entre las compañías norteamericanas e inglesas en el plano mundial. Daniel Durand, *op. cit.*, p. 9.

[32] Opinión de J. C. White, *Boletín del Petróleo*, Vol. III, enero-junio de 1917, tomado del *Boletín de la Unión Panamericana* de julio de 1916. En la memoria presentada a la embajada española en México por el Ing. Miguel Bertan el 3 de julio de 1918, se sostenía el mismo punto de vista. CDHM/R51, Caja 351, Leg. 3, Nº 31. No faltaron cálculos más sobrios pero que también colocaban las reservas mexicanas en posición destacada: en 1920, la Foreign Mineral Section of the United States Geological Survey calculó estas reservas en más de cuatro mil quinientos millones de barriles, y las norteamericanas, que eran las mayores del mundo, en siete mil millones.

[33] CDHM, embajada española a Ministro de Estado, 14 de agosto de 1918, R51, Caja 351, Leg. 3, Nº 39.

[34] Pierre L'Espagnol de la Tramerge, *op. cit.*, pp. 121-124.

[35] NAW, 812.6363/R217/E0817/0818 y 0820. En su informe de 12 de noviembre de 1921, el cónsul norteamericano en Tampico señalaba que las compañías carecían de reservas para continuar tan alto ritmo de producción, pues no habían hecho las exploraciones necesarias "por la incertidumbre política" [?]. De todas formas, decía, era seguro que los días de las grandes ganancias con poco esfuerzo habían pasado; las futuras exploraciones serían más costosas, por ello las compañías estaban abandonando la competencia y uniendo sus esfuerzos. NAW, 812.6363/R219/E0846-0848.

precedentes del descenso de la producción, cedía el campo a un franco pesimismo; en 1924 la producción mexicana había bajado al 13.7 % de la mundial, y para 1930 esta proporción se había reducido al 3 %, debido no solamente a la disminución de la producción local sino también al aumento de la extracción de petróleo en otras zonas del globo.

Las causas de este descenso vertical de la producción fueron políticas y económicas. Las compañías petroleras y ciertos círculos oficiales de México atribuyeron el fenómeno a motivos de orden político, aunque por razones diversas. Las compañías y sus voceros afirmaban que la hostilidad mostrada hacia ellas por los gobiernos revolucionarios a partir de 1912, había sido causa de que una industria tan floreciente hubiera declinado radicalmente, aunque no explicaron por qué la industria tuvo su época de mayor prosperidad durante el gobierno de Carranza, que fue hostil a los intereses petroleros.[36] El gobierno mexicano y ciertos autores que simpatizaban con su posición también atribuyeron un origen político a la crisis; la baja, según su punto de vista, obedeció al deseo de las compañías de presionar al gobierno mediante la disminución de los impuestos pagados y la creación de desempleo: esperaban así obligar a México a cambiar su legislación constitucional de acuerdo con sus intereses. La sobreproducción mundial, decían, facilitaba este deliberado descenso de la extracción.[37]

Sin negar del todo la validez de los argumentos de ambas partes, es posible afirmar que no fue en los factores de orden político, sino en los de índole técnica y económica donde principalmente se originó la situación. En primer lugar, conviene tener en cuenta que la extraordinaria producción de 1911 a 1921 fue resultado de la explotación intensiva de reservas relativamente modestas;[38] en segundo término, la vasta zona denominada "Faja de Oro", que en 1921 y 1922 fue la primera región productora del mundo, no pudo ser remplazada cuando el agua salada empezó a invadirla, a pesar de que las compañías llevaron a cabo una activa política de exploración, y la producción tuvo que

[36] Las compañías subrayaron que la hostilidad del gobierno mexicano, aunada a la incertidumbre sobre sus derechos a que dio origen la Constitución de 1917, las había obligado a buscar nuevas oportunidades en Venezuela y otros países. Se quejaban, asimismo, de impuestos excesivos, que equivalían —según ellas— al 62 % y al 45 % del valor del petróleo ligero y pesado, respectivamente; de la legislación laboral, de los reglamentos, etc. Informe de la Asociación de Petroleros al gobierno mexicano de 20 de mayo de 1931, NAW, 812.6363/2731; Huasteca Petroleum Company y Standard Oil of California, *Expropiación: Un estudio de los hechos, causas, métodos y efectos de la dominación política de la industria en México* (Folleto), s.p.i. [¿1938?], p. 9; Wendell C. Gordon, *op. cit.*, p. 54.

[37] *El Universal* (2 de noviembre de 1928); Jesús Silva Herzog, *México y su petróleo* (Buenos Aires: Universidad de Buenos Aires, 1959), p. 25. Los círculos oficiales relacionados con el petróleo afirmaron que ante la depresión del mercado petrolero mundial, las compañías habían decidido mantener los campos mexicanos sin explotar, en calidad de reserva. *Boletín del Petróleo*, Vol. xxvii, enero-junio de 1929, p. 169.

[38] En cierta forma, la producción mexicana no correspondió a la realidad. Antonio J. Bermúdez, "The Mexican National Petroleum Industry: A Case Study in Nationalization" (Special issue de *Hispanic American Report*, California: Stanford University, 1963), pp. 202-203.

provenir casi exclusivamente de los viejos pozos.[39] De hecho, el ritmo de inversión en pozos exploratorios y de producción fue el más intenso de toda la historia de la actividad petrolera mexicana. Al fracaso de las nuevas exploraciones debe añadirse la depresión en el mercado petrolero mundial como consecuencia del descubrimiento de nuevos e importantes depósitos en Texas, California y Oklahoma, además del aumento de la producción soviética y venezolana (en 1930, después de los descubrimientos hechos en Texas, el precio del barril de petróleo bajó de un dólar a diez centavos).

A partir de 1922 las compañías dejaron también de hacer nuevas inversiones de capital fijo en México y empezaron a concentrar su atención en Venezuela. Algunas de las empresas medianas abandonaron definitivamente el país.[40] Se cerraron refinerías y terminales, se retiraron oleoductos y se despidió a más de la mitad de los trabajadores; en algunos casos, como el de la Huasteca, se llegó a importar petróleo crudo de Venezuela. Únicamente el petróleo pesado de la región del Pánuco —rico en asfalto— siguió contando con una demanda importante en Estados Unidos.[41] Mientras en algunos círculos petroleros norteamericanos se continuaba pensando en el "potencial ilimitado" de los campos mexicanos, en otros se daba por sentada su bancarrota definitiva.[42]

La baja de las exportaciones petroleras mexicanas, aunada a la situación provocada por la caída general de las exportaciones a Estados Unidos, motivada por la Gran Depresión, dio pie a las compañías para pedir al gobierno mexicano un serio reajuste de su política im-

[39] En 1926, las compañías perforaron 800 pozos, una cifra récord, pese a lo cual no encontraron depósitos tan ricos como los que habían agotado. *Boletín del Petróleo*, Vol. XXXIII, enero-junio de 1927, p. 122, y NAW, 812.6363/R226/E0472. De los informes diplomáticos norteamericanos se desprende que Washington tuvo cabal conocimiento de esta situación. Un memorándum de la División de Asuntos Mexicanos del Departamento de Estado de 8 de abril de 1924, señalaba que la baja de la producción de los campos mexicanos no tenía origen político sino técnico y económico. NAW, 812.6363/R222/E0024-0030. La misma opinión se encuentra expresada en una carta del embajador Morrow a J. R. Clark, funcionario del Departamento de Estado, de 30 de octubre de 1928, NAW, 812.6363/R232/E0085; así como en el informe del cónsul norteamericano en Tampico de 10 de febrero de 1926. NAW, 812.6363/R223/E0954-0955.

[40] La Transcontinental, por ejemplo, cedió en 1929 sus intereses en Tampico a la Huasteca, y la Cortés-Aguada vendió los suyos a "El Águila". Informe del cónsul norteamericano en Tampico de 25 de julio de 1929. NAW, 812.6363/R232/E0517-0519.

[41] Para 1930 se habían cerrado 19 de las 28 terminales que operaban en 1922, la capacidad de los oleoductos se había reducido a 387 000 barriles diarios y sólo se empleaba el 28 % de esta capacidad; de las refinerías únicamente operaban cuatro al 30 % de su capacidad, y el número de obreros en la industria había disminuido [de un máximo estimado en 50 000] a 13 745. Informe de la asociación de Petroleros de 20 de mayo de 1931, NAW, 812.6363/2731, pp. 5-6. Si se desea ahondar en la situación de las compañías al principio de la crisis, en 1923, puede consultarse el informe del Consulado norteamericano en Tampico preparado en enero de 1924. NAW, 812.6363/R226/E0100-0114.

[42] La primera opinión se encuentra en John Ise, *op. cit.*, p. 452 y James Fred Rippy, *The United States and Mexico* (Nueva York: F. S. Crofts and Co., 1931), p. 384; la segunda en Albert D. Brokaw, "Oil", *Foreign Affairs*, Vol. VI (octubre de 1927), p. 93.

positiva. Sólo una disminución radical de los impuestos podría detener las pérdidas que, según ellas, estaban sufriendo, y revivir tan importante actividad; de otra manera no se podría hacer frente al menor coste del petróleo venezolano. De cualquier forma, aseguraban, los viejos tiempos no volverían, pero sí una mediana prosperidad.[43] También sugirieron reformas legales, laborales, etc., de las que dependía, a su juicio, que no se vieran obligadas a abandonar el país.[44] Estos argumentos hicieron mella en el gobierno mexicano, que bajó sus impuestos a la producción petrolera, aunque no en la medida deseada por las compañías.

Fue el descubrimiento y explotación de los depósitos de Poza Rica por "El Águila", en 1933, lo que finalmente detuvo el descenso de la producción mexicana, que entró en un período de relativa recuperación.[45] En esta cuarta y última etapa se estuvo lejos de los niveles alcanzados con anterioridad a 1922. Exceptuando los campos de Poza Rica y "El Plan", todos los yacimientos conocidos estaban en vías de agotamiento, sin que las compañías hubieran mostrado interés por emprender trabajos exploratorios de gran envergadura, a pesar de que se había vuelto a sostener que México aún poseía importantes reservas de combustible. En 1933 las propias compañías señalaron que en el norte de México, en Tampico, en el Istmo y en otras regiones había importantes depósitos aún sin explotar, pero que los bajos precios, las restricciones arancelarias norteamericanas, los impuestos mexicanos y la incertidumbre sobre sus derechos de propiedad, desalentaban su explotación[46] (conviene recordar la falta de interés de las compañías en desarrollar nuevos campos al examinar las causas que condujeron a la expropiación de 1938).

3. LA INVERSIÓN

No hay información disponible que permita conocer con exactitud el monto que alcanzaron las inversiones norteamericanas en la industria

[43] Según cálculos de las compañías, el coste f.o.b. de un barril de petróleo mexicano era de 1.05 dólares en 1931, mientras que en Venezuela se reducía a 0.56 dólares. Sobre todo, decían, el impuesto debía disminuirse cuando se tratara de explotar nuevas zonas, pues de lo contrario no podrían arriesgarse a hacer la enorme inversión que ello requería. Informe de la Asociación de Petroleros de 20 de mayo de 1931, NAW, 812.6363/2731, pp. 6-39.

[44] Informe de la Asociación de Petroleros de 20 de mayo de 1931, NAW, 812.6363/2731, pp. 6-39.

[45] Es posible que el Almirantazgo inglés haya alentado a la Shell a desarrollar este nuevo y rico campo, pues la expansión japonesa en Asia, la guerra civil española, la invasión de Etiopía, etc., pudieron llevar a los estrategas británicos a considerar la conveniencia de contar con reservas de combustible en regiones potencialmente menos peligrosas que el Medio Oriente.

[46] Association of Producers of Petroleum in Mexico, *Current Conditions in Mexico* (Mexico, D. F., June 24, 1933), s.p.i., pp. 37-40. En un informe presentado al embajador Daniels por el agregado comercial de su embajada, se volvía a afirmar que México se encontraba entre los países petroleros más ricos del mundo. Josephus Daniels, *Shirt-Sleeve Diplomat* (Chapel Hill, N. C.: The University of North Carolina Press, 1947), p. 216. En 1943, Graham H. Stuart manifestó una opinión similar. *Latin America and the United States* (Nueva York, Londres: D. Appleton-Century Co., Inc., 1943), pp. 191-192.

CUADRO 2

INVERSIÓN NORTEAMERICANA DIRECTA EN MÉXICO, TOTAL Y EN
LA INDUSTRIA PETROLERA, Y SU PARTICIPACIÓN EN EL CONJUNTO
DE LAS INVERSIONES EN EL PETRÓLEO MEXICANO, 1897-1940
(Valores totales estimados, en millones de dólares)

Años	Inversión norteamericana directa			Inversión en la industria petrolera		
	Total en México	En la Ind. petrolera		Total en México	% norte-americana	% de otros países
		Valor	% del total			
1897	200	1.5	0.75	...	...	...
1908	416	50	20.0	...	...	...
1909	394	...	...	...	...	...
1910	745	15	2.0	...	...	...
1911	794	20	2.5	51.9	38.5	61.5
1912	792	49	6.2	...	...	...
1913	784	...	...	...	58	42.0
1914	587	85	14.4	...	...	...
1915	...	...	...	...	...	...
1916	584	...	...	...	...	...
1917	...	59	...	90.7	65	35.0
1918	...	200	...	266.7	75	25.0
1919	643	200	31.1	...	...	...
1920	535	...	...	...	...	...
1921	652	500	76.0	819.6	61	39.0
1922	...	303	...	522.4	58	42.0
1923	...	500	...	862.0	58	42.0
1924	735	250	34.0	438.6	57	43.0
1925	735	224	30.0	393.0	57	43.0
1926	1 123	231	20.5	405.0	57	43.0
1927	...	...	...	...	...	...
1928	...	303	...	...	...	...
1929	709	206	29.0	...	...	...
1930	672	200	29.7	...	...	...
1931	1 000	...	...	...	...	...
1932	887	...	...	...	...	...
1933	...	142	...	273.1	52	48.0
1934	...	175	...	330.2	53	47.0
1935	652	...	...	...	...	...
1936	479	69	14.0	346	...	...
1937	...	40	...	133.3	30	70.0
1938	...	42	...	107.7	39	61.0
1940	300	5	1.7	...	...	...

... No hay datos en las fuentes consultadas.
FUENTES: Cleona Lewis, *op. cit.*, pp. 606 y 558; Gastón García Cantú, *El pensamiento de la reacción mexicana. Historia documental, 1810-1962* (México: Empresas Editoriales, S. A., 1965), p. 931; Edgar Turlington en Arthur P. Whitaker (ed.), *Mexico Today* (Philadelphia: The American Academy of Political and Social Sciences, 1940), pp. 104-106; Frank Brandenburg, *op. cit.*, p. 206; Frank Tannenbaum, *op. cit.*, p. 231; C. Tomme Calle, *The Mexican Venture; from political to industrial revolution in Mexico* (Nueva York: Oxford University Press, 1953), p. 239; Hubert Herring, *México: la formación de una nación* (Méxi-

petrolera de México entre 1901 y 1938 y, por tanto, es necesario recurrir a muy diversas fuentes —que en más de una ocasión consignan
datos contradictorios— para formar un cuadro que permita apreciar
su evolución. Si bien una estadística así elaborada está sujeta a un
margen de error muy grande, las tendencias generales que revela pueden ser útiles para tratar de analizar el comportamiento de la inversión en el petróleo.

En 1911 el 80 % de la inversión norteamericana e inglesa en México
estaba concentrada en la industria minera y en los ferrocarriles; [47]
en el petróleo se encontraba únicamente el 2.5 % de la inversión norteamericana e inglesa, que estaba dominada en alto grado por los
grupos de Doheny y Pearson.[48] Al poco tiempo, la combinación de
una demanda siempre en aumento y la enorme producción de los

co: Ediciones Minerva, 1943), pp. 79-91; James Neville, *op. cit.*, pp. 62, 115-117;
Luis Nicolau d'Olwer, "Las inversiones extranjeras", en Daniel Cosío Villegas,
Historia moderna de México. El porfiriato: La vida económica (México: Edito-
rial Hermes, 1965), pp. 1137-1141; Samuel E. Morrison y Henry S. Commager,
Historia de los Estados Unidos de Norteamérica, Vol. III (México: Fondo de
Cultura Económica, 1951), p. 20; Josephus Daniels, *Shirt - Sleeve Diplomat*,
p. 213; Merrill Rippy, *op. cit.*, pp. 93-94, 96; William English Walling, *The Mexican Question. Mexico and American - Mexican Relations under Calles and
Obregón* (Nueva York: Robin Press, 1927), p. 159; Miguel Manterola, *op. cit.*,
pp. 38-47; *Boletín del Petróleo*, Vols. X, XIV y XXXIII; Max Winkler, *op. cit.*, p. 225;
AREM L-E 533, T. 1, Leg. 2, f. 195; Leopoldo González Aguayo, *La nacionalización en América Latina* (México, 1965), p. 297; Antonio Bermúdez, *op. cit.*,
p. 27; William S. McCrea, "A Comparative Study of the Mexican Oil Expropiation
(1938) and the Iranian Oil Nationalization (1951)" (Tesis doctoral, inédita:
Georgetown University, Washington, D. C., 1955), p. 43; Upton Close, "La
expropiación petrolera y los Estados Unidos", *Excélsior* (7 de noviembre
de 1938); *New York Times* (23 de marzo de 1923, 10 de diciembre de 1937 y
22 de marzo de 1938); United States Department of Commerce, informe de 7 de
octubre de 1918; United States Tariff Commission, *Foreign Trade of Latin
America* (Washington: U. S. Government Printing Office, 1942), p. 174; Jesús
Silva Herzog y G. W. Stocking, *op. cit.*, p. 512; Manuel González Ramírez, *La
revolución social de México* (México: Fondo de Cultura Económica, 1960),
Vol. I, p. 680; Informe del cónsul norteamericano en Tampico, NAW, 812.6363/
R221/E0041-0042). Ernesto Lobato López, *op. cit.*, p. 323.

NOTA: Para ciertos años existen serias contradicciones en las fuentes consultadas. Según las cifras del cónsul Letcher, citadas por Cleona Lewis, los inversionistas norteamericanos controlaban en 1910 el 58 % de la inversión petrolera
y no el 38.5 % como aparece en la quinta columna del cuadro. Los cálculos hechos
en 1923 por el cónsul norteamericano en Tampico y por el mexicano en Galveston, indican que la inversión norteamericana en la industria petrolera en ese año
oscilaba entre los 500 y 1 000 millones de dólares; aquí se optó por la cifra más
conservadora, por ser más congruente con la serie. Para el año siguiente, McCrea
calculó esa inversión en poco más del doble de lo señalado en el cuadro, y coincide con los datos proporcionados por el Departamento de Comercio de Estados
Unidos para 1919; nuevamente, esta cifra es incongruente con el resto de la serie.
La cifra del monto de la inversión norteamericana en la industria petrolera para
1918, ha sido tomada de la obra de Winkler y pudiera estar un poco inflada.
Para 1938, las compañías calcularon que el valor total de sus bienes expropiados
alcanzaba la cifra de 450 millones de dólares, por lo que la inversión norteamericana vendría a ser de alrededor de 200 millones de dólares, pero este cálculo
incluía el valor del petróleo que permanecía en el subsuelo.

[47] Luis Nicolau d' Olwer, *op. cit.*, pp. 1137-1157.

[48] En 1914, por ejemplo, el grupo de Doheny poseía el 70.5 % de la inversión
petrolera estadounidense en México. Cleona Lewis, *op. cit.*, p. 220.

pozos brotantes hicieron de la inversión petrolera la más dinámica en el país.

Importantes sectores económicos de las naciones industriales sustituyeron el carbón por el petróleo y la electricidad; después de 1910 no existió ya problema alguno de mercado para la producción petrolera, sobre todo después de iniciarse las hostilidades en Europa. En esta época, el 60 % de la inversión norteamericana en el petróleo extranjero se encontraba en México; años después, cuando se inició el descenso en la producción, las empresas norteamericanas empezaron a reinvertir sus utilidades fuera del país. Por ello, aun antes de la gran depresión de 1929, los petroleros habían reducido su inversión real en México. En 1924 los intereses norteamericanos en el país representaban sólo el 24 % de la inversión que Estados Unidos tenía en el petróleo extranjero, y durante la década siguiente el porcentaje se mantuvo prácticamente sin variación.[49] Fue a raíz de esta disminución de la inversión cuando el capital extranjero en México en todas las ramas de la actividad productiva empezó a perder su gran importancia en relación con el nacional.

Cuando las compañías extranjeras operaban en México, las utilidades de la industria petrolera fueron de las más altas obtenidas en el país y en el mundo.[50] Los intereses petroleros hicieron en México una inversión inicial de cien millones de dólares aproximadamente. Esta inversión original y las reinversiones permitieron exportar, por concepto de utilidades, descontada la reinversión, entre mil y cinco mil millones de dólares de 1901 a 1938, según diversos cálculos.[51] De acuerdo con una información proporcionada por Ramón Beteta al embajador Daniels, los diez primeros años de operación bastaron a las compañías para amortizar el capital invertido inicialmente; el resto fue utilidad neta.[52]

Las utilidades experimentaron las mismas variaciones cíclicas que la producción. En promedio, los dividendos obtenidos entre 1910 y 1915

[49] *Ibidem*, pp. 588-589.
[50] "Ganancias fabulosas han sido hechas en el extranjero, particularmente por las compañías mineras y petroleras", decía en 1938 Cleona Lewis refiriéndose a las empresas norteamericanas que habían operado en México y continuaban su actividad en Venezuela, *op. cit.*, pp. 427-428.
[51] Oscar Morineau da la cifra de cinco mil millones de dólares por concepto de utilidades. *The Good Neighbor* (Mexico City, s.p.i., 1938), p. 6; pero según los cálculos de Stocking, basados en Silva Herzog, las utilidades obtenidas por las compañías entre 1901 y 1938 sólo fueron ligeramente superiores a los mil millones de dólares. George Ward Stocking y Jesús Silva Herzog, *Mexican Expropriations. The Mexican Oil Problem* (Nueva York: Carnegie Endowment for International Peace, Division of Intercourse and Education, 1938), p. 512. Paul Boracrès, por su parte, estimó estos beneficios en siete mil cien millones de pesos, que al tipo de cambio de ese momento equivalían a dos mil millones de dólares, *Le pétrole mexicain... un "bien volé?"* (Paris: Les Éditions Internationales, 1939), pp. 95-96. Neville, al calcular en setenta y cinco millones de dólares el promedio anual de los dividendos repatriados por las compañías, hace ascender las utilidades remitidas a dos mil setecientos cincuenta millones de dólares, *op. cit.*, p. 152. Brandenburg habla de ciertas estimaciones según las cuales las compañías obtuvieron un beneficio equivalente a diez veces el capital invertido, *op. cit.*, p. 273.
[52] Carta de Daniels a Hull, 9 de septiembre de 1937; JDP, Caja 750.

fluctuaron alrededor del 8 % del capital invertido; conforme prosperó la industria, el porcentaje se elevó: para 1916 fue de 16 %; al año siguiente llegó a 20 %; en 1918, a 25 %; en 1919 a 45 %, y en los años de 1920 y 1921, los dividendos repartidos oscilaron —una vez cubiertos los gastos y separadas importantes sumas en calidad de reservas y fondo de amortización— entre 45 y 60 %.[53] Examinando el caso particular de "El Águila", la compañía más importante, se encuentra que los promedios citados anteriormente fueron ampliamente superados. Esta compañía empezó a operar con éxito a partir de 1910 y en 1918 sus utilidades fueron del orden del 177 %, puesto que pagó dividendos del 77 % después de haber hecho una reserva del 100 %; en 1920, con una utilidad de veintiocho millones de dólares, pagó un 60 % a las acciones preferentes y 206 % y 18 % a las comunes.[54]

A partir de 1922 la rentabilidad de la inversión petrolera disminuyó, sin que por ello dejara de ser altamente redituable. En 1926, la Standard (N. J.) y la Shell informaron haber tenido pérdidas en sus operaciones en México, y desde esa fecha hasta 1936 sólo admitieron la obtención de un modesto beneficio promedio de 4.25 %.[55] Sin embargo, ciertos estudios sobre el particular señalan que en los años de 1930 a 1938 los beneficios de esta inversión fueron del 16.81 % y aun superiores.[56]

4. LA INDUSTRIA PETROLERA Y LA ECONOMÍA NACIONAL

Una de las conclusiones que resultan del examen de la inversión privada directa de capital extranjero en las primeras décadas de este siglo, señalan los profesores Mikesell y North en su obra *U. S. Private and Government Investment Abroad,* es que aquellas que se concentraron en la producción de materias primas destinadas a la exportación fueron de poca utilidad para las economías de los países subdesarrollados en que operaban, debido a que no condujeron o fueron acompañadas de un desarrollo significativo de otros sectores de la economía del país receptor de capital o de la creación de obras de

[53] México. Cámara de Senadores, *El petróleo: La más grande riqueza nacional,* p. 300. Estas estimaciones pueden parecer exageradas; sin embargo, conviene tener en cuenta que *The Economist* señaló que en el período 1919-1920 la industria petrolera mundial había tenido uno de los más elevados índices de utilidades, con un promedio de 33.9 %. Díaz Dufoo, *La cuestión del petróleo,* p. 340; Manuel López Gallo, *Economía y política en la historia de México* (México: Ediciones Solidaridad, 1965), pp. 438-439.

[54] *Boletín del Petróleo,* Vol. III, enero-junio de 1917, p. 471; J. Vázquez Schiaffino, *Petroleum,* Vol. VII (Chicago, agosto de 1919), p. 104; Pierre L'Espagnol de la Tramerge, *op. cit.,* p. 120; Manuel de la Peña, *La cuestión palpitante...,* p. 107 y Paul Boracrès, *op. cit.,* p. 9.

[55] Manuel González Ramírez, *El petróleo mexicano: La expropiación petrolera ante el derecho internacional* (México: Editorial América, 1941), p. 21.

[56] Estimaciones de Boracrès, citadas por López Gallo, p. 447. Para el período comprendido entre los años de 1934 y 1936, Lobato calculó los beneficios en relación con el capital invertido en 32 %, 39 % y 31 %, respectivamente, *op. cit.,* p. 323.

infraestructura.[57] Es difícil suponer que en México la industria petrolera se haya sustraído a lo que parece ser una regla general.

No existe material estadístico disponible para examinar en forma adecuada la influencia de la industria petrolera en la economía mexicana.[58] Puede suponerse que hubo una contribución de la industria petrolera a otros sectores de la economía —en la misma forma que el pago de impuestos, regalías, sueldos y salarios fue una contribución al gasto nacional—, en la medida en que los ingresos en divisas derivados de la exportación de petróleo fueron superiores a la salida de utilidades netas, situación por lo demás difícil de averiguar puesto que no existen las cifras necesarias. De igual importancia es tener en cuenta que el mucho o poco beneficio que la economía nacional recibió de la actividad petrolera dependió también de la medida en que existió una política del sector público en función del desarrollo.

De cualquier modo, la contribución de la actividad petrolera al progreso económico del país no parece haber correspondido a la magnitud de sus ingresos. Como puede verse en el cuadro siguiente, el

CUADRO 3

PARTICIPACIÓN DEL SECTOR PETROLERO EN EL PRODUCTO
NACIONAL BRUTO DE MÉXICO, 1901-1937
(Millones de pesos de 1950)

Años	Producto nacional bruto	Petróleo	% del total	Años	Producto nacional bruto	Petróleo	% del total
1901	10 741	*	—	1924	15 159	851	5.61
1902	9 975	*	—	1925	16 102	737	4.58
1903	11 092	*	—	1926	17 335	647	3.73
1904	11 287	1	0.01	1927	16 932	436	2.57
1905	12 460	1	0.01	1928	17 240	359	2.08
1906	12 319	2	0.02	1929	16 666	326	1.96
1907	13 042	5	0.04	1930	15 538	321	2.06
1908	13 022	21	0.16	1931	16 106	261	1.62
1909	13 405	14	0.10	1932	13 494	269	1.99
1910	13 524	19	0.14	1933	14 943	297	1.99
1921	14 560	1 007	6.92	1934	15 927	354	2.22
1922	14 988	949	6.37	1935	17 039	362	2.12
1923	15 411	937	6.08	1936	18 491	338	1.83
				1937	19 120	387	2.02

* Menos de 500 000 pesos.
FUENTE: Enrique Pérez López, "El producto nacional", México: 50 años de Revolución. Vol. I. La economía (México: Fondo de Cultura Económica, 1960), pp. 587-588.
NOTA: De 1911 a 1920 no se encontraron datos en la fuente.

[57] Raymond F. Mikesell (ed.), U. S. Private and Government Investment Abroad (Oregon: University of Oregon, 1962), pp. 5-6 y 32-34.
[58] Jesús Silva Herzog Flores, Consideraciones sobre la industria petrolera y el desarrollo económico de México (México, s.p.i., 1957), p. 42.

reducido grupo de grandes empresas extranjeras que controlaba la extracción de petróleo llegó a tener una participación apreciable —más del 6 %— en el producto nacional bruto a principios de la década de los años veinte.

La aportación de la actividad petrolera al presupuesto del gobierno federal que, según las cifras disponibles, fue de un 10.8 % en 1918 y que llegó hasta un máximo de 33.6 % en 1922 (véase cuadro 4), no debe subestimarse. Aunque en los años que siguieron esta contribución sufrió un descenso notable, los gobiernos de los presidentes Calles y Cárdenas —que llevaron a efecto los más importantes programas de inversión en infraestructura entre los que pusieron las bases del desarrollo posterior de la economía mexicana— obtuvieron entre una quinta y una octava parte de sus ingresos de los impuestos a la producción, consumo y exportación de petróleo (conviene tener en cuenta, por lo que se refiere al impuesto al consumo, que no se trató de una verdadera contribución de la industria petrolera a los ingresos fiscales, sino del consumidor).

La historia de la forma en que se reguló el pago de los impuestos de las compañías petroleras al gobierno federal es parte de la historia del acomodo constante de intereses en pugna. Antes de la Revolución, las fuentes de ingresos del gobierno eran principalmente los gravámenes a las importaciones y exportaciones y el impuesto del timbre. Con el nuevo régimen, los gastos públicos se acrecentaron; para hacerles frente se recurrió al aumento de los impuestos tradicionales y a la creación de otros nuevos: impuestos a la explotación de recursos naturales, a la propiedad, etc. Entre las nuevas fuentes de ingresos se destacaron los gravámenes a la actividad petrolera.

Durante la administración del presidente Díaz, la industria del petróleo había disfrutado de una exención fiscal casi absoluta: únicamente tenía que hacer un pequeño pago por concepto de impuesto del timbre. Fue Madero quien estableció, en 1912, un impuesto a la producción petrolera —veinte centavos por tonelada— que el gobierno de Victoriano Huerta aumentó poco después. En 1914, Carranza, siguiendo una política impositiva más radical, estableció un nuevo impuesto, llamado "de barra", a la exportación del combustible. Ya promulgada la Constitución de 1917, se reformó el sistema impositivo de la industria petrolera y los gravámenes fueron calculados de acuerdo con el valor de cada uno de los productos. El nuevo sistema continuó en vigor hasta la expropiación, aunque fue reformado nueve veces entre 1917 y 1931, y el porcentaje aumentó o disminuyó según las necesidades económicas y políticas del momento. El gobierno, que consideraba al Estado como propietario de todos los recursos petrolíferos, quiso cobrar regalías, pero tal medida nunca pudo ponerse en vigor debido a presiones políticas contrarias. Un impuesto adicional, decretado en 1921, tuvo que ser derogado al año siguiente por las mismas razones. En 1925 se estableció un gravamen sobre el consumo de gasolina y en 1934 otro sobre fondos petroleros.[59]

---

[59] Para un estudio más completo sobre este particular, puede consultarse a

Cuadro 4

INGRESOS EFECTIVOS DEL GOBIERNO FEDERAL E IMPUESTOS
TOTALES PAGADOS POR LA INDUSTRIA PETROLERA
EN MÉXICO, 1912-1937
(Miles de pesos de cada año)

Años (1)	Ingresos efectivos del gobierno federal (2)	Impuestos totales pagados por la industria petrolera (3)	Por ciento (3)/(2)
1912	...	494	—
1913	...	767	—
1914	...	1 234	—
1915	...	1 943	—
1916	...	3 088	—
1917	...	7 553	—
1918	111 182	12 008	10.8
1919	130 980	17 332	13.2
1920	238 243	51 314	21.5
1921	279 833	62 725	22.4
1922	261 252	87 779	33.6
1923	266 955	62 394	23.4
1924	266 907	56 467	21.1
1925	317 315	46 798	14.7
1926	312 018	41 438	13.3
1927	306 873	25 538	8.3
1928	310 739	18 349	5.9
1929	322 335	19 390	6.0
1930	299 499	22 372	7.5
1931	256 089	22 236	8.7
1932	212 347	24 211	11.4
1933	228 010	27 935	12.1
1934	309 127	45 610	14.7
1935	330 602	41 618	12.6
1936	385 175	50 012	13.0
1937	451 110	57 998	12.8

No hay datos en las fuentes consultadas.

FUENTES: *Ingresos efectivos del gobierno federal.* Secretaría de Hacienda y Crédito Público, Dirección General de Ingresos, *Egresos e ingresos del gobierno federal*, 1900-1958 (México, 1959, Mimeo.); *Impuestos pagados por la industria petrolera*, Gobierno de México, *El petróleo de México*..., pp. 18-19; Guy Stevens, *Current Controversies with Mexico. Addresses and Writings*, s.p.i., p. 280; *Boletín del Petróleo*, Vol. xv (enero-julio de 1923), p. 339; Miguel Monterola, *op. cit.*, pp. 55 y 385; México, Cámara de Senadores, Sección de Estadística y Anales de Jurisprudencia, *El petróleo: La más grande riqueza nacional* (México, s.p.i., 1923), p. 288; Documento de la Asociación de Petroleros de 20 de octubre de 1922, NAW, 812.6363/R218/E0003.

Los impuestos pagados por la industria petrolera al gobierno de
México fueron relativamente bajos durante el período estudiado puesto que, por una parte, no representaron sino una cuarta parte de los

Miguel Manterola, *op. cit.*, pp. 312 *ss.*; Wendell C. Gordon, *op. cit.*, pp. 59-62 y Joaquín Santaella, *op. cit.*, pp. 39-42.

gravámenes pagados por los productores en Estados Unidos [60] y, por otra, las compañías que operaban en México pagaron mayores impuestos sobre el combustible extraído en este país al fisco norteamericano que al mexicano, por lo menos en ciertos períodos.[61] Los impuestos totales de cada año pagados por la industria petrolera en México, convertidos a dólares, hacen un total de 275 millones. Si las utilidades de esta industria antes del pago de los impuestos fueron de 1 275, 2 275 ó 5 275 millones de dólares, según los distintos cálculos ya mencionados, ello significa que las compañías pagaron al fisco el 21.5 %, 12 o 5 % de sus utilidades, según la cifra que se tome; a pesar de ello, desde 1912 hasta la expropiación, las empresas se quejaron de su elevado monto.

Los impuestos también se emplearon con algún éxito para evitar desperdicios y obligar a las compañías a refinar en el país la mayor cantidad posible de petróleo antes de exportarlo; en esta forma hubo un aumento en la aportación de la actividad petrolera a la economía nacional (situación que no perjudicó a las empresas productoras, que redujeron así sus costos de transporte por unidad de producto). La capacidad de refinación de la industria petrolera en México fue en aumento hasta 1926; después hubo un descenso que no se detuvo sino hasta 1933. En 1916 existían únicamente cuatro refinerías; en 1921 ya había catorce; tres años más tarde, diecinueve —dos de ellas se encontraban entre las mayores del mundo— y en 1926, veinte; casi todas ellas localizadas junto a los puertos de embarque. Para 1929 la crisis en la producción había reducido su número a dieciséis, y en 1933 a quince, pero con el descubrimiento de Poza Rica la capacidad de refinación volvió a ascender. Las primeras refinerías que se establecieron en México fueron plantas de destilación primaria en donde se obtenía gasolina, kerosén y petróleo combustible, este último empleado principalmente por los ferrocarriles. Bastantes años después aparecieron las plantas de destilación desintegrante junto a otras destinadas a aprovechar los gases y producir asfalto.[62]

A partir de 1910 se aspiró a que el petróleo pudiera ser destinado preferentemente a satisfacer las necesidades internas en vez de ser fuente de energía para la economía extranjera,[63] pero fue sólo hasta los años treinta, como ya se dijo, cuando la baja de la producción y

---

[60] Gobierno de México, *El petróleo de México...*, p. 78.

[61] En 1919, por ejemplo, la Mexican Petroleum, de Doheny, pagó por concepto de impuesto sobre el combustible mexicano introducido a Estados Unidos, dos millones de dólares a México y cinco a Norteamérica. México, Cámara de Senadores, *El petróleo: La más grande riqueza nacional*, p. 121.

[62] *Boletín del Petróleo*, Vols. I, X, XI, XVIII, XXIV, XXXIII y XXXV; Gustavo Ortega, *op. cit.*, pp. 10-11 y Gobierno de México, *El petróleo de México...*, pp. 113-117.

[63] En 1917 un editorial del *Boletín del Petróleo* declaraba: "...si no es posible refinar en México el petróleo y utilizar sus productos en las industrias mexicanas, vale más que el subsuelo conserve la herencia de las edades prehistóricas para otras generaciones del porvenir". Veinte años más tarde, en un informe sobre el estado de esa industria rendido por peritos oficiales se recomendó: "...ojalá que a la postre se consiga que la totalidad o la mayor parte al menos de estos valiosos productos [los petroleros] se consuman en el país", Gobierno de México, *El petróleo de México...*, p. 94.

el desarrollo interno dieron lugar a que la destinada al mercado nacional alcanzara una proporción apreciable del total. Entre 1925 y 1937 el gas y el petróleo suministraron el 46 % de la energía consumida.[64] Por otra parte, la actividad petrolera generó ingresos por concepto de pago de salarios, rentas y regalías; desafortunadamente, no se encontraron datos relativos a las nóminas de sueldos y salarios pagados por las compañías petroleras, de manera que no es posible reconstruir este importante renglón de su actividad. Sólo se ha podido obtener una estimación de los pagos hechos a la mano de obra nacional para fechas aisladas; por ejemplo, para 1936 se estimaba el número de trabajadores petroleros en aproximadamente 14 000 y el total de salarios y prestaciones en 49 millones de pesos, cifra que al año siguiente ascendió a 55 millones de pesos, o sea un monto de cierta consideración para la época. Es posible que los ingresos generados en México por este concepto hayan tenido una importancia relativa mayor en años anteriores; baste considerar que en la época de mayor producción se calculó que la actividad petrolera ocupaba entre 30 y 50 000 obreros, aunque pasado este período la cifra se redujo en más de la mitad; en 1927 sólo había 12 500 trabajadores ocupados en la actividad petrolera.[65]

Tampoco se cuenta con una estimación del monto total de alquileres y regalías pagados por la industria del petróleo. Grandes extensiones de terrenos fueron arrendadas por las compañías en lugar de adquirirlas en propiedad; en algunos casos se estipuló una renta fija que variaba entre 2.5 y 200 dólares anuales por hectárea; en otros, se acordó el pago de regalías que iban del 5 al 15 % del valor de la producción.[66] A mediados de la década de 1930, "El Águila", la mayor de las empresas, pagaba por este concepto entre cuatro y cuatro y medio millones de pesos anuales.[67] En ciertos casos particulares la compensación fue realmente ridícula; por ejemplo, las rentas totales del campo de "Cerro Azul", del que la Huasteca extrajo 182 millones de barriles, fueron únicamente 200 000 pesos. El propietario de un lote petrolero en Chinapa, Ver., del que se extrajeron 75 millones de barriles, obtuvo en pago 150 pesos anuales mientras duró la explotación.[68] Cuando la Constitución de 1917 devolvió a la nación sus derechos sobre el subsuelo, las compañías se encontraban ya prácticamente en posesión de todas las zonas que habrían de explotar hasta 1938. Oficialmente se reconoció que para 1917 las compañías tenían

[64] Jesús Silva Herzog Flores, op. cit., p. 40. Hasta 1931 únicamente el 15 % del petróleo extraído se había destinado al consumo interno, El Universal (25 de febrero de 1931); en 1936, el 43 % de los productos petroleros refinados se consumían en el país; Wendell C. Gordon, op. cit., p. 80.

[65] Jesús Silva Herzog, Historia de la expropiación petrolera (México: Cuadernos Americanos, 1963), p. 76; Guy Stevens, op. cit., p. 136; Joaquín Santaella, op. cit., pp. 54-56 y Miguel Manterola, op. cit., pp. 70-74.

[66] CDHM, Memoria del Ing. Miguel Bertan a la embajada española, 3 de julio de 1918, R51, Caja 351, Leg. 3, Nº 931.

[67] Miguel Acosta Saignés, Petróleo en México y Venezuela (México: Ediciones Morelos, 1941), p. 16.

[68] Josephus Daniels, Shirt-Sleeve Diplomat, pp. 213-214.

en propiedad o bajo arriendo 6 222 063 hectáreas.[69] Con posterioridad a la reforma petrolera obtuvieron en concesión dos millones de hectáreas más, pero sus actividades siempre se mantuvieron centradas en los terrenos adquiridos antes de 1917. Como ya se señaló, las diversas zonas productoras estuvieron concentradas en la faja costera del Golfo de México, debido principalmente a que las exploraciones hechas en otras regiones del país, como Baja California, Sonora, Chiapas y Yucatán, resultaron infructuosas.[70]

Un aspecto de la contribución de la industria petrolera al desarrollo de la economía mexicana difícil de traducir en cifras es el relativo a la introducción de la tecnología moderna. En realidad, una gran proporción de las plazas que requirieron una alta capacitación técnica fueron ocupadas por extranjeros; sin embargo, hubo cierta filtración de conocimientos técnicos hacia los obreros y empleados nacionales que permitió mantener la industria en marcha después de marzo de 1938.

Desde que brotó el primer pozo hasta el momento de su expropiación, las compañías extrajeron casi dos mil millones de barriles de petróleo; las circunstancias en que esta producción tuvo lugar llevan a varias conclusiones: la primera es que desde la Gran Guerra hasta 1922, los campos petroleros mexicanos tuvieron importancia mundial por haber sido vitales para la economía de ciertos países industriales de Occidente. En buena parte debido a ello, la rentabilidad de la inversión en el petróleo mexicano fue una de las mayores del globo; sin embargo, después de 1922, ambas situaciones tendieron a desaparecer ante una radical baja de la producción. Una segunda conclusión muestra la dificultad de apoyar tanto el punto de vista de las compañías, o sea que México compartió plenamente los beneficios de su prosperidad, cuanto el punto de vista contrario, en el sentido de que las empresas petroleras hicieron una contribución de poca importancia a la actividad económica del país. Cabe señalar, en tercer lugar, que la mayor parte de los ingresos generados por la explotación de los hidrocarburos mexicanos se remitieron fuera del país, principalmente bajo la forma de utilidades, sin dejar una compensación adecuada que justificara la explotación intensiva que se hizo de tan importante recurso natural no renovable.[71]

[69] Association of Producers of Petroleum in Mexico, *Current Conditions in Mexico*, pp. 37-40. Sin embargo, las empresas no admitieron este cálculo, pues al ser expropiadas aún reclamaban la propiedad de dieciocho millones y medio de hectáreas más, adquiridas antes de mayo de 1917, Ernesto Lobato López, *op. cit.*, p. 323 y Miguel Manterola, *op. cit.*, pp. 30-36.

[70] NAW, 812.6363/R232/E0354-0355, cónsul en Yucatán a Departamento de Estado, 6 de diciembre de 1928; 812.6363/R232/E1061, cónsul en Mexicali a Departamento de Estado, 24 de julio de 1923; y 812.6363/R232/E1035, cónsul en Nogales a Departamento de Estado, 3 de junio de 1920. Estos intentos dieron lugar a la formación de la Compañía Petrolera de la Baja California y la Yucatan Petroleum Corporation.

[71] En 1937 el valor total neto de las exportaciones petroleras fue de 40 millones de dólares, de los cuales 17.6 millones fueron remitidos al exterior, Emilio Alanís Patiño, *op. cit.*, p. 56.

CAPÍTULO II

EL ESTABLECIMIENTO DE LAS PRIMERAS EMPRESAS PETROLERAS (1900-1914)

En gran medida el sistema político del porfiriato fue producto de la aceptación y desarrollo de las teorías liberales y positivistas europeas del siglo XIX por la *élite* gobernante (con algunas salvedades, como la protección arancelaria a ciertos productos agrícolas). El Estado fue esencialmente el hacedor y mantenedor de un clima de orden destinado a permitir el desenvolvimiento del sector privado nacional y extranjero en el país. El régimen del general Díaz no se concretó a pacificar la nación, sino que puso fin a las barreras internas, creadas por los intereses locales, que impedían la creación de un mercado nacional; logró que México ingresara definitivamente a la era del ferrocarril y sentó las bases de la futura industrialización del país. Esta política, combinada con un aumento en los precios de ciertas exportaciones mexicanas, dio por resultado la reanudación del crecimiento económico interrumpido alrededor de 1808 o 1810.[1] Sin embargo, la especial distribución de la riqueza propiciada por el sistema resultaba de poco beneficio a los grandes núcleos de población; más aún, posiblemente a partir de 1890 declinó el nivel de vida de las mayorías.[2]

El sistema porfirista hizo caso omiso de la difícil situación económica de la inmensa población campesina, de la naciente clase obrera y, en cierta forma, de la clase media; sus mejores esfuerzos estuvieron encaminados a favorecer y eliminar obstáculos a la expansión del capital extranjero y nacional y al sistema de haciendas (lo cual dio, entre otros resultados, que el 80 % de la población campesina careciera de tierra). Pese a ello, al final, tanto el capital extranjero como los hacendados, perdieron confianza en el régimen del cual eran los pilares fundamentales. Por lo que hace al capital extranjero, principalmente el norteamericano, esta pérdida de confianza se debió a ciertas medidas de control gubernamental, así como a la clara preferencia dispensada al capital europeo en un intento de contrarrestar la influencia de los empresarios estadounidenses. Los hacendados, por su parte, se resintieron ante los resultados de la incipiente industrialización y mejoramiento de los medios de transporte y de los salarios, que influían desfavorablemente sobre la inmovilización de la mano de obra campesina —factor inherente a su sistema— y tendían a producir un aumento general de los jornales.[3] Este estado de cosas, aunado

[1] Fernando Rosenzweig, "El desarrollo económico de México de 1877 a 1911", *El Trimestre Económico*, Vol. XXXII (julio-septiembre de 1965), pp. 405-406. Durante el porfiriato, mientras el crecimiento demográfico registró una tasa de 1.4 % anual, el del producto nacional fue de 2.7 %.

[2] Raymond Vernon, *The Dilemma of Mexico's Development* (Cambridge, Mass.: Harvard University Press, 1963), p. 53.

[3] *Ibidem*, pp. 51-53.

a la desesperada situación de los grupos económicamente débiles, habría de dar al traste con el sistema porfirista.

1. EL CAPITAL DEL EXTERIOR

En términos generales, es posible considerar la inversión extranjera y las exportaciones como los motores del sistema económico porfirista; no hay exageración al señalar que "el papel asignado a los extranjeros en el desarrollo interno de la economía mexicana por el presidente Díaz, tiene muy pocos paralelos en la historia de los Estados modernos".[4] El enorme incremento de las inversiones extranjeras (entre 1897 y 1911 las norteamericanas pasaron de 200 millones de dólares a 1 100 y las británicas aumentaron de 164 a 300 millones de dólares entre 1880 y 1911) tuvo su origen, en el plano interno, en el restablecimiento del orden y en las facilidades fiscales y de otro tipo que se dieron a los inversionistas extranjeros; ello coincidió con la expansión económica europea y norteamericana, que permitió invertir en el exterior parte del capital acumulado. Los inversionistas extranjeros concentraron su interés en los ferrocarriles, la minería, el sector fabril, las finanzas y en ciertas actividades agrícolas, comerciales y de servicios públicos. La naciente industria petrolera, como ya se ha visto, quedó prácticamente dominada desde sus inicios por el capital norteamericano e inglés al igual que la minería en el último tercio del siglo xix. Esta desnacionalización de la economía, como la llama Silva Herzog, tuvo varias consecuencias:[5] en lo político, su importancia fue tal, que si la tranquilidad pública en un principio fue un medio para lograr la atracción de capitales foráneos, al final ésta dependía del apoyo que dieran los intereses extranjeros al régimen. De no haberse modificado esta situación, los "científicos" hubieran corrido el peligro de quedar subordinados totalmente a los empresarios extranjeros, especialmente norteamericanos.[6] Desde el punto de vista económico, dio origen a situaciones diversas: por una parte, creó una cierta infraestructura e introdujo al país en la era industrial; por otra, tal progreso en poco benefició a los grandes sectores de la población; además, creó una economía dual, pues el capital extranjero desarrolló muchas actividades cuya demanda era casi exclusivamente de origen externo, muy desligadas del mercado interno y de la economía nacional en general. El caso del petróleo fue ilustrativo de esta tendencia.[7]

[4] *Ibidem*, pp. 43, 57.
[5] Jesús Silva Herzog, *Meditaciones sobre México, notas y ensayos* (México: Cuadernos Americanos, 1948), p. 23.
[6] Al describir la pirámide social de México, en 1909, Molina Enríquez señaló: "El elemento de raza colocado más arriba, la casta superior, es en realidad, ahora el elemento extranjero... y dentro de este elemento, dividido como está en sus dos grupos, el norteamericano y el europeo, está colocado como superior el norteamericano." Andrés Molina Enríquez, *Los grandes problemas nacionales* (México: Imprenta de A. Carranza e Hijos, 1909), p. 215.
[7] El aumento de las exportaciones mexicanas en esa época coincidió con el ingreso de los capitales externos, pues lo uno dependió de lo otro.

2. LAS PRIMERAS EMPRESAS PETROLERAS

El hecho de que fuera capital extranjero y no nacional el que desarrollara esa industria, tiene una doble explicación: en primer lugar, en los círculos mexicanos enterados —con algunas excepciones— se consideró durante algún tiempo que el país no poseía una riqueza petrolera digna de ser tenida en cuenta; en segundo lugar, dado que el capital nacional era escaso, y que las exploraciones y la inversión en refinerías, oleoductos, equipos, etc., requerían grandes capitales, los pocos empresarios nacionales con recursos suficientes para emprender estas actividades, rara vez dieron muestra de estar dispuestos a comprometerse en una empresa que, por entonces, parecía ser de dudosos resultados. Así pues, era natural que una persona como Doheny, con un capital y experiencia adquiridos en la explotación del petróleo en Estados Unidos, fuera el primero en desarrollar los yacimientos de hidrocarburos mexicanos. En los primeros años de actividad petrolera es posible apreciar dos etapas: inicialmente, los intereses norteamericanos fueron los predominantes; la segunda etapa principió cuando el capital inglés, a través de Pearson, se estableció definitivamente en este campo. Doheny llegó a México al iniciarse este siglo por invitación del Central Mexican Railroad, al que interesaba la posibilidad de obtener un combustible más barato que el carbón.[8] El embajador Clayton le introdujo en los círculos oficiales mexicanos y el presidente Díaz le alentó en su empresa, no sin pedirle que si decidía poner a la venta sus intereses los ofreciera primero al gobierno mexicano, pues no le agradaba la posibilidad de que pasaran a manos de un gran monopolio como la Standard Oil.[9] Este apoyo oficial le reportó importantes ventajas, entre otras, una casi completa exención de impuestos. Entre 1901 y 1903 las perforaciones de la Mexican Petroleum Co. (que Doheny formó en Estados Unidos) resultaron infructuosas, mas a partir de 1904 no tardaron en multiplicarse los hallazgos. Con los terrenos de su propiedad, Doheny organizó la famosa Huasteca Petroleum Co., y con los arrendados, la Tamiahua Petroleum Co. y la Tuxpan Petroleum Co. Con el tiempo, Doheny —que también poseía intereses fuera de México— habría de convertirse en el empresario petrolero más importante. de Norteamérica después de Rockefeller.[10] Los pasos de Doheny fueron seguidos rápidamente por la Oil Fields Co., inglesa, y la Standard Oil Co. of Mexico, pero el único empresario que rivalizaría con el magnate norteamericano sería un acaudalado constructor de ferrocarriles: Pearson. Este hábil súbdito británico

[8] N. B. Tanner, *Diplomacy of the Expropriation of the American Oil Industry in Mexico* (tesis de maestría inédita: Texas College of Arts and Industries, Kingsville, Texas, 1940), pp. 5-6.
[9] Luis Nicolau d'Olwer, *op. cit.*, p. 1127.
[10] Para un estudio más amplio de este tópico, además de las ya citadas declaraciones de Doheny ante el "Fall Committee", se puede consultar Moisei S. Alperovich y Boris T. Rudenko, *La revolución mexicana de 1910-1917 y la política de los Estados Unidos* (México: Editorial Popular, 1960); José Domingo Lavín, *Petróleo*; Miguel Manterola, *op. cit.*, y Luis Nicolau d'Olwer, *op. cit.*, entre otros.

inició sus actividades petroleras mientras construía el Ferrocarril de Tehuantepec; en 1902, y como una empresa marginal, procedió a efectuar algunas exploraciones petroleras en el Istmo. En un principio, Pearson pensó arriesgar únicamente millón y medio de libras esterlinas en la aventura (ya entonces poseía una fortuna lo suficientemente grande para permitirse correr ese riesgo sin preocupación); pero antes de que la empresa tuviera éxito hubo de invertir cinco millones de libras.[11] Pearson, al igual que Doheny, obtuvo el favor gubernamental, que también se tradujo en exenciones de impuestos.[12] En 1908 organizó la Compañía Mexicana de Petróleo "El Águila" (en un principio se llamó Mexican Eagle Co.) que poco después absorbió a otras empresas menores. Fue entonces cuando sus ingenieros hicieron brotar el famoso "Dos Bocas", pozo con el que se inició la etapa de la gran producción petrolera. Si Pearson contó con el favor de Díaz, no fue únicamente porque entre los directores de su compañía figurara el hijo del dictador, sino por el ya mencionado deseo del régimen de mantener un cierto equilibrio entre las influencias extranjeras, contraponiendo a los intereses norteamericanos los europeos.[13]

3. LA LEGISLACIÓN SOBRE LOS HIDROCARBUROS

La legislación porfirista en materia petrolera rompió con la tradición que había imperado en México desde la Colonia. En un principio, tal rompimiento fue resultado lógico de la política liberal del régimen, que evidentemente no se percató de las posibilidades de esa industria. Hasta 1884, los derechos sobre las riquezas del subsuelo estuvieron reservados al monarca primero y a la nación después; [14] en ese año,

[11] Información más amplia sobre los inicios de Pearson en la actividad petrolera se halla en la obra ya citada de Desmond Young, pp. 119-139.

[12] En 1906, Pearson firmó un contrato con el gobierno en virtud del cual se comprometió a dar al Estado, por concepto de regalías, un 10 % sobre el valor de la producción obtenida en terrenos de propiedad nacional; pero a cambio de ello, pidió y obtuvo una completa exención impositiva. A última hora, mediante el soborno de un miembro del Congreso, logró que se añadiera al documento una cláusula según la cual esta exención seguiría operando aún en el caso de que la explotación fuese hecha en terrenos particulares. Pearson nunca explotó los terrenos federales. Jesús Silva Herzog, *México y su petróleo*, p. 28.

[13] Daniel Cosío Villegas, *Historia moderna de México. El Porfiriato: vida política exterior. Parte segunda* (México: Editorial Hermes, 1963, pp. xxii-xxiii); James Neville Tattersall, *op. cit.*, pp. 128-129.

[14] La legislación minera española —pensada primordialmente en relación con los metales— reservó al monarca el patrimonio sobre todos los minerales. Las ordenanzas de Aranjuez de 1793 —primera legislación minera exclusiva para la Nueva España— conservaron este principio. Las compañías petroleras sostendrían más tarde que, diez años después de su promulgación, cuando Carlos IV cedió al terrateniente sus derechos sobre el carbón, también cedió sus derechos sobre el petróleo, en su calidad de combustible mineral; de ahí llegaron a la conclusión de que al firmarse en 1836 el Tratado de Paz y Amistad entre España y México, traspasando los derechos de la corona a la nación mexicana, el petróleo ya no se encontraba entre ellos, sino en manos de los superficiarios y, por tanto, la nación nunca los tuvo. Independientemente de que esta interpretación no tomó en cuenta que las disposiciones de Carlos IV fueron dadas únicamente para la metrópoli, tampoco hace hincapié en que el presidente Juárez claramente estableció que el carbón,

siendo presidente Manuel González, se dictó la primera ley minera del México independiente, que en su artículo 10, fracción IV, y a semejanza de la legislación francesa, declaró que el carbón y el petróleo eran propiedad exclusiva del superficiario. Sin discusión en el Congreso, con el deseo de fomentar la producción de combustible para los ferrocarriles, se privó a la nación su antiguo derecho sobre el petróleo.[15] Contrariamente a lo que algunos autores han afirmado, esta primera ley no pudo ser producto de las presiones de los petroleros, pues las compañías productoras aún no se establecían en México; fue un simple reflejo de la filosofía liberal entonces prevaleciente.[16]

El segundo código minero, que entró en vigor en 1892, contradijo en cierta forma la ley de 1884 al no reconocer explícitamente al superficiario la propiedad de los hidrocarburos en el subsuelo: en su artículo 4° únicamente señaló que el petróleo podía ser explotado sin necesidad de obtener concesión alguna. Con base en esta disposición, el 24 de diciembre de 1901 apareció la primera ley relacionada exclusivamente con el petróleo. En ella se reconoció al superficiario el derecho a explotar ese combustible, y al Ejecutivo la facultad de otorgar concesiones para su explotación en los terrenos nacionales. La naturaleza misma de la propiedad de los yacimientos no quedó aclarada. La ley de 1909 —en la que la influencia de los petroleros norteamericanos e ingleses sí es evidente— puso fin a toda ambigüedad y declaró "propiedad exclusiva" del superficiario "los criaderos o depósitos de combustibles minerales", entre los que se encontraban las "materias bituminosas". Al promulgarse esta legislación, el gobierno mexicano debió tener ya plena conciencia de la riqueza que entregaba... y a quién la entregaba. La ley de 1909 habría de permanecer en vigor hasta 1926, fecha en que fue remplazada por la ley reglamentaria del párrafo IV del artículo 27 de la Constitución de 1917. Hasta entonces, y aún después, "los mexicanos sólo pudieron ver cómo su enorme, pero exhaustible riqueza petrolera, salía rápidamente del país..."[17] Para los teóricos de la Revolución la ley de 1909 sería ilegal, pero la fuerza de los intereses creados habría de impedir un completo desconocimiento de esta legislación porfirista.[18]

como el resto de los minerales, estaba sujeto al sistema de denuncios, es decir, que el particular debía obtener del Estado —poseedor de los derechos de propiedad del subsuelo— autorización para explotar ese combustible; y esta disposición se encontraba en vigor cuando Porfirio Díaz tomó el poder.

[15] En 1884 se consideró que, desde el punto de vista jurídico, el petróleo era semejante al agua y, por tanto, debía quedar en igual posición. El Departamento de Estado habría de considerar que, a partir de esa fecha y hasta 1917, los derechos que adquirieron las compañías petroleras fueron irrevocables y a perpetuidad, mientras que los círculos revolucionarios negarían la validez de la ley de 1884, aduciendo fallas en el procedimiento. Merrill Rippy, *op. cit.*, pp. 20, 23 y Salvador Mendoza, *La controversia del petróleo* (México: Imprenta Politécnica, 1921), p. 172.

[16] El embajador Daniels fue uno de los que vieron en esta ley un producto de las maniobras de los petroleros, *Shirt-Sleeve Diplomat*, p. 212.

[17] E. David Cronon, *Josephus Daniels in Mexico* (Madison: The University of Wisconsin Press, 1960), p. 36.

[18] Un ataque a la validez de la ley de 1909 se encuentra en la obra de Fernando

4. EL PRIMER INTENTO DE MODIFICAR LA LEGISLACIÓN SOBRE LOS HIDROCARBUROS

La modificación del *status* jurídico y económico de la industria petrolera en un sentido más positivo para la economía nacional fue obra de la Revolución, pero los primeros intentos tuvieron lugar antes de 1910. En 1905 los licenciados Lorenzo Elízaga y Luis Ibarra y el ingeniero Manuel Fernández Guerra, presentaron al gobierno un proyecto de ley cuyo objetivo era reintegrar los depósitos petroleros al régimen legal anterior a 1884. Contrariamente a lo que más tarde afirmarían las compañías, este proyecto no fue un intento de los "radicales" y socialistas mexicanos para nacionalizar la industria;[19] el fin perseguido por sus autores al pretender que la nación recobrara sus derechos sobre los hidrocarburos era simplemente evitar que los particulares pudieran obstaculizar la exploración y explotación de una de las principales fuentes de energía del país.[20] Díaz no mostró entusiasmo por la iniciativa, pero nombró un comité para su estudio, el cual, a su vez, pidió una opinión a la Academia Mexicana de Jurisprudencia, lo que dio origen a un interesante debate —que no trascendió al público pero que Doheny consideró suficientemente importante como para estar presente— del que si bien emanó una opinión contraria, que sirvió de base a la Secretaría de Fomento para desechar el proyecto, surgieron también algunos argumentos jurídicos que justificaban la vuelta al régimen petrolero anterior, sin tener que indemnizar a los propietarios. Estos argumentos serían esgrimidos más tarde por los escritores revolucionarios con idéntico propósito.[21]

González Roa, *Las cuestiones fundamentales de actualidad en México* (México: Imprenta de la Secretaría de Relaciones Exteriores, 1927), p. 88. Para el estudio de la legislación minera y petrolera desde la época colonial hasta la expropiación de 1938, existe una copiosa bibliografía. Puede consultarse, entre otros, a los siguientes autores: J. Ruben Clark, "The Oil Settlement with Mexico", *Foreign Affairs*, Vol. VI (julio de 1928); José Domingo Lavín, *Petróleo*; Fernando González Roa, *op. cit.*; Manuel González Ramírez, *El petróleo mexicano: La expropiación petrolera ante el derecho internacional*; Manuel de la Peña, *El dominio directo del soberano en las minas de México y génesis de la legislación petrolera mexicana* (México: Secretaría de Industria, Comercio y Trabajo, Vol. I, 1928; Vol. II, 1932); Merril Rippy, *op. cit.*; Gobierno de México, *La cuestión petrolera mexicana; el punto de vista del Ejecutivo Federal* (México: Talleres Gráficos de la Nación, 1919); México, Cámara de Senadores, *El petróleo: La más grande riqueza nacional*.

[19] United States Congress, Senate Committee on Foreign Relations, *Investigation of Mexican Affairs...*, p. 217; Merrill Rippy, *op. cit.*, p. 25.

[20] Ver la exposición de motivos del proyecto. Lorenzo Elízaga, Luis Ibarra y Manuel Fernández Guerra, *Proyecto de ley del petróleo y exposición de motivos de la misma que presentan al Ministerio de Fomento los señores licenciados... y el ingeniero...* (México: Talleres tipográficos de "El Tiempo", 1905).

[21] Los argumentos expresados en 1905 serían, en lo fundamental, los mismos que emplearían hasta 1938 enemigos y defensores de las compañías petroleras. En contra de la necesidad de pagar una indemnización estaban los estudios presentados por Miguel Mejía, Francisco Béistigui, Isidro Rojas y Alfredo Mateos Cardeña. Sostenían estos juristas que la nación aún mantenía sus derechos sobre el petróleo, y que el legislador podía retirar la concesión otorgada al superficiario sobre los hidrocarburos cuando así lo juzgara necesario. Un examen más completo de las posiciones asumidas en este debate, puede consultarse en Salvador Mendoza, *op. cit.*

En las postrimerías del régimen porfirista existía ya una clara corriente antinorteamericana, que se expresaba a través de manifestaciones populares, en los círculos intelectuales y en los programas de los partidos de oposición, sobre todo en el Partido Liberal Mexicano; [22] sin embargo, no parece haber habido ninguna manifestación específica por parte de los intelectuales o los partidos en contra de la situación privilegiada de los intereses extranjeros en la industria petrolera, quizá debido a la poca importancia que ésta tuvo antes de 1910.[23]

5. LOS INTERESES NORTEAMERICANOS CONTRA DÍAZ

El gobierno de Díaz no dejó nunca de tener dificultades con Estados Unidos, pero éstas aumentaron notablemente en 1910 cuando los conflictos internos se agudizaron. El gobierno mexicano acusó al norteamericano de no reprimir las actividades de los grupos revolucionarios, mientras que Estados Unidos, por su parte, resintió la poca habilidad de Díaz para controlar la situación interna, así como las medidas defensivas de su régimen ante el creciente predominio de los intereses norteamericanos.[24] Hacer de Europa una fuerza moderadora de la influencia norteamericana en México fue una política constante del presidente Díaz, pero esta política, aunada a la adquisición de los Ferrocarriles Nacional, Internacional e Interoceánico por parte del gobierno (que estaban en manos del grupo banquero neoyorquino Speyer and Co.); al malestar de los Guggenheim con Limantour, al apoyo oficial que se dio a los petroleros ingleses, a los rumores de negociaciones secretas entre México y Japón, y a la creciente intranquilidad interna, llevó a ciertos sectores norteamericanos a considerar que había llegado el momento de favorecer un cambio político en México.[25]

Como en otros campos, el gobierno de Díaz no consideró conveniente que el capital procedente de un solo país explotara la industria petrolera en forma exclusiva,[26] por ello canceló una concesión de

[22] A los intelectuales, como Molina Enríquez, Wistano Luis Orozco, Antonio Caso y otros más, les preocupaba la magnitud de la penetración norteamericana. Según un diplomático de ese país, temían que México corriera la misma suerte que Panamá o Hawai. William F. Sands y Joseph M. Lalley, *Our Jungle Diplomacy* (Chapel Hill, N. C.: University of North Carolina Press, 1944), p. 143.

[23] En vísperas de la Revolución, en la región petrolera, sí existía ya un ambiente de antipatía hacia Doheny y Pearson. Daniel Cosío Villegas, *Historia moderna de México. El Porfiriato: vida política exterior. Segunda parte*, p. 398.

[24] Anita Brenner, *The Wind that Swept Mexico. The History of the Mexican Revolution 1910-1942* (New York: Harper and Brothers, 1943), p. 16; Daniel Cosío Villegas, *Historia moderna de México. El Porfiriato: vida política exterior. Segunda parte*, pp. 251 ss.; Jorge Vera Estañol, *La Revolución Mexicana: orígenes y resultados* (México: Editorial Porrúa, S. A., 1957), p. 111; James Fred Rippy, José Vasconcelos y Guy Stevens, *American Policies Abroad: Mexico* (Chicago, Ill.: The University of Chicago Press, 1928), pp. 11-12; Toribio Esquivel Obregón, *México y los Estados Unidos ante el derecho internacional* (México: Herrero Hermanos, Sucesores, 1926), p. 94.

[25] Anita Brenner, *op. cit.*, pp. 16-17; Daniel Cosío Villegas, *Historia moderna de México. El Porfiriato: vida política exterior. Segunda parte*, pp. 251 ss.

[26] Gobierno de México, *El petróleo de México...*, pp. 12-13.

exploración y explotación a la Standard Oil, que se vio obligada a unirse a la Waters Pierce, también norteamericana, para continuar operando en México; [27] igual motivo le hizo dar la bienvenida a Pearson al campo petrolero. La creciente producción de "El Águila", y un impuesto a la importación de petróleo que afectó a la Waters Pierce (que traía su producto de Estados Unidos), no tardaron en originar una guerra de precios entre Pearson y Henry Clay Pierce que finalizó en 1913, cuando el norteamericano fue abandonado por su aliada, la Standard Oil, y perdió definitivamente el monopolio de que hasta entonces había disfrutado en la venta del petróleo y sus derivados en México. Lord Cowdray controlaba entonces más del 50 % de la producción petrolera en México.[28] Algunos autores han hecho referencia a una lucha, a veces violenta, entre Pearson y Doheny, pero los hechos parecen confirmar lo contrario; el biógrafo de Lord Cowdray asegura que no hubo tal conflicto, y sí por el contrario una cierta cooperación entre ambos. No es difícil suponer que el fin del monopolio de Pierce fuera bien recibido por Doheny, que era también un recién llegado al mercado de combustible.[29]

El monopolio de Pierce parece haber contado desde muy temprano con el apoyo del Departamento de Estado, que ya en 1887 había protestado por ciertas concesiones que, para refinar petróleo, el gobierno dio a una compañía mexicana, pues esta competencia perjudicaría los intereses de la empresa norteamericana; [30] por tanto no es difícil suponer que Washington vio con disgusto la lucha entre la Waters Pierce y "El Águila", aunque conviene tener en cuenta que el petrolero inglés había tenido buen cuidado de ligar su empresa a los círculos oficiales norteamericanos para no atraerse la abierta hostilidad de Washington.[31] Pero si los canales diplomáticos norteamericanos no se mostraron muy diligentes para remediar el golpe asestado a Pierce, los afectados —éste y su asociada, la Standard Oil (N. J.)— decidieron tomar el asunto por su cuenta y en 1911 entraron en contacto con los maderistas a quienes ofrecieron un préstamo de medio millón o un millón de dólares a cambio del cual esperaban no sólo contribuir al derrocamiento del presidente Díaz, sino obtener

[27] Daniel Cosío Villegas, *Historia moderna de México. El Porfiriato: vida política exterior. Segunda parte*, p. 405; Desmond Young, *op. cit.*, pp. 127-133.

[28] Una amplia descripción de la pugna entre ambos magnates petroleros se encuentra en Desmond Young, *op. cit.*, pp. 127-133.

[29] Ludwell Denny en su obra *We Fight for Oil* hace mención a la hostilidad de Doheny hacia Pearson, pero el biógrafo de este último niega tal situación, y señala que la cooperación entre ambos magnates les llevó a compartir oleoductos. Desmond Young, *op. cit.*, pp. 138-139. Veatch también contradice lo afirmado por Denny; ver "Oil, Great Britain and the United States", p. 666.

[30] En 1887 el Departamento de Estado pidió a la Secretaría de Relaciones Exteriores de México que se cancelara la concesión para refinar petróleo dada a la Compañía Martínez, pues iba contra los intereses dé dos compañías norteamericanas: la J. Findlayand Co. y la Waters Pierce Co. México no retiró la concesión, pero la compañía mexicana no prosperó. Luis Nicolau d'Olwer, *op. cit.*, p. 1126.

[31] "El Águila" contaba entre sus directores a Henry W. Taft, hermano del presidente norteamericano, y al procurador general, George W. Wickersham, *Ibidem*, pp. 1129-1184.

"ciertas concesiones". No hay prueba documental que permita verificar si la operación —conocida por el Departamento de Estado, que llamó la atención a la Standard— se llevó a cabo.[32] De cualquier modo, la negociación muestra que al menos en 1910 una parte de los petroleros norteamericanos en México se sentían lo suficientemente hostilizados por el gobierno como para desear el fin del régimen porfirista. Sin embargo, la pugna petrolera no debe sobreestimarse; de lo contrario se cae en el absurdo de ver en el derrumbe de la administración de Díaz un simple episodio de la lucha mundial entre los intereses petroleros ingleses y norteamericanos (aunque no deja de ser interesante que el propio hijo del dictador, en una carta que dirigió a Pearson después del triunfo de Madero, acusara a Pierce de haber sido el autor de la caída de su padre).[33] La fricción entre Díaz y los petroleros norteamericanos fue sólo parte de un conjunto más amplio de factores que hicieron aparecer en Washington un "resentimiento" (como lo llamó Limantour) contra el dictador, y que desembocó en el retiro del apoyo de Estados Unidos al gobierno mexicano, facilitando el surgimiento de una revolución que tras larga lucha acabaría con el dominio extranjero sobre el petróleo mexicano.[34]

El movimiento maderista estuvo al margen de cualquier choque entre compañías extranjeras y el gobierno mexicano, pero las diferencias entre las empresas petroleras norteamericanas e inglesas, constituyeron uno de los varios motivos que llevaron al gobierno e intereses de Estados Unidos a retirar su apoyo al régimen porfirista en 1910.

La facilidad con que el gobierno del general Díaz renunció a los derechos tradicionales de la nación sobre los hidrocarburos, se explica tanto por la ignorancia del valor de esa riqueza cuanto por la filosofía liberal que guiaba la política económica del régimen.

6. MADERO

El levantamiento dirigido por Madero en 1910 se habría de convertir en "la culminación de un largo movimiento iniciado con la guerra de Independencia y continuado, a mediados del siglo, con las luchas

[32] Daniel Cosío Villegas: *Historia moderna de México. El Porfiriato: vida política exterior. Segunda parte*, pp. 404-409. De acuerdo con A. Vagts, citado por Alperovich, *op. cit.*, p. 91, Pierce dio a Madero 685 000 dólares, más otras cantidades aportadas por la Standard. Merrill Rippy señala que a su triunfo, Madero pagó a Pierce esos 685 000 dólares, *op. cit.*, p. 80. En el "Fall Committee" en 1920, se hizo mención a estos préstamos. United States Congress, Senate Committee on Foreign Relations, *Investigation of Mexican Affairs...*, Vol. II, pp. 2554-2557.

[33] Desmond Young, *op. cit.*, p. 159. La posición de quienes ven el origen de la Revolución Mexicana en la pugna por el control del petróleo, puede examinarse, entre otras, en las obras ya citadas de Pierre L'Espagnol de la Tramerge y de Ludwell Denny.

[34] En Nueva York, Limantour declaró a la prensa poco antes de la caída del régimen que: "aparentemente los americanos aliándose directa o indirectamente con ese movimiento [el maderista] lo han hecho con la esperanza de vengar algún resentimiento que tengan contra el Gobierno de México...", pero vaticinó que a la larga, el apoyo a la Revolución les perjudicaría. Jorge Vera Estañol, *op. cit.*, p. 134.

de Reforma",[35] cuyos alcances fueron mucho más lejos de lo previsto por Madero y sus allegados. Las modificaciones y la renovación de los cuadros dirigentes que este singular político —miembro joven del grupo porfirista— y su partido exigían, estaban más bien destinadas a asegurar la continuidad del sistema que a lograr un cambio sustancial. Sólo la intransigencia del anciano dictador y los sorpresivos triunfos militares de Orozco y Villa, convirtieron a Madero en lo que en un principio no pretendió ser: líder de una revolución.

El comportamiento de Madero y de algunos de sus más cercanos colaboradores, indica que nunca llegaron a comprender la magnitud del movimiento que habían contribuido a poner en marcha. Muy pronto se antagonizaron con las fuerzas que deseaban llevar el cambio formal al campo social y convertir así un movimiento que pretendía ser únicamente político en una revolución. Empero, el rechazo de Madero a este grupo, que en realidad fue el motor de su victoria, no le dio el apoyo de quienes se encontraban al otro extremo del espectro político, o sea, de los terratenientes, la Iglesia, la burocracia, el ejército —que pese a su sorpresiva derrota, continuaba intacto— y, sobre todo, el del embajador y los inversionistas norteamericanos. El respaldo de este último sector y su decisiva influencia en Washington, eran determinantes para la supervivencia del régimen maderista, o de cualquier otro.

7. ESTADOS UNIDOS Y EL NUEVO RÉGIMEN

La política de Washington hacia Madero tuvo un origen múltiple. En ocasiones es posible distinguir la política de Taft de la del Departamento de Estado y, sobre todo, de la del embajador Henry Lane Wilson.[36] En sus relaciones con Taft —antiguo gobernador de las Filipinas—, Madero se enfrentó a un "imperialista moderado",[37] en tanto que en el caso de Wilson, tuvo que tratar con un agresivo representante de los *Big Business* y decidido partidario de la "diplomacia del dólar". Dentro de esta gama de actitudes imperialistas, la del Departamento de Estado quedó entre los dos extremos. La política del presidente Taft hacia México fue desarrollada principalmente a través de su embajador.[38]

En general, los círculos políticos y financieros de Norteamérica interesados en México no lamentaron la caída de Díaz, y Madero llegó a contar con una cierta simpatía al ocupar el puesto del viejo líder oaxaqueño (situación que no pasó inadvertida a ciertos diarios, que lo acusaron de haber buscado la ayuda de Washington).[39] No obs-

[35] Stanley R. Ross, *et al.*, *Historia documental de México*, Vol. II (México: Universidad Nacional Autónoma de México, 1964), p. 435.
[36] Howard F. Cline, *The United States and Mexico* (Cambridge, Mass.: Harvard University Press, 1953), p. 133.
[37] James Fred Rippy, *The United States and Mexico*, p. 349.
[38] Howard F. Cline, *op. cit.*, p. 128.
[39] James Fred Rippy, *The United States and Mexico*, pp. 334-336, y José Vasconcelos, "Ulises Criollo", *Obras Completas*, Vol. I (México: Libreros Mexicanos Unidos, 1961), p. 690.

tante, varios factores pusieron rápido fin a tan cordiales relaciones. La rebelión orozquista y los daños que ocasionó a los intereses norteamericanos hicieron que Washington pusiera en duda la capacidad de Madero para asegurar la tan deseada estabilidad interna.[40] Taft frenó el entusiasmo de Teodoro Roosevelt, quien deseaba castigar a México "como lo merecía": invadiéndolo; pero no dejó de amenazar seriamente a Madero concentrando tropas en la frontera, como sucedió en las postrimerías del régimen anterior.[41]

La agresividad del embajador Wilson y sus consejos para que se dieran los pasos necesarios que finalmente llevarían a la caída del nuevo gobierno mexicano, tuvieron su origen en varios factores. En primer lugar, Wilson llegó a sentir una profunda antipatía personal hacia Madero cuando éste intentó poner fin a la desmedida influencia de la embajada norteamericana negándose a aceptar sus indicaciones. La relativa independencia que el Presidente mexicano puso de manifiesto entonces chocó profundamente a Wilson, quien acusó al vicepresidente Pino Suárez y a los ministros de Guerra y Fomento de encabezar una facción antinorteamericana dentro del gabinete maderista.[42] En segundo lugar, el conflicto de intereses entre la familia Madero y los Guggenheim —a quienes se hallaba ligado el representante norteamericano— y ciertas medidas oficiales que en su opinión atentaban contra los intereses de los inversionistas norteamericanos y contra la influencia general de su país en México, llevaron a Wilson a buscar los medios para eliminar al gobierno maderista.[43] Tal situación, aunada a la campaña electoral en Estados Unidos en que se acusó a Taft de no proteger debidamente los intereses norteamericanos en México, llevó las relaciones entre ambos países a un punto crítico. Cuando el embajador norteamericano hizo entrega de una violenta nota donde exigía mayor protección a los intereses y vidas de sus conciudadanos y Taft advertía al embajador mexicano que su paciencia no era eterna, los barcos estadounidenses hicieron su aparición en las costas mexicanas.[44]

En los inicios de 1913, la tensión mexicano-norteamericana disminuyó notablemente (sobre todo a raíz de las entrevistas de Lascurain

[40] Charles C. Cumberland, *The Mexican Revolution: Genesis under Madero* (Austin, Tex.: University of Texas Press, 1952), p. 200.

[41] Taft nunca deseó intervenir directamente en México —excepto como un último recurso— pues, como señaló en agosto de 1912, eso significaría el "gasto de cientos de millones de dólares [y] la pérdida de miles de vidas". Tal gasto sería superior al monto de los intereses que se pretendía proteger. Henry Fowles Pringle, *The Life and Times of William Howard Taft* (Nueva York: Holt and Rinehart, Inc., 1939), p. 709.

[42] Frank Tannenbaum, *Mexico: The Struggle for Peace and Bread* (Nueva York: Alfred A. Knopf, 1956), p. 254; José Vasconcelos, *Ulises Criollo*, pp. 690-691; Henry Lane Wilson, *Diplomatic Episodes in Mexico, Belgium and Chile* (Nueva York: Doubleday, Page and Company, 1927), p. 240.

[43] James Fred Rippy, José Vasconcelos y Guy Stevens, *op. cit.*, p. 21; Moisei S. Alperovich y Boris T. Rudenko, *op. cit.*, pp. 64-65, y Frank C. Hanighen, *op. cit.*, p. 60.

[44] En la nota de 15 de abril de 1912, el Departamento de Estado se quejó de la violencia orozquista e hizo responsable al gobierno maderista de las acciones de sus enemigos.

con Taft y Knox, el 2 y 4 de enero de ese año). Todo parecía indicar que el gobierno maderista había vencido ya los principales obstáculos e iba en camino de consolidarse,[45] cuando el embajador norteamericano por sí mismo decidió acabar definitivamente con una situación que, según él, alteraría desfavorablemente la posición política y económica que los norteamericanos se habían labrado en el país. Lejos estuvo Wilson de imaginar que la eliminación de Madero por el antiguo ejército federal crearía un estado de cosas propicio al desarrollo de la verdadera revolución, que el régimen maderista había estado a punto de ahogar.

El gobierno encabezado por Victoriano Huerta fue la culminación de los esfuerzos del representante norteamericano y de los intereses económicos a los que se encontraba ligado, entre ellos los petroleros. Wilson creyó haber logrado así varios objetivos de primera importancia, entre los que se destacan: la desaparición del peligro potencial que creyó ver en las tímidas reformas maderistas, la formación de un régimen atento a los deseos de la embajada norteamericana, la imposición de los términos del arreglo de Huerta con Félix Díaz, la selección del gabinete y la formulación de las líneas generales de la política mexicana.[46] La magnitud del éxito le hizo exclamar al dirigirse al cuerpo diplomático: "¡México se ha salvado! De ahora en adelante tendremos paz, progreso y prosperidad."

8. MADERO Y LOS PETROLEROS

En un país donde los intereses extranjeros controlaban más de la mitad de la riqueza nacional,[47] era difícil que una modificación del *statu quo*, por ligera que fuese, no los lesionara. Por tanto, si algunos de estos sectores vieron en Madero la posibilidad de un reacomodo favorable, en casi todos pronto surgieron dudas ante sus pretensiones reformistas y la continuación de la lucha civil. Madero y sus principales colaboradores habían mostrado una discreta oposición al excesivo predominio de los intereses extranjeros durante su campaña contra Díaz, pero su actitud no puede ser considerada como radical, pese a que sus intereses se veían directamente lesionados por la competencia y situación privilegiada del capital extranjero.[48] Ya en el

[45] Charles C. Cumberland, *op. cit.*, p. 229.
[46] *Ibidem*, pp. 238-243.
[47] Alfredo Navarrete, "La inversión extranjera directa en México", *El mercado de valores*, Año XXVI (octubre de 1966); James Neville Tattersall, *op. cit.*, p. 110.
[48] Luis Cabrera, destacado miembro del grupo maderista y representante de la clase media revolucionaria, en 1911 mencionó, entre las seis causas que dieron origen al movimiento revolucionario, al "extranjerismo", o sea, "el predominio y la competencia ventajosa que ejercen en todo género de actividades los extranjeros sobre los nacionales..." Luis Cabrera, *Veinte años después* (3ª ed., México: Ediciones Botas, 1938), p. 50. En Madero, el natural resentimiento de la burguesía nacional frente a las ventajas del capital extranjero, se expresó en forma muy tibia. En su libro *La sucesión presidencial* hay sólo una vaga acusación contra la política de Díaz con relación a los intereses extranjeros. En el "Plan de San Luis" tampoco se encuentra una referencia directa al problema, que sólo se

poder, la política seguida por Madero difícilmente puede calificarse de discriminatoria contra el capital norteamericano, como informó H. L. Wilson a sus superiores.[49] Ciertamente, se intentó mexicanizar al personal de los ferrocarriles o aumentar las recaudaciones fiscales provenientes del petróleo, pero el corto paso de Madero por el poder arroja poca luz sobre la existencia de una política destinada a poner fin al "extranjerismo", del que habló en 1911 Luis Cabrera como una de las causas de la Revolución. Tal circunstancia dio lugar a que Pascual Orozco acusara al gobierno maderista de no ser más que "una dependencia del gobierno de Washington".[50]

Cuando Madero hizo su entrada triunfal en la ciudad de México, eran ya de cierta importancia los yacimientos petrolíferos en explotación, y los intereses de las compañías que los controlaban eran celosamente vigilados por el embajador norteamericano. No había ninguna razón para una situación conflictiva en las relaciones del nuevo gobierno con estos intereses, sobre todo porque la caída de Díaz no desagradó a ciertas compañías norteamericanas que vieron mal el apoyo que éste había dado a los ingleses. Los orozquistas echaron en cara a Madero algunos compromisos contraídos con ellas.[51] En realidad, Madero nunca atacó los intereses fundamentales de las compañías petroleras, pero tampoco se mostró conforme con la exención impositiva que les había concedido Díaz, y al introducir ligeras modificaciones en este campo, el choque no tardó en producirse. En las postrimerías de 1911 empezaron a circular rumores inquietantes para las compañías. En la Cámara de Diputados, José María Lozano atacó a Pearson y a la Standard y señaló el peligro de que esta última absorbiera los intereses del primero, con lo cual se constituiría un verdadero imperio que podría dominar al país. Para evitar tal posibilidad, el legislador propuso reincorporar el petróleo al régimen legal en vigor para el resto de los minerales, y aprobar un aumento a los impuestos. El *slogan* de su proyecto, "las tierras petroleras de México para los mexicanos", fue largamente ovacionado.[52] Además, días antes, el Departamento de Estado había sido informado por su cónsul en Tampico que la familia Madero estaba adquiriendo tierras petroleras en esa zona con el propósito de organizar una compañía que podría convertirse en importante competidora de los intereses establecidos.[53]

La desconfianza de los círculos petroleros se tradujo en franca

abordó colateralmente al prometerse la revisión de los títulos agrarios, no sin antes hacer referencia, en el punto tercero, al respeto debido a los compromisos contraídos por la administración porfirista con gobiernos y corporaciones extranjeros.
[49] Carta de Wilson de 22 de agosto de 1912 al Departamento de Estado. Moisei S. Alperovich y Boris T. Rudenko, *op. cit.*, p. 140.
[50] Tal acusación estaba contenida en el Pacto de la Empacadora, de marzo de 1912.
[51] En el Pacto de la Empacadora se hizo referencia a la supuesta ayuda que recibió el movimiento maderista de la Waters Pierce Oil Co.
[52] *Mexican Herald* (28 de noviembre de 1911).
[53] NAW, cónsul en Tampico a Departamento de Estado, 21 de noviembre de 1911, 812.6363/R213.

hostilidad a causa del impuesto de 1912. Antes de hacerlo efectivo, el gobierno sostuvo una serie de pláticas con los interesados, pero fue imposible lograr que las compañías norteamericanas importantes aceptaran la imposición de una carga fiscal, por pequeña que fuese. La ausencia de un acuerdo previo no impidió a Madero llevar adelante su propósito de exigir el pago al erario de veinte centavos por tonelada de petróleo extraído.[54] La difícil situación económica del Estado, frente a la prosperidad del sector petrolero, fue uno de los motivos que indujeron al gobierno a tomar una medida necesaria pero peligrosa, dado que en una atmósfera de inestabilidad resultaba poco prudente propiciar el descontento del poderoso sector petrolero.[55] Las compañías desataron de inmediato una vigorosa campaña contra la nueva disposición; según sus cálculos, veinte centavos por tonelada equivalía al 17 % de sus dividendos anuales.[56] Sin embargo, no es difícil suponer que el verdadero motivo de disgusto en los círculos petroleros estaba lejos de ser este impuesto; su verdadera preocupación era impedir que el gobierno mexicano modificara unilateralmente el *status* original que las libraba de toda carga fiscal; de lo contrario, el futuro podría traer sorpresas desagradables. A la inquietud que reinaba en los círculos petroleros vino a sumarse la de los inversionistas extranjeros en general.[57] Madero no limitó sus reformas al campo fiscal e intentó ir más adelante. En efecto, el 11 de julio de ese mismo año ordenó la expedición de un decreto mediante el cual se obligaba a las compañías a inscribirse en un registro. En este aspecto el rechazo de los petroleros fue definitivo y por tanto la orden no se cumplió: no se iba a permitir la intervención gubernamental en la industria petrolera. Madero tuvo que ceder porque las relaciones con Washington eran ya muy tirantes. El gobierno de Veracruz tampoco pudo llevar adelante ciertos planes fiscales que se había trazado con relación al petróleo, en virtud de la completa oposición de las empresas.[58] Ante la actitud del gobierno mexicano, los intereses petroleros en su conjunto creyeron ver su posición seriamente amenazada, a tal punto, que decidieron olvidar anteriores rencillas y formar un "frente unido" para oponerse al gobierno mexicano. Esta acción conjunta no fue pasajera y habría de continuar aún después

[54] El decreto y su reglamento se encuentran en México. Secretaría de Industria, Comercio y Trabajo, *Legislación petrolera 1783-1921* (México: Secretaría de Educación Pública, 1922).

[55] Federico Bach y Manuel de la Peña, *México y su petróleo (síntesis histórica)* (México: Editorial "México Nuevo", 1938), p. 13.

[56] Una pormenorizada exposición de las objeciones de las compañías petroleras, se encuentra en el folleto de la Mexican Petroleum Company y Huasteca Petroleum Company, *Los impuestos sobre la industria del petróleo* (México, 1912).

[57] En 1914, un observador norteamericano, Edward Ball, señaló que para entonces ya ningún grupo económico extranjero apoyaba al gobierno: "Madero estaba en juicio y cada hombre de negocios importante era su fiscal." Tomado de Wilfred H. Callcott, *Liberalism in Mexico: 1857-1929* (California: Stanford University Press, 1931), p. 205.

[58] Las protestas de las compañías petroleras obligaron al gobernador de Veracruz a modificar su decreto de 29 de junio de 1912, que imponía ciertas cargas fiscales a las compañías.

de la expropiación de 1938 a pesar de que la lucha entre los intereses norteamericanos y británicos no cesó inmediatamente y de que la rivalidad entre los mismos grupos estadounidenses no desapareció del todo.

9. WASHINGTON Y LOS PETROLEROS

El Departamento de Estado también protegió diligente y constantemente los intereses petroleros de sus nacionales en México, por lo que el gobierno maderista se convirtió en motivo de preocupación en este campo. A principios de 1912 hubo cierto malestar en Washington ante la posibilidad de que se diera a la Shell una concesión para tender un oleoducto que redundaría en perjuicio de las compañías norteamericanas. El secretario Knox ordenó a Wilson investigar, y, merced a la intervención del embajador, los intereses del país vecino no fueron afectados.[59] Poco después, el Departamento de Estado fue informado de la existencia de una campaña de propaganda de las autoridades de Tamaulipas contra la Waters Pierce.[60] Casi inmediatamente, el consulado en Tampico se quejó por un impuesto petrolero del gobierno estatal de Veracruz. Días más tarde se le anunció que la situación —después de la protesta de los interesados— se había resuelto en favor de las compañías.[61]

Cuando en agosto el embajador norteamericano anunció a Washington que salía hacia Tampico a investigar las múltiples quejas de los petroleros, los despachos procedentes de México ya habían creado en el Departamento de Estado una atmósfera hostil a la política petrolera del gobierno mexicano. El impuesto federal de 1912, a que ya se hizo referencia, acabó con cualquier duda que pudieran abrigar los funcionarios de Washington respecto a la política de Madero: en su opinión, su objetivo era arruinar los intereses norteamericanos en la industria petrolera de México.[62] A su regreso de Tampico, Wilson informó a sus superiores que los petroleros estaban siendo gravados con un impuesto "casi confiscatorio". La respuesta de Knox fue inmediata y Wilson entregó a la Secretaría de Relaciones una violenta nota, prácticamente un ultimátum (que en parte era consecuencia de las necesidades electorales en Estados Unidos), en el cual pedía la eliminación de la actitud hostil hacia las empresas norteamericanas y la suspensión del impuesto "confiscatorio".[63] Lascurain rechazó los

[59] NAW, cónsul en Tampico a Departamento de Estado, 10 de mayo de 1912; y Knox a Wilson, 3 de junio de 1912. 812.6363/R213.
[60] NAW, cónsul en Tampico a Departamento de Estado, 25 de junio de 1912. 812.6363/R213.
[61] NAW, cónsul en Tampico a Departamento de Estado, 18 y 27 de julio de 1912. 812.6363/R213.
[62] NAW, Wilson a Departamento de Estado, 9 de agosto de 1912. 812.6363/R213.
[63] La nota señalaba que las empresas norteamericanas eran mal vistas por "ciertas partes", que las estaban "persiguiendo y robando en cada oportunidad favorable". En el caso concreto de los petroleros, hizo mención de "impuestos casi insoportables", y exigía la seguridad inmediata de que se pondría remedio a tan anómala situación", Samuel Flagg Bemis, *La diplomacia de Estados Unidos*

argumentos norteamericanos en forma maestra —según expresión de J. F. Rippy—, aunque creyó necesario justificar impuesto tan insignificante aduciendo como razón las apremiantes necesidades económicas del gobierno, ignorando que la imposición de las cargas fiscales era un atributo de la soberanía mexicana que no necesitaba justificarse.[64] El impuesto se mantuvo, pero era claro que el gobierno de Taft no permitiría a Madero ninguna otra modificación en el *status* de esa industria.

10. LA CAÍDA DE MADERO

Los petroleros norteamericanos en México, junto con el embajador Wilson y otros círculos de negocios con intereses en este país, pidieron al presidente Taft que, en vista de los peligros que amenazaban las vidas y bienes norteamericanos al sur de la frontera, empleara la única solución posible, a saber, la pacificación de México por fuerzas estadounidenses.[65] Como lo había hecho antes Díaz, el presidente norteamericano prefirió no precipitarse y, además, ante el triunfo electoral del partido demócrata, decidió dejar en manos de Woodrow Wilson la solución al problema mexicano. Su embajador no pensó de igual manera y decidió acabar rápidamente con el gobierno maderista.

El golpe de estado del antiguo ejército porfirista contra Madero fue el último intento de las clases dominantes del anterior régimen por impedir la modificación del *statu quo;* su incapacidad para adaptarse las llevó a escoger el camino errado y su inflexibilidad dio origen a una reacción de igual magnitud en sentido opuesto, comenzando así la verdadera revolución. Márquez Sterling, embajador de Cuba y lúcido testigo de los acontecimientos, señaló: "El cuartelazo ha sido absurda conjura de gente rica, de industriales omnipotentes, de banqueros acaudalados y de comerciantes favoritos que ansían su 'fetiche' y labran, sin saberlo, su ruina." [66] El general Huerta, ya en el poder, no buscó precisamente prolongar, servilmente, la etapa porfirista, sino que intentó iniciar un nuevo período, pero con una estructura social similar a la desarrollada por el presidente Díaz. Era natural, por tanto, que al principio Huerta y los intereses extranjeros en su conjunto, se consideraran mutuamente aliados naturales; la satisfacción de éstos ante el cambio político se expresó sin reservas: el *Mexican Herald* del 19 de febrero de 1913 saludó desde su primera plana al nuevo gobierno en forma por demás significativa: "¡Viva Díaz! ¡Viva Huerta!... After a year of anarchy, a military dictator looks good to Mexico." [67]

en la América Latina (México: Fondo de Cultura Económica, 1944), p. 181; NAW, 812.6363/R228/E0059-0064.

[64] James Fred Rippy, José Vasconcelos y Guy Stevens, *op. cit.*, p. 30; Merrill Rippy, *op. cit.*, p. 83.

[65] Henry Fowles Pringle, *op. cit.*, p. 711.

[66] Manuel Márquez Sterling, *Los últimos días del presidente Madero* (Imprenta Nacional de Cuba, 1960), p. 281.

[67] Este diario se publicaba en México y era propiedad de norteamericanos.

11. HUERTA Y EL PRESIDENTE WILSON

El destino del régimen huertista estuvo íntimamente ligado a las decisiones del gobierno norteamericano; no es difícil imaginar la sorpresa de Huerta cuando, después de haber llegado al poder con el respaldo incondicional del embajador de Estados Unidos y con el visto bueno de los inversionistas de ese país, se encontró con que la nueva administración en la Casa Blanca se negaba a endosar la política mexicana de Taft y no aceptaba su permanencia en el poder. Un cambio tan radical en la posición norteamericana no se explica con la simple referencia de la derrota republicana, sino que es necesario tener en cuenta la posición del nuevo líder del partido demócrata: Woodrow Wilson.[68] En lo interno, y como reacción a un conservatismo anacrónico de los republicanos, Wilson —aristócrata y conservador, pero atento a las transformaciones de su época— se dispuso a llevar a la práctica la "nueva libertad".[69] El contenido de este programa político quedó establecido en su discurso inaugural: "El gran gobierno que amábamos —señaló el presidente— ha sido utilizado frecuentemente con fines particulares y egoístas y los que lo han usado han olvidado al pueblo." A fin de mantener el equilibrio y la paz interna, Wilson se propuso acabar con los más graves abusos del sistema, y para ello era necesario imponer ciertas restricciones a los grandes intereses económicos en favor del "hombre común". El cambio interno hubo de reflejarse en la política exterior, sobre todo teniendo en cuenta que Wilson asumía en gran medida las funciones de secretario de Estado. Con relación a la América Latina el presidente Wilson continuaba considerando que Estados Unidos debía formar "naciones democráticas", por exigirlo así su interés nacional. En teoría, la nueva administración se comprometió a enterrar definitivamente la "política del dólar" de sus predecesores; por ello no fue difícil que al principio los programas de los grupos revolucionarios mexicanos fueran vistos con simpatía en la Casa Blanca, ya que en cierta forma correspondían a su concepto de "nueva libertad"; de aquí que Wilson decidió modificar la política norteamericana en México: el primer paso fue pedir a Huerta que abandonara el poder.[70]

---

[68] Wilson, y los demócratas en general, triunfaron entonces no porque el país hubiera repudiado tajantemente la política conservadora de las cuatro administraciones republicanas anteriores, sino más bien porque la disputa entre Taft y Teodoro Roosevelt debilitó al partido en el poder.

[69] Morison y Commager han hecho la siguiente descripción de Wilson: "Aristócrata por nacimiento, conservador por su ambiente familiar, [y] hamiltoniano por su educación", op. cit., Vol. III, p. 7.

[70] Aunque en principio Wilson repudió la "política del dólar", en la práctica tal cambio fue difícil de apreciar: los infantes de marina continuaron en Nicaragua; se intervino en Haití, cuya ocupación se prolongaría hasta 1930; la República Dominicana corrió igual suerte, y se firmó el famoso tratado Bryan-Chamorro con el gobierno nicaragüense.

12. WASHINGTON CONTRA HUERTA

Al examinar la política del presidente Wilson hacia Huerta es menester comprender primero el origen de su formulación. Contra la opinión de los asesores profesionales del Departamento de Estado, de la prensa y de los intereses norteamericanos en México, que aconsejaban el reconocimiento de Huerta, Wilson decidió seguir un camino menos simple pero que a la larga —confiaba— sería mucho más ventajoso.[71] El antiguo profesor universitario pensó buscar la estabilidad definitiva de su vecino del sur, pero estaba convencido de que ésta no se lograría apoyando al "hombre fuerte" del momento, ya que todas las dictaduras en México acababan en una nueva revolución; por tanto, la mejor forma de poner fin a la cadena de revoluciones era establecer definitivamente un gobierno que pudiera considerarse democrático —según su concepción— y que al atender los intereses de grupos más amplios, garantizara una estabilidad verdadera. Había, pues, que soportar y apoyar una revolución para acabar con las revoluciones; no importaba que a corto plazo algunos intereses norteamericanos se vieran perjudicados.[72] Esta política no fue comprendida entonces, y Wilson fue atacado numerosas veces dentro y fuera de su país por no haber auxiliado a Huerta, y sí en cambio haber fomentado "la guerra civil, los robos y asesinatos" que tanto perjudicaban a las inversiones extranjeras en el país.[73] Este "imperialismo moral", como le ha llamado Cline,[74] que buscaba crear en México una estructura política y

[71] Samuel Flagg Bemis, *op. cit.*, pp. 183-184; Samuel E. Morison y Henry S. Commager, *op. cit.*, p. 21; J. L. Busey, "Don Victoriano y la prensa yanqui", *Historia Mexicana*, Vol. IV (abril-junio, 1955), p. 590.

[72] Según Daniels, en 1913 Wilson y la mayoría de su gabinete se habían percatado de las causas profundas que animaban la lucha mexicana; ésta no terminaría hasta que no se dividieran las grandes propiedades, se mejorasen las leyes laborales y los extranjeros dejaran de monopolizar los recursos naturales del país. Josephus Daniels, *The Wilson Era* (Chapel Hill: The University of North Carolina Press, 1944), pp. 184-185. En una conversación con Samuel G. Blythe, en abril de 1917, Wilson opinó que el anterior sistema mexicano estaba muerto y que él haría lo posible porque el nuevo se fundase en el respeto a la libertad y a los derechos humanos, Frederick Sherwood Dunn, *The Diplomatic Protection of Americans in Mexico* (Nueva York: Columbia University Press, 1933), pp. 316 y 319. En su campaña de 1916 señaló: "Algunos de los líderes de la revolución pueden frecuentemente estar equivocados, ser violentos o egoístas, pero la revolución en sí misma era inevitable y es correcta." Con relación a los intereses norteamericanos en México, dijo que los gobiernos de este país que los habían empleado como motor de su desarrollo —como hizo el general Díaz—, "...han encontrado que eran servidores, no de México, sino de concesionarios extranjeros". En última instancia, opinó el presidente, estaban primero los derechos de los mexicanos oprimidos que los derechos de propiedad de sus conciudadanos. Josephus Daniels, *The Life of Woodrow Wilson 1856-1924* (W. Johnston, 1924), p. 187; Gobierno de México, *La verdad sobre la expropiación de los bienes de las empresas petroleras* (México: Talleres Gráficos de la Nación), 1940), p. 15.

[73] Ejemplos típicos de esta opinión se encuentran en las obras de William F. Sands y Joseph M. Lalley, *op. cit.*, y de Graham H. Stuart, *op. cit.* Cline, por su parte, niega de plano la existencia de una política de Wilson hacia México, *op. cit.*, p. 166.

[74] Howard F. Cline, *op. cit.*, p. 141.

social similar a la norteamericana como la forma idónea de proteger sus intereses, fue apoyado por los dos emisarios especiales que Wilson envió a México para que le informaran, directamente y sobre el terreno, sobre la verdadera situación que prevalecía en el país.[75] Tanto William Bayard Hale, primero, como John Lind después, estuvieron, en lo fundamental, de acuerdo en que la política trazada por Wilson era la única forma adecuada de alcanzar la anhelada estabilidad mexicana.[76] Antes de seguir adelante, conviene hacer hincapié en que la actuación real de Wilson no siempre se apegó a la línea política que proclamó; en más de una ocasión sus acciones contradijeron sus palabras.

Taft, en los últimos días de su gobierno, pudo haber intentado consolidar la obra de su embajador, reconociendo de inmediato al nuevo gobierno mexicano, sobre todo después de que éste había dado seguridades, por conducto del propio Huerta, de que su acción no "tiene más objeto que restaurar la paz en la República y asegurar los intereses de sus hijos y los de los extranjeros que tantos beneficios nos han producido"; pero Washington quiso aprovechar al máximo la nueva situación, y antes decidió exigir a Huerta la solución favorable de todos los problemas pendientes entre ambos países. Huerta no aceptó de inmediato las demandas norteamericanas, que estaban siendo negociadas cuando Taft concluyó su período.[77] Al asumir Wilson la Presidencia intentó primero una solución simple: eliminar a Huerta, aunque no precisamente a toda la facción huertista. Para ello pidió al general la pronta convocación a elecciones pero sin que él presentara su candidatura: de amo absoluto debía convertirse en simple Presidente provisional.[78] Al mismo tiempo, el Presidente norteamericano hizo saber a Latinoamérica que Estados Unidos se opondría sistemáticamente a todos los gobiernos establecidos por la fuerza y contra la voluntad del pueblo. Además, ningún interés particular norteamericano, advirtió, volvería a anteponerse al legítimo interés de los pueblos.[79] Cuando Huerta rechazó las demandas de la Casa Blanca,

[75] El Presidente norteamericano nunca se fio de los canales diplomáticos tradicionales, pues éstos se mostraron incapaces de comprender sus intenciones, como lo demuestra Edith O'Shaughnessy, en su obra *Une femme de diplomate au Mexique* (París: Plan-Nourrit et Cie., 1918).

[76] Lind, en una carta a Bryan de 19 de septiembre de 1913, le hizo saber que el reconocimiento de Huerta no llevaría a la pacificación de México: "No puede haber paz duradera si no se llevan a cabo ciertas juiciosas y sustanciales reformas económicas y sociales." Era necesario, por tanto, apoyar a sus enemigos. "Los cabecillas de la rebelión —sostenía— podrán no tener un valor muy especial como hombres, pero el movimiento, en su conjunto, tiene más mérito que el huertismo." John P. Harrison, "Un análisis norteamericano de la Revolución Mexicana en 1913", *Historia Mexicana*, Vol. v (abril-junio, 1956), pp. 613-614.

[77] La idea de aprovechar la difícil situación de Huerta para dar solución a asuntos tales como el del Chamizal, o el pago de los daños causados por la guerra civil, fue del propio embajador Wilson. Henry Laine Wilson, *op. cit.*, pp. 297-298; James Fred Rippy, *The United States and Mexico*, pp. 354-355.

[78] Wilson estaba convencido que el "pacto de embajada" concertado entre Henry Lane Wilson, Huerta y Félix Díaz, contenía tal disposición.

[79] En un discurso de 27 de octubre de 1913, en Mobile, declaró: "...por ningún motivo los intereses materiales [de Estados Unidos] prevalecerán sobre la

Wilson intentó unir en torno a su política a los grupos revolucionarios mexicanos, a los gobiernos europeos con intereses en México y a los países latinoamericanos; sin embargo, por diversos motivos, no encontró la respuesta favorable que esperaba.[80]

Ante la serie de notas —ultimátums les llamó la señora O'Shaughnessy, esposa del encargado de negocios norteamericano— que Wilson envió a Huerta a fines de 1913 y principios de 1914, éste pareció desconcertado y expresó al encargado de negocios norteamericano que Wilson debía comprender que el problema central no era establecer una democracia en México, sino el orden.[81] Como Huerta insistiera en su proposición, Wilson aprovechó la primera oportunidad —el incidente del Dolphin en Tampico y las armas que se proponía desembarcar en México el buque alemán Ypiranga— para respaldar sus exigencias con una demostración de fuerza, pero sin llegar a la declaración de guerra.[82]

La ocupación de Veracruz fue la culminación de la campaña de Washington contra Huerta; así lo comprendieron sus colaboradores, quienes se apresuraron a pedir al dictador que abandonara el poder para permitirles negociar con Wilson y salvar algo frente a Carranza... pero ya era demasiado tarde, y poco después el país quedó en manos de las fuerzas de la revolución.[83] El fracaso del huertismo fue producto de circunstancias tanto externas como internas, pero quizá la política norteamericana fue el factor determinante.[84]

13. EL CONFLICTO ENTRE WASHINGTON Y LONDRES

En la reunión de Wilson con su gabinete el 18 de abril de 1913, se analizó el problema mexicano, y a la vez que se decidió no reconocer a Huerta, se tuvo la sospecha de que la lucha civil mexicana era impulsada por la rivalidad entre los petroleros ingleses y norteamericanos, pero sin ahondar en este punto.[85] Fue en el ramo del petróleo donde

libertad humana, o negarán a una nación cualquiera las oportunidades que le corresponden".

80 El fuerte sentimiento antinorteamericano que prevalecía en México, impidió a Carranza colaborar abiertamente con Wilson para derrotar a Huerta. Por lo que respecta a Europa, y principalmente a Inglaterra, ésta creyó aún poder competir con Estados Unidos por el control del hemisferio occidental. Los países latinoamericanos, por su parte, siguieron las directrices de Washington, pero sin mucho entusiasmo.

81 Edith O'Shaughnessy, op. cit., pp. 5, 55, 192-193.

82 Según Daniels, Wilson nunca pensó llegar a la guerra con México, aunque algunos miembros del gabinete, como Garrison, Lansing, Lane y McAdoo, así lo aconsejaron. JDP, Caja 17. Carta de Daniels a Roosevelt, 4 de mayo de 1940.

83 Jorge Vera Estañol, op. cit., pp. 356-359.

84 Vera Estañol, por un tiempo ministro de Huerta, señaló que no era aventurado afirmar que: "...si el gobierno americano hubiese reconocido a Huerta como Presidente provisional, en la inteligencia de que en breve plazo tendría lugar la elección del Presidente definitivo, la revolución habría muerto en su cuna". "El carrancismo y la Constitución de 1917", tomado de Gastón García Cantú, op. cit., p. 87.

85 E. David Cronon, The Cabinet Diaries of Josephus Daniels, 1913-1921 (Lincoln, Neb.: University of Nebraska Press, 1963), pp. 43-44.

los empresarios norteamericanos en México resintieron con mayor
agudeza la competencia británica, pero nada indica que la decisión
inicial del Presidente Wilson de no aceptar la permanencia de Huerta
en el poder estuviera conectada con este problema; sin embargo, la
posterior evolución del conflicto iba a ligar indisolublemente la disputa
angloamericana por el control del petróleo mexicano con el destino
del régimen huertista.[86] Según Daniels, en un principio los petroleros
norteamericanos pidieron al Presidente que se reconociera al gobierno
de Huerta; más aún: Wilson llegó a sospechar que Doheny y otros
petroleros auxiliaron entonces al dictador en contra de la política
de la Casa Blanca.[87] Huerta, por su parte, no mostró ningún antagonismo contra los intereses norteamericanos en el país, ni intentó
recurrir a la vieja política porfirista de buscar el apoyo europeo sino
hasta el momento en que comprendió que Wilson intentaba la eliminación de su régimen en favor de los revolucionarios.[88]

Si bien Huerta mantuvo en lo fundamental el *status quo* legal del
petróleo, en el Congreso no desaparecieron las voces de protesta que
se levantaron durante el maderismo: el diputado chiapaneco Moheno
propuso la creación de una corporación petrolera gubernamental que
absorbiera a las compañías privadas; Zubiría y Campa y el ingeniero
Palavicini demandaron, a su vez, la revisión de las franquicias y concesiones petroleras.[89] Estas iniciativas y una cierta atmósfera de hostilidad hacia los petroleros norteamericanos preocuparon a Washington
lo suficiente para ordenar a O'Shaughnessy que se mantuviera alerta.[90]
En la práctica, la única medida petrolera del gobierno huertista que

[86] En la reunión del gabinete de 23 de mayo de 1913, en la que definitivamente
se acordó no reconocer a Huerta, Wilson hizo hincapié en que no luchaba por
ningún interés en particular, declarando que era el Presidente de Estados Unidos y no de un grupo de americanos con intereses en México. Josephus Daniels,
The Wilson Era, p. 182.

[87] *Ibidem*, p. 181; JDP, Caja 800, Daniels a su hijo, 16 de abril de 1938; y Caja 7,
Daniels a su hijo, 7 de septiembre de 1938.

[88] Según Alperovich y Rudenko, la hostilidad de Wilson hacia Huerta se debió
a que aquél descubrió la existencia de un plan inglés para desplazar a los petroleros norteamericanos, aunque no explican por qué fue Wilson, y no Taft, quien
descubrió el plan, ni cuáles fueron los motivos de Huerta para aceptar tan teme-
rarias proposiciones británicas. Moisei S. Alperovich y Boris Rudenko, *op. cit.*,
pp. 178-179. Por su parte, el cónsul norteamericano en México durante el régimen
de Huerta, declararía, algunos años después, que éste nunca dejó de proteger los
intereses norteamericanos y que sólo después de que Wilson inició la campaña
en su contra les mostró cierto antagonismo. United States Congress, Senate Committee on Foreign Relations, *Investigation of Mexican Affairs...*, pp. 1764-1765.
Merrill Rippy, MacCorkle y otros autores opinan que las relaciones de Huerta
con los petroleros norteamericanos al tomar el poder fueron buenas. Merrill
Rippy, *op. cit.*, p. 85; Stuart Alexander MacCorkle, *American Policy of Recognition
Towards Mexico* (Baltimore: The John Hopkins Press, 1933), p. 87.

[89] La diputación chiapaneca proponía que la corporación estatal absorbiera
o expropiara a las compañías privadas; para ello sugería que se concertara un empréstito de cincuenta millones de libras esterlinas. Zubiría y Campa y Palavicini
pedían que se constituyera una comisión especial que, además de revisar las leyes
sobre la materia, propusiera las reformas que considerara adecuadas. Manuel
Flores, *Apuntes sobre el petróleo mexicano* (s.p.i., 1913), pp. 30-33.

[90] NAW, Departamento de Estado a Nelson O'Shaughnessy, 20 de noviembre
de 1913, 312.6363/R213.

resintieron las compañías extranjeras, y que chocó por igual a norte-americanos e ingleses, fue un aumento en los impuestos mucho mayor que el decretado por Madero en 1912. Desde octubre de 1913, el Departamento de Estado conocía los planes de Huerta y le hizo saber su desaprobación; la difícil situación económica de su gobierno, sin embargo, le obligó a seguir adelante.[91]

Ante la hostilidad del gobierno de los Estados Unidos, Huerta buscó el apoyo inglés, y la Gran Bretaña hizo el último intento serio por contrarrestar la influencia norteamericana en México. Si el petróleo era el interés principal de Inglaterra en este país, pareció lógico que Pearson fuera el intermediario adecuado entre Victoriano Huerta y el gobierno de Su Majestad Británica. El primer resultado de esta alianza fue que, contra los deseos expresos del Presidente Wilson, Sir Lionel Carden —amigo de Pearson y, según J. B. Duroselle, representante de los grandes intereses petroleros ingleses— presentó credenciales a Huerta como embajador de la Gran Bretaña; otros países europeos no tardaron en seguir el ejemplo inglés.[92] Ante este nuevo sesgo de los acontecimientos, la decisión norteamericana de acabar con Huerta se afirmó; de ser necesario, se recurriría a la invasión antes que permitir que México quedara convertido en un apéndice de Europa.[93]

El descontento de Washington se dirigió contra Carden y Pearson, especialmente cuando se supo que este último se encontraba negociando en Londres un préstamo muy importante para Huerta.[94] Tanto Wilson como Lind, el embajador norteamericano en Londres, Bryan y el coronel House, estaban convencidos de que Pearson se proponía, con la ayuda de Huerta y su gobierno, monopolizar el petróleo mexi-

---

[91] El 14 de octubre de 1913 el cónsul americano en Veracruz informó que el impuesto se elevaría de 20 centavos a un dólar por tonelada. El 12 de noviembre los petroleros pidieron el apoyo de los gobiernos de Estados Unidos, Inglaterra y Holanda en contra del impuesto. La nueva carga fiscal aumentó a 65 los 20 centavos decretados por Madero. NAW, Canada a Departamento de Estado, 14 de octubre de 1914, y compañías petroleras a Departamento de Estado, 12 de noviembre de 1913, 812.6363/R213.

[92] Wilson recibió con profundo desagrado la noticia de la forma ostentosa como Inglaterra desafiaba su política en México y no vaciló en culpar de ello, en su discurso de 27 de octubre de 1913, en Mobile, a los intereses petroleros británicos. E. David Cronon, *The Cabinet Diaries of Josephus Daniels, 1913-1921*, p. 83. Por lo que respecta al embajador inglés, el encargado de negocios norteamericano en México informó que se trataba de un enemigo tradicional de los intereses norteamericanos en América Latina. WWP, Leg. VI, Caja 120-95; O'Shaughnessy a Departamento de Estado, 14 de octubre de 1913. Jean-Baptiste Duroselle, *Política exterior de los Estados Unidos. De Wilson a Roosevelt (1913-1945)* (México: Fondo de Cultura Económica, 1965), p. 78.

[93] John Lind escribió a Wilson desde México, el 10 de enero de 1914: "Si el gobierno de Huerta, o más bien, los principios de Huerta prevalecen, México continuará siendo un anexo europeo en lo industrial, político, financiero y sentimental." George M. Stephenson, *John Lind of Minnesota* (Minneapolis, Min.: University of Minnesota Press, 1935), p. 253. En caso de que todas las medidas indirectas fallaran y, como último recurso, Lind proponía una intervención militar para eliminar a Huerta. Samuel Flagg Bemis, *op. cit.*, pp. 185-186.

[94] Federico Bach y Manuel de la Peña, *op. cit.*, p. 17.

cano.[95] Según el biógrafo de Pearson, el magnate inglés nada tuvo que ver con el apoyo que su gobierno dio a Huerta; admite que Pearson era amigo de Carden, así como del primer ministro británico y del ministro de la Foreign Office, y que es verdad que Pearson pensaba en Huerta como en la persona mejor capacitada para mantener el orden en México, pero en ningún caso ello le llevó a apoyarlo económicamente o en cualquier otra forma. Pearson dio seguridades al gobierno norteamericano en este sentido, y un enviado de Sir Edward Grey, de la Foreign Office, hizo lo mismo ante la Casa Blanca, pero Wilson no cambió de opinión y nunca permitió que los intereses de Lord Cowdray pudieran consolidarse en otros países latinoamericanos.[96]

El gobierno de Su Majestad Británica bien pronto desistió de su pequeña lucha en México. Circunstancias mucho más importantes, como la posibilidad de un conflicto en Europa, le obligaron a buscar un acercamiento con Washington. Al finalizar 1913, Sir Lionel Carden —que según palabras de la señora O'Shaughnessy, había tenido con Huerta una verdadera *fête d'amour*— al frente de una comitiva de diplomáticos europeos, llegó hasta Victoriano Huerta para sugerirle que debía acceder a los deseos de Wilson. Gran Bretaña no podía apoyarle.[97] Pero Inglaterra —que había adoptado la "decisión formidable", según palabras del primer Lord del Almirantazgo, Winston Churchill, de usar en la flota inglesa carbón y no petróleo— no abandonó fácilmente unos campos de combustible que eran vitales para su armada.[98] Wilson tuvo que ofrecer una compensación mínima: la supresión de ciertas tarifas discriminatorias contra naves extranjeras en el canal de Panamá.[99]

Delimitados ya los campos de influencia entre Norteamérica y Europa, no fue difícil concertar acuerdos secundarios; por ejemplo, los gobiernos de Estados Unidos, Inglaterra, Holanda y Suecia, aceptaron no reconocer las ventajas que algunas compañías petroleras

[95] Georges M. Stephenson, *op. cit.*, p. 240; Moisei S. Alperovich y Boris T. Rudenko, *op. cit.*, p. 180; y Desmond Young, *op. cit.*, pp. 153-158. Henry Lane Wilson culparía a una compañía petrolera norteamericana conectada con Madero de haber sido uno de los primeros intereses norteamericanos que influyeron a los enviados del Presidente norteamericano en contra de Huerta. Henry Lane Wilson, *op. cit.*, p. 237. Pierre L'Espagnol de la Tramerge —que exagera la influencia de los petroleros en la política mexicana, para hacer más patente su actitud imperialista— asegura que los representantes de la Standard trataron de llegar a un acuerdo con Huerta. Si éste les aseguraba el monopolio de la explotación petrolera en México, su compañía se comprometía a hacer cesar toda actividad en su contra. Huerta —no dice por qué— se negó, y la Standard decidió desalojarlo del poder, *op. cit.*, p. 113.
[96] Desmond Young, *op. cit.*, pp. 4 y 153-168.
[97] Edith O'Shaughnessy, *op. cit.*, p. 9; James Fred Rippy, José Vasconcelos y Guy Stevens, *op. cit.*, p. 44.
[98] El 17 de junio de ese año, Winston Churchill, entonces Ministro de la Marina, había declarado en la Cámara de los Comunes: "Las reservas de petróleo mexicano son grandes y el Almirantazgo no puede menospreciarlas." Moisei S. Alperovich y Boris T. Rudenko, *op. cit.*, p. 179.
[99] Wilson convenció al Congreso de la necesidad de abolir las tarifas discriminatorias que se cobraban en Panamá a los buques no americanos en virtud de una ley de 1912.

pudieron obtener sobre el resto, al amparo de las condiciones anormales creadas por la guerra civil en México.[100] Al someterse a la política norteamericana en México, Inglaterra no hizo más que reconocer definitivamente el carácter predominante del interés de Estados Unidos en este país, reconocimiento que fue acompañado de un pedido para que las propiedades británicas en México fueran protegidas por los servicios diplomáticos norteamericanos: en la declaración de 2 de diciembre de 1913, Wilson aseguró dicha protección.[101] Según algunos autores, sometida Inglaterra, otra potencia europea, Alemania, ofreció a Huerta apoyo militar y de cualquier otro tipo que necesitara. El almirante Von Hintze prometió a México material de guerra a cambio de que cortara el abastecimiento de petróleo a la armada británica en caso de un conflicto entre ambas potencias. Como otros tantos proyectos germanos de dudosa viabilidad que estaban aún por venir, éste no tuvo ninguna consecuencia práctica.[102]

14 LA PROTECCIÓN NORTEAMERICANA A LA ZONA PETROLERA

La posibilidad de una intervención norteamericana en México durante el período huertista —aparte de la de Veracruz— fue una constante en las relaciones entre ambos países.[103] Entre varios motivos que pudieron haber llevado a Estados Unidos a tomar esa decisión, destacó la necesidad de proteger los campos petrolíferos amenazados por la lucha entre las fuerzas carrancistas y las tropas federales. En realidad, las propiedades de las compañías fueron las zonas más tranquilas del país durante los diez años que duró la etapa de la lucha armada;[104] sin embargo, entre abril y mayo de 1914 tuvo lugar uno de los esporádicos quebrantamientos de esta paz, al asediar los constitucionalistas la zona de Tampico. Ante la posibilidad de la destrucción de las instalaciones petroleras, los consejeros militares de Wilson sugirieron que por lo menos esa región fuera ocupada por las tropas norteamericanas. El secretario de Guerra, Garrison, recibió del Departamento de Estado ciertos planos de la zona petrolera mexicana,

---

100 NAW, Bryan a cónsul en Tampico, 20 de mayo de 1914, 812.6363/R214/E0646; embajadas de Inglaterra y Holanda a Departamento de Estado, 2 de junio de 1914, 812.6363/R214/E0691-0694; y embajada de Suecia a Departamento de Estado, 7 de julio de 1914, 812.6363/R214/E0802.

101 Desmond Young, op. cit., p. 161.

102 Nathaniel y Silvia Weyl, "La reconquista de México. (Los días de Lázaro Cárdenas)", Problemas agrícolas e industriales de México, Vol. VII (octubre-diciembre, 1955), p. 282.

103 En los archivos de Wilson en la Biblioteca del Congreso en Washington, existe una voluminosa correspondencia recibida por el Presidente norteamericano en favor y en contra de Huerta; así como en favor y en contra de una invasión al vecino del Sur. Al efecto pueden consultarse los documentos clasificados bajo las siglas Leg. VI, Caja 125-95.

104 Desmond Young, op. cit., p. 176. Esta relativa tranquilidad no impidió que el 14 de julio de 1913, doscientos cuarenta y cinco norteamericanos residentes en Tampico pidieran a Wilson protección para que no se volviera a repetir el caso de "El Álamo", pues estaban a merced de "hordas de bandidos". WWP, Leg. VI, Caja 119-93 A.

que habían enviado las compañías señalando sus propiedades, en previsión de tal eventualidad.[105] A raíz del hundimiento de un buque-tanque de la Waters-Pierce, el secretario Bryan advirtió a los contendientes que la zona petrolera debía considerarse terreno neutral; de lo contrario su país se vería obligado a tomar medidas adecuadas para evitar la destrucción de una riqueza que interesaba grandemente no sólo a las compañías o a México, sino al mundo. Como la lucha continuara con mayor vigor, el 21 de abril los técnicos extranjeros abandonaron los campos productores y toda la industria quedó a cargo de los empleados mexicanos. Las compañías demandaron protección en todos los tonos: al Departamento de Estado le pidieron, en unión del gobierno inglés, que insistiera en la neutralización de la región, y al Senado hicieron llegar urgentes llamados de auxilio, aduciendo que los pozos no podían cerrarse y que el petróleo corría ya hasta el Pánuco. Un incendio sería fatal.[106] Ante la amenaza de Washington, Carranza y Huerta, en repetidas ocasiones, aseguraron firmemente a Bryan que brindarían a los técnicos extranjeros todas las garantías necesarias, pero sin acceder formalmente a los pedidos de neutralización.[107] El Departamento de Estado respaldó sus advertencias con la presencia de varios barcos de guerra en las costas de Tampico, a los que se unieron algunas naves europeas. Estos buques dieron albergue por dos semanas a los técnicos petroleros que abandonaron el puerto; el cónsul norteamericano en Tampico pagó entonces los sueldos a los empleados mexicanos y recibió instrucciones de auxiliar a las empresas petroleras en la mejor forma posible.[108] En realidad, ésta fue la única vez que la lucha revolucionaria trastornó las actividades de las compañías en forma tan radical, y fue tal el aparato protector que desplegaron las potencias interesadas en torno suyo, que no sufrieron pérdidas de importancia.[109]

15. LOS INTERESES PETROLEROS Y LA CAÍDA DE HUERTA

Si la caída del régimen huertista no fue obra exclusiva de los intereses petroleros norteamericanos, no hay duda de que éstos contribu-

---

[105] Josephus Daniels, *The Wilson Era*, p. 192; NAW, Departamento de Estado al Secretario de la Guerra, 14 de febrero de 1914, 814.6363/R213.

[106] NAW, compañías petroleras a Departamento de Estado, 28 de abril de 1914; Embajada británica a Departamento de Estado, 30 de abril y 1 de mayo de 1914, 812.6363/R214/E0552-0553 y 0556; Bryan al cónsul en Tampico, 9 y 28 de abril de 1914, 812.6363/R218/E0079, 0082-0083. Comunicados del senador Morris Sheppard al Presidente Wilson, y del representante J. H. Eagle a Bryan, 30 de abril de 1914, 812.6363/R214.

[107] NAW, Embajada británica a Departamento de Estado, 6 y 8 de mayo de 1914, 812.6363/R214/E0560 y 0569; Miller a Departamento de Estado, 1 y 15 de mayo de 1914, 812.6363/R228/E0085 y 0093.

[108] NAW, Departamento de Estado al cónsul en Tampico, 812.6363/R214/E0582-0583.

[109] El cónsul Canada (sic) comunicó el 21 de mayo al Departamento de Estado que al reanudar sus actividades los técnicos extranjeros no se reportaron pérdidas, pues el personal mexicano pudo mantener el funcionamiento de los pozos sin contratiempos. NAW, 812.6363/R214/E0652-0653.

yeron a ella, sobre todo después de que el conflicto entre Wilson y Huerta hizo surgir la amenaza británica. Conviene tener en cuenta que aun antes de que este conflicto se presentara, el propio embajador Henry Lane Wilson sugirió al Departamento de Estado, como una de las posibles soluciones al problema mexicano, la creación de un *buffer state* que comprendería la zona norte del país, incluyendo la región petrolera.[110] Es necesario también hacer hincapié en el hecho de que, independientemente del resentimiento que las compañías norteamericanas hubieran tenido hacia Huerta por el trato preferencial otorgado a Lord Cowdray, el grupo petrolero desaprobó que no sólo no desapareciera el impuesto decretado por Madero, sino que fuera aumentado.[111]

Según declararon los petroleros ante el subcomité senatorial de Fall, el Presidente Wilson nunca les consultó acerca de su política hacia México.[112] Doheny afirmó que las compañías únicamente se plegaron a las decisiones de su gobierno sin influir sobre ellas; por su parte, su primer paso fue suspender el pago de impuestos a Huerta, a la vez que ofrecer su apoyo a Carranza (Doheny dio a los constitucionalistas, a cuenta de futuros impuestos, 100 000 dólares en efectivo y 685 000 en combustible).[113] Sin embargo, hay indicios de que los intereses petroleros no se concretaron a suspender el pago de impuestos, sino que presionaron para algo más: su vocero más notorio, el senador Albert B. Fall, de Arizona, desde 1913 se pronunció en favor de ejercer "mano dura" con el vecino del Sur; exigió el mantenimiento de una política de celosa protección de los intereses norteamericanos en México y sostuvo que no debía desecharse la posibilidad de una intervención armada.[114] (Conviene tener en cuenta que desde entonces hasta 1924, el senador Fall fue uno de los principales representantes de los intereses petroleros en el Congreso. En 1924 pasó a ocupar el cargo de secretario del Departamento del Interior, con lo cual quedaron a su cargo las reservas petroleras gubernamentales. Cuando se descubrió que había aprovechado su puesto para ceder las reservas

---

110 Las otras dos alternativas presentadas por el embajador eran: obligar a Huerta a acceder a todas las demandas norteamericanas o invadir el país. James Fred Rippy, *The United States and Mexico*, pp. 354-355.

111 De acuerdo con el embajador Wilson, Huerta exigió a la industria petrolera un pago "excesivo e irregular". Henry Lane Wilson, *op. cit.*, pp. 306-307. Durante la lucha, los constitucionalistas cobraron un impuesto menor que el de la administración huertista. NAW, cónsul en Tampico a Departamento de Estado, 3 de junio de 1914, 812.6363/R214/E0696.

112 United States Congress, Senate Committee on Foreign Relations, *Investigation of Mexican Affairs...*, p. 777.

113 *Ibidem*, pp. 277-284; Nathaniel y Silvia Weyl, *op. cit.*, p. 282. El 8 de enero de 1914 un grupo de compañías petroleras norteamericanas —que decían no pertenecer a la Standard Oil— comunicó al Departamento de Estado la inconveniencia de pagar al gobierno huertista "...lo que, a primera vista, parece un impuesto petrolero enorme y arbitrario, que si es pagado le dará en realidad a Huerta enormes recursos monetarios". WWP, Leg. vi, 40, Caja 49.

114 En carta fechada el 9 de agosto de 1913, Fall manifestó al Departamento de Estado: "He creído firmemente que lo mejor sería proseguir una política de celosa protección de los intereses americanos, y aun de intervención armada, para restaurar la paz y el orden en México, que sería en el mejor interés de ese país y de éste." WWP, Leg. vi, Caja 120-95.

navales de Elk Hills en California y Teapot Dome en Wyoming a Doheny y Sinclair, fue condenado a prisión y desapareció del escenario político.)[115] Una opinión similar expresó personalmente a Wilson el petrolero William J. Payne.[116] En marzo de 1914, Fall consideró necesaria la ocupación del país vecino para entregar las riendas del gobierno a hombres "capaces y patriotas".[117] La posibilidad de que el famoso incidente del *Dolphin* —preludio de la invasión de Veracruz— fuera resultado de un pequeño complot entre el almirante Mayo (que actuó sin instrucciones) y los petroleros, fue mencionada varias veces a partir de 1914.[118]

El establecimiento de las empresas petroleras norteamericanas e inglesas en México al iniciarse la primera década de este siglo reunió condiciones en extremo favorables: por un lado, se modificó en su provecho el régimen de propiedad del subsuelo y, por otro, se les exigió una contribución mínima al erario nacional. Esta situación habría de ser el origen de un largo conflicto entre los intereses petroleros y los gobiernos que sucedieron al del presidente Díaz. La leve modificación hecha por el gobierno a la situación fiscal de las empresas petroleras de 1912 no fue el motivo principal del antagonismo entre Madero y los intereses norteamericanos, pero sí lo propició. El cambio de la política mexicana de Estados Unidos tras la elección del presidente Wilson tampoco fue originalmente obra de los intereses petroleros, pero el resultado final de la actitud del presidente Wilson hacia Victoriano Huerta resultó extremadamente benéfica para éstos, ya que subordinó definitivamente los intereses británicos a las decisiones de Washington. Consciente o inconscientemente, Woodrow Wilson propició no sólo el triunfo de Carranza, sino también el de la Standard Oil.

[115] El senador Fall había iniciado su contacto con los asuntos mexicanos durante el régimen de Porfirio Díaz, de quien fue amigo personal, situación que favoreció sus actividades comerciales en este país. United States Congress, Senate Committee on Foreign Relations, *Investigation of Mexican Affairs...*, p. 1131. Sobre el "escándalo del *Teapot Dome*" puede consultarse a Robert Engler, *La política petrolera. Un estudio del poder privado y las directivas democráticas* (México: Fondo de Cultura Económica, 1966), pp. 94-95.

[116] La carta de Payne a Wilson está fechada el 30 de diciembre y su autor alegaba motivos morales, que no económicos, en apoyo de su idea de invadir México temporalmente. WWP, Leg. VI, Caja 120-95.

[117] Moisei S. Alperovich y Boris T. Rudenko, *op. cit.*, p. 194.

[118] Según escribió Daniels a su hijo, el señor Paul Young le habló sobre este rumor, pero él lo consideró enteramente infundado. JDP, Daniels a su hijo, 18 de agosto de 1933.

CAPÍTULO III

LA FORMULACIÓN DE UNA NUEVA POLÍTICA PETROLERA

La desaparición de Madero desencadenó definitivamente las fuerzas de la revolución. Cuando en Teoloyucan el ejército federal tuvo que aceptar su disolución, el pilar que había continuado sosteniendo el sistema forjado en el Porfiriato desapareció, y posteriores golpes echaron por tierra otros elementos centrales de la antigua estructura. Desde que el gobernador de Coahuila, Venustiano Carranza, inició su lucha contra Huerta hasta que su propio régimen cayó bajo las fuerzas dirigidas por Obregón, México vivió la segunda etapa de la lucha iniciada en 1910, a la que se ha dado en llamar la "revolución social", en contrapartida a la "política", iniciada por Madero. La situación económica de este período fue particularmente difícil. En poco benefició a México la gran demanda de materias primas originada por la Primera Guerra, todo el sistema productivo sufrió graves trastornos; importantes sectores estaban destruidos o paralizados; había hambre y la inflación causaba estragos. La entrada de capital del exterior prácticamente se interrumpió y, para agravar el fenómeno, parte del capital nacional y extranjero abandonó el país.[1]

La unión de las fuerzas constitucionalistas nunca fue sólida y al triunfar sobre el enemigo común se recrudecieron las divergencias que ya habían aflorado bajo el gobierno de Madero. Carranza y el grupo que le rodeaba se vieron forzados a dejar de lado su filosofía liberal del siglo XIX, e ir aceptando soluciones más radicales a los problemas que afrontaba el país; de lo contrario, no hubieran obtenido el suficiente apoyo para enfrentarse a las facciones dirigidas por Villa y Zapata, líderes más populares. Fue este conflicto, posterior a la desaparición de Huerta, el que dio origen al planteamiento de verdaderas reformas sociales, una de cuyas consecuencias sería la modificación del papel que hasta ese momento había desempeñado el capital extranjero, especialmente en la agricultura y los hidrocarburos. Por lo que a Carranza se refiere, su programa estaba contenido en las "Adiciones al Plan de Guadalupe", del 12 de diciembre de 1914. En esta serie de compromisos que los carrancistas señalaron como la meta de su lucha, y junto al problema agrario, laboral, etc., se encontraba, en su artículo 22, la promesa de una revisión de las leyes petroleras.

1. CARRANZA Y LOS INTERESES EXTRANJEROS

El descontento general ante la posición privilegiada de que gozaban los extranjeros en la estructura social y económica de México se acrecentó con la revolución. Carranza no pudo dejar de considerar esta situación, y canalizó ese sentimiento —convirtiéndose en su vocero— en una corriente de apoyo para su régimen.[2] Esta política del Pri-

---

[1] Frank Brandenburg, *op. cit.*, p. 54.
[2] Howard F. Cline, *op. cit.*, p. 151.

mer Jefe concordaba perfectamente con sus actitudes personales; cuando se puso al frente del ejército constitucionalista, ya la colonia extranjera en México sabía que el gobernador de Coahuila no se distinguía por su buena disposición hacia ella.[3] Las relaciones de los norteamericanos con el jefe de los constitucionalistas fueron difíciles desde un principio, ya que Carranza les hizo saber que les consideraba responsables en gran medida de la caída de Madero.[4] El Primer Jefe nunca dejó de estar en contacto con Washington a través de agentes especiales pero los choques constantes y el recelo caracterizaron estas relaciones.[5] Independientemente del ambiente hostil en torno a los intereses extranjeros, era lógico que, en un país donde más de la mitad de la riqueza se encontraba bajo su control, la forma-ción de un nuevo orden tuviera que afectarles.

2. CARRANZA Y EL PRESIDENTE WILSON

La política de Wilson hacia México estuvo guiada principalmente por una consideración a largo plazo que los intereses norteamericanos en este país no comprendieron. Al estallar la lucha contra Huerta, su posición fue —en términos generales— dejar que ésta, llevada por su propia dinámica, llegara a su fin lógico, después de lo cual podría establecerse con éxito un régimen constitucional que haría desapa-recer la amenaza de nuevas revoluciones en la frontera sur.[6] De-rrotado Huerta, el problema fundamental de Wilson fue poner fin a la lucha entre las facciones que originalmente formaron la alianza antihuertista y proceder a la estructuración de un gobierno demo-crático y estable. Para acabar con la guerra civil, era menester apoyar a una de las facciones; sin embargo, por cierto tiempo estuvo inde-ciso sobre la elección, que en última instancia quedó restringida a Villa y Carranza.[7] En una forma u otra, todas las fuerzas en conflicto en México intentaron atraerse el favor de Wilson y, en este caso, fue-ron más bien los caudillos populares, como Villa y Zapata, quienes parecieron dispuestos a aceptar de mejor grado las exigencias a las

---

[3] Edith O'Shaughnessy, op. cit., p. 18.

[4] Inmediatamente después del golpe de Huerta, el cónsul norteamericano en Saltillo se entrevistó con el gobernador por órdenes del embajador, para pedirle su reconocimiento al nuevo régimen. Carranza, además de negarse, le hizo sa-ber su opinión contraria respecto al papel desempeñado por su embajada en los recientes sucesos. José Mancisidor, Historia de la revolución mexicana (México: Libro Mex Editores, 1964), pp. 236-237.

[5] Abundan ejemplos de estos choques. Entre los más importantes destacan la posición frente a la toma de Veracruz o ante los intentos del Departamento de Estado y los países del ABC por concertar un armisticio entre los constitu-cionalistas y Huerta.

[6] Fue esta la razón por la que se levantó el embargo sobre la venta de armas a México, pues estorbaba el propósito mismo de su política. Josephus Daniels, The Life of Woodrow Wilson, 1856-1924, p. 180.

[7] Hubo otros intentos de solucionar el problema, pero fracasaron; uno fue buscar la conciliación de las facciones, y otro hacer a un lado a los líderes prin-cipales y apoyar a un jefe secundario que se comprometiera a efectuar tal reconciliación.

que Washington condicionó su apoyo.[8] Tanto Bryan como Lansing consideraron que era Villa a quien se debía apoyar, pero las rápidas victorias de Obregón lo impidieron,[9] dejando el lugar de candidato idóneo a Carranza. En octubre de 1915 se le otorgó el reconocimiento *de facto*; pero no sin haber dado antes ciertas seguridades exigidas por Washington.[10]

Una vez que la guerra europea relegó los problemas mexicanos a un segundo plano, Wilson, que hasta entonces había dirigido personalmente las relaciones con México, las dejó enteramente en manos del Departamento de Estado.[11] Así, hasta 1916 la posición personal de Wilson ante el conflicto mexicano fue un factor determinante en las relaciones entre ambos países y, a su vez, la actitud de Washington determinó en forma decisiva la situación en México.

3. EL CONFLICTO EUROPEO

La Gran Guerra tuvo una influencia indudable en la situación de México y su industria petrolera: el combustible mexicano fue, desde un principio, esencial para la flota británica, que mantuvo estrecha vigilancia sobre las rutas petroleras del Golfo de México. La embajada alemana en México y sus agentes fueron estrechamente vigilados por los servicios de inteligencia norteamericano y británico —y por Carranza mismo— para impedir cualquier daño a las instalaciones petroleras. Los pocos actos de sabotaje que tuvieron éxito carecieron de importancia.[12] La huelga petrolera que estalló en Tampico a principios de 1917 fue atribuida en parte a los agentes de los imperios centrales.[13] Por varios conductos se propagó el rumor de que existía un plan fraguado entre México y Alemania destinado a destruir los campos petroleros mexicanos. El famoso telegrama Zimmerman fue la más espectacular pero no la única prueba esgrimida para demostrar la

[8] Villa, antes de que Estados Unidos reconociera a Carranza, y según informes del agente especial del Departamento de Estado que le acompañaba, Carothers, siempre procuró mantener las mejores relaciones con Washington. En 1914 se comprometió ante otro agente norteamericano, P. Fuller —en caso de ocupar la presidencia—, a proteger los derechos adquiridos por los norteamericanos; hay varios ejemplos como éste. Cf. Manuel González Ramírez, *La revolución social de México*, Vol. I, p. 497; Howard F. Cline, *op. cit.*, p. 171; Clarence C. Clendenen, *The United States and Pancho Villa: A Study in Unconventional Diplomacy* (Ithaca, Nueva York; Cornell University Press, 1961), pp. 160-186. En cuanto a Zapata, ver Edith O'Shaughnessy, *op. cit.*, p. 181.
[9] Robert E. Quirk, *The Mexican Revolution, 1914-1915. The Convention of Aguascalientes* (Nueva York: The Citadel Press, 1963), pp. 279-285; Jean-Baptiste Duroselle, *op. cit.*, p. 79.
[10] Carranza tuvo que comprometerse a proteger los intereses norteamericanos en el país, así como pagar los daños causados por la lucha civil en las propiedades de los extranjeros; Howard F. Cline, *op. cit.*, p. 179.
[11] *Ibidem*, p. 171.
[12] Por ejemplo, el 11 de noviembre de 1918, Lansing informó a su cónsul en Tampico sobre un posilbe sabotaje alemán a un tren petrolero; NAW, 812.6363/R215/E0702.
[13] CDHM, embajada española a Ministro de Estado, 22 de mayo de 1917, R50, Caja 332, Leg. único, Nº 2.

existencia del pretendido plan, que se suponía habría de llevar a México a un conflicto con Estados Unidos y a cortar el abastecimiento de petróleo a los aliados.[14] Es verdad que un amplio sector del gobierno constitucionalista y de la "opinión pública" mexicana mostró simpatías por los imperios centrales cuando Estados Unidos entró a la guerra; [15] también es cierto que por un tiempo corrió el rumor de que Carranza, aprovechando el *status* de neutralidad de México impediría la exportación de petróleo a cualquiera de las dos facciones beligerantes (la embajada americana advirtió a Carranza contra tal medida).[16] Sin embargo, nada indica que el gobierno mexicano pensara aceptar una alianza con Alemania, lo que no impidió a las compañías y la prensa norteamericanas acusar al gobierno mexicano de complicidad con los alemanes en sus intentos por privar a los aliados de combustible.[17] Lansing, el secretario de Estado, dio crédito a estos rumores y advirtió a Wilson que quizá la tendencia pro alemana de los militares mexicanos hiciera necesario tomar la zona petrolera, el ferrocarril de Tehuantepec y proteger la frontera. El Presidente norteamericano no estuvo de acuerdo. No se podía ser el campeón de la autodeterminación en el resto del mundo, dijo, e invadir al vecino. Wilson manifestó que no se podía ser "muy práctico" en el caso de México, y que sólo "las más extraordinarias circunstancias o una flagrante injusticia" le harían creer que se tenía el derecho de ocupar Tampico o Tehuantepec.[18] Las declaraciones de Carranza, negando que su gobierno se propusiera decretar un embargo sobre el petróleo exportado a los aliados, no hicieron cesar en Estados Unidos la campaña en su contra.

En el plano interno, el temor a las actividades alemanas fue aprovechado y fomentado por las facciones enemigas de Carranza. Manuel Peláez, jefe rebelde que operaba en la zona petrolera, vio en ello la oportunidad de obtener el favor de Washington. Félix Díaz adoptó igual posición. En una "proclama al Presidente y al pueblo de Estados Unidos de América", ambos denunciaron los propósitos de Carranza de sustraer el petróleo del control aliado y entregarlo a los alemanes.[19] Las

---

14 El 12 de octubre de 1917, Wilson fue informado por su embajador en Londres sobre la existencia de un plan alemán para hacer que México entrara en guerra con Estados Unidos, destruyera los pozos petroleros y fomentara el sabotaje en ese país. Ray Stannard Baker, *Woodrow Wilson. Life and Letters*, Vols. v-vi (Nueva York: Charles Scribner's Sons, 1946), Vol. vi, p. 304.

15 En opinión de la embajada española, los carrancistas eran resueltamente germanófilos, en tanto que las clases altas tenían simpatías por los aliados. CDHM, 12 de abril de 1917, R50, Caja 331, Leg. único, N° 35. Emilio Portes Gil, *Autobiografía de la Revolución Mexicana* (México: Instituto Mexicano de Cultura, 1964), p. 217.

16 CDHM, embajada española a Ministro de Estado, 12 de abril de 1917, R50, Caja 33, Leg. único, N° 35.

17 El *New York Times* de 15 de marzo y 12 de abril de 1917 acusó a Carranza de querer impedir la exportación de combustible a la armada británica, y denunció el dominio de los alemanes sobre la economía y la política de México, culpándoles de ser los autores de las cláusulas petroleras de la Constitución de 1917. Así, pues, si fuere necesario, señalaba ese diario, debía emplearse la fuerza para mantener el control del petróleo mexicano.

18 Ray Stannard Baker, *op. cit.*, Vol. vi, pp. 25-26.

19 Manuel González Ramírez, *La revolución social de México*, Vol. i, pp. 671-688; Félix Díaz, como "General en Jefe del Ejército Reorganizador Nacional", informó de

compañías, por su parte, se mostraron contrarias a las tentativas de las fuerzas de Carranza para desalojar a los pelaecistas de la zona que controlaban, y denunciaron en Washington tal campaña como un plan alemán. Al Departamento de Estado se le hizo saber que Peláez debía continuar protegiendo los campos petroleros de las amenazas de Carranza y de los saboteadores germanos.[20] La actividad de estos agentes y los planes fantásticos acerca de una alianza germano-mexicana, siguieron denunciándose en Estados Unidos hasta el fin de la contienda.[21]

Resumiendo, la guerra dio lugar a dos tendencias contradictorias en las relaciones entre México y Estados Unidos. Por un lado, el ingreso de Norteamérica en el conflicto europeo contribuyó a acelerar la desocupación del norte del país por las tropas de Pershing; mas por el otro, aumentó las posibilidades de una ocupación aliada de la zona petrolera, ante las amenazas alemanas reales o supuestas. La ausencia de verdaderos actos de sabotaje en los campos petroleros, debida a la vigilancia conjunta de México y los servicios de inteligencia aliados, conjuró este peligro. Pese a ello, la idea de una "amenaza alemana" no fue abandonada del todo por las compañías al fin de la contienda, y por algún tiempo continuaron esgrimiéndola ante el Departamento de Estado para exigir su protección.[22]

4. LOS PRIMEROS ATAQUES A LA POSICIÓN DE LOS PETROLEROS

La política destinada a obtener para el Estado una más justa participación en la explotación de los recursos petroleros fue una característica del gobierno de Carranza y se inició aun antes de obtener el triunfo sobre Huerta. El origen de los diversos elementos que llegarían a formar la cláusula petrolera del artículo 27 en 1917 se encuentra en varias medidas que fue tomando Carranza al respecto a partir de 1914.

En el momento en que Huerta era obligado a abandonar el poder, se pensaba en Estados Unidos que "México posee la región petrolera más grande del mundo, y puede surtirlo de combustible por mu-

la existencia de un complot "germano-carrancista"; ver Manuel González Ramírez, *Fuentes para la historia de la Revolución Mexicana.* Vol. I: *Planes políticos y otros documentos* (México: Fondo de Cultura Económica, 1954), pp. 233-242.

[20] Carta de las compañías petroleras al Departamento de Estado del 9 de septiembre de 1918. NAW, 812.6363/R215/E0672-0673; United States Congress, Senate Committee on Foreign Relations, *Investigation of Mexican Affairs...*, p. 944; *New York Times* (16 de noviembre de 1917).

[21] El *New York Times* de 31 de julio de 1917 señaló que las huelgas en los campos petroleros eran obra de los agentes germanos; otro rumor, propagó la supuesta existencia de un ejército de reservistas alemanes destinado a repeler un posible desembarco aliado en la zona petrolera de México. Desmond Young, *op. cit.*, p. 180.

[22] El 23 de julio de 1919, un representante de la Huasteca escribió al Departamento de Estado denunciando un plan para despojar a las compañías petroleras norteamericanas y entregar sus propiedades a ciertos intereses alemanes y mexicanos. NAW, 812.6363/R216/E0151 y *New York Times* (26 de octubre de 1919).

chos años".[23] El grupo carrancista necesitaba controlar tal riqueza y para poner en práctica su política petrolera se valió en parte de los impuestos, los permisos de perforación, la cláusula Calvo en los títulos y concesiones, etc., e intentó cambiar los antiguos títulos de propiedad de las compañías petroleras por concesiones gubernamentales. Todo ello, aunado a un proyecto de ley que nacionalizaba el petróleo, fue motivo de disputa, de 1913 a 1917, entre el gobierno de Carranza y los intereses petroleros.

Carranza, ante la apremiante necesidad del apoyo de Wilson, envió a Luis Cabrera a Washington para asegurarle que respetaría todas las concesiones "justas" que los extranjeros tenían en México.[24] Los primeros contactos entre los constitucionalistas y las compañías petroleras de origen norteamericano fueron relativamente cordiales; [25] sin embargo, no dejaron de existir tensiones provocadas por la lucha misma,[26] que aumentaron al iniciarse 1914, pues los combates en torno a la región petrolera obligaron a los técnicos extranjeros a dejar el control de los campos en manos de los empleados mexicanos, y aun a abandonar el propio puerto de Tampico para refugiarse en los barcos de guerra norteamericanos e ingleses, anclados frente al mismo con objeto de evitar la destrucción de las instalaciones. Ante la presión de las compañías, Washington pidió a los contendientes que consideraran los campos petroleros como zona neutral, pues el incendio de los pozos sería una catástrofe de proporciones mundiales. Carranza, a pesar de la necesidad imperiosa de contar con la buena voluntad de Wilson, se negó a contraer tal compromiso, a la vez que reiteró que las fuerzas a sus órdenes darían las facilidades necesarias a los petroleros para que reanudaran sus actividades.[27] A Carranza le siguieron llegando las protestas norteamericanas por los daños que la lucha posterior a la caída de Huerta ocasionó a sus compañías.[28]

Pronto el temor al conflicto armado dejó de ser el principal motivo de fricción entre Carranza y los norteamericanos. En ese año de 1914, la Secretaría de Fomento, Colonización e Industria empezó a estudiar y a poner en práctica, por orden expresa del Primer Jefe, una serie de medidas destinadas a reivindicar para la nación la propiedad de los

---

[23] Declaraciones de W. E. Black, vicepresidente de la Tampico Petroleum Pipe Line and Refining Company, aparecidas en el *Dallas Morning News*, de 14 de diciembre de 1941.

[24] Howard F. Cline, *op. cit.*, p. 154. "Carranza nunca concretó sus promesas, pues no definió lo que entendía por concesiones justas."

[25] En un telegrama del cónsul Canada en Tampico al Departamento de Estado, de 18 de mayo de 1914, se señalaba que con la toma del puerto por los constitucionalistas el peligro de que los ingleses controlaran el petróleo mexicano había pasado. NAW, 812.6363/R214/E0641-0642.

[26] En noviembre de 1913, el general Cándido Aguilar ordenó la suspensión de la venta de petróleo a los ferrocarriles de Huerta, y exigió el pago de ciertos impuestos. Poco después tuvo que retirar su demanda en relación a los impuestos, pero no así su orden sobre la venta de petróleo, a pesar de las protestas de Pierce, que temía las represalias huertistas.

[27] Anita Brenner, *op. cit.*, p. 43; Bryan a Carothers, 16 de mayo de 1914, NAW, 812.6363/R214/E0639.

[28] Bryan a Silliman, 3 de abril de 1915. NAW, 812.6363/R228/E0181.

combustibles minerales.[29] Luis Cabrera apoyó públicamente tal política y propuso aumentar la participación del Estado en los beneficios de la explotación petrolera, así como buscar otras fuentes de capital deseosas de invertir en esa industria y que sirvieran para contrarrestar el predominio norteamericano.[30] En un par de años, la idea de modificar sustancialmente el *status* de la industria petrolera cobró forma: en abril de 1916 la Comisión Técnica sobre la Nacionalización del Petróleo, formada por órdenes de Carranza, concluyó un informe señalando que: "Por todas las razones expuestas, creemos justo restituir a la nación lo que es suyo, la riqueza del subsuelo, el carbón de piedra y el petróleo..."[31]

De un alcance quizá menos profundo, pero más inmediato, fueron los primeros decretos que al efecto expidieron ese año Carranza o sus generales. Si en 1913 Cándido Aguilar tuvo que desistir de su empeño de aumentar los gravámenes a las compañías, en 1914 la situación fue diferente. Al tomar Tampico, los constitucionalistas —a pesar de la flota extranjera anclada frente al puerto— fijaron a los petroleros un impuesto en oro por "derecho de barra".[32] Como las compañías se negaron a pagarlo, hubo que amenazarlas con el cierre de las válvulas que conducían el combustible a los buques-tanque.[33] Al mismo tiempo, Cándido Aguilar declaró en Veracruz nulos todos los contratos petroleros hechos bajo el gobierno de Huerta y poco después, con otra disposición, prohibió la venta o arrendamiento de terrenos petrolíferos si antes no se recababa la autorización del gobierno estatal.[34] No obs-

---

[29] Félix F. Palavicini y Pastor Rouaix coinciden en señalar que en 1914 Carranza ordenó iniciar una política que debía desembocar en la "renacionalización" de los productos del subsuelo. Del primero, ver *Historia de la Constitución de 1917*, 2 Vols. (México, s.p.i., 1938), p. 605; y del segundo, sus declaraciones en *El Heraldo de México* (30 de julio de 1920).

[30] Anita Brenner, *op. cit.*, p. 37; y United States Congress, Senate Committee on Foreign Relations, *Investigation of Mexican Affairs...*, p. 797.

[31] Las razones expuestas por los señores Santaella y Langarica, miembros de la comisión, se basaban en que la tradición jurídica sobre la propiedad del subsuelo por la nación, rota durante el Porfiriato, debía mantenerse porque —con evidente intención de no atacar de frente a las compañías— el nuevo régimen sólo beneficiaba a los terratenientes y especuladores. Por otra parte, señalaron que el derecho de propiedad no era absoluto, y la expropiación y los impuestos eran instrumentos que legalmente podían ser usados por el Estado para restringirla, si así convenía al bien general, como era el caso. *Boletín del Petróleo*, Vol. iii, enero-junio de 1917, p. 220; Isidro Fabela, "La política internacional del Presidente Cárdenas", *Problemas agrícolas e industriales de México*, Vol. vii (octubre-diciembre, 1955), p. 46.

[32] Fue exigido en oro porque los causantes querían efectuar sus pagos con dinero constitucionalista.

[33] Según el cónsul norteamericano en Tampico, el impuesto era tan gravoso que todas las compañías, excepto "El Águila", estaban "a punto de desaparecer". NAW, 812.6363/R214/E0780-0792. Finalmente, el pago se efectuó bajo protesta, y ninguna de las compañías desapareció, pues si bien la nueva recaudación era superior en un 300% respecto a la situación anterior, ello se debió a que el monto de los primeros derechos establecidos por Madero era insignificante. El impuesto fue producto de la necesidad de allegarse recursos en la lucha contra Villa.

[34] Su objetivo en ambos casos era evitar que los particulares, desconociendo el verdadero valor de sus terrenos, los cedieran a las compañías en términos que perjudicaran tanto a ellos como al país. Stanley R. Ross *et al.*, *op. cit.*, p. 545.

tante, el verdadero principio de la controversia petrolera, según la opinión del ex embajador norteamericano en México J. R. Clark, se encuentra en el decreto del 19 de septiembre de ese año.[35] Con objeto aparente de conocer mejor la riqueza nacional y distribuir en forma más equitativa los impuestos, se pidió entonces a los propietarios de terrenos e industrias una valuación de su propiedad. Tal información hubiera puesto en manos del gobierno los elementos de juicio necesarios para saber hasta qué punto debía y podía gravar la floreciente industria petrolera, y así lo comprendieron las compañías que se negaron a dar los informes pedidos.

Los intereses petroleros no aceptaron la nueva situación y el Departamento de Estado los apoyó. El derecho de barra se pagó bajo protesta y las presiones obligaron a Carranza a no cobrarlo en oro o dólares y a reconocer la validez de los impuestos pagados a Huerta, sin exigir un nuevo pago.[36] El desconocimiento que hizo Cándido Aguilar de los contratos petroleros efectuados durante el régimen de Huerta fue objeto de una fuerte presión por su carácter retroactivo y nunca fue llevado a la práctica.[37] Washington también ordenó al almirante Fletcher, cuyos buques estaban frente a Tampico, que advirtiera a Carranza que no debía ejercer represalia alguna sobre los intereses ingleses que habían apoyado a Huerta.[38] Finalmente, la Casa Blanca aprobó la negativa de las compañías a entregar las informaciones demandadas por Carranza en su decreto de septiembre, pues era "muy difícil" la valuación que pedía.[39] Las dificultades del gobierno carrancista en sus relaciones con las compañías petroleras se vieron aumentadas por la sublevación de Manuel Peláez en 1914, que sustrajo por seis años toda la zona petrolera —exceptuando los puertos— de la jurisdicción del gobierno central.

Para 1915 el gobierno mexicano se encontraba seriamente empeñado en la reforma petrolera. El año anterior se había creado un cuerpo de inspectores petroleros (el 8 de octubre), que fue seguido por la formación de la Comisión Técnica de Petróleo, el 15 de marzo de 1915, destinada a guiar la política en la materia: se había empezado a establecer un sistema de control oficial que, de una forma u otra, tendía a aumentar la vigilancia sobre la industria petrolera. Un decreto de 7 de enero de 1915 había ordenado ya, en espera de una nueva legislación, que se suspendiera la ejecución de nuevas obras, a la vez que exigía la obtención de un permiso para continuar los trabajos ya iniciados.[40]

[35] J. Reuben Clark, op. cit., p. 600.
[36] Bryan a Hanna, 29 de junio de 1914, NAW, 812.6363/R216/E0379; Bryan a Canada, 24 de diciembre de 1914, NAW, 812.6363/R228/E0147.
[37] El cónsul norteamericano en Veracruz informó al Departamento de Estado en varias ocasiones que tanto él como las compañías presionaron a Cándido Aguilar para que no diera un efecto retroactivo a su decreto. Bevan a Departamento de Estado, 5 de noviembre de 1914. NAW, 812.6363/R228/E0143-0144 y R214. E0890-0892.
[38] Departamento de Estado a Fletcher, 19 y 23 de noviembre de 1914. NAW, 812.6363/R214/E0730.
[39] J. Reuben Clark, op. cit., p. 600.
[40] Isidro Fabela, Documentos históricos de la Revolución Mexicana, Vol. IV (México: Fondo de Cultura Económica, 1963), pp. 122-124.

Para Carranza estas disposiciones fueron de tal trascendencia y magnitud, "...que dieron positivamente al gobierno el control de la exploración y explotación industrial del petróleo".[41] Las compañías, y Washington también, comprendieron el alcance que podía tener esta medida si se aplicaba a los intereses ya establecidos. Los petroleros se negaron a pedir los permisos si con ello debían comprometerse por adelantado a obedecer la futura legislación sobre la materia; la protesta del Departamento de Estado no se hizo esperar.[42] Cuando algunas compañías tuvieron que suspender sus actividades por no poder iniciar nuevos trabajos, las protestas aumentaron.[43] El gobierno mexicano tuvo que ceder y, poco a poco, fue otorgando "permisos provisionales".[44] Las compañías agradecieron al Departamento de Estado su intervención.[45] Washington también tuvo éxito en su empeño por impedir que las obras ejecutadas sin permiso por los petroleros en las zonas federales les fueran confiscadas por el gobierno.[46] Al finalizar 1915, de nueva cuenta se intentó por medio de una circular (15 de noviembre), que las compañías accedieran a registrarse y a proporcionar la información que les había sido pedida desde enero; [47] en esta ocasión, el propósito aparente era impedir la formación de falsas sociedades que vendieran títulos sin valor. Nadie se engañó: el verdadero objetivo era la información necesaria para ejercer un mayor control, y las compañías no habrían de cooperar.[48]

El año de 1916 se inició con las protestas del Departamento de Estado ante la negativa de Cándido Aguilar de permitir la compraventa de terrenos petrolíferos en Veracruz si antes no se obtenía la autorización del gobierno. (Las compañías afirmaron que se les negaba la autorización para adquirir los terrenos que ya habían probado con éxito, y que después eran comprados por los jefes milita-

[41] Venustiano Carranza, *Informe del C. ...*, *Primer Jefe del Ejército Constitucionalista, encargado del Poder Ejecutivo de la República. Leído ante el Congreso de la Unión, en la sesión de 15 de abril de 1917* (México: Imprenta "La Editora Nacional", 1917).

[42] El Departamento de Estado se empeñó en obtener seguridades por parte de México de que la medida no afectaría los trabajos ya iniciados. NAW, Departamento de Estado a Canada, 13 de enero de 1915; 812.6363/R228/E0153; Canada a Departamento de Estado, 16 y 17 de enero de 1915, 812.6363/R228/E0154 y 0157; Bevan a Departamento de Estado, 22 de enero de 1915, 812.6363/R228/E0158; Bryan a Bevan, 25 de enero de 1917; 812.6363/R228/E0159.

[43] NAW, cónsul en Tampico a Departamento de Estado, 14 de enero de 1915, 812.6363/R214/E0936-0937; y Canada a Carranza, 13 de enero de 1915, 812.6363/R215/E0002.

[44] NAW, 812.6363/R214/E0991.

[45] NAW, Huasteca a Departamento de Estado, 11 de marzo de 1915, 812.6363/R214/E1000-1001.

[46] El cónsul en Tampico dijo al Departamento de Estado que en muchas ocasiones el desorden había impedido que hubiera una autoridad ante quien solicitar el permiso necesario. NAW, 13 de febrero de 1915, 812.6363/R214/E0972-0973.

[47] Ésta incluía la declaración sobre el monto de capital, producción, extensión de las propiedades, número de pozos, oleoductos, refinerías, etc. AREM, L-E-547, Tomo IV, Leg. 2, f. 2.

[48] En un decreto del Estado de Veracruz de 16 de mayo y otro de la Secretaría de Hacienda de 2 de septiembre, se insistió en la necesidad de obligar a las compañías a registrarse.

res.) El 2 de febrero, Estados Unidos comunicó a Carranza que se reservaba los derechos adquiridos en la industria petrolera por sus ciudadanos.[49] La cancelación de ciertas concesiones dadas por Huerta a compañías petroleras norteamericanas, y los intentos para que éstas aceptaran una cláusula Calvo, aumentaron la irritación de Lansing.[50] Las posibilidades de un inminente cambio en la legislación petrolera —que llevaría a la nacionalización de todos los depósitos de este combustible— fue lo que más preocupó, en 1916, a las compañías y al Departamento de Estado. En enero, Lansing ordenó a su cónsul en Querétaro averiguar qué había de cierto en ese rumor, e hiciera ver al gobierno mexicano lo peligroso de semejante acción. La respuesta de Silliman, después de una entrevista con Carranza, fue tranquilizadora: no había tal proyecto; [51] pero ello no impidió que los rumores en la prensa mexicana y extranjera sobre la existencia de ese plan (atribuido a Pastor Rouaix) continuaran.[52] Durante el resto del año no dejaron de llegar al Departamento de Estado noticias alarmantes al respecto,[53] pero ante la falta de pruebas concretas, Washington no protestó más y se mantuvo a la expectativa.

Conviene hacer notar que no fueron sólo los sectores carrancistas quienes deseaban modificar el carácter de la industria petrolera, sino también algunos de sus adversarios, revolucionarios o no,[54] lo cual muestra que en materia petrolera había una lógica unanimidad entre los contendientes, ya que el principal afectado sería siempre un sector extranjero y, el ganador, quien tomara el poder.

[49] NAW, Silliman a Departamento de Estado, 3 de febrero de 1916, 812.6363/ R215/E0211; cónsul en Tampico a Departamento de Estado, 812.6363/R215/E-0077-0078.

[50] NAW, Cía. Petrolera Marítima a Departamento de Estado, 17 de mayo de 1916, 812.6363/R215/E0289; Lansing a Silliman, 19 de enero de 1917, 812.6363/ R216/E0469; Lansing a Silliman, 21 de enero y 13 de marzo de 1916, 812.6363/R228/ E0200 y 0212; y Lansing a Rogers, 16 de agosto de 1916, 812.6363/R228/E0242.

[51] NAW, Departamento de Estado a Silliman, 19 de enero de 1916, 812.6363/ R215/E0044; Silliman a Departamento de Estado, 21 y 26 de enero de 1916, 812.6363/R215/E0045 y 0070.

[52] *El Luchador* (25 de febrero de 1916); *World* (10 de febrero de 1916).

[53] El 30 de mayo, el cónsul en Tampico informó que Rouaix había estado conduciendo ciertas investigaciones en la región con el propósito de elaborar un decreto que nacionalizara el petróleo en enero de 1917. NAW, 812.6363/R215/E0300-0301; y embajador de Holanda a Departamento de Estado, 25 de noviembre de 1916, 812.6363/R215/E0354.

[54] En la Convención de Aguascalientes se acordó que debía otorgarse al Estado una participación proporcional de los beneficios brutos de la industria minera en general. Por su parte, en abril de 1916, en Jojutla, la Convención Revolucionaria apoyó la reforma de la legislación minera y petrolera para impedir acaparamientos y dar al Estado una participación en los beneficios. Aun ciertos sectores conservadores, por conducto de Vera Estañol y Esquivel Obregón, apoyaron una política que impidiera el agotamiento de los depósitos de hidrocarburos, llegando a justificar su nacionalización si fuere necesario. Víctor Alba, *Las ideas sociales contemporáneas en México* (México: Fondo de Cultura Económica, 1960), p. 171; Manuel González Ramírez, *Fuentes para la historia de la Revolución Mexicana...*, p. 125; México, Cámara de Senadores, *El petróleo: La más grande riqueza nacional*, p. 126.

5. LOS MOVIMIENTOS REBELDES EN LA REGIÓN PETROLERA

Además de las presiones ejercidas directamente por las compañías y por el Departamento de Estado, Carranza tuvo que hacer frente a un tercer elemento contrario a su política petrolera: los levantamientos en la zona de Tamaulipas y Veracruz. Manuel Peláez, como se ha dicho, se sublevó contra el gobierno carrancista en 1914 y de inmediato procedió a sustraer de su control la región en que operaban las compañías petroleras, en los mismos momentos en que los decretos del jefe constitucionalista empezaban a intentar modificar la posición de los intereses petroleros. ¿Coincidencia? No hay duda de que la rebelión pelaecista tuvo su origen en el conflicto mismo entre Carranza y las compañías, pero el desarrollo de tal movimiento aún no está claro: ¿fueron los petroleros quienes organizaron el levantamiento, o bien Peláez decidió aprovechar la situación, ofreciendo a las compañías su protección contra Carranza a cambio del pago de una importante suma mensual? Desde un principio los funcionarios mexicanos parecieron no tener duda alguna y acusaron abiertamente a las compañías de haber fomentado y alentado la rebelión;[55] los petroleros, por su parte, siempre se declararon ajenos al movimiento de Peláez; según ellos, tuvieron que aceptar el hecho y pagar lo que se les exigía so pena de ver destruidas sus propiedades.[56] Independientemente del origen de la rebelión, no hay duda que una vez que ésta tuvo lugar, las empresas extranjeras supieron aprovecharla. El aislamiento de la zona petrolera en plena guerra civil costó a las compañías alrededor de 15 000 dólares mensuales, pero la protección y libertad de acción con que contaron compensó el pago.[57] La asociación entre las compañías y Peláez fue muy estrecha; además de dinero, el jefe rebelde contaba entre sus tropas con un buen número de empleados de las compañías[58] y en varias ocasiones los petroleros hicieron ver al Departamento de Estado la conveniencia de impedir que las tropas de Carranza emprendieran una campaña formal contra Peláez.[59] Hasta 1918 no parece que las compañías se hubieran quejado

---

[55] Luis Cabrera, ante el Congreso, llamó a las compañías petroleras "nuestros enemigos", culpándolas de la rebelión en la zona petrolera. Carlos Díaz Dufoo, *La cuestión del petróleo*, pp. 177-179.

[56] NAW, compañías petroleras a Departamento de Estado, 8 de marzo de 1918, 812.6363/R215/E0840.

[57] Los cálculos sobre las cantidades que los petroleros pagaban a Peláez difieren. Daniels, en 1917, decía que la suma ascendía a 35 000 dólares al año, E. David Cronon, *The Cabinet Diaries of Josephus Daniels, 1913-1921*, p. 214. La League of Free Nations Association sostuvo que la cantidad verdadera era 200 000 dólares mensuales, NAW, carta de la Asociación al Departamento de Estado, 15 de agosto de 1919, 812.6363/R216/E0279. Un informe, enviado desde el barco de guerra *Nashville*, el 26 de enero de 1917 al Departamento de Estado, anotaba que Peláez recibía 10 000 dólares mensuales de "La Huasteca" y otro tanto de "El Águila", NAW, 812.6363/R215/E0376.

[58] NAW, *U. S. S. Annapolis* a Departamento de Estado, 12 de noviembre de 1917, 812.6363/R215/E0704.

[59] El cónsul inglés en Tampico informó el 1º de febrero de 1918 que las compañías no deseaban que el gobierno derrotara a Peláez. NAW, 812.6363/R215/E0827-0829. El 20 de agosto de 1917 el Departamento de Estado recibió de los petroleros

de Peláez y sí, por el contrario, encomiaron el buen trato y protección que de él recibían.[60] El jefe rebelde, en un manifiesto fechado el 5 de mayo de 1917, desconoció la nueva constitución y declaró su propósito de impedir que el petróleo fuera arrebatado por Carranza a sus propietarios.

El gobierno mexicano, por su parte, sostuvo que las empresas no sólo facilitaron gustosas los "préstamos forzosos" a Peláez, sino que le proporcionaron armas, municiones y toda clase de ayuda.[61] Por ello, y en más de una ocasión, las tropas carrancistas amenazaron con represalias a las compañías,[62] pero la constante vigilancia del gobierno norteamericano lo impidió, advirtiendo a México que no debía tomar ninguna represalia contra las compañías puesto que éstas eran obligadas a cooperar con Peláez, y demandó garantías.[63] Sus buques estuvieron listos para proteger a los petroleros cuando surgieron estas amenazas. Las relaciones entre Peláez y las compañías, en general, fueron aprobadas por Wilson y por el Departamento de Estado,[64] aunque Washington no llegó tan lejos como para aceptar las propuestas de Peláez, que equivaldrían a un pacto de ayuda mutua.[65]

A partir de 1918 hay indicios de que las compañías empezaron a encontrar poco satisfactoria la actitud de Peláez, que en más de una ocasión cerró pozos y destruyó algunas de sus instalaciones.[66] Al parecer, ante la presión de las tropas carrancistas el jefe rebelde consideró que una intervención norteamericana era la única forma de impedir su derrota y para provocarla no vaciló en obstaculizar la pro-

una solicitud para que no se diera material de guerra a Carranza sin antes consultarles, pues Peláez amenazaba con tomar represalias, NAW, 812.6363/R215/E0650.

[60] Ver las múltiples declaraciones que al respecto hicieron los petroleros ante el "Fall Committee" en United States Congress, Senate Foreign Relations, *Investigation of Mexican Affairs...*, y NAW, Dawson en Tampico al Departamento de Estado, 11 de agosto de 1916, 812.6363/R215/E0330-0331.

[61] NAW, Cándido Aguilar a Fletcher, 12 de marzo de 1917, 812.6363/R215/E0424.

[62] El 25 de enero de 1917, el cónsul en Tampico informó a Washington que los carrancistas amenazaban con destruir las propiedades petroleras si continuaban pagando tributo a Peláez. NAW, 812.6363/R215/E0363.

[63] NAW, Lansing a Parker, 27 de enero de 1917; 812.6363/R215/E0369; Departamento de Estado a Fletcher, 15 de febrero de 1918, 812.6363/R215/E0790.

[64] De acuerdo con una comunicación del Departamento de Estado a la League of Free Nations Association, de septiembre de 1919, el gobierno norteamericano dejó al criterio de las compañías si debían pagar o no a Peláez. (NAW, 812.6363/R16/0337-0338), pero las compañías aseguraron que este pago contó con el apoyo del Departamento de Estado. Huasteca Petroleum Company y Standard Oil of California, *op. cit.*, p. 33; United States Congress, Senate Committee on Foreign Relations, *Investigation of Mexican Affairs...*, pp. 280-285.

[65] El 11 de agosto de 1916 el cónsul norteamericano en Tampico comunicó al Departamento de Estado tener noticias de que Peláez deseaba proponer a Estados Unidos que lo ayudara con provisiones y municiones a cambio de lo cual él protegería los campos petroleros. Estos informes fueron recibidos a través de un agente de "El Águila" y del cónsul americano en Tuxpan; según ellos, Peláez era sincero, pues él mismo tenía propiedades en la región petrolera; de cualquier forma, la derrota de Peláez significaría un peligro mayor para los campos petroleros, NAW, 812.6363/R215/E0330-0331.

[66] El 29 de febrero de 1918 el cónsul Dawson informó al Departamento de Estado sobre ciertos daños causados por Peláez a las compañías, NAW, 812.6363/R215/E0794.

ducción petrolera;[67] el aumento de las sumas exigidas a las compañías fue otro factor que desmejoró sus relaciones con los petroleros.[68] Hasta 1920 parece no haber habido ya mayores cambios en esta situación; cuando se produjo la separación entre Carranza y Obregón, Peláez dio su apoyo a este último y, al triunfo del movimiento de Agua Prieta, depuso las armas ante el gobierno de Adolfo de la Huerta. Félix Díaz e Higinio Aguilar intentaron, en una maniobra similar a la de Peláez, capitalizar en su favor el conflicto petrolero, pero no obtuvieron iguales resultados.[69] En sus manifiestos, Díaz no sólo acusó a Carranza de aliarse con los alemanes e intentar confiscar las propiedades de las compañías, sino que su representante en Estados Unidos, Pedro del Villar, presentó un memorándum al senador Fall en agosto de 1919 que fue usado en los ataques contra Carranza.

Entre Villa y los petroleros hubo una serie de contactos no muy claros. Ya en 1914 hubo rumores de que la Standard y la Waters Pierce estaban negociando con ese jefe revolucionario una serie de concesiones;[70] una noticia de prensa señaló que estos intereses petroleros, junto con la American Smelting, apoyarían a Villa en su lucha contra Carranza.[71] En 1916 y sin pruebas concluyentes, una publicación norteamericana sostuvo que el ataque villista a Columbus fue preparado en combinación con las empresas petroleras, deseosas, como el guerrillero, de provocar un incidente que llevara a Wilson a intervenir y ocupar México.[72] En los años posteriores se siguió hablando de pláticas entre el jefe guerrillero y los petroleros.[73] Sin embargo, ante la falta de mejores pruebas, lo más que se puede decir es que si bien hubo contactos entre los petroleros y Villa, éstos no llegaron a tener resultados concretos.

6. LA POSIBILIDAD DE UNA INTERVENCIÓN

Desde el principio, Carranza hizo frente a la amenaza de una intervención norteamericana en defensa de los intereses petroleros. Como

[67] Un empleado de "La Huasteca", Mr. Green, en su informe a la compañía de 1º de marzo de 1918, señaló, después de conversar con Peláez, que el propósito de éste al impedir el funcionamiento de varios campos petroleros era lograr la intervención norteamericana, de lo cual Green trató de disuadirlo haciéndole ver que tal actitud únicamente serviría para ayudar a Carranza. NAW, 812.6363/R215/E0849.

[68] El New York Times de 14 de marzo de 1918 ya no habla de Carranza como un aliado de Alemania, y sí se mostraba optimista ante la posible derrota del jefe rebelde, quien cada vez demandaba mayores pagos de las compañías.

[69] Jesús Romero Flores, Anales históricos de la Revolución Mexicana, 3 Vols. (México: Libro-Mex, Editores, 1960), Vol. III, p. 87.

[70] NAW, informe desde "El Paso" al Departamento de Estado, 22 de agosto de 1914, 812.6363/R214/E0833; y Departamento de Justicia a Departamento de Estado, 24 de junio de 1914, 812.6363/R214/E0758.

[71] San Antonio Express (8 de junio de 1914).

[72] Esta tesis se originó en el Everybody's Magazine de mayo de 1916, citado por Moisei S. Alperovich y Boris T. Rudenko, op. cit., pp. 247-248; también Frank C. Hanighen en The Secret War, p. 72, hace suposiciones semejantes.

[73] El New York American, de 12 de febrero de 1922, hacía referencia a una serie de documentos del Congreso, inéditos, que revelaban los esfuerzos de las compañías petroleras desde 1919 para llegar a un entendimiento con Villa.

se ha visto, ya antes de producirse la caída del régimen huertista, los constitucionalistas, al enfrentarse con las tropas federales en Tamaulipas, se vieron ante la posibilidad de que se efectuara un desembarco norteamericano para evitar que la lucha causara daño a las instalaciones petroleras. Frente a Tampico fueron anclados buques de guerra de varias nacionalidades (eran barcos norteamericanos, ingleses, franceses, alemanes, españoles y aun cubanos). El secretario de Marina, Daniels, recibió más de una solicitud para que sus oficiales convencieran a los constitucionalistas de la necesidad de respetar los bienes y los empleados de las compañías.[74]

Después de la caída de Huerta, el presidente Wilson manifestó en varias ocasiones que no habría guerra con México si él podía evitarlo:[75] el Presidente norteamericano no estuvo solo, y su posición fue aprobada por amplios sectores.[76] Los consejeros militares de Wilson, por su parte, no estuvieron de acuerdo con el Presidente y sostuvieron en cambio que el interés nacional hacía necesaria la invasión del vecino del Sur, o al menos de aquella región donde se localizaban los principales campos petroleros.[77] A estas voces militares, se unieron otras de gran influencia, como la de Teodoro Roosevelt, los sectores católicos norteamericanos y, desde luego, las de los petroleros a través de su vocero, el senador Fall.[78]

A principios de 1915, por causas ajenas al conflicto petrolero, Wilson llegó a considerar la conveniencia de efectuar un nuevo desembarco en Veracruz.[79] Ante esa posibilidad, la respuesta carrancista fue amenazar el único punto vulnerable del posible adversario: los campos petroleros. Si el desembarco llegaba a efectuarse, estos campos serían incendiados.[80]. En 1916, después de la incursión villista a Columbus y de los fusilamientos de los ingenieros norteamericanos, ordenados por el guerrillero en Santa Isabel, aumentaron las posibilidades de una intervención. Dentro del gabinete, Lane trató de convencer a Wilson de la necesidad de hacer uso de la fuerza frente a México y mostrar un *strong leadership*; Inglaterra, deseosa de proteger su inversión, hizo todo lo que estuvo a su alcance para que definitivamente Estados Unidos se hiciera cargo de la vigilancia de la región petrolera. En cuanto a Fall, éste pidió de inmediato y en los términos

---

[74] El 31 de mayo, el cónsul en Tampico pidió un buque de guerra para obligar a Cándido Aguilar a proteger a los empleados de la Penn-Mex Oil Co. En junio se reiteró la solicitud hasta que los oficiales navales norteamericanos obtuvieron de Cándido Aguilar las seguridades demandadas. NAW, 812.6363/R214/E0674-0677 y 0716.

[75] Frederick Sherwood Dunn, *op. cit.*, pp. 324-325.

[76] En estos años la correspondencia recibida por Wilson muestra que la oposición a una guerra con México fue muy importante. Al respecto se puede examinar la correspondencia contenida en WW, Leg. VI, Caja 122-95 y Case File 95.

[77] Merrill Rippy, *op. cit.*, p. 85.

[78] Moisei S. Alperovich y Boris T. Rudenko, *op. cit.*, p. 240; WWP, Leg. VI, Caja 121-95.

[79] Robert E. Quirk, *The Mexican Revolution, 1914-1915. The Convention of Aguascalientes*, p. 196.

[80] Fue la embajada británica en Washington la que trasmitió ese informe al Departamento de Estado el 12 de junio, NAW, 812.6363/R215/E0019-0020.

más severos un castigo ejemplar para México.[81] A raíz de los fusilamientos de Santa Isabel, y apoyado por su colega texano, el senador
Slayden, el senador Fall exigió que un ejército de medio millón de hombres ocupara inmediatamente México.[82] Cuando Wilson, para evitar la
invasión, envió a Pershing en persecución de Villa, Fall fue a la frontera en busca de su propia "información", y demandó el más completo
éxito de la expedición; dijo que si las tropas norteamericanas se re-
tiraban sin haber capturado a Villa, él efectuaría en el Senado un
"bombardeo" tal, "...que haría aparecer a las anteriores revoluciones
en México como una inocente celebración del 4 de julio...".[83] Tal
actitud le valió ser señalado como eje del movimiento intervencionista.[84]

Wilson siempre estuvo consciente del verdadero origen del movimiento intervencionista: los intereses petroleros. En conversaciones
con R. S. Baker, el 11 de mayo de 1916, el Presidente afirmó que
"...el problema principal no es con México, sino con ciertos individuos aquí en América que quieren el petróleo y los metales de México,
y andan buscando la intervención para obtenerlos..."; si él podía, esos
intereses no lograrían sus propósitos.[85] Todo indica que ni el ejército
ni la armada norteamericanos trazaron planes serios para desembarcar en México,[86] aunque el Departamento de Estado sí pidió la presencia de algunos barcos de guerra frente a las costas mexicanas del
Golfo, pues tenía noticia de que los planes mexicanos de incendiar
los pozos petroleros en caso de un ataque norteamericano continuaban en pie.[87]

La importancia del período carrancista anterior a la promulgación
de la nueva Constitución es decisiva respecto al petróleo, ya que fue en
este lapso cuando se gestaron los elementos que darían forma al párrafo IV del artículo 27, clave de la reforma petrolera que habrían
de intentar los gobiernos revolucionarios. La posición y estrategia que más adelante adoptarían los intereses petroleros y el gobierno
norteamericano en defensa de éstos, también se fueron delineando
en esta etapa. El conflicto estaba ya perfectamente planteado al finalizar el año de 1916 y ambas partes parecían igualmente decididas a

81 Ray Stannard Baker, op. cit., Vol. v, pp. 71-72, 79.
82 James Morton Callahan, American Foreign Policy in Mexican Relations
(Nueva York: The Macmillan Co., 1932), pp. 566-567; Jean-Baptiste Duroselle, op. cit.,
p. 80.
83 Ray Stannard Baker, op. cit., p. 71.
84 WWP, Leg. vi, Caja 122-95; carta de J. D. Short, de Nuevo México, al diputado J. H. Stephens, 30 de marzo de 1916.
85 Ray Stannard Baker, op. cit., pp. 74-75.
86 En una carta del Departamento de Estado, firmada por Polk el 10 de junio
de 1916, a J. H. Byrd, un hombre de negocios, se dice que las únicas fuerzas que
podían desembarcar en México en la región petrolera eran los infantes de marina
y éstos se encontraban en Santo Domingo y Haití, y que, además, no se veía de
momento la necesidad de efectuar un desembarco. NAW, 812.6363/R215/E0321-0322.
87 NAW, 812.6363/R215/E0233. El cónsul en Tampico informó al Departamento
de Estado, el 23 de junio de 1916, sobre los planes mexicanos en caso de un desembarco norteamericano, 812.6363/R215/E0303.

sostener sus puntos de vista; la actitud del presidente Wilson, así como la necesidad que tuvo Estados Unidos de concentrar sus esfuerzos en el frente europeo, contribuyó a que las diferencias entre ambos países no llegaran en esos primeros años a extremos más violentos, pero la sombra de un ataque a la zona petrolera se proyectó constantemente en la política de Carranza.

CAPÍTULO IV

CARRANZA Y LA REFORMA
A LA LEGISLACIÓN PETROLERA

La Constitución de 1917 fue el instrumento legal con que se intentó poner en marcha las reformas políticas y económicas que, de una manera u otra, constituían la bandera del heterogéneo Ejército Constitucionalista. Era un programa a seguir, no siempre claro, que se presentaba como síntesis de las diversas tendencias —muchas veces en conflicto— predominantes entre los varios grupos que apoyaron a Carranza en su lucha. Prácticamente las filosofías políticas más importantes encontraron representantes entre los jefes de la facción constitucionalista. El ataque al viejo orden fue más allá de los límites deseados por Carranza y sus seguidores cercanos, aunque sin llegar a satisfacer plenamente al grupo radical.[1]

En Querétaro, mientras se luchaba con una economía en bancarrota, se sentaron las bases para poner fin a un sistema fincado en la economía de las haciendas y en el excesivo predominio del capital exterior. Las reformas se concentraron en pocos artículos: el 27, el 3, el 123 y el 130, eran el núcleo del nuevo sistema. Junto con la formación del ejido, la protección al obrero y la reducción del poder eclesiástico, el meollo de la política revolucionaria lo constituía la drástica reducción del papel que el capital externo debía desempeñar en la nueva sociedad. Parte esencial de tal cambio era reintegrar a la nación sus derechos sobre el subsuelo, o sea sobre el petróleo. Todo ello, mientras el nuevo régimen hacía frente a la constante amenaza de un conflicto con el poderoso vecino del Norte.

Este programa no pudo ser cumplido íntegramente; en ocasiones las fuerzas opuestas fueron de tal magnitud —y esto es especialmente cierto en el caso de las medidas destinadas a tener un impacto negativo sobre los intereses extranjeros, sobre todo en el caso de los petroleros—, que impidieron su ejecución, la retardaron, o sólo permitieron su aplicación parcial. Como la Constitución de 1917 fue un instrumento muy dúctil, su aplicación dependió exclusivamente de las circunstancias políticas del momento, y su carácter revolucionario de las interpretaciones que las diferentes administraciones le fueron dando, interpretaciones que, por lo que hace a la reforma de los derechos sobre el subsuelo, estarían condicionadas básicamente por factores externos.

Para el Constituyente de 1917, el artículo 27 fue el más importante cimiento del conjunto de reformas que se proponía efectuar. Este artículo —de no muy clara redacción— contenía una serie de principios sin relación inmediata entre sí, pero todos ellos destinados a efectuar, de una forma u otra, una verdadera transformación en el concepto de propiedad privada predominante en ese momento. El derecho de propiedad —según el nuevo artículo— dependía sustancialmente de su función social y quedaba restringido por la voluntad del cuerpo

[1] Este grupo estuvo encabezado por el general Francisco Múgica.

78

social, expresada a través de sus órganos políticos; con ello se creaba un sistema en el que la intervención del Estado contrastaba violentamente con los sistemas políticos prevalecientes entre las grandes potencias de Occidente, ya que la jurisprudencia anglo-norteamericana del siglo XIX hacía depender enteramente el derecho de propiedad de la "ley natural", anteponiendo los intereses individuales a los de la comunidad. Si bien la lucha del grupo radical en Querétaro por el abandono del concepto de propiedad privada fue inútil, la reforma introducida era de suficiente envergadura para producir violentas reacciones en los intereses extranjeros afectados.

Por lo que al petróleo se refiere, el párrafo IV del artículo 27 separaba la propiedad del suelo de la del subsuelo, confería esta última a la nación, reincorporando el petróleo al régimen legal que predominaba en el resto de las explotaciones mineras y hacía inoperantes las disposiciones que al respecto habían elaborado los legisladores porfiristas. A primera vista, parecería que tan delicada reforma fue impuesta a Carranza por Múgica y su grupo, puesto que el proyecto de reformas a la Constitución de 1857 que el Poder Ejecutivo presentó a la asamblea constituyente, no incluía la cláusula petrolera que finalmente fue adoptada;[2] pero un examen más detenido de la situación excluye tal posibilidad. En efecto, los antecedentes no la corroboran: las medidas anteriores a 1917 tomadas por Carranza y sus colaboradores en relación al petróleo tenían el claro propósito de modificar su *status* legal; en realidad, el origen de las disposiciones del párrafo IV del artículo en cuestión se encuentra ya en esos primeros decretos de Carranza. Las "Adiciones al Plan de Guadalupe", en su artículo 2º claramente señalaron que al triunfo del movimiento habría una revisión "de las leyes relativas a la explotación de minas, petróleo, aguas, bosques y demás recursos naturales...". En segundo lugar, en la redacción del artículo 27 participaron, además de Múgica, jefe del comité de reformas constitucionales, algunos de los más íntimos colaboradores de Carranza, es decir, Pastor Rouaix, José N. Macías y Andrés Molina Enríquez (este último en calidad de consejero). Según Rouaix, fue Carranza quien personalmente sugirió que el Constituyente decretara la nacionalización del petróleo.[3] El sector petrolero fue, dada su importancia económica y su *status* jurídico diferente en relación con el resto de los minerales, el escogido por el régimen carrancista para iniciar el ataque a la posición que el capital

2 Uno de los autores del proyecto carrancista, Manuel Rojas, aseguró que no fue intención del Primer Jefe llevar a cabo ninguna nacionalización del petróleo. Ver sus declaraciones en *El Universal* (12 de julio de 1931).

3 "Se comprende —apunta Rouaix— que al ser propuesta la cláusula sobre el petróleo por un secretario de Estado, como era el que esto escribe, lo hacía porque contaba con la aquiescencia y autorización previa del Jefe de la Nación... por lo que el mérito que ante la patria tenga el Congreso Constituyente en este caso, lo comparte con el ciudadano Venustiano Carranza que fue el autor de esta política de reivindicaciones de derechos conculcados...". Pastor Rouaix, *Génesis de los artículos 27 y 123 de la Constitución Política de 1917* (México, s.p.i., 1959. Biblioteca del Instituto Nacional de Estudios Históricos de la Revolución), p. 161.

extranjero mantenía en el país.[4] Además de reclamar una mayor participación de la riqueza petrolera, la decisión del Primer Jefe fue motivada por consideraciones de orden político: era en un sector dominado por los extranjeros —en el cual no había prácticamente intereses nacionales que pudieran ser afectados— en donde lógicamente un gobernante poco deseoso de aplicar medidas radicales tendía a seguir una actitud decididamente nacionalista que le ayudara a mantener aglutinados en torno suyo a elementos radicales que exigían cambios verdaderos. Tal recurso, destinado a lograr un apoyo no obtenido por las raquíticas reformas en otros campos, como el agrario, no estaba exento de peligro. Desde un principio se tuvo conciencia —tanto por parte del Ejecutivo como de los legisladores— de los conflictos de orden internacional que podía traer aparejada una reforma petrolera;[5] es quizá por esto que Carranza no propuso directamente el párrafo IV del artículo 27, pues la presión externa era más difícil de ejercer sobre el Constituyente que sobre el Presidente, especialmente si se tiene en cuenta la hostilidad que importantes sectores norteamericanos habían manifestado hacia Carranza en lo personal.

Conviene hacer notar que el párrafo relativo al petróleo no fue objeto de debate al ser presentado por la comisión encargada al pleno de la Asamblea el 1º de enero de 1917. Tampoco hubo una oposición considerable a esta disposición al hacerse las modificaciones por las que posteriormente atravesó. El 25 de enero, sus redactores señalaron que el derecho de propiedad previsto por el artículo 27 permitía a la nación retener bajo su dominio las minas y el petróleo y todo cuanto fuera necesario para su "desarrollo social";[6] poco después, sus patrocinadores fueron aún más precisos, y señalaron: "...lo que constituye y ha constituido la propiedad privada, es el derecho que ha cedido la nación a los particulares, cesión en la que no ha podido quedar comprendido el derecho a los productos del subsuelo".[7] Así pues, sin discusión, la asamblea revolucionaria nulificó completamente los derechos de propiedad que hasta ese momento habían detentado los particulares sobre los hidrocarburos del subsuelo, facultando al Ejecutivo para revisar y declarar nulas, si así lo requería el interés público, todas las concesiones y contratos petroleros celebrados a partir de 1876.[8]

[4] Moisés Sáenz y Herbert I. Priestley, Some Mexican Problems (Chicago, Ill.: The University of Chicago Press, 1926), p. 120.
[5] Isidro Fabela, La política internacional del presidente Cárdenas, p. 48.
[6] Pastor Rouaix, op. cit., p. 167.
[7] México, Poder Legislativo, Diario de los debates del Congreso Constituyente 1916-1917, Vol. II (México: Talleres Gráficos de la Nación, 1960), p. 782.
[8] Conviene notar que el 22 de diciembre se dio lectura a una iniciativa de reforma al artículo 27 "en el sentido de declarar como nacionales todas las riquezas naturales del subsuelo y por tanto, los propietarios actuales de ellas queden considerados como simples arrendatarios". Luis Melgarejo y J. Fernández Rojas, El Congreso Constituyente de 1916-1917 (México, s.p.i., 1917), p. 491. Cuando el párrafo cuarto del artículo 27 se presentó al Congreso para su aprobación, la única modificación propuesta —que no se aceptó por considerarse de carácter secundario— fue la del ingeniero F. Ibarra, pidiendo se especificara el tanto por ciento del monto de las utilidades que las compañías mineras y petroleras debían

Ante la inequívoca actitud del Constituyente —todos los derechos particulares de propiedad sobre los depósitos petroleros fueron abolidos— no deja de llamar la atención la posterior controversia sobre si el párrafo IV del artículo 27 afectaba o no los derechos adquiridos por los particulares antes de 1917 al amparo de la legislación anterior.[9] Quienes en el campo revolucionario habrían de sostener que los derechos adquiridos no podían ser modificados, aprovecharon las imprecisiones del lenguaje usado por los legisladores para justificar la imposibilidad real con que se toparon los gobiernos siguientes en sus intentos por llevar a la práctica lo decretado en 1917.[10] Esta tesis se ha mantenido pese a que desde 1918 el propio Pastor Rouaix, en respuesta a una consulta sobre el significado del concepto de "dominio directo" empleado en relación al petróleo en el artículo 27, señaló: "...desde el momento en que fue promulgada la Constitución, la propiedad legal del petróleo y demás hidrocarburos volvió a ser de la nación", y más adelante añadió: "...no existe retroactividad en el repetido artículo 27, pues lo único que determina es recuperar y reconstruir las propiedades fundamentales de la nación que sin ningún derecho uno de sus gobernantes pretendió ceder a los particulares".[11]

entregar a la nación y que hasta ese momento pagaban a los propietarios de los terrenos. Pastor Rouaix, *op. cit.*, p. 190.

[9] Esta corriente de opinión se negó a reconocer que el carácter de toda revolución es precisamente el de modificar el marco legal del sistema de propiedad en la medida que la persecución de sus metas lo requiere, ya que "nigún Estado está obligado a mantener a sus habitantes, sean nacionales o extranjeros, en el goce perpetuo de los derechos que en un momento dado concede su legislación". Jorge Castañeda, "México y el exterior", *México: 50 años de Revolución*, Vol. III. *La política* (México: Fondo de Cultura Económica, 1961), p. 276.

[10] Este carácter no retroactivo que se pretendió dar sólo al párrafo IV y no a todo el artículo —caso en el cual la reforma agraria hubiera sido imposible— no se encuentra únicamente en decisiones de las cortes y declaraciones de la época, sino que, posteriormente, autores ligados en una forma u otra con los regímenes de Obregón y Calles consideraron necesario insistir en esa tesis con el fin, a todas luces evidente, de mantener una imagen del más ortodoxo patriotismo en el caso de ambas administraciones, negándose a aceptar que las circunstancias externas impidieron su aplicación. Entre quienes sostienen que el Constituyente aceptó un principio de derecho internacional del siglo XIX que impedía cambiar el régimen de propiedad petrolera, a pesar de que en Querétaro Enrique Colunga —a nombre de los ponentes del artículo 27— señaló la facultad que se tenía de tomar medidas que afectaran derechos adquiridos [Pastor Rouaix, *op. cit.*, pp. 209-211], se encuentran Aarón Sáenz, Emilio Portes Gil, el historiador Manuel González Ramírez y otros. Aarón Sáenz, *La política internacional de la Revolución. Estudios y documentos* (México, Fondo de Cultura Económica, 1961); Emilio Portes Gil, *Autobiografía de la Revolución Mexicana*, p. 346; Manuel González Ramírez, *El petróleo mexicano: la expropiación petrolera ante el derecho internacional*, pp. 201-206. Por otro lado, Antonio Gómez Robledo y Luis Zubiría y Campa, entre otros muchos, demostraron que aun dentro de los marcos del derecho internacional tradicional, el Constituyente pudo afectar el *status* jurídico de toda la propiedad petrolera. Ver *The Bucareli Agreements and International Law* (México: The National University of Mexico Press, 1940), p. 48; *El artículo 27 y el petróleo* (s.p.i., 1922), pp. 3-4, respectivamente.

[11] Para Rouaix, en tanto que no se exigía la reintegración del valor del petróleo extraído con anterioridad a 1917, no se podía hablar de retroactividad. Cámara de Senadores, *El petróleo: La más grande riqueza nacional*, pp. 52-58.

Para comprender cabalmente la importancia de la decisión tomada en 1917 respecto a los hidrocarburos, conviene recordar que el 90 % de las propiedades petroleras afectadas en 1917 pertenecían a extranjeros,[12] así como que prácticamente todas las tierras que las compañías petroleras iban a explotar hasta 1938 —concentradas en la faja del Golfo— habían sido ya adquiridas bajo la legislación porfirista. Según un proyecto de ley presentado por el Ejecutivo en junio de 1917, las compañías controlaban 2 151 025 hectáreas de terrenos petrolíferos.[13] Esto explica por qué la nueva legislación no fue atacada por sus efectos sobre futuras adquisiciones: todos los terrenos petroleros probados estaban ya en poder de las compañías.

Para aplicar el artículo 27 se necesitaba que el Poder Legislativo aprobara la ley y reglamentos correspondientes; sin embargo, la presión de los intereses creados obligaría a dejar correr ocho años antes de que entrara en vigor la primera ley, y aun entonces ésta pronto debió ser modificada por la oposición que despertó. La política que en relación a los recursos naturales estableció la Constitución de 1917 —utilizarlos en beneficio del desarrollo nacional, sustrayéndolos del control externo— y que hoy es ampliamente aceptada por todos los países subdesarrollados, tendría que recorrer aún un largo y accidentado camino antes de convertirse en realidad.[14]

Múgica, Andrés Molina Enríquez y Manuel Rojas también habrían de manifestarse en igual sentido. Armando María y Campos, *Múgica: Crónica biográfica* (México: CEPSA, 1939), p. 134; *El Universal* (22 de julio de 1931); Editorial *El Reformador* (2 de junio de 1938), pp. 1 y 3. La misma opinión fue expresada por González Roa, que si bien no participó directamente en la redacción de este artículo, fue un cercano colaborador de Carranza en la materia. Fernando González Roa, *op. cit.*, p. 115.

[12] United States Congress, *Fuel Investigation. Mexican Petroleum. Congress Report of the Committee on Interstate and Foreign Commerce.* 80th. Congress, 2nd. Session, House Report Nº 2470 (Washington, D. C.: Government Printing Office, 1949), pp. 117-118.

[13] Esta superficie se encontraba distribuida en la siguiente forma: Cía. Franco-Española, 145 666; grupo de Mestres, 76 222; grupo de Pearson, 564 095; grupo de Doheny, 227 447; grupo de La Corona, 408 385; grupo de la Penn-Mex, 67 110; la Cía. Exportadora Petrolífera, 63 907; y las 273 compañías restantes, 598 257. NAW, 812.6363/R215/E0594. De acuerdo con los informes de la Asociación de Productores de Petróleo a la U. S. Shipping Board, de 31 de diciembre de 1919, de este total, las tierras controladas en 1917 por las principales compañías americanas sumaban un millón de acres (aproximadamente medio millón de hectáreas); prácticamente todas ellas eran tierras petroleras probadas. NAW, 812.6363/R216/E0971. Para una lista de las 47 compañías norteamericanas —más aquellas con capital norteamericano, pero registradas en México— con derechos adquiridos antes de la vigencia de la nueva Constitución puede verse United States Congress, Senate Committee on Foreign Relation, *Oil Concessions in Mexico. Message from the President of the United States Transmitting Report of the Secretary of State in Response to Senate Resolution Nº 330, Submitting Certain Information Respecting Oil Lands or Oil Concessions in Mexico.* 69th. Congress, 2nd. Session, Document Nº 210, 1927 (Washington, D. C.: Government Printing Office, 1927), pp. 3-4.

[14] En la ONU se está dando forma a un nuevo principio de derecho internacional que permita a los países insuficientemente desarrollados recuperar sus recursos naturales explotados por los capitales externos. Organización de las Naciones Unidas, *Anuario de la comisión de derecho internacional*, 1959, Vol. II (Nueva York: Naciones Unidas, 1960), pp. 17 *ss.*

1. LA REACCIÓN DE LAS EMPRESAS PETROLERAS Y DEL DE-PARTAMENTO DE ESTADO

El artículo 27 encontró la inmediata oposición de los diversos grupos afectados: los hacendados, la Iglesia y los intereses extranjeros, principalmente norteamericanos. Estos últimos eran los únicos que realmente poseían la fuerza necesaria para hacer frente a los gobiernos revolucionarios. Al examinar la reacción norteamericana ante la nueva legislación sobre los derechos del subsuelo, conviene ver separadamente la de las compañías y la que tuvo su origen en el Departamento de Estado (aunque tal distinción no operó en la realidad). Los petroleros intentaron, sin éxito, liquidar la nueva legislación aun antes de que ésta viera la luz. Múgica señaló en 1918 que los representantes de las compañías pretendieron sobornar en Querétaro a ciertos legisladores para que defendieran sus intereses.[15] Una vez adoptada la nueva ley constitucional, las compañías —colocadas en situación defensiva— se pusieron en contacto con el Departamento de Estado, que ya estudiaba la nueva situación, y reclamaron ser protegidas.[16] Sin demora, los intereses petroleros lograron volcar todo el poder político del Departamento de Estado en su defensa, con lo que lograron resistir satisfactoriamente por más de dos décadas a los asaltos del gobierno mexicano, convirtiendo la aplicación del artículo 27 en el principal conflicto de orden internacional que tuvo México en los veinticinco años posteriores a 1917. Para canalizar con mayor eficacia sus esfuerzos defensivos, los intereses extranjeros afectados se unieron en la Asociación de Productores de Petróleo en México (APPM), que agrupó a las principales compañías norteamericanas e inglesas.[17] Ya unidos, los petroleros declararon que "la actual Constitución de México fue adoptada de manera irregular e ilegal"; [18] lo que equivalía a desconocer el artículo 27. La APPM y cada compañía por su cuenta, empezaron a desarrollar una vasta campaña publicitaria contra la Constitución de 1917, destinada a influir en el público norteamericano para que éste respaldara sus intereses a través del Departamento de Estado. La campaña denunció, básicamente, la apropiación de los depósitos petroleros por el gobierno carrancista a través de la "confiscación", en abierto desafío a la santimonia de la propiedad privada.[19]

15 Mucho se sospechó, por tal motivo, de Palavicini. Armando María y Campos, *op. cit.*, p. 134.
16 NAW, New England Fuel Oil Co. a Departamento de Estado, 812.6363/R215/E0386-0388.
17 Fue así como en Londres, en 1917, se formó un comité internacional que agrupó a los tenedores de la deuda mexicana; dos años después surgió la Asociación Nacional para la Defensa de los Intereses Norteamericanos en México, donde los petroleros tuvieron una posición predominante. Ese mismo año los banqueros con intereses en México, formaron su agrupación en París.
18 Tal declaración se hizo después de una reunión celebrada en Galveston el 17 de mayo de 1921. Asociación Americana de México, *op. cit.*, p. 53.
19 No fueron sólo las compañías quienes ejercieron presión sobre el gobierno norteamericano para que éste se opusiera a la nueva Constitución, sino que existió una interacción. El director de la Oil Division, de la United States Fuel Administra-

El Departamento de Estado, en el momento mismo en que tuvo noticia de los rumores sobre un posible intento del gobierno carrancista de modificar la base jurídica de los depósitos petroleros explotados por sus ciudadanos (enero de 1916), hizo del conocimiento de Carranza el peligro que tal medida podía entrañar, obligando al Presidente mexicano a dar seguridades a Lansing de que no se contemplaba la nacionalización del petróleo.[20]

La presencia de las tropas de Pershing en el norte de México ofreció al gobierno norteamericano la posibilidad de obtener de Carranza una garantía más firme sobre el respeto a los derechos de propiedad adquiridos por sus ciudadanos en México. En las conferencias que los enviados de Carranza sostuvieron con los representantes norteamericanos a fines de 1916 y principios de 1917, en New London y Atlantic City, para acordar los términos de la evacuación de las tropas expedicionarias, Estados Unidos pretendió obtener a cambio de la desocupación un compromiso que obligara a México a proteger las propiedades de norteamericanos no sólo de ataques armados, sino de posibles "medidas confiscatorias". En octubre propuso la firma de un convenio, una de cuyas cláusulas se refería expresamente al reconocimiento de la validez de los derechos norteamericanos y de los extranjeros en general, adquiridos en el pasado. Pani, que fue uno de los delegados, señaló que las compañías petroleras ejercieron presión directa sobre los representantes norteamericanos para que se obtuvieran de México estas seguridades.[21] Carranza mantuvo su negativa a contraer cualquier compromiso mientras las tropas extranjeras no fueran retiradas. La grave situación europea obligó a Wilson a ordenar el retiro incondicional de Pershing; así, el conflicto mundial contribuyó decisivamente a que el artículo 27 naciera libre de las cortapisas con que se intentó hacerlo nugatorio.

Cuando, al seguir de cerca las deliberaciones de los legisladores en Querétaro, Washington comprobó que, pese a sus esfuerzos, la amenaza se había materializado, protestó y trató de obtener una promesa de Carranza en el sentido de que las nuevas disposiciones no se aplicarían retroactivamente. En todo caso, Estados Unidos advirtió que no se sentía comprometido por lo aprobado en Querétaro.[22] La posición del Departamento de Estado tendería a obtener la exclusión de los intereses de sus ciudadanos (y, en menor medida, de los europeos) de las disposiciones de los artículos 3º, 27, 33 y 130.[23] Ante las exigencias

tion, por ejemplo, desde un principio pidió a las compañías que no cedieran a las exigencias mexicanas —ni aun mediante indemnización—, pues era vital que mantuvieran su control sobre el petróleo mexicano. NAW, 812.6363/R218/E0860-0863.

20 AREM, L-E 547, T. xv, Leg. 3, f. 27.

21 Alberto J. Pani, *Mi contribución al nuevo régimen (1910-1933)* (México: Editorial Cultura, 1936), pp. 231-236; Isidro Fabela, *Historia diplomática de la Revolución Mexicana*, 2 Vols. (México: Fondo de Cultura Económica, 1958-59), Vol. I, pp. 314-319.

22 Davis E. Cronon, *Josephus Daniels in Mexico*, p. 43; Manuel C. Gordon, *op. cit.*, p. 167. NAW, 812.6363/R229/E0538-0539.

23 El cambio en el sistema jurídico del subsuelo afectó primordialmente a las compañías petroleras, pero también hubo protestas de otro tipo de empresas, como

norteamericanas, Carranza tuvo que ceder un tanto, y a través de la Secretaría de Relaciones, con fecha 20 de febrero, antes de que la Constitución entrara en vigor, se aseguró al embajador Fletcher que no era probable que la nueva legislación afectara los intereses adquiridos. Estados Unidos tomó esta vaga promesa como una seguridad definitiva, y meses después otorgó a Carranza el reconocimiento *de jure*.[24]

2. LAS BASES TEÓRICAS DE LA POLÍTICA PETROLERA CARRANCISTA

El gobierno del Presidente Carranza, en su lucha con las compañías petroleras, fue elaborando una teoría legal que serviría para justificar el artículo 27 en el exterior. Los autores de estas teorías —pues son varias, y no siempre congruentes entre sí— fueron abogados e ingenieros carrancistas que, en su mayoría, prestaron servicios en la Secretaría de Industria. Los argumentos elaborados entonces para sostener los derechos de la nación al subsuelo no desaparecieron con Carranza, y los regímenes posteriores, en una forma u otra, según lo aconsejaron las circunstancias, se valieron de ellos (y en ciertos casos de sus autores) para socavar la posición de las compañías.[25]

Las teorías en que se apoyaba el artículo 27 pueden examinarse, en primer lugar, a la luz del problema de la "retroactividad". En ciertos casos se señaló que cuando el interés nacional entraba en conflicto con los intereses particulares —en este caso los de las compañías petroleras—, éstos, por importantes que fueran, tenían un carácter secundario, y podía legítimamente establecerse un nuevo régimen de propiedad sin importar que fueran afectados por su aplicación retroactiva. El Constituyente —sostenían quienes apoyaban este punto de vista— es siempre y en todo caso absolutamente libre para dictar disposiciones con carácter retroactivo. El artículo 14 de la Constitución (que los petroleros siempre invocaron en su favor) estaba dirigido contra la aplicación retroactiva de una ley secundaria, mas no contra un artículo constitucional; ponía una traba a los jueces pero no al

la de la United States Graphite Co., que reclamaba la propiedad absoluta sobre los depósitos de grafito.

[24] NAW, 812.6363/R228/E0281 y E0344; Howard F. Cline, *op. cit.*, p. 186. Estas "seguridades" de Carranza se refirieron a las propiedades "entonces en explotación"; esto llevó a los norteamericanos a considerar que se les había prometido que todos sus derechos adquiridos antes del 1º de mayo de 1917 serían respetados, mientras que Carranza —como se vería más tarde— dio a su declaración una interpretación más restringida.

[25] La literatura sobre este aspecto es relativamente abundante; el lector puede recurrir al *Boletín del Petróleo*, algunos de cuyos artículos más representativos son los editoriales de Salvador Mendoza, en el Vol. VII de enero-junio de 1919; el editorial de Joaquín Santaella, en el Vol. VIII de julio-diciembre de 1919; el estudio de Aquiles Elorduy, en el mismo volumen, pp. 11-14; el editorial del Vol. X, de julio-diciembre de 1920, y otros más. Con igual fin puede consultarse a Manuel de la Peña, *El petróleo y la legislación frente a las compañías petroleras* (México: Secretaría de Gobernación, 1920); J. Vázquez Schiaffino, Joaquín Santaella, Aquiles Elorduy, *Informes sobre la cuestión petrolera* (México: Imprenta de la Cámara de Diputados, 1919).

Constituyente.[26] Algunas veces, esta tesis se apoyó en textos de algunos tratadistas de derecho internacional y, además, en precedentes, haciendo hincapié en los casos en que Estados Unidos había incurrido en medidas de efecto retroactivo.[27] En otras ocasiones, por el contrario, se insistió en que la interpretación radical del artículo 27 estaba lejos de tener un carácter retroactivo; a tal conclusión se llegó por dos caminos: uno de ellos sostenía que era físicamente imposible que el superficiario fuera dueño del petróleo en el subsuelo, dado que el combustible se desplazaba de un terreno a otro; por ello, únicamente se podía ser propietario del petróleo ya extraído; así pues, el artículo 27 no afectaba a las compañías puesto que no se las podía privar de derechos que no tenían.[28] Una segunda forma para llegar a la misma conclusión fue poner en duda la validez de las leyes porfiristas de 1884 y 1909, sosteniéndose que éstas no habían sido adoptadas legalmente y que, por tanto, nunca se había sustraído al petróleo del régimen heredado por la Colonia.[29] En ambos casos se sostuvo que para configurar la retroactividad, hubiera sido necesario que México exigiera la restitución del valor del petróleo extraído antes de 1917, y no era ese el caso.

Un tanto fuera de la línea seguida por estos razonamientos eminentemente jurídicos —destinados a revestir a una medida revolucio-

26 Esta tesis no sólo fue expuesta en artículos o libros, sino que se encuentra en documentos de carácter oficial. El proyecto de ley reglamentaria de la cláusula petrolera del artículo 27, presentado por Carranza al Congreso el 22 de noviembre de 1918, señala: "...las leyes fundamentales son necesariamente retroactivas, porque son reformadoras...". Si la reivindicación de un derecho se consideraba retroactiva, era legítimo ese carácter. México, Secretaría de Industria, Comercio y Trabajo, *Proyecto de ley orgánica del artículo 27 constitucional en el ramo del petróleo aprobado por la H. Cámara de Senadores y enviada a la H. Cámara de Diputados para su discusión* (México: Dirección de Talleres Gráficos, 1920). En igual sentido se pronunció la Secretaría de Industria en los considerandos de su proyecto de ley del petróleo de 1917; México, Secretaría de Industria, Comercio y Trabajo, *Proyecto de ley del petróleo de los Estados Unidos Mexicanos* (México: Secretaría de Hacienda, 1918). La misma opinión prevalece en un documento que la Secretaría de Industria envió a la de Relaciones Exteriores el 22 de septiembre de 1926, según el cual el legislador no tenía traba alguna que le impidiera dictar disposiciones retroactivas. AREM, L-E, T. XXI, Leg. 1, ff. 151-152.

27 Ejemplos constantemente citados fueron la abolición de la esclavitud y la "ley seca", que afectaron derechos adquiridos. Fernando González Roa, *op. cit.*, pp. 120-121 y Antonio Gómez Robledo, *op. cit.*, p. 31.

28 Quienes sostuvieron tal punto de vista señalaban que el petróleo se encontraba en la misma situación que las animales salvajes, desplazándose constantemente, y que sólo se puede decir que son propiedad de alguien cuando se les captura. Se sostenía, además, que en Estados Unidos se habían dado varias sentencias que aplicaban al petróleo este principio de *ferae naturae*, en virtud del cual se consideraba que, en tanto no se le extrajera, el Estado era el poseedor de los derechos de propiedad. Walter D. Hawk, "Aspectos de la cuestión petrolera que quedan comprendidos en la diplomacia mexicano-americana". Trad. manuscrita del artículo de este título en *Illinois Law Review*, Vol. XXII (junio, 1927), p. 2.

29 En su alegato ante las cortes, el Ejecutivo sostuvo que: "Ninguna legislación pudo privar válidamente a la nación de la propiedad del subsuelo, para atribuirla a los particulares." Gobierno de México, *La cuestión petrolera mexicana; el punto de vista del Ejecutivo Federal.* Ver también los considerandos del proyecto de ley del petróleo de 22 de noviembre de 1918, los artículos aparecidos en *El Heraldo de México*, 1, 2, 5 y 6 de septiembre de 1919, y Fernando González Roa, *op. cit.*

naría con los ropajes del derecho internacional tradicional, y a hablar con las grandes potencias en sus propios términos—, el artículo 27 se justificó por la simple razón, y en el fondo la única, de que no había argumento válido que impidiera afectar ciertos intereses privados si ello era necesario, pues "en toda sociedad el primer deber de los asociados es el de sacrificar el interés individual al colectivo".[30] No podía aceptarse que se coartara a México la libertad de regirse en la forma que conviniera a los intereses de la mayoría de sus habitantes.[31]

3. LOS MOTIVOS POLÍTICOS Y ECONÓMICOS DE LA POLÍTICA PETROLERA DE CARRANZA

Los motivos económicos que llevaron a intentar la modificación de la industria petrolera fueron mediatos e inmediatos. La razón más apremiante era la necesidad de obtener mayores ingresos fiscales; Carranza requería de un presupuesto que pudiera cubrir con relativo desahogo las necesidades militares y burocráticas, hacer frente a la deuda externa e iniciar ciertos proyectos y reformas; de lo contrario, la estabilidad de su régimen se vería en constante peligro. La industria petrolera era la fuente ideal de estos ingresos, puesto que era la única que no había resentido la guerra civil (en préstamos externos no podía pensarse). En 1917, el petróleo había alcanzado ya el primer lugar entre las exportaciones; el conflicto mundial había expandido enormemente la demanda de combustibles y el petróleo ligero mexicano contaba con un vasto mercado; de los 174 pozos en producción se extraía un promedio de 3 700 barriles diarios, lo que los colocaba entre los más productivos del mundo.[32] Todo esta riqueza desaparecería sin dejar más que siete millones de pesos por concepto de impuestos.[33] Ya en el decreto de 7 de enero de 1915 se había señalado que la revisión de la legislación petrolera se hacía necesaria, puesto que su explotación se había hecho "sin que... ni la nación ni el gobierno hayan obtenido los justos provechos que deben corresponderles". La revisión efectuada en 1917 sentó las bases para que el Estado pudiera demandar una mayor participación, a través de impuestos y regalías, en la bonanza por la que atravesaba esa industria. Un segundo motivo, no tan apremiante, pero mucho más importante que el primero, era el temor de que las compañías agotaran, en beneficio de economías extranjeras, un combustible que en el futuro sería de importancia vital para la nación.[34]

[30] México, Secretaría de Industria, Comercio y Trabajo, *Proyecto de ley orgánica del artículo 27 constitucional...*
[31] Informe presidencial, 1º de septiembre de 1919.
[32] José Domingo Lavín, *Petróleo*, p. 90.
[33] En 1918 el pago de impuestos aumentó a 12 millones de pesos, y el secretario de Hacienda calculaba que bien podría aumentar tal suma diez veces, pues la industria iba a continuar prosperando, *Revista Tricolor*, agosto de 1918.
[34] En los considerandos del proyecto de ley orgánica del petróleo redactado por la Secretaría de Industria en 1917, se decía: "En nuestro país la industria del petróleo adquiere mucha mayor importancia todavía porque la aplicación industrial del petróleo se puede verificar en una industria que no dispone, como en

Juntamente con los móviles económicos, había otros de orden puramente político que impulsaron a Carranza a adoptar una actitud nacionalista en el ramo del petróleo. El antiguo gobernador de Coahuila necesitaba un apoyo mayor que el del ejército y dotar a su gobierno de una base relativamente popular, pero sus débiles reformas agrarias y laborales no eran suficientes. Fue en la política encaminada a poner fin a la situación privilegiada del capital extranjero —esencialmente del invertido en la industria del petróleo—, en la que el Presidente concentró sus mejores esfuerzos como representante de la Revolución, y en la que iba a tener la mayor respuesta popular, sobre todo después de que la Revolución había hecho surgir el potente sentimiento antiamericano latente ya en el Porfiriato. Carranza se hizo eco y, a la vez, avivó este sentir.[35] La contrapartida de esta política fue la posibilidad de un conflicto armado con la potencia más poderosa del orbe.

4. EL ARTÍCULO 27 EN LA PRÁCTICA

Carranza siguió dos caminos para tratar de poner en práctica las disposiciones contenidas en el párrafo IV del artículo 27. De una parte, estaba la serie de decretos que, bajo formas puramente fiscales, promovían una verdadera e inmediata reglamentación del precepto constitucional, lo que significaba una continuación de su política anterior a 1917; de otra, se encontraban los proyectos de ley orgánica del párrafo IV del artículo 27. La serie de decretos relacionados con el petróleo, que se dieron a partir de 1917, constituyó la forma indirecta de atacar el problema del artículo 27, a la vez que la vía para obtener un aumento en los ingresos fiscales. Según manifestaría Pani a Obregón en 1922, la intención inicial de Carranza no fue seguir una política radical: aun cuando sabía de antemano que era imposible que las compañías llegaran a aceptar completamente sus disposiciones, al menos lograría que aceptaran una parte importante de ellas; sin embargo, al final, "este punto de vista radical dejó de ser una simple táctica para convertirse en el verdadero objetivo de la política de Carranza".[36]

otros países, de grandes yacimientos de carbón; de manera que el petróleo no solamente significa ahorro, sino que para muchos industriales del porvenir significa el combustible indispensable para desarrollar sus industrias." México, Secretaría de Industria, Comercio y Trabajo, *Proyecto de ley del petróleo...*, p. 18. "Dejar subsistentes los monopolios que formó la dictadura —señaló en 1916 la Comisión Técnica sobre la Nacionalización del Petróleo— equivale a matar la independencia económica de la industria mexicana", *Boletín del Petróleo*, Vol. III, enero-junio de 1917, p. 220. En el *Boletín del Petróleo* de la época abundan manifestaciones de este tenor.

35 Sobre este punto puede verse, entre otros autores, a Carlos Díaz Dufoo, *México y los capitales extranjeros*, p. 7, y Frederick Sherwood Dunn, *op. cit.*, p. 327.

36 Pani, que en realidad nunca apoyó una posición radical frente a las compañías, manifestó en la reunión del gabinete de 4 de noviembre de 1922, que la posición extrema de Carranza —anticonstitucional, según él— tuvo por objeto llegar al "justo medio", en una transacción con las compañías, mas la atmósfera radical del momento le llevó a tomar posiciones extremas. AREM, C-3-2-43, Exp. III/625 (011)/2-1, Leg. 1, ff. 21 y 26-27.

El primer paso en este camino indirecto tuvo un carácter puramente fiscal, pero el impuesto del timbre —pagado bajo protesta— puso fin definitivamente a la exención de impuestos con que Díaz intentó fomentar el desarrollo de la industria.[37] La medida de mayor trascendencia hubo de aguardar un año y está contenida en el decreto de 19 de febrero de 1918. Este decreto, que no fue apoyado por todo el gabinete,[38] fue promulgado a base de las facultades extraordinarias que el Congreso había concedido a Carranza en el ramo de Hacienda.[39] Si hasta ese momento los petroleros se habían alarmado por las medidas fiscales, el decreto de febrero les dio un motivo más importante de preocupación, pues además de establecer en calidad de regalía un nuevo impuesto sobre terrenos adquiridos antes de 1917 (puesto que consideraba al Estado como propietario), en su artículo 14 sostenía que todo el petróleo en el subsuelo pertenecía a la nación, derecho que debía ser reconocido por el explotador privado al tener que solicitar una concesión gubernamental para iniciar sus trabajos, sin importar que sus títulos de propiedad o de arrendamiento fueran anteriores al 1º de mayo de 1917. Si tal medida no era obedecida, el superficiario perdería sus derechos y terceras personas podían denunciar los fundos, con lo cual se tendía a cambiar los títulos porfiristas de propiedad por meras concesiones.[40]

Ninguna de las compañías importantes intentó obtener títulos de denuncio, y ante la imposibilidad de hacer efectiva la desaparición de los derechos de las compañías rebeldes —ya que tenían el total respaldo de Washington— y tampoco dispuesto a derogar los decretos, Carranza fue ampliando los plazos para efectuar los denuncios, en espera de circunstancias más favorables.[41] Pero como éstas no se presentaran y la presión fuera en aumento, el gobierno mexicano se re-

---

[37] Este impuesto, decretado el 13 de abril de 1917, gravaba la producción de petróleo, sus derivados y el desperdicio de combustible, según el valor del producto. Para soslayar la traba de la exención impositiva porfirista, que no comprendía el pequeño impuesto del timbre, Carranza decretó su pago en timbres fiscales.

[38] Fletcher informó al Departamento de Estado que la medida había sido objeto de amplia discusión entre Pani, Berlanga (el subsecretario de Hacienda) y Cándido Aguilar; este último favorecía una medida menos radical. NAW, 812.6363/R228/E0440.

[39] Estas facultades se le otorgaron el 8 de mayo de 1917 con objeto de permitir el pago rápido a los empleados públicos, pero difícilmente podían considerarse la base más idónea para apoyar medidas de este tipo.

[40] El decreto, "primer intento efectivo de reivindicación constitucional del dominio directo de la nación", fue expedido por la Secretaría de Hacienda pero en realidad elaborado, como la mayoría de estas disposiciones, por la Secretaría de Industria, que antes de su publicación intentó llegar sin éxito a un acuerdo con las compañías. Las regalías establecidas equivalían a $5.00 por hectárea y al 5% del producto. Alberto J. Pani, *Las conferencias de Bucareli* (México: Editorial Jus, 1953), p. 101.

[41] Un decreto del 18 de mayo amplió el plazo. El 8 de junio se dio a conocer el reglamento del artículo 14 del decreto de febrero, que retenía lo esencial de éste. Como las compañías mantuvieran su posición, el 31 de julio nuevamente se pospuso la fecha límite para efectuar los denuncios. El 8 de agosto se anunció que una semana más tarde todos los ciudadanos mexicanos podrían denunciar aquellos terrenos petrolíferos cuyos propietarios o arrendatarios no lo hubieran hecho, pero las compañías no variaron su actitud.

tractó —aunque no del todo— al anunciar el 12 de agosto que aquellos terrenos petrolíferos en los que se hubieran hecho inversiones antes del 1º de mayo de 1917 con el propósito de explotar el combustible, no podían ser objeto de denuncia.[42] Así, de momento, quedaban fuera de controversia las propiedades más valiosas: aquellas ya probadas y que las compañías estaban explotando o en vías de explotar (todo dependía de la interpretación más o menos amplia que se le diera a la disposición).

Carranza había cedido en el momento crítico, pero únicamente lo indispensable; su gobierno siguió sosteniendo que era necesario que las compañías obtuvieran los nuevos contratos para iniciar nuevos trabajos. La controversia se llevó a los tribunales.[43] Si Carranza hubiera querido dar marcha atrás en forma digna y salvando las apariencias, habría obtenido en ese momento del Poder Judicial un fallo que exigiera la modificación de los decretos expedidos, pero no lo hizo, y hasta el momento en que su gobierno cayó, la Suprema Corte no había dado su veredicto.[44] El plazo siguió prorrogándose (el decreto del 14 de noviembre lo amplió hasta fin de año) y en enero de 1920 se estableció un *modus vivendi* con las compañías, ampliándose indefinidamente el plazo para hacer los denuncios: hasta el momento en que se expidiera la ley reglamentaria del artículo 27 en el ramo del petróleo, que se dijo sería pronto. La prensa mexicana habló con gran optimismo de una victoria del gobierno, pues nadie había abandonado sus pretensiones, ni México ni las compañías.[45] Los petroleros se tranquilizaron, pero no modificaron su actitud; Carranza tampoco, pero no pudo obtener que las compañías acataran sus disposiciones, aun bajo protesta.[46]

Si por el momento los petroleros no fueron afectados, tampoco pudieron continuar normalmente sus operaciones de perforación.[47] Como consideraran que el apoyo del Departamento de Estado les permi-

---

[42] El embajador Fletcher informó al Departamento de Estado que el gobierno mexicano, ante la imposibilidad de hacer cumplir sus disposiciones, había preparado ese decreto la noche anterior. NAW, 812.6363/R228/E0552-0554.

[43] Ver Gobierno de México, *La cuestión petrolera mexicana...*; [Compañías petroleras], *Alegatos que presentan ante la Suprema Corte de Justicia de la Nación las siguientes compañías y personas... en los juicios de amparo promovidos contra leyes y actos del Ejecutivo de la Unión y de sus dependencias, la Secretaría de Gobernación, la Secretaría de Hacienda y Crédito Público y la Secretaría de Industria, Comercio y Trabajo* (México: Imprenta J. Escalante, S. A., 1919).

[44] En 1919 las compañías habían presentado 80 demandas de amparo.

[45] El 13 de enero de 1919, 46 de las principales compañías pidieron a Carranza en un telegrama que, dada la necesidad que tenían de hacer nuevas perforaciones para mantener el nivel de producción, el gobierno mexicano les concediera permisos provisionales sin que nadie renunciara a lo que consideraba sus derechos, NAW, 812.6363/R218/E0017-0018. Un año después, el 20 de enero de 1920, Carranza contestó en forma afirmativa, NAW, 812.6363/R228/E0690-0693. Para la consulta de todos los decretos y órdenes que se han mencionado, puede verse Secretaría de Industria, Comercio y Trabajo, *Legislación petrolera 1783-1921*.

[46] Alberto J. Pani, *Las conferencias de Bucareli*, p. 103.

[47] El gobierno mexicano llegó a proponerles dar los permisos de perforación si de antemano se comprometían a cumplir con la ley reglamentaria que aprobara el Congreso, a lo que, obviamente, las compañías se negaron.

tía emprender nuevas operaciones, pasando sobre las disposiciones de Carranza, algunas compañías comenzaron a perforar. La Secretaría de Industria advirtió que se usaría la fuerza para detenerlas, pues los depósitos que se proponían explotar sin permiso eran reclamados por la nación.[48] Ya a principios de año, el Presidente mexicano había sido autorizado por el Congreso para emplear la fuerza, si fuera necesario, y obligar a las compañías petroleras a cumplir con sus disposiciones, pero la presión anglo-norteamericana lo había disuadido;[49] sin embargo, en esta ocasión decidió correr el riesgo: los campos petroleros de varias empresas fueron ocupados y las tropas cerraron las válvulas de los pozos ilegalmente perforados. El cónsul americano en Tampico señaló que México parecía decidido a hacer cumplir el artículo 27; la embajada protestó.[50] La situación incierta y tirante entre el gobierno, las compañías y el Departamento de Estado, habría de prolongarse hasta fines de 1919, cuando finalmente se dieron los permisos provisionales.[51]

Así pues, los decretos de Carranza no tuvieron resultado práctico —exceptuando un aumento relativamente pequeño en los impuestos—, puesto que las compañías, con el apoyo de sus gobiernos, pudieron dejar de cumplirlos, aunque no sin verse obligadas a suspender por un tiempo sus nuevos trabajos. Todo intento de reglamentar el artículo 27 en esta forma indirecta fue abandonado después del período de Carranza; sin embargo, los principios esenciales contenidos en los decretos se mantuvieron pendientes sobre las cabezas de los petroleros.

Al mismo tiempo que se abordaba el problema petrolero a través de los decretos del Ejecutivo, se intentó dar forma al instrumento que en última instancia debía poner en marcha la reforma contenida en el párrafo IV del artículo 27; es decir, su ley orgánica. Si bien la primera ley no vería la luz hasta 1925,[52] los proyectos comenzaron a aparecer en seguida. Lógicamente, el meollo de tales proyectos lo constituía su posición ante los derechos adquiridos por las compañías con anterioridad al 1º de mayo de 1917 y todos ellos son fiel reflejo de la controversia con Estados Unidos y sus empresas.

El primer proyecto de ley lo presentó Pani en su calidad de titular

[48] Circular de 16 de mayo de 1919.
[49] Merrill Rippy, *op. cit.*, p. 29.
[50] NAW, cónsul en Tampico a Departamento de Estado, 10 de junio de 1919, 812.6363/R216/E0093-0096; Departamento de Estado a su embajada, 18 de junio de 1919, 812.6363/R216/E0103-0104.
[51] Un motivo más de fricción entre el gobierno y los petroleros, aunque de carácter secundario, fueron las concesiones que en virtud del decreto de 12 de marzo y de la circular de 21 de abril de 1919 se dieron a terceros para explotar las "zonas federales" —ríos, arroyos, esteros, lagos y marismas— que atravesaban los campos de las compañías. Su objetivo era abrir una nueva fuente de ingresos para el gobierno, "...ya que hasta la fecha las compañías que explotaban el petróleo no dejaban prácticamente beneficio alguno". Los petroleros sostuvieron que ello era un robo. Manuel Calero y Delbert J. Haff, *Concesiones petroleras en las zonas federales* (México: Imprenta Nacional, 1921), p. 13.
[52] En el ínterin reinó una cierta anarquía, puesto que todas las transacciones petroleras fueron resueltas a través de un régimen casuístico de acuerdos presidenciales, que dio origen a contradicciones y confusiones.

de la Secretaría de Industria, en un congreso de industriales.[53] Este proyecto fue elaborado por el Departamento del Petróleo sin tomar en cuenta las opiniones que al respecto habían expresado las compañías,[54] e incorporaba todo el espíritu radical del artículo 27, por lo cual no se esperaba su aceptación.[55] En los considerandos se justificaba su carácter retroactivo por juzgarlo benéfico para el bienestar colectivo; a quienes poseían títulos anteriores a mayo de 1917 sólo les concedía un derecho preferencial para solicitar una concesión gubernamental y, en todo caso, el Estado percibiría una renta anual.[56] La protesta de las compañías no se hizo esperar,[57] pero el gobierno no insistió más en este proyecto, que sólo era parte de una estrategia más amplia. Las compañías y la embajada habrían de mantener al Departamento de Estado al tanto de éste y del resto de los proyectos, que conocían desde antes de su presentación pública.[58] A principios de 1917, en varias ocasiones los abogados de las compañías pidieron se hiciera una representación diplomática contra proyectos en estudio, pero parece ser que Washington sólo se concretó a seguir de cerca los acontecimientos.[59] El 19 de noviembre de ese mismo año, Cándido Aguilar, representante de una tendencia moderada respecto al problema petrolero, en su calidad de gobernador de Veracruz, mandó al Congreso local un proyecto que consideraba que la nación no podía reclamar la propiedad directa de los yacimientos petrolíferos —excepto si pagaba una fuerte indemnización—; simplemente tenía un derecho superior: el "dominio directo". Para Aguilar, tal derecho sólo significaba que la nación debía percibir una regalía, no excesiva (alrededor del 6 % de la producción bruta), como reconocimiento de su "señorío".[60] Para Aguilar y otros, el problema consistía en aumentar la participación estatal en los beneficios de la industria petrolera, y eran complicaciones gratuitas aquellas medidas tendientes a modificar el *status* jurídico de la industria. El Ejecutivo federal no acogió bien el

---

[53] Fue la primera labor de importancia de dicha Secretaría en relación con este asunto. Alberto J. Pani, *Mi contribución al nuevo régimen (1910-1933)*, p. 245.

[54] Se diría que estaban "fuera del criterio revolucionario". Arturo Pani, *Alberto J. Pani. Ensayo biográfico* (México, s.p.i., 1961), pp. 120-121.

[55] En la ya mencionada reunión del Gabinete el 4 de noviembre de 1922, Pani, con su característico punto de vista, dijo que tal ley se hizo a sabiendas de que era "...absolutamente radical, anticonstitucionalista y retroactiva: produjo el escándalo y protestas consiguientes". AREM, C-3-2-43, Exp. 111/625 (011)/2-1, Leg. 1, f. 26.

[56] México, Secretaría de Industria, Comercio y Trabajo, *Proyecto de ley del petróleo...*

[57] Ver Carlos Díaz Dufoo, *La cuestión del petróleo*, pp. 209-211.

[58] NAW, embajada a Departamento de Estado, 30 de mayo de 1917, 812.6363/R215/E0479; compañías petroleras a Polk, 6 de junio de 1917, 812.6363/R215/E0493-0499.

[59] NAW, Simpson Brown & Williams a Departamento de Estado, 11 de julio de 1917, 812.6363/R215/E0526.

[60] Cándido Aguilar, *Iniciativa de ley orgánica del artículo 27 constitucional en lo relativo a petróleo que presenta el C. general... Gobernador Constitucional del Estado de Veracruz a la H. Legislatura del mismo Estado, para ser enviada por ésta al Congreso de la Unión* (México: Imprenta Escalante, S. A., 1917).

proyecto veracruzano, que nunca fue discutido a fondo en el Congreso y sí atacado por la Secretaría de Industria.[61] De los informes de la embajada española se deduce que desde el momento mismo en que la nueva Constitución fue promulgada, los petroleros empezaron a preocuparse por la ley reglamentaria del párrafo IV del artículo 27.[62] En 1917 se estuvieron preparando diversos proyectos de ley en la Secretaría de Industria para presentarlos a las Cámaras, pues los diputados urgieron al Ejecutivo que presentara su proyecto de ley;[63] por lo menos se mencionan tres, que afectaban en distintos grados los intereses ya establecidos. Ninguno fue presentado.[64] No fue sino hasta noviembre de 1918 cuando Carranza llevó al Congreso su proyecto de ley reglamentaria preparado en la Secretaría de Industria —hay que tener en cuenta que ya sus decretos se habían frustrado ante la resistencia de las compañías y del Departamento de Estado—, que en sus considerandos insistía en la legitimidad de las leyes que afectaban aquellos intereses creados perjudiciales al resto del cuerpo social, e insistía en la necesidad de efectuar los denuncios y el pago de regalías al Estado. Pero, reflejando el equilibrio real de las fuerzas en pugna, señalaba que no eran denunciables ni estaban sujetos a los preceptos de la ley aquellos terrenos en los que se hubiera invertido capital con el fin de explotar el petróleo antes de mayo de 1917, aunque sí debían justificar sus títulos y no se les eximía del pago de rentas y regalías. Con ello, las zonas petroleras más valiosas quedaban, en buena medida, sustraídas a la aplicación del artículo 27; aun así, el proyecto contenía elementos que afectaban a las compañías, las cuales no tardaron en mostrar su disgusto.[65] El Departamento de Estado, que había seguido de cerca la elaboración del proyecto, manifestó que, pese a todo, había un adelanto y no creyó conveniente formular protestas.[66] El proyecto fue examinado durante casi un año por un comité del Senado que, finalmente, se pronunció en contra de modificar los derechos adquiridos por las compañías norteamericanas;[67] sin em-

---

[61] Boletín del Petróleo, Vol. v, enero-junio de 1918, pp. 128-135 y 136-139. Otros comentarios al proyecto pueden verse en: México, Secretaría de Industria, Comercio y Trabajo, Documentos relacionados con la legislación petrolera mexicana (México, s.p.i., 1919), pp. 331-396.

[62] CDHM, embajada española a Ministro de Estado, 14 de febrero de 1917, R50, Caja 331, Leg. único, N9 16.

[63] El Universal (4 de junio de 1917).

[64] NAW, 812.6363/R215/E0640-0644, 0665-0666 y 0759-0760.

[65] A los poseedores de terrenos en los que no se hubieran hecho inversiones del tipo señalado, sólo se les concedían derechos preferenciales por un año para hacer su denuncio. México, Secretaría de Industria, Comercio y Trabajo, Proyecto de ley orgánica del artículo 27 constitucional... Las compañías, por su parte, señalaron que el proyecto no garantizaba todos sus derechos: indebidamente les cobraba regalías, y no protegía el 90 % de sus posesiones, en las que no habían efectuado inversión alguna antes de 1917. Association of Oil Producers in Mexico, Documents Relating to the Attempt of the Government of Mexico to Confiscate Foreign-owned Oil Properties (s.p.i., 1919).

[66] NAW, 812.6363/R215/E0957-0963.

[67] Tal actitud tuvo su origen, según Carlos Díaz Dufoo, en la presión del exterior; La cuestión del petróleo, pp. 310-312. Sea como fuere, no hay duda de que la embajada norteamericana estuvo en contacto con algunos miembros de dicha

bargo, el contraproyecto que presentó fue objeto de un amplio y muy acalorado debate en la Cámara y la prensa, pero no fue aprobado.[68] La embajada norteamericana vio tal votación como una victoria de Carranza sobre los moderados.[69] El proyecto aprobado finalmente por el Senado y turnado en diciembre de 1919 a los diputados, era prácticamente el mismo que había presentado Carranza un año antes.[70] En la Cámara de Diputados se mantuvo el proyecto hasta después de la caída de Carranza, y volvió ligeramente modificado al Senado en 1923,[71] donde quedó finalmente archivado, pues la ley de 1925 nació de un nuevo proyecto del Ejecutivo.

Como se comprobaría posteriormente, los proyectos de ley reglamentaria del petróleo sólo quedaron relegados en las Cámaras en tanto que el Presidente lo consideró conveniente; cuando éste estuvo decidido a promulgar la ley, el Congreso la aprobó con la celeridad necesaria. Por tanto, si bajo Carranza el proyecto fue relegado, y los debates y estudios prolongados, ello se debió a que la situación externa impedía introducir las modificaciones, ya no tan radicales, deseadas por el Ejecutivo, quien hizo que el proyecto aguardara, sin modificaciones sustanciales, una mejor oportunidad.

5. LA DEFENSA DE LOS PETROLEROS

La defensa de los intereses petroleros se efectuó por los cauces ya establecidos. Por lo que hace a las compañías, éstas protestaron y se ampararon contra las medidas fiscales y la modificación de su *status* previstas en los decretos de Carranza.[72] En ningún momento aceptaron que sus derechos adquiridos pudieran ser cambiados por simples "licencias mineras".[73] Por lo que se refiere a los impuestos, no todos fueron cubiertos y, en otros casos, como ocurrió con el impuesto del

comisión, según informes de Summerlin, de septiembre de 1919. NAW, 812.6363/R216/E0547-0549.

[68] En los debates estuvo presente el subsecretario de Industria, que apoyó una actitud más radical, lo mismo que muchos de los senadores. En la prensa y en la Cámara se acusó a los miembros del comité que presentó el nuevo proyecto de estar comprometidos con las compañías petroleras. Ver *El Heraldo de México* de los meses de septiembre y octubre; *Boletín del Petróleo*, Vol. VIII, julio-diciembre de 1919, p. 233; Carlos Díaz Dufoo, *La cuestión del petróleo*, pp. 315-332; Merrill Rippy, *op. cit.*, p. 39.

[69] NAW, embajada a Departamento de Estado, 8 de octubre de 1919, 812.6363/R217/E0480-0485.

[70] México, Secretaría de Industria, Comercio y Trabajo, *Proyecto de ley orgánica del artículo 27 constitucional...*

[71] Manuel de la Peña, *El dominio directo del soberano en las minas de México...*, Vol. II, pp. 209-210.

[72] Para examinar con mayor detalle la posición de las compañías ante las medidas de Carranza, pueden consultarse los siguientes documentos: [Compañías petroleras] *Alegatos que presentan ante la Suprema Corte de Justicia de la Nación...*; Association of Oil Producers in Mexico, *op. cit.*, y el memorándum preparado por el abogado petrolero Frederick R. Kellogg. NAW, 812.6363/R217/E0718-0749.

[73] United States Congress, Senate Committee on Foreign Relations, *Investigation of Mexican Affairs...*, p. 540.

timbre —y de acuerdo con el Departamento de Estado—, el pago se hizo bajo protesta y en calidad de adelanto. Las compañías sostuvieron que, además de constituir un "robo legalizado", los impuestos eran confiscatorios,[74] aunque llegaron a admitir que el principal motivo para no pagar los gravámenes no era su monto, sino que ello significaría reconocer al Estado un derecho que en realidad no poseía.[75] En una palabra, las compañías consideraron que Carranza pretendía ilegalmente (porque los poderes extraordinarios con que contaba no permitían al Ejecutivo reglamentar el artículo 27) sentar las bases para una futura expropiación y se negaba a otorgar permisos de perforación para imponer su decisión. Con el fin de hacer su queja más efectiva, los petroleros desarrollaron una gran campaña publicitaria contra Carranza y la nueva Constitución.[76] Pero fue el comité investigador del Senado norteamericano, presidido por Fall, la mejor tribuna para esta campaña.[77] En México tampoco se dejó de hacer uso de la propaganda para influir en las decisiones gubernamentales.[78] Los petroleros recurrieron igualmente a las negociaciones directas con el gobierno mexicano como un medio para defender sus intereses. En 1917, en conversaciones sostenidas con los representantes de la Secretaría de Industria en Tampico (quienes iban a sondear las posibilidades de que las compañías pagaran sus rentas al Estado y no a los dueños de los terrenos), sugirieron al gobierno mantener el estado de cosas existente y, a cambio de ello, cooperar en la pacificación de la Huasteca.[79] La proposición no prosperó. Fue a raíz del decreto de febrero de 1918 cuando tuvo lugar la primera de una serie de conferencias entre los representantes del Ejecutivo mexicano y los de las compañías petroleras (en las dos décadas siguientes se habría de echar mano frecuentemente de este instrumento para buscar solución a los conflictos). Para llegar a este punto, las compañías unificaron, por primera vez, sus criterios y presentaron un frente unido al gobierno mexicano.[80] Las con-

---

[74] Doheny, aparentemente calculando el valor total del impuesto respecto del valor del petróleo al pie del pozo —cuando era más bajo, alrededor de 10 ó 15 centavos de dólar el barril, que ya en Tampico tenía un precio de 80 centavos—, señaló que el impuesto no era del 10 % del valor del producto como sostenía México, sino del 33%. Wendell C. Gordon, *op. cit.*, p. 74.

[75] Frederick R. Kellogg, "The Mexican Oil Problem" (folleto que reproduce el artículo de este título en *The Nation* de 5 de octubre de 1918).

[76] Se acusó al Presidente mexicano en los periódicos de Estados Unidos de ser bolchevique, cooperar con los imperios centrales, etcétera.

[77] El resultado de la investigación se encuentra en: United States Congress, Senate Committee on Foreign Relations, *Investigation of Mexican Affairs...*

[78] Carlos Díaz Dufoo, combatió incansablemente todas las medidas contrarias a los intereses de las compañías, haciendo patente la bondad de una industria que en nada perjudicaba al país y sí le beneficiaba en mucho. Carlos Díaz Dufoo, *La cuestión del petróleo.*

[79] *Boletín del Petróleo*, Vol. v, enero-junio de 1918, pp. 452-457; NAW, 812.6363/R215/E0632-0634.

[80] Conviene tener en cuenta que este "frente unido" no incluyó a todas las compañías petroleras. Los productores independientes, a través de los senadores Guffey y Marland, denunciaron en 1921 las maniobras de las grandes compañías contra las disposiciones mexicanas. Merrill Rippy, *op. cit.*, p. 36. Carranza trató de impedir esta unidad al propiciar la formación de una compañía que aceptara

ferencias de 1918 tuvieron lugar entre marzo y agosto; los dos representantes petroleros, James R. Garfield y Nelson O. Rhoades, se entrevistaron con Pani. Tras los memoranda intercambiados se acordó una rebaja en los impuestos (las compañías amenazaron con suspender la producción y trasladarse a Venezuela y Colombia), pero —por extraño que parezca— los dos norteamericanos aceptaron que la propiedad del subsuelo pertenecía a la nación. Como era lógico, posteriormente las compañías desautorizaron estos acuerdos, dando lugar a que sus relaciones con el gobierno mexicano se hicieran aún más tirantes.[81]

Como, desde el punto de vista de las compañías, los decretos de Carranza "dieron a los propietarios de las tierras petroleras la alternativa de suicidarse o ser asesinados", tuvieron que recurrir al apoyo del gobierno norteamericano. Fue en el Departamento de Estado donde las compañías encontraron su principal campeón (tanto en Washington como en la embajada norteamericana en México), pero no por ello dejaron de estar en contacto con otras entidades o funcionarios como la Fuel Administration, los miembros del Congreso y el Presidente Wilson.[82] Las empresas sostenían que México violaba sus derechos a través de una política confiscatoria, y se declararon —a nombre de miles de accionistas— contra lo dispuesto en los decretos del Ejecutivo y contra las medidas tomadas por éste para impedir que hicieran nuevas perforaciones.[83] Los petroleros no se concretaron a esgrimir argumentos legales, sino que en diversas ocasiones pusieron de manifiesto la coincidencia del interés nacional norteamericano con el suyo propio: el esfuerzo bélico de los aliados se vería afectado por una interrupción de la producción de petróleo en México y la suspensión era inminente si no recibían el apoyo demandado.[84] Cuando la guerra

y apoyara las medidas gubernamentales; el proyecto de Carranza halló eco en la Atlantic Gulf y la West Indies. El AGWI, que surgió de la fusión de los intereses de estas dos empresas, defendió ante el Departamento de Estado las medidas carrancistas, por lo que fue atacado por el resto de las grandes compañías. Su importancia nunca fue muy grande. Gobierno de México, *El petróleo de México...*, p. 16. NAW, compañías petroleras a la U. S. Shipping Board, 30 de diciembre de 1919, 812.6363/R216/E0968-0970.

[81] Pueden consultarse los siguientes documentos: México, Secretaría de Industria, Comercio y Trabajo, *Documentos relacionados con la legislación petrolera mexicana*, pp. 427-439; Alberto J. Pani, *Apuntes autobiográficos* 2 Vols. (México: Librería de Manuel Porrúa, 1950), p. 264; *Boletín del Petróleo*, Vol. VII, julio-diciembre de 1918, p. 6; United States Congress, Senate Committee on Foreign Relations, *Investigation of Mexican Affairs...*, p. 387; AREM, L-E, T. 1, Leg. 1, ff. 20, 25 y 39-40; NAW, 812.6363/R228/E0450-0457.

[82] Pueden verse, entre otras muchas, las comunicaciones que mandaron las compañías a la Fuel Administration el 4 de agosto de 1919; al senador D. U. Fletcher el 29 de mayo de 1919, NAW, 812.6363/R216/E0500-0502 y 0054-0057; al secretario del Presidente el 22 de noviembre de 1919, WWP, Caja 471; y la carta a Wilson de diciembre de ese año, NAW, 812.6363/R216/E0875-0881.

[83] NAW, compañías petroleras a Polk, 6 de mayo de 1917, 812.6363/R215/E052-0510; Panuco-Boston Oil Fields a Lansing, 29 de julio de 1918, 812.6363/R215/E0931-0932; APPM a Departamento de Estado, 22 de septiembre y 15 de noviembre de 1919, 812.6363/R216/E0612-0614, 0813-0821; compañías petroleras al senador F. M. Simmons, 8 de diciembre de 1919, 812.6363/R216/E0858-0863.

[84] James Fred Rippy, José Vasconcelos y Guy Stevens, *op. cit.*, pp. 192-193. Las compañías sostuvieron que el artículo 27, y toda la política petrolera de México,

terminó, la coincidencia de intereses continuó sosteniéndose con éxito, pues la APPM señaló que la economía norteamericana sufriría severos trastornos si se detenía el aprovisionamiento de petróleo procedente de México. También se hizo ver a Washington lo peligroso que podía resultar el precedente si se dejaba a México llevar al cabo sus propósitos: otros países podrían intentar arrebatarles los depósitos petroleros y, en general, todo el sistema de las inversiones internacionales estaría en peligro.[85] Las compañías no se conformaron con exponer sus puntos de vista en Washington; también hicieron acto de presencia en la Conferencia de Paz de Versalles para presentar su caso ante las naciones aliadas.[86]

Para comprender mejor el apoyo incondicional que el Departamento de Estado dio a las compañías es necesario tener en cuenta, además de la presión directa que éstas ejercieron y que todas las cancillerías de las grandes potencias consideraban uno de sus principales deberes defender los intereses económicos de sus nacionales en el extranjero, que el gobierno norteamericano estaba convencido de que una corriente ininterrumpida de petróleo mexicano era vital para sostener el frente aliado en Europa: el 75 % de las necesidades petroleras de la armada británica eran cubiertas con el combustible mexicano.[87] Con el final de la guerra la importancia de los depósitos mexicanos no disminuyó; en la posguerra, Estados Unidos producía y consumía las tres cuartas partes del petróleo mundial y los geólogos consideraron que sus depósitos se agotarían en una generación; era necesario, por tanto, controlar grandes reservas en el extranjero,[88] y México —se creyó entonces— tenía una de las más importantes. La United States Shipping Board informó al Presidente Wilson en 1919 que el petróleo mexicano era indispensable para la marina de guerra y la mercante de Estados Unidos;[89] por ello, el ataque de Carranza

era resultado de la influencia del ministro alemán; AREM, L-E 533, T. I, Leg. 1, ff. 39-40. El representante de la Panuco-Boston Oil Co., declaró ante el Comité del senador Fall que en su calidad de "patriotas americanos" y con su país en guerra, los petroleros "no pudieron dar ningún paso que significara aceptar que el petróleo pertenecía a la nación mexicana", pues era poner en peligro el abastecimiento a los aliados. United States Congress, Senate Committee on Foreign Relations, *Investigation of Mexican Affairs...*, pp. 590-591.

[85] NAW, 812.6363/R216/E0838-0839; Association of Oil Producers in Mexico, *op. cit.*, p. 80; Manuel González Ramírez, *La revolución social de México*, Vol. I, p. 680.

[86] Doheny fue a Versalles en 1919 como representante de la National Association for the Protection of American Rights in Mexico y de la Association of Producers of Oil in Mexico. Había que proteger mil millones de dólares invertidos por los norteamericanos en ese país. *New York Times* (18 de enero de 1919); *El Universal* (29 de abril de 1921).

[87] En 1917, la mayor parte de la producción petrolera mexicana sirvió para satisfacer las necesidades bélicas en Europa y en Estados Unidos. La División de Asuntos Mexicanos del Departamento de Estado, en febrero de 1918, declaró que los problemas petroleros en México podían tener graves repercusiones en Europa. Informe de la Mexican Petroleum Company of Delaware de 1917 y NAW, 812.6363/R215/E0915-0916.

[88] Samuel E. Morison y Henry S. Commager, *op. cit.*, Vol. III, p. 99.

[89] NAW, 812.6363/R216/E0902 y 0840. El *New York Times* de 11 de diciembre de 1919 publicó en su primera plana, a propósito de un proyecto de ley petrolera

contra la posición de los petroleros norteamericanos, en lo que se creía una de las más grandes reservas del mundo, tuvo que ser visto como un atentado a los intereses más vitales de la economía y la seguridad de Estados Unidos.

Una vez promulgada la Constitución, el Departamento de Estado, con el apoyo de ciertas cancillerías europeas, intentó impedir que Carranza aplicara sus disposiciones en perjuicio de los intereses norteamericanos, especialmente en el caso del petróleo y la minería.[90] La interposición diplomática desplegada por Washington para defender los intereses petroleros en México se basó en los mismos argumentos esgrimidos por las compañías. Para el presidente Wilson, según el Departamento de Estado, la política de intervención armada estaba claramente diferenciada de la de interposición diplomática: se consideraba a esta última un método amistoso de proteger los legítimos intereses de Estados Unidos en México.[91] El Departamento de Estado la ejerció a través de las notas formales y, sobre todo, mediante gran número de protestas verbales que hicieron el embajador Fletcher o el encargado de negocios que lo sustituía en sus ausencias temporales. En 1917 Fletcher dijo a Carranza que su gobierno sólo aprobaría un préstamo norteamericano a México si se daban garantías sobre el respeto a los derechos de propiedad de los extranjeros.[92] El Departamento de Estado instruyó a su embajada para que hiciera saber a Carranza que confiaba en que no se intentaría aplicar retroactivamente la nueva Constitución, se manifestó contrario al impuesto de 13 de abril, y pidió que no se promulgaran nuevos decretos petroleros sino hasta que esta dependencia los hubiera examinado.[93] Ciertos países europeos llegaron a considerar la posibilidad de retirar a sus representantes diplomáticos de México para ejercer presión y obligar a Carranza a ga-

mexicana, este encabezado: "Mexican Oil Seizures Menace our Merchant Marine." Los petroleros hicieron todo lo posible por sostener este punto de vista; puede verse el folletín *The Mexican Question —its Relations to our Industries, our Merchant Marine and our Foreign Trade— an Interview by Edward L. Doheny* (Los Ángeles, diciembre, 1919); y Clarence W. Barron, *op. cit.*, p. 88. El Departamento de Estado dio órdenes a sus cónsules para que informaran sobre las posibilidades petroleras en sus distritos, así como para que prestaran toda clase de ayuda a los norteamericanos dispuestos a explotarlas.

[90] Según diría Fletcher el 2 de agosto de 1917, Carranza aseguró que no nacionalizaría ninguna de esas dos industrias. NAW, 812.6363/R228/E0353. La embajada española informó a Madrid el 12 de marzo de 1917 que Estados Unidos intentaba presionar a Carranza para que firmara un tratado que anulara gran parte de las prescripciones de la nueva Constitución; CDHM, R5, Caja 333, Leg. 2, N° 6.

[91] James Fred Rippy, José Vasconcelos y Guy Stevens, *op. cit.*, p. 65.

[92] CDHM, embajada española a Ministro de Estado, 13 de agosto de 1917, R50, Caja 332, Leg. único, N° 22.

[93] En la nota de 16 de julio, Fletcher hizo saber a México que los impuestos se pagarían, pero bajo protesta, pues los contratos de las compañías las eximían de su pago. AREM, 42-15-2, Exp. A/628 (010)/1-2, f. 4; NAW, 812.6363/R215/E0345-0347 y 0483. Un problema secundario surgió cuando México se negó a reconocer las importantes propiedades adquiridas por los norteamericanos entre el 1° de febrero de 1917, fecha en que se promulgó la nueva Constitución, y el 5 de mayo, fecha en que entró en vigor. Finalmente, las protestas norteamericanas llevaron a México a dar marcha atrás. NAW, 812.6363/R228/E0348 y 0350.

rantizar sus derechos de propiedad (especialmente mineros, bancarios y ferroviarios).[94] Fue a raíz del decreto de febrero de 1918 cuando aparecieron las protestas formales y aumentaron las informales. Una vez que las negociaciones emprendidas por Fletcher para impedir la promulgación del decreto de febrero fracasaron,[95] Carranza recibió una nota de protesta norteamericana, junto con las de Inglaterra, Holanda y Francia. Lansing, en esta nota y en las de 12 de agosto y 28 de diciembre, atacaba tanto el aumento de los impuestos como la tendencia a la separación de la propiedad del suelo de la del subsuelo (no protestaba, decía, contra medidas fiscales comunes y corrientes, sino contra medidas que él consideraba en verdad confiscatorias), manifestada en los diversos decretos de 1918. El Departamento de Estado subrayó su protesta advirtiendo que de continuar México su política, Estados Unidos se vería obligado a proteger la propiedad de sus ciudadanos.[96] La embajada española pensó que una intervención armada norteamericana no era improbable.[97] En realidad, Lansing no estuvo seguro de que las medidas mexicanas constituyeran realmente una confiscación (aunque las compañías aseguraban que los nuevos impuestos eran los mayores del mundo); sin embargo, no debía correrse el peligro de permitir que la posición de México se consolidara: había que impedir una confiscación antes de que se produjera.[98] Lo cierto es que las notas y las amenazas obligaron a prorrogar el plazo para la aplicación del decreto de febrero. Carranza hizo saber a Fletcher, en agosto de 1918, que ni la posibilidad de un conflicto armado con Estados Unidos —que no deseaba— haría que México abrogara sus decretos; pero continuaron las prórrogas.[99] Aparte de los decretos, Washington se mostró preocupado por la interpretación que hizo Rouaix del artículo 27, por los proyectos de ley y por la posibilidad de que se dieran concesiones a terceras personas en terrenos pertenecientes a las compañías rebeldes.[100] El embajador Fletcher demostró ser un celoso defensor de los derechos de las compañías, y las alentó a permanecer unidas y a rechazar las disposiciones del presidente Carranza.[101] En más de una ocasión sus superiores tuvieron que disuadir al embajador de ir más allá de lo que sus instrucciones permitían.[102]

94 Según informó la embajada española a Madrid el 28 de julio de 1917, el plan era inglés. CDHM, R50, Caja 332, Leg. único, Nº 18.
95 NAW, Fletcher a Departamento de Estado, 3 de abril de 1918, 812.6363/R228/E0414.
96 NAW, 812.6363/R216/E0404-0408 y 0583-0589.
97 CDHM, embajada española a Ministro de Estado, 19 de junio de 1918, R51, Caja 351, Leg. 3, Nº 26.
98 NAW, Lansing a Fletcher, 19 de marzo de 1918, 812.6363/R228/E0401-0406.
99 Carranza manifestó que las medidas eran puramente fiscales y no aceptó la interferencia diplomática; en última instancia, señaló, las compañías debían recurrir a los tribunales, no a sus gobiernos. NAW, Fletcher a Lansing, 812.6363/R228/E0546-0547. Esta posición fue reiterada en la nota mexicana de 17 de agosto de 1918, 812.6363/R228/E0555-0561.
100 NAW, Departamento de Estado a su embajada, 4 de abril de 1918 y 15 de junio de 1919, 812.6363/R216/E0401-0402 y 0051-0053.
101 NAW, Fletcher a Lansing, 1 de marzo de 1918, 812.6363/R228/E0388-0391.
102 NAW, Polk a Fletcher, 21 de diciembre de 1918, 812.6363/R228/E0593.

100 CARRANZA Y LA LEGISLACIÓN PETROLERA

En 1919, el conflicto planteado el año anterior continuó. La embajada protestó por la suspensión de los permisos de perforación a las empresas que se negaron a acatar las disposiciones del decreto de febrero de 1918 y demandó a México que no empleara la fuerza para detener los nuevos trabajos de perforación realizados sin permiso. Washington sostuvo que las compañías no podían solicitar autorizaciones, pues las condiciones bajo las que se daban equivalían a renunciar a sus legítimos derechos; México insistió, y aseguró que de inmediato se darían permisos provisionales si las empresas aceptaban cumplir las disposiciones contenidas en una futura ley del petróleo; no importaba que la solicitud se hiciera bajo protesta;[103] finalmente, tuvo que aceptarse la posición de Fletcher: los permisos provisionales serían incondicionales.[104] Fueron también motivo de protesta los denuncios hechos por terceras personas sobre terrenos de las compañías rebeldes y los intentos por cobrar regalías sobre terrenos adquiridos antes de mayo de 1917.[105]

En verdad que el Departamento de Estado no se mostró reacio en la defensa de los intereses de las compañías; sin embargo, para ciertos círculos petroleros el apoyo pareció insuficiente y así lo expresaron ante el comité del senador Fall y en otras oportunidades[106] (tal posición no fue unánime, y en el mismo comité mencionado hubo expresiones de agradecimiento por parte de Doheny y otros petroleros para las autoridades de Washington por la protección y orientaciones brindadas).[107]

6. EL PELIGRO DE UNA INTERVENCIÓN NORTEAMERICANA

Si aun antes de 1917 ciertos círculos petroleros habían propugnado la ocupación de la región petrolera, el artículo 27 y la política de Carranza posterior a esa fecha, atizaron el fuego intervencionista. Además, la entrada de Estados Unidos en la guerra y la necesidad del petróleo mexicano para el esfuerzo bélico fueron circunstancias aprovechadas por las compañías para presionar a Wilson a tomar Tampico;[108] sin embargo, los petroleros en sus declaraciones públicas no cayeron en contradicción y aparentemente rechazaron toda intención intervencionista.[109] Aun cuando abundaron las denuncias en sen-

[103] NAW, Departamento de Estado a su embajada, 18 de junio, 1º de octubre, 18 de noviembre y 29 de diciembre de 1919, 812.6363/R228/E0644, 0670-0673, 0677-0679 y 0681; Relaciones Exteriores a su embajada, 21 de junio de 1919, 812.6363/R228/E0648.

[104] El embajador hizo notar que si México no aceptaba esa sugerencia, no sería posible obtener del Departamento de Estado una posición más liberal respecto a la exportación de armas y otras manufacturas que necesitaba. NAW, 812.6363/R215/E1134-1136.

[105] NAW, Departamento de Estado a su embajada, 18 de marzo, 14 y 16 de abril y 1º de octubre de 1919, 812.6363/E0438, 0019-0020, 0439-0440 y 0453-0456.

[106] Leander Jan de Bekker, *The Plot against Mexico* (Nueva York, Alfred A. Knopf, 1919), pp. 213 ss.

[107] United States Congress, Senate Committee on Foreign Relations, *Investigation of Mexican Affairs...*, pp. 267, 404-409 y 1000.

[108] Josephus Daniels, *Shirt-Sleeve Diplomat*, p. 41.

tido contrario,[109] en ningún caso se aportaron pruebas concretas para desmentir a los petroleros;[110] éstas sólo aparecerían años después en archivos y otros documentos.

Cuando se investigaba el escándalo del *Tea Pot* en 1924, Charles Hunt, un allegado a Fall, declaró que en 1917 el entonces senador y un grupo de petroleros pretendieron separar de México los Estados norteños (Baja California, Sonora, Chihuahua, Coahuila, Nuevo León, Tamaulipas y el norte de Veracruz) y, con ayuda de elementos anticarrancistas, trataron de formar una nueva República.[111] A principios de ese mismo año y con motivo de la agitación de la huelga de los obreros petroleros y de la lucha electoral en el Estado de Tamaulipas, aparecieron en ese puerto cuatro buques de guerra norteamericanos, a los que se sumaron otros cuatro que permanecieron en alta mar en unión de dos navíos ingleses. Ante esta advertencia las autoridades constitucionalistas procuraron mantener bajo control a los trabajadores.[112] En 1918, a raíz de los decretos presidenciales, los petroleros volvieron a insistir en la conveniencia de una demostración de fuerza, pero Wilson se negó: no era conveniente que el campeón de la autodeterminación emprendiera una acción muy semejante a la invasión alemana de Bélgica;[113] sin embargo, la nota entregada a México el 12 de agosto contenía claramente la amenaza de tal intervención.[114] En 1919 se presentó la mayor posibilidad de que los interesados en la intervención tuvieran éxito. En cumplimiento de una resolución del Senado de Estados Unidos, de 6 de julio, se integró una comisión para investigar la situación mexicana en relación con los intereses norteamericanos, al frente de la cual quedó el senador Fall. Esta comisión fue vista, y no sin motivo, como el preludio a la invasión.[115] Fall, en una forma por demás inteligente, utilizó los interrogatorios de simpatizantes y enemigos del régimen carrancista —más los de éstos que los de aquéllos— para emprender una campaña de pro-

[109] United States Congress, Senate Committee on Foreign Relations, *Investigation of Mexican Affairs...*, p. 605.
[110] De Bekker es representativo del sector que en Estados Unidos denunció las intenciones intervencionistas de las compañías. Este autor escribió artículos y un libro con tal objeto, mas no pudo presentar pruebas concluyentes ante el comité del senador Fall.
[111] Hunt afirmó que se le había hecho el ofrecimiento a Villa, pero que éste lo rechazó. Además, Carranza tuvo conocimiento del intento. *El Universal Gráfico* (11 y 14 de marzo de 1924).
[112] CDHM, embajada española a Ministro de Estado, 3, 11 y 12 de mayo de 1917, R50, Caja 331, Leg. único, Nos. 40, 41 y 42.
[113] Howard F. Cline, *op. cit.*, p. 187.
[114] El *New York Times*, de 20 de abril de 1918, desmintió un rumor en el sentido de que el Departamento de Guerra hubiera recomendado la ocupación de Tampico. Pero seis días antes, la División de Asuntos Mexicanos del Departamento de Estado había sugerido que la armada vigilara la ruta Tampico-Tuxpan, y que se tuviera una fuerza de 6 000 hombres en Galveston o Corpus Christi por si se hacía necesario tomar la zona petrolera. NAW, 812.6363/R21/E0660-0662. Daniels, en su diario, asienta que los petroleros intentaron obligarle a emplear la fuerza, pero Wilson respaldó su negativa. E. David Cronon, *The Cabinet Diaries of Josephus Daniels, 1913-1921*, p. 328.
[115] Farwell, prólogo a *The Plot against Mexico*, de Leander Jan de Bekker, p. 16.

paganda en gran escala, y formar una opinión pública que apoyara la política de las compañías en todos sus aspectos: [116] nada que pudiera ser empleado contra el régimen de Carranza se dejó de decir. Entre los testigos figuraron prominentemente los petroleros, quienes expusieron con amplitud las injusticias sufridas a manos de Carranza; argüían, además, que el gobierno de éste no tomaba en cuenta los importantes servicios que estaban prestando a la economía mexicana.[117] Fall culminó su labor con la publicación de un monumental informe preliminar —calificado como la última palabra en propaganda imperialista—, cuya conclusión lógica era señalar la permanencia del régimen carrancista como una amenaza a la seguridad de Estados Unidos.

El *Fall Committee* sirvió de fondo, junto con la campaña periodística (de la que son buen ejemplo, entre otros, el *New York Review, The Star* de Washington, el *Chicago Tribune* y aun el mismo *New York Times*), a las presiones petroleras sobre la Casa Blanca. Aparentemente, Fall y los petroleros únicamente llegaron a pedir a Wilson que retirara el reconocimiento a Carranza [118] y, en una entrevista con Lansing, solicitaron el envío de buques de guerra a las costas mexicanas para dar mayor fuerza a las representaciones diplomáticas; [119] sin embargo, las presiones fueron más lejos. En noviembre, Wilson y su gabinete discutieron la situación mexicana; se estuvo de acuerdo en considerar que no se justificaba la intervención que los voceros de las compañías estaban exigiendo.[120] Fue entonces cuando, después de una agotadora campaña electoral, Wilson enfermó y tuvo lugar el famoso "caso Jenkins".[121] Lansing hizo saber

---

[116] Los interrogatorios a testigos favorables a Carranza, como De Bekker o el doctor Inman, fueron hechos en una forma agresiva y totalmente parcial.

[117] En este grupo petrolero figuraron Doheny, el representante de la Penn-Mex Co., el director de la National Association for the Protection of the American Rights in Mexico, el representante de la Continental Mexican Co. e International Petroleum Co., el de la Texas Co., el de la Tal Vez Oil Co. y el de la Panuco-Boston Oil Co., que además de acusar al gobierno mexicano de intentar la confiscación de sus derechos, lo calificaron de corrupto, ladrón, bolchevique, pro alemán, etcétera.

[118] United States Congress, Senate Committee on Foreign Relations, *Investigation of Mexican Affairs...*, pp. 9-10; H. Walker a J. P. Tumulty, secretario de Wilson, 22 de noviembre de 1919, WWP, Caja 471; e I. Jewell Williams a Departamento de Estado, NAW, 812.6363/R217/E0416.

[119] Memorándum de conversación de Lansing con los petroleros, 9 de enero de 1920, NAW, 812.6363/R217/E0438-0440.

[120] Los petroleros, se dijo en la reunión, buscaban la intervención para tener mayor seguridad sobre sus propiedades, que de esta forma verían aumentado enormemente su valor. E. David Cronon, *The Cabinet Diaries of Josephus Daniels, 1913-1921*, p. 461.

[121] William Jenkins, entonces cónsul norteamericano en Puebla, fue secuestrado por un grupo rebelde que exigió rescate; el Departamento de Estado, Doheny y la prensa norteamericana —especialmente la de Hearst— pidieron al gobierno mexicano que obtuviera su libertad, y se le criticó severamente por su incapacidad para proteger a los extranjeros. *New York Times* (17 de diciembre de 1919). González Ramírez sospecha, con cierto fundamento, que se trató de un autoplagio, destinado a "fabricar" el incidente. Manuel González Ramírez, *La revolución social de México*, Vol. I, pp. 663-666.

a Wilson que se había llegado al límite de la presión diplomática sobre Carranza y, coincidiendo con Doheny, pidió que se declarara la guerra a México, lo que, además de poner fin a los problemas con ese país, solucionaría las dificultades internas en Estados Unidos al reforzar la unidad en torno al gobierno. El Presidente y la mayoría del gabinete se opusieron.[122] Poco tiempo después, Lansing dejaba el Departamento de Estado; Wilson no había aprobado su política en México, y sobre todo, la forma en que manejó el asunto Jenkins, que pudo desembocar en un grave conflicto.[123]

Años después, Daniels escribiría al Presidente Roosevelt y a Cordell Hull que Fall, movido por los intereses petroleros, había intentado quitar a Wilson de la presidencia aprovechando su enfermedad.[124] Wilson, Presidente de un país que acababa de luchar en nombre de la libertad de las naciones pequeñas, mal podía haber aceptado la sugestión de Lansing y los petroleros.[125] Sin embargo, si el régimen de Carranza no hubiera caído, o si su sucesor hubiera continuado su política, es muy posible que el choque armado hubiera ocurrido,[126] sobre todo con los republicanos en el poder. Si después de la crisis de fines de 1919 la presión intervencionista cedió un tanto, la lucha entre Obregón y Carranza llevó a las compañías, a principios de 1920, a exigir y obtener el envío de naves de guerra a Tampico.[127]

7. LOS PRINCIPALES "GRUPOS DE PRESIÓN" MEXICANOS

En México, quienes en una forma u otra participaron en el conflicto petrolero, formaban un grupo reducido, pero con un poder que excedía en mucho a su número. Existía un núcleo extremadamente

[122] Memorándum del Departamento de Estado al Presidente Wilson, 19 de diciembre de 1919. NAW, 812.6363/R216/E0992-0994. E. David Cronon, *The Cabinet Diaries of Josephus Daniels, 1913-1921*, pp. 465 y 467.

[123] *Ibidem*, p. 501; James Fred Rippy, José Vasconcelos y Guy Stevens, *op. cit.*, pp. 59-61; James Morton Callahan, *op. cit.*, pp. 578-579.

[124] Daniels a Roosevelt, y Daniels a Hull, 22 de marzo de 1938, JDP, Caja 750. Lansing y Fall no fueron los únicos que pidieron una "mano dura" contra México, también el procurador general Palmer, el ministro americano en Cuba y el embajador Fletcher apoyaban esa posición. El gobernador de Texas demandó, "en bien de México", la intervención. WWP, Leg. VI, Caja 124, 95 C-95H. Entre los congresistas —además de Fall—, Cummins, de Iowa, Watson, de Indiana, y el representante neoyorquino, N. J. Gould, destacaron por sus prédicas intervencionistas.

[125] Según Tannenbaum, fue esta consideración el factor determinante en la decisión norteamericana de no acudir a las armas para solucionar el conflicto con Carranza; además, Norteamérica estaba ya en contra de cualquier nuevo compromiso militar. Frank Tannenbaum, *op. cit.*, p. 275. La ocupación de parte del territorio soviético muestra que no era imposible que ocurriera lo mismo en México, aunque debe reconocerse que tales expediciones demostraron también que, en gran medida, la opinión pública norteamericana y mundial estaba en contra de toda nueva lucha.

[126] E. J. Dillon, *México en su momento crítico* (México: Herrero Hermanos, Sucesores, 1922), pp. 142-143.

[127] Walker a la Shipping Board, 23 de abril de 1920, NAW, 812.6363/R217/E0640-0642; E. David Cronon, *The Cabinet Diaries of Josephus Daniels, 1913-1921*, pp. 525 y 528.

nacionalista, cuya meta era la completa nacionalización del petróleo; otro, que puede llamarse moderado, temeroso de un choque con Estados Unidos, pedía únicamente aumentar un poco más los gravámenes a esa industria, sin cambiar sus bases jurídicas; finalmente, estaba el ligado a las compañías y que defendió sus intereses. Los dos primeros eran parte del grupo carrancista; Rouaix, Múgica y quizá Luis Cabrera, pueden considerarse como representantes del grupo radical que estuvo muy conectado con la Secretaría de Industria y su Departamento del Petróleo.[128] Este grupo contaba con representantes en el Congreso (por ejemplo, el presidente de la Comisión del Petróleo en la Cámara de Diputados), y puede decirse que su órgano principal de difusión fue el *Boletín del Petróleo*. La tendencia moderada encontró sus exponentes en Cándido Aguilar y Pani; si bien este último no insistió demasiado en su punto de vista,[129] Aguilar, además de hacerlo, presentó su proyecto de ley. El 2 de julio de 1919, desde Nueva York, donde se encontraba como embajador especial —y donde palpó la atmósfera intervencionista creada por los petroleros—, escribió a Carranza que el programa de reformas había sido mal concebido: no debió haberse iniciado, en su opinión, con el sector más difícil desde el punto de vista internacional, es decir, el de los hidrocarburos; mas como ya no era posible dar un paso atrás sin perjudicar seriamente el movimiento revolucionario en su conjunto, debía sostenerse el principio constitucional, pero afectar a las compañías petroleras sólo a través de medidas fiscales, sin tocar por el momento el problema de los derechos de propiedad. "Sólo de este lado de la frontera —dijo— puede comprenderse la enorme importancia de un cambio de actitud." [130] En la prensa, fue tal vez *El Heraldo de México* el que representó mejor este punto de vista.

Finalmente, los enemigos locales de toda modificación del régimen del subsuelo fueron, en términos generales, todos los afectados por la Revolución, aliados naturales de los petroleros. Más específicamente, es posible señalar a Carlos Díaz Dufoo como el típico exponente de un punto de vista que sostenía que al perseguirse y extorsionarse a las empresas petroleras se estaba poniendo en peligro a una industria, fuente de gran riqueza para México.[131] Este grupo no dejó de tener elementos en las Cámaras, y es posible que algunos de sus miembros fueran influidos directamente por los petroleros;[132] además, contó

---

[128] Otros miembros destacados fueron: Andrés Molina Enríquez, que ya no consideró, como en 1909, que no debían afectarse los intereses creados de los extranjeros; Joaquín Santaella, Vázquez Schiaffino, Aquiles Elorduy, González Roa, De la Peña y el mismo Calles.

[129] No tuvo éxito su intento por lograr la modificación del decreto de febrero para evitar un choque con las compañías. James Morton Callahan, *op. cit.*, p. 575; Carlos Díaz Dufoo, *La cuestión del petróleo*, p. 260.

[130] Aguilar le pedía a Carranza que retirara del Congreso su proyecto de ley, y elaborara otro de acuerdo con las exigencias del momento; de lo contrario, un conflicto con Estados Unidos era inminente. AREM, L-E 533, T. I, Leg. 1, ff. 40-46.

[131] Ver las dos obras citadas de Carlos Díaz Dufoo.

[132] Las compañías estuvieron en contacto con el senador Castelazo, y posiblemente con los senadores Barroso y Frías; al diputado Reynoso se le encomendó su defensa en su periódico *El Demócrata*, NAW, 812.6363/R216/E0002-0006 y 0620.

con la mejor prensa: los petroleros vieron defendidos sus intereses, por *El Universal, Excélsior, El Demócrata* y *El Monitor Republicano*, excepto cuando la presión gubernamental los obligaba a lo contrario, En Estados Unidos hubo una corriente de opinión que no estuvo de acuerdo con las críticas hechas a Carranza por las compañías petroleras e influyó con modestos medios para impedir un choque armado. Entre estos grupos, los religiosos tuvieron un lugar importante, así como los obreros.[133] Un sector —no el más importante— de la prensa norteamericana se hizo eco de las denuncias de las actividades de los petroleros en México.[134] Esta corriente de opinión no fue absolutamente espontánea: el gobierno mexicano la fomentó en la medida de sus posibilidades.[135]

La política de Carranza en relación con los hidrocarburos fue desde un principio clara: poner ese importantísimo recurso natural, explotado sin beneficio para el país, bajo el control del Estado. Su culminación fue no tanto la Constitución de 1917 como los decretos de 1918. Si bien la insoportable presión norteamericana la frustró, sólo se retrocedió lo absolutamente indispensable, sin abandonar los principios. El conflicto a que dio lugar el intento por aplicar los preceptos del párrafo IV constituyó la parte medular de las relaciones entre Carranza y Estados Unidos, y es el origen de su doctrina internacional. Los conceptos de no intervención, igualdad jurídica de los Estados e igualdad entre nacionales y extranjeros, estructuraron una teoría defensiva frente a la mayor potencia mundial, teoría que en cierta medida continúa vigente hasta la fecha, ("La diplomacia —señaló Carranza— no puede servir para proteger intereses privados").

El Departamento de Estado, pese a ciertas declaraciones del presidente Wilson en sentido contrario, apoyó incondicionalmente a las compañías petroleras y adoptó como estrategia mantener una vigorosa oposición ante todas las medidas que constituyeran un peligro potencial para aquéllas, aun antes de que hubieran sufrido daño alguno (actitud que se mantendría hasta 1938). México consideró tal política como intervencionista y contraria a las normas del derecho internacional, pero durante más de dos décadas triunfaría la estrategia norteamericana.

---

133 El mejor ejemplo lo constituye la *League of Free Nations* —blanco de los ataques de Fall—, a través de la cual un grupo de ministros protestantes intentó impedir una intervención en México, por considerar que toda su obra en ese país se ponía en peligro. United States Congress, Senate Committee on Foreign Relations, *Investigation of Mexican Affairs...*, pp. 41-42. El movimiento obrero norteamericano, en general, apoyó a México. Merrill Rippy, *op. cit.*, p. 90.

134 Las razones esgrimidas fueron diversas: si *The Nation* y el *Baltimore Evening Sun*, entre otros, condenaron por principio las intrigas de los *big business*, el *New Republic* no deseó la guerra por simples razones de economía; se gastaría más de lo que valían las propiedades americanas en México y el costo recaería sobre los contribuyentes.

135 La *Revista Mexicana* y otras publicaciones eran financiadas por la embajada mexicana. United States Congress, Senate Committee on Foreign Relations, *Investigation of Mexican Affairs...*, p. 424.

CAPÍTULO V

DEL TRIUNFO DE OBREGÓN A LOS ACUERDOS DE BUCARELI Y DE 1924

El triunfo del movimiento de Agua Prieta fue el último levantamiento militar que tuvo éxito en México. Con el régimen obregonista —incluido el interinato de Adolfo de la Huerta— se inició la "etapa de la reconstrucción", que vino a ser el origen del Estado mexicano actual. La victoria sobre Carranza dio el poder a la "dinastía sonorense" (Obregón y Calles), que habría de conservarlo hasta 1935, fecha en que Calles fue expulsado del país. En este lapso, la dirección del país quedó en manos de los militares victoriosos, a quienes se sumaron elementos intelectuales y líderes obreros y agrarios, permitiendo al régimen engrosar su base de apoyo con otras fuerzas además del ejército.[1] Obregón fue el primero en poner en marcha las disposiciones aprobadas en Querétaro, pero favoreciendo un mínimo de reformas. La tibieza revolucionaria fue cubierta en buena medida por una retórica oficial que abundó en conceptos tales como "socialismo", "lucha de clases", "antimperialismo", etc.[2] El grupo de Agua Prieta pronto acumuló fortuna y, paso a paso, fue identificando sus intereses con el *status quo*; tocaría a Cárdenas reavivar el impulso revolucionario.

La administración del general Obregón coincidió con un descenso en las exportaciones de ciertos productos,[3] pero la bonanza petrolera de 1920 a 1922 y otros factores mantuvieron en aumento, hasta 1927, los volúmenes de las exportaciones e importaciones; además, su gobierno no dejó de realizar esfuerzos para que la inversión extranjera recobrara la confianza perdida, aligerando así el esfuerzo de la reconstrucción.[4] Al principiar la década de 1920 la estabilidad política

[1] La "dinastía sonorense" tuvo el control de la CROM, formada en 1919, que fue la organización de trabajadores más fuerte del país. Los campesinos, más numerosos, pero menos organizados, estuvieron representados por líderes como Aurelio Manrique y Antonio Díaz Soto y Gama.

[2] Esta fraseología revolucionaria, bastante divorciada de la realidad, confundió innumerables veces a Washington, en donde se llegó a tomar a Obregón por un verdadero líder socialista y hasta bolchevique. Henry Bamford Parkes, *A History of Mexico* (Cambridge, Mass.: The Riverside Press, 1938), pp. 371-372; William S. McCrea, "A Comparative Study of the Mexican Oil Expropriation (1938) and the Iranian Oil Nationalization (1951)" (tesis doctoral inédita: Georgetown University, Washington, D. C., 1955), p. 13.

[3] Entre las principales bajas se pueden mencionar la plata, el cobre, el plomo y el henequén.

[4] El 22 de septiembre de 1920, antes de asumir formalmente el poder, Obregón declaró al *Chicago Commercial Herald and Examiner* que el país anhelaba el ingreso de todo capital externo que buscara una justa retribución. Ya como Presidente, pidió al capital norteamericano su cooperación en la nueva etapa. Álvaro Obregón, *Campaña política del C. ... candidato a la Presidencia de la República, 1920-1924* (5 Vols.; México, s.p.i., 1923), Vol. v, p. 235; y *Discursos del general Álvaro Obregón*, 2 Vols. (México: Biblioteca de la Dirección General de Educación Militar, 1932), pp. 311 y 331.

de México era precaria. El grupo sonorense, pese a haber hecho suyo el *slogan* de "México para los mexicanos", tuvo que hacer importantes concesiones a los intereses norteamericanos para impedir una confrontación directa con la mayor potencia mundial o que sus rivales encontraran apoyo en Washington.[5] Si bien el problema petrolero no fue el único que se presentó entre Obregón y Estados Unidos, continuó siendo la clave de las relaciones entre ambos.[6] En cierto sentido el curso general de la Revolución en esta década dependió del resultado de la controversia petrolera.[7] Para sobrevivir, Obregón se vio obligado a abstenerse de aplicar las nuevas disposiciones sobre los hidrocarburos en toda su amplitud y su sentido revolucionario.

1. LA ADMINISTRACIÓN REPUBLICANA

En la campaña electoral norteamericana de 1920, el problema mexicano estuvo presente y ocupó un lugar destacado en los programas de los grandes partidos; aun cuando el republicano se mostró más agresivo, en el fondo ambos demandaban la clásica política de "mano dura" con el vecino del Sur.[8] En cierto sentido, la política republicana empezó a ser adoptada aun antes de que Harding subiera al poder, es decir, cuando el presidente Wilson, al caer Carranza, trató al nuevo gobierno mexicano según las recomendaciones del senador Fall. "La década que siguió a la Guerra Mundial fue —afirman Morrison y Commager— como la que siguió a la Guerra Civil, un período de conservadurismo lo mismo en política que en filosofía social." Estos años se caracterizaron también por una corrupción política y económica, cierta decadencia del espíritu liberal, el surgimiento de un nacionalismo intolerante y una insuficiencia de reformas sociales.[9] En esta atmósfera, sin conflictos extracontinentales que distrajeran su atención, la Revolu-

5 Howard F. Cline, *op. cit.*, p. 194; y Manuel Moreno Sánchez, Comentarios al estudio de Paul Nathan: "Un estudio norteamericano sobre Cárdenas", *Problemas agrícolas e industriales de México*, Vol. VII (julio-septiembre, 1955), p. 239. Obregón tuvo que hacer frente a las revueltas de Francisco Murguía y Lucio Blanco en 1922 y a la de Adolfo de la Huerta al final de su período. Todas, pero especialmente la última, pudieron haber servido al gobierno norteamericano —de haberlo deseado— para lograr su caída.
6 Otros problemas fueron la falta de pago de la deuda pública, la deuda ferroviaria, las reclamaciones, etcétera.
7 George K. Lewis, "An Analysis of the Institutional Status and Role of the Petroleum Industry in Mexico's Evolving System of Political Economy" (tesis doctoral: Universidad de Texas, 1959), p. 9.
8 El programa republicano declaraba: "No debemos reconocer a ningún gobierno mexicano que no sea un gobierno responsable, dispuesto y capaz de dar las suficientes garantías de que las vidas y propiedades de los ciudadanos americanos serán respetadas y protegidas, y que las injusticias serán prontamente remediadas..." Para el Partido Demócrata, sólo debería reconocerse al gobierno mexicano cuando estuviera dispuesto a "...cumplir con sus obligaciones internacionales y establecido leyes justas de conformidad con las cuales el capital extranjero tiene derechos y no sólo obligaciones...". En ambos casos las demandas equivalían a excluir los intereses norteamericanos de las reformas de la nueva Constitución. Asociación Americana de México, *op. cit.*, pp. 11-12.
9 Samuel E. Morison y Henry S. Commager, *op. cit.*, Vol. III, p. 83.

ción Mexicana difícilmente pudo ser vista con simpatía por las administraciones republicanas, que más bien la consideraron una amenaza a los intereses de sus conciudadanos al otro lado del Bravo. Entre 1920 a 1930 México continuó viviendo bajo el temor de una intervención norteamericana, o de que Washington diera su apoyo a la contrarrevolución.[10] La agresiva política republicana hacia México —"política del dólar" de cuño clásico— tuvo su origen principalmente en las estrechas ligas de los gobiernos de Harding y Coolidge con los intereses petroleros, que fueron especialmente cordiales con el primero.[11] Conviene, no obstante, tener en cuenta que dentro de los gobiernos republicanos hubo más de una influencia importante y que junto al sector petrolero se encontró el poderoso grupo bancario. En los asuntos internos ambos grupos casi siempre actuaron de consuno, pero en el exterior, concretamente en México, no siempre fue ése el caso, y en ciertos momentos ejercieron presiones opuestas. Después de que Wilson abandonó el poder, la política exterior de Estados Unidos se distinguió por el deseo de afianzar la paz mundial a través de una serie de tratados con las principales potencias europeas y Japón. Símbolo de tales afanes fue el inusitado pacto Briand-Kellog, que abolía la guerra.[12] Esta actitud pacifista, que lindó con la utopía, no impidió la continuación de una agresiva política imperialista en México, la zona del Caribe y Centroamérica. Según Bemis, la política exterior norteamericana en esta época desembocó en la liquidación del imperialismo protector de Estados Unidos, que fue reducido hasta donde sus necesidades le permitieron; si se acepta con esta opinión, la política de Washington hacia México debió obedecer a estas necesidades, pues en las relaciones entre ambos países no se reflejó la supuesta liquidación de los aspectos más notorios del imperialismo norteamericano.[13] Para Estados Unidos, el carácter estratégico de México, o mejor dicho, de su petróleo, fue particularmente importante en los dos primeros años del gobierno del general Obregón, antes de que la producción de este combustible decreciera.[14] México

---

[10] Howard F. Cline, op. cit., pp. 194-195; T. H. Reynolds, "México y los Estados Unidos", Historia Mexicana, Vol. II (enero-marzo, 1953), p. 417.

[11] Samuel E. Morison y Henry S. Commager, op. cit., Vol. III, p. 85; Henry Bamford Parkes calificó a Harding de "amigo especial de la industria petrolera", op. cit., p. 337. Fall, en su calidad de secretario del Interior, hizo oír directamente la voz de los petroleros —y de otros miembros de la comunidad de los big business— en las reuniones del Gabinete. La persona que tuvo bajo su inmediata responsabilidad la dirección de las relaciones con México, el secretario de Estado, Hughes, también se mantuvo en excelentes términos con la industria del petróleo; por ello, al finalizar su actuación pública pasó a ocupar un lugar en el American Petroleum Institute, en la Standard Oil y en otras corporaciones petroleras. Ludwell Denny, op. cit., p. 42.

[12] Otros de los compromisos que buscaban la consolidación del status quo mundial e impedir un nuevo holocausto, fueron el Tratado de Washington de 1922, que pretendió restringir el poderío naval de los signatarios, y el Tratado Naval de Londres, concertado con idéntico propósito pocos años después.

[13] Samuel Flagg Bemis, op. cit., p. 233.

[14] En 1920 la Federal Trade Commission, Fall, el senador Phelon y, desde luego, los petroleros, apoyaron la idea de trazar un plan encaminado a dar a Estados Unidos una posición similar a la de Inglaterra en relación a las reservas

era visto en ese momento como un importante poseedor de reservas petrolíferas y, por tanto, la única salvación ante la inminente escasez de combustible que iba a padecer Norteamérica.[15] El Departamento de Estado, a instancia de la United States Shipping Board, ordenó investigar la situación petrolera de México.[16] La Shipping Board envió un ingeniero a Salina Cruz para que estudiara las posibilidades de tender por el Istmo de Tehuantepec un oleoducto que abasteciera de combustible a la armada y a la marina mercante norteamericanas en el Pacífico.[17]

Es de notar que, ante el cambio de gobierno en México, Europa, se abstuvo ya de actuar independientemente de Estados Unidos. El gobierno de Obregón no pudo establecer lazos diplomáticos con las grandes potencias europeas sino hasta después de que los norteamericanos lo hubieron hecho, a pesar de que en varios casos la falta de relaciones diplomáticas con México fue contraria a los intereses de esos países.[18] Igualmente, Washington veló para evitar que los intereses petroleros norteamericanos en México pasaran a manos europeas.[19]

2. ADOLFO DE LA HUERTA

El 1º de junio de 1920, Adolfo de la Huerta —líder formal del movimiento que derrocó a Carranza— tomó posesión como Presidente Interino. Los seis meses que permaneció en el poder sirvieron para preparar el terreno a Obregón, triunfador en los comicios. En este breve lapso se consolidó la pacificación del país: el zapatismo había dejado ya de ser una fuerza importante, los restos del villismo depusieron las armas, Pablo González se retiró de la escena política dejando el campo libre a Obregón, y el "Estado petrolero" desapareció después

petroleras mundiales. John Ise, *op. cit.*, pp. 481-482; Harvey O'Connor, *op. cit.*, p. 354.

[15] M. L. Requa, *The Petroleum Problem* (Curtis Publishing Company, 1920), pp. 20-21.

[16] NAW, 812.6363/R217/E0466-0467. En 1921 se volvió a efectuar un estudio semejante, 812.6363/R217/E0673-0676.

[17] NAW, cónsul en Salina Cruz a Departamento de Estado, 14 de febrero de 1920, 812.6363/R217/E0553-0555. Todavía en 1921 la Shipping Board continuó interesada en el proyecto, pero al año siguiente todos esos planes se abandonaron. NAW, United States Shipping Board a Departamento de Estado, 15 de agosto de 1921, 812.6363/R216/E0021.

[18] El 17 de marzo de 1921, la prensa norteamericana hizo circular el rumor de que el gobierno mexicano había sido reconocido por el de Francia. Un día más tarde, en un cable de la Prensa Asociada se afirmó que: "El reconocimiento de México por Francia causaría sorpresa en el Departamento de Estado porque, según informes, hay un convenio por varios años entre las principales potencias europeas y Estados Unidos de que las relaciones de aquellos gobiernos con México estarían supeditadas en gran medida a la actitud de Estados Unidos. Nos explicaron que uno de los efectos inmediatos del reconocimiento sería un serio disturbio del convenio entre las principales casas bancarias del mundo para prestarle dinero a México." La política de Fall había sido adoptada por Europa.

[19] Un informe de la United States Shipping Board, de 24 de diciembre de 1920, hablaba de la posibilidad de que los intereses de Doheny pasaran a manos de Inglaterra. Concluía el documento haciendo notar la necesidad de evitar que tal operación pudiera llevarse a cabo. NAW, 812.6363/R219/E0385-0386.

de la rendición de Peláez y Félix Díaz. En el ámbito internacional el problema más importante para el nuevo gobierno fue la necesidad de normalizar sus relaciones con Estados Unidos, interrumpidas a raíz de la caída de Carranza. La reanudación de los vínculos diplomáticos no fue tarea fácil, pues Wilson exigió a los nuevos gobernantes mexicanos una serie de compromisos previos, cuya cabal aceptación hubiera asestado un golpe irreparable al programa de la Revolución y acarreado su descrédito ante las fuerzas nacionalistas del país. No era nuevo lo que Washington exigió a los enviados delahuertistas para otorgar su reconocimiento a México: un compromiso formal de no aplicar a los intereses norteamericanos las disposiciones de la Constitución de 1917. Wilson, que en más de una ocasión había declarado que el objetivo de su política hacia México era mejorar las condiciones del "ciudadano común" de este país, así como que sus recursos naturales debían ser desarrollados en beneficio de su pueblo, acabó por impedir que esos objetivos se alcanzaran para beneficio de aquellos "grandes capitalistas" norteamericanos, por quienes había asegurado tener escasas simpatías.[20]

Iglesias Calderón y Roberto Pesqueira, agentes del nuevo gobierno mexicano ante Washington, tuvieron una serie de entrevistas con funcionarios del Departamento de Estado, a quienes aseguraron que era propósito del gobierno mexicano reconocer todos los compromisos contraídos por los gobiernos anteriores —incluso el de Díaz— con los empresarios extranjeros. En el caso del petróleo, Pesqueira ofreció que México retiraría de los tribunales su defensa en relación con los amparos interpuestos por los petroleros contra las disposiciones de Carranza, con lo cual la Suprema Corte fallaría a favor de las compañías y la ley petrolera se haría de acuerdo con ese fallo.[21] Estas promesas, que prácticamente anulaban la reforma petrolera en el artículo 27, no fueron consideradas suficientes por la Casa Blanca. No se podía dar el reconocimiento a De la Huerta hasta el momento en que esos ofrecimientos se formalizaran mediante un tratado, como recomendó Fall.[22]

Obregón, Calles y De la Huerta no se negaron a celebrar un tratado que garantizara y protegiera los intereses de los ciudadanos norteamericanos, pero la situación interna les impidió acceder a ello antes

---

[20] Esta posición del presidente Wilson, que a decir de MacCorkle lo convirtió en campeón del imperialismo económico norteamericano, ha querido ser explicada por James Fred Rippy, sugiriendo la posibilidad de que, al final de su período, Wilson no controlara al Departamento de Estado. Stuart Alexander MacCorkle, *op. cit.*, p. 96; James Fred Rippy, *The United States and Mexico*, p. 362.

[21] WWP, Caja 470-472, memorándum de conversación entre Iglesias Calderón y el subsecretario de Estado de 6 de julio de 1920. NAW, memorándum de la División de Asuntos Mexicanos del Departamento de Estado, 26 de octubre de 1920, 812.6363/R218/E0018-0019.

[22] Además de no aplicar retroactivamente las disposiciones del artículo 27, el Departamento de Estado pidió el establecimiento de una comisión mixta de reclamaciones que atendiera aquellas originadas por los daños causados durante la Revolución, así como el reconocimiento y pago de la deuda externa. John W. F. Dulles, *Yesterday in Mexico. A Chronicle of the Revolution, 1919-1936* (Austin, Tex.: University of Texas Press, 1961), p. 91.

de que su gobierno fuera reconocido por Washington; éste, por su parte, no aceptó un cambio en la precedencia de los pasos a seguir, consciente de que su poder de negociación se vería mermado si el tratado era negociado con posterioridad al restablecimiento de las relaciones diplomáticas. De la Huerta, por tanto, se vio en la necesidad de entregar el mando a Obregón sin haber adelantado gran cosa en la resolución de tan vital problema.[23]

Al triunfo del movimiento de Agua Prieta, México producía el 22.7 % del petróleo mundial y la inseguridad de los derechos de propiedad de esa riqueza fue el motivo fundamental por el cual De la Huerta no fue reconocido. La diferencia de puntos de vista sobre este aspecto entre México y la Casa Blanca quedó perfectamente establecida en un memorándum que, según Pesqueira, le entregó el Departamento de Estado. Los diez puntos contenidos en el memorándum eran los siguientes: 1) derogar los decretos de Carranza, 2) suprimir la exigencia de los "denuncios" de las propiedades petroleras, 3) dejar sin efecto las concesiones dadas a terceros sobre las propiedades de las compañías no denunciadas, 4) no rehusar ni retardar los permisos de perforación, 5) modificar la posición del Ejecutivo en los juicios de amparo interpuestos por las compañías, permitiendo una solución favorable a éstas, 6) acabar con las concesiones en las zonas federales, 7) establecer una política impositiva justa, 8) derogar el artículo 27 constitucional, 9) reconocer y restituir sus derechos a los ciudadanos extranjeros afectados por éste, y 10) asegurar que la legislación futura no se apartaría de los nueve puntos anteriores.[24]

Obregón en su lucha contra Carranza no contó, según parece, con ningún apoyo por parte de los petroleros;[25] sin embargo, éstos no dejaron de mostrarse complacidos con su triunfo,[26] y de inmediato sugirieron al Departamento de Estado aprovechar la coyuntura y resolver definitivamente el problema surgido a partir de 1917 entre ellos y el Estado mexicano.[27] Varias veces los representantes de las compañías petroleras tuvieron pláticas con el gobierno provisional pero no pudieron lograr un acuerdo definitivo.[28] El secretario de Industria, general Jacinto B. Treviño, intentó varias veces

[23] Ibidem, p. 91. Según Miguel Alessio Robles, Obregón, Calles y De la Huerta tuvieron en su casa una serie de reuniones para discutir las demandas norteamericanas, al final de las cuales decidieron hacer saber al abogado y enviado especial del Presidente Wilson, Mr. King, que no era posible celebrar con Estados Unidos ningún tratado previo al reconocimiento. Miguel Alessio Robles, Historia política de la Revolución, 3ª ed. (México: Ediciones Botas, 1946), pp. 341-342.
[24] El Universal (28 de abril de 1921).
[25] El propio De la Huerta negó toda relación del movimiento con los petroleros en la sesión de 26 de octubre de 1921 de la Cámara de Diputados. Excélsior (27 de octubre de 1921).
[26] New York Times (13 de julio de 1920).
[27] NAW, Gulf a Departamento de Estado, 13 de julio de 1920, 812.6363/R217/E0769-0770.
[28] El 29 de junio de 1920 el New York Times anunció que habían fracasado las pláticas entre los petroleros, que deseaban la desaparición de las disposiciones de Carranza, y el gobierno mexicano.

inútilmente llegar a un arreglo con los petroleros,[29] e incluso acompañó a Estados Unidos, en octubre de 1920, al general Obregón, Presidente electo, y ahí continuó sus negociaciones con el grupo petrolero.[30] Ningún acuerdo se concretó, pero el 26 de octubre el gobierno delahuertista envió una nota a Washington haciendo hincapié en su propósito de no confiscar los derechos adquiridos por los ciudadanos norteamericanos, es decir, el petróleo.[31]

Es verdad, como afirma Silva Herzog, que De la Huerta suavizó las relaciones entre el gobierno y las empresas, pero en la práctica éstas fueron menos cordiales de lo que comúnmente se cree.[32] Los puntos de conflicto fueron varios: en primer lugar, De la Huerta no aceptó abrogar los decretos de 1918, que hacían necesaria la denuncia de todos los terrenos petroleros y una concesión gubernamental antes de proceder a su explotación (en caso contrario esos depósitos podían ser explotados por un tercero).[33] El Departamento de Estado recibió las quejas de las empresas y dirigió a México una serie de protestas por las concesiones a terceros y por la negativa del Ejecutivo a otorgar incondicionalmente los permisos de perforación a quienes tenían derechos adquiridos antes de mayo de 1917.[34] Un segundo problema, que se presentó constantemente a lo largo de los seis meses de gobierno de De la Huerta, fue el de las llamadas zonas federales. Su gobierno otorgó gran número de concesiones petroleras a personas allegadas al régimen, en los lechos de arroyos o ríos que cruzaban las propiedades de las compañías norteamericanas, las cuales alegaron que tales actos violaban sus derechos de propiedad. Al principio pareció que De la Huerta cedería a las demandas de las compañías, pero no fue así, y hasta las últimas horas de su administración continuó otorgando este tipo de concesiones.[35] El Departa-

29 NAW, Departamento de Estado a Summerlin, 11 de agosto de 1920, 812.6363/R228.
30 Después de una reunión entre el general Treviño y A. C. Ebie, de la Magnolia Petroleum Co., este último declaró que el fin de la controversia estaba cerca. Álvaro Obregón, Campaña política del C. ... candidato a la Presidencia de la República, 1920-1924, Vol. v, pp. 316-317.
31 Frederick Sherwood Dunn, op. cit., p. 345.
32 Jesús Silva Herzog, Petróleo Mexicano (México: Fondo de Cultura Económica, 1941), p. 82.
33 En una entrevista que tuvo De la Huerta con el encargado de negocios norteamericano, Summerlin, el 14 de septiembre de 1920, le dijo que si en un principio él se manifestó en contra de la reglamentación petrolera carrancista, había modificado ya su opinión: era menester que se aceptara la necesidad de obtener una concesión estatal. NAW, 812.6363/R218/E0919-0920. Cuando la Compañía Transcontinental de Petróleo se quejó ante la Secretaría de Industria porque se había concedido permiso de perforación a terceras personas sobre un terreno que poseía con anterioridad a 1917, pero que no había denunciado, se le respondió que los decretos carrancistas se mantendrían en vigor mientras no fueran derogados. En esta respuesta la Secretaría de Industria advirtió que la nación poseía el dominio directo sobre todo el petróleo, y era necesaria una concesión del Ejecutivo para proceder a su explotación. Manuel de Peña, La cuestión palpitante..., pp. 43-46.
34 NAW, Swain a Departamento de Estado, 31 de diciembre de 1920, 812.6363/R217/E0313; Departamento de Estado a Summerlin, 13 de agosto de 1920, 812.6363/R228/E0756-0757.
35 Según un memorándum del Departamento de Asuntos Mexicanos del Depar-

mento de Estado mantuvo una protesta constante contra esta política,[36] y la circunstancia de que algunas compañías inglesas ("El Águila" y "La Corona") se beneficiaran a costa de las norteamericanas a través de las concesiones en las zonas federales, preocupó aún más a Washington.[37] Esta situación reafirmó el deseo de los petroleros norteamericanos de impedir que se otorgara el reconocimiento a Obregón si antes no accedía a concertar un acuerdo previo y formal que pusiera fin al problema.[38] La tardanza en la expedición de los permisos de perforación, la insistencia en pretender hacer efectivo el cobro de regalías y la permanencia en sus puestos de los funcionarios responsables de la formulación y ejecución de la política petrolera de Carranza, fueron otros tantos motivos de fricción entre De la Huerta y los petroleros.[39]

El gobierno provisional de De la Huerta intentó, como hiciera Carranza, romper la unión de las compañías valiéndose de J. F. Guffe, que controlaba al AGWI. Varias veces esta compañía hizo declaraciones y tomó decisiones contrarias al resto de las empresas petroleras.[40] Fue por conducto de Guffey que se pretendió atraer a México a la Anglo-Persian: se pensó que ésta respetaría la nueva legislación petrolera a cambio del apoyo oficial; sin embargo, la Sinclair disua-

tamento de Estado, fechado el 9 de agosto de 1920, la actitud de De la Huerta fue provocada por la negativa de las compañías a pagar ciertos impuestos a cambio de la derogación de los decretos de Carranza. NAW, 812.6363/R218/E0865-0866.
36 NAW, Departamento de Estado a Summerlin, 18 de agosto de 1921, 812.6363/R218/E0830-0832; Summerlin a Secretaría de Relaciones Exteriores, 31 de agosto de 1921, 812.6363/R222/E0434-0435.
37 En un informe del Departamento de Estado a su representante en México, fechado el 10 de diciembre de 1920, se le notificó que ciertas firmas inglesas y holandesas habían obtenido casi todas las concesiones que dio el gobierno de De la Huerta para explotar las zonas federales; para ello se valieron principalmente de los generales Treviño, Hill y otros. Summerlin informó el día 17 que una compañía llamada "El Sol" había obtenido algunas de estas concesiones tras aceptar que el gobierno recibiera el 40% de las utilidades. NAW, 812.6363/R228/E0799-0802. Las compañías norteamericanas denunciaron ante su gobierno a "El Águila" y "La Corona" por haberse beneficiado de las concesiones de De la Huerta; por ello, "El Águila" había abandonado la Asociación de Petroleros. Era necesario, decían, vigilar los movimientos de los ingleses. NAW, compañías petroleras a Departamento de Estado, 8 de diciembre de 1920, 812.6363/R217/E0201.
38 NAW, compañías petroleras a Departamento de Estado, 10 de diciembre de 1920, 812.6363/R217/E0183-0189. Para un estudio más detallado del problema se puede consultar el folleto de Manuel Calero y Delbert J. Haff, op. cit., Excélsior de 30 de junio de 1920.
39 El general Treviño no desistió de su empeño de hacer efectivo el cobro de regalías a las empresas tal como lo decretó Carranza. Carlos Díaz Dufoo, La cuestión del petróleo, pp. 368-369. En declaraciones aparecidas en El Heraldo de México el 10 de julio de 1920, los señores Santaella y Vázquez Schiaffino denunciaron las maniobras de las compañías petroleras encaminadas a lograr su destitución por la participación que tuvieron en la política petrolera carrancista. El 17 de julio De la Huerta estableció una Junta Consultiva que resolvería los problemas petroleros; dicha junta la compusieron los antiguos asesores de Carranza, es decir, Santaella, Vázquez Schiaffino, Manuel de la Peña y Salvador Urbina. Diario Oficial (26 de julio de 1920).
40 Véanse, por ejemplo, las declaraciones del general Treviño y de J. F. Guffey aparecidas en El Heraldo de México, 11 y 12 de agosto de 1920.

dió a esa empresa de su propósito de unirse al AGWI.[41] Pese al favor oficial de que gozó, todo indica que para fines de 1920, el AGWI había terminado por sumarse al resto de las compañías en su oposición al gobierno; lo mismo ocurrió con los ingleses, que por un momento pretendieron aprovechar en su favor la política delahuertista.[42] El gobierno provisional osciló entre la necesidad de lograr el reconocimiento y apoyo de Washington, y la de obtener mayor participación en las fabulosas ganancias que obtenía la industria del petróleo. Tampoco pudo dejar de tener en cuenta el sentimiento nacionalista en México.[43]

3. OBREGÓN Y EL RESTABLECIMIENTO DE LAS RELACIONES DIPLOMÁTICAS CON ESTADOS UNIDOS

Las empresas petroleras continuaron siendo el obstáculo principal para que Washington otorgara su reconocimiento a Obregón.[44] A la muerte de Carranza, el fin del *modus vivendi* entre los petroleros y el gobierno mexicano fue aprovechado por aquéllos para replantear el problema en busca de una solución definitiva. La presión ejercida por la falta de reconocimiento sobre Huerta y Obregón también recibió el apoyo de los banqueros que controlaban la deuda externa mexicana.[45] Para los diversos intereses congregados en torno a la Asociación Americana de México —petroleros, industriales y agrícolas— era preferible la continuación de la lucha civil a propiciar la consolidación de Obregón sin antes ver resueltas definitivamente sus múltiples demandas.[46]

La posición de los intereses petroleros hacia Obregón fue la misma que observaron para con De la Huerta: el Departamento de Estado debía obtener de aquél un compromiso formal que impidiera dar

[41] NAW, Departamento de Estado a su embajada en Londres, 20 de diciembre de 1920, 812.6363/R217/E0255-0257.

[42] NAW, informe de la U. S. Shipping Board, 24 de diciembre de 1920, 812.6363/R219/E0384.

[43] El 19 de noviembre de 1920, Pesqueira pronunció un discurso en el que declaró que su país estaba dispuesto a arbitrar sus diferencias con Estados Unidos, pero no a aceptar que un pequeño grupo [los petroleros] dictara las condiciones que habrían de conducir a la reanudación de las relaciones diplomáticas entre ambos países. Al día siguiente, las compañías comunicaron al Departamento de Estado que el discurso de Pesqueira reafirmaba la ilegal política de nacionalización de México. NAW, 812.6363/R218/E0062-0063 y 0133-0135. En la contestación de México al discurso pronunciado por el abogado petrolero Frederick R. Kellogg ante el American Petroleum Institute el 19 de noviembre de 1920, aparecida en *El Universal* de 29 del mismo mes, se tiene una buena exposición de la postura del gobierno provisional ante el conflicto petrolero.

[44] James Fred Rippy, José Vasconcelos y Guy Stevens, *op. cit.*, p. 134.

[45] De acuerdo con las declaraciones de Hearst, el banquero Thomas Lamont recomendó a su gobierno que antes de restablecer las relaciones diplomáticas con México, debería obligarse a ese país a pagar sus bonos de la deuda externa a 120, a pesar de cotizarse en la bolsa de Nueva York a 40. NAW, 812.00, p. 81/131.

[46] Para esta asociación, la Constitución de 1917 había sido adoptada ilegalmente y su vigencia no debía ser tolerada por Estados Unidos, pues el daño que tal precedente podía sentar era incalculable. Asociación Americana de México, *op. cit.*, p. 24; *Boletín* N° 15, 15 de mayo de 1921, p. 3.

efecto retroactivo a las leyes de 1917.[47] En la reunión que celebró en Galveston el 16 y 17 de marzo de 1921, la APPM resolvió no reconocer valor alguno a la nueva legislación mexicana por su carácter ilegal: a su juicio, no podía afectar sus propiedades adquiridas antes de 1917.

Los principales puntos acordados en esta reunión, según el memorándum que los petroleros entregaron a la embajada norteamericana en México, fueron los siguientes: a) reiterar la plena validez de los derechos adquiridos antes del 1º de mayo de 1917, b) sostener la ilegalidad de la Constitución de 1917, c) dejar en manos del Departamento de Estado la defensa de sus legítimos intereses, d) ampararse contra los impuestos de exportación, cuyo pago se haría bajo protesta y en calidad de depósito, y e) sostener la ilegalidad de las concesiones en las "zonas federales".[48] En 1922, la posición de la APPM continuó invariable: o todo o nada.[49]

Washington no desatendió en ningún momento los deseos de los magnates petroleros; su problema fue clasificado entre los que afectaban el "bienestar nacional" y quedó directamente en manos del secretario de Estado, lo cual le dio prioridad sobre el resto de los puntos conflictivos con México.[50] Como Obregón no modificó la actitud asumida por De la Huerta, Estados Unidos informó que no podía reconocerle por haber sido la violencia el origen de su gobierno, por no asegurar el bienestar de los ciudadanos americanos en el país y, finalmente, por falta de garantías contra la aplicación retroactiva del artículo 27.[51] El propósito fundamental de la administración republicana era obtener garantías para los intereses americanos ya adquiridos, y no la reparación de los daños causados por diez años de lucha; por ello, Harding y Hughes consideraron el peligro de "confiscación" como el meollo del problema entre Estados Unidos y su vecino sureño.[52] El peligro para Obregón no consistía únicamente

[47] NAW, Swain a Departamento de Estado, 9 de noviembre de 1920, 812.6363/R217/E0159-0160.
[48] Guy Stevens, secretario de la Asociación, declaró el día 17 que el nuevo gobierno mexicano no debía ser reconocido si antes no daba una garantía absoluta que protegiera a los petroleros contra la confiscación. La APPM manifestó su apoyo total a las recomendaciones del *Fall Committee*. NAW, 812.6363/R217/E0499-0508; *New York Times* (17 de marzo de 1921); *El Universal* (3 de marzo de 1921).
[49] NAW, 812.6363/R219/E0943-0956.
[50] Según el *New York Times* de 1 de enero de 1921, la cuestión del petróleo fue desligada del problema mexicano en general en el Departamento de Estado, y puesta al mismo nivel de aquellas que habían surgido del arreglo anglofrancés en Mesopotamia, de las operaciones holandesas en Java, o de las canadienses en América Latina. Se consideró al asunto petrolero como algo que afectaba directamente el interés nacional, y no únicamente a las inversiones en el exterior.
[51] Stuart Alexander MacCorkle, *op. cit.*, p. 98.
[52] El 7 de junio de 1921 Hughes declaró: "El problema fundamental que confronta el gobierno de Estados Unidos al considerar sus relaciones con México es el de la protección de los derechos de propiedad contra la confiscación." Más tarde, Harding añadió: "...tenemos el deseo de poder aclamar a un gobierno estable en México y de ayudar a fuer de buen vecino a indicarle el camino que lo conduzca a su mayor progreso. Cosa sencilla será llegar a un convenio claro y amistoso... Forzosamente tiene que haber ese convenio; de lo contrario, no puede haber reconocimiento". Frederick Sherwood Dunn, *op. cit.*, p. 346; Asociación Americana de México, *op. cit.*, pp. 10-11.

en una posible intervención o en la ayuda a sus enemigos: la situación le privaba de los elementos de guerra norteamericanos, vitales en momentos de gran efervescencia interna.

Al asumir el poder, Obregón envió a Washington a Manuel Vargas, pero éste no tuvo mejor suerte en la continuación de las gestiones que habían iniciado Iglesias y Pesqueira.[53] Fue entonces cuando por diversos conductos, varios norteamericanos hicieron llegar al Ejecutivo mexicano algunos planes para obtener el reconocimiento de Washington sin firmar ningún compromiso: todos resultaron obra de la fantasía o mala fe de sus autores: no existía una salida fácil.[54] El 27 de mayo de 1921 el gobierno de Estados Unidos por primera vez sometió formalmente a la consideración de Obregón un proyecto de tratado de amistad y comercio, que en sus dos primeros artículos anulaba virtualmente las reformas contenidas en el artículo 27. En el proyecto entregado por Summerlin, Estados Unidos proponía que los ciudadanos de ambos países que radicaran en el otro gozaran de los mismos derechos que los nacionales; que se dieran garantías recíprocas contra la nacionalización —la que sólo podría efectuarse en caso de utilidad pública y previa, pronta y justa indemnización—; previsiones contra la aplicación retroactiva del decreto de Carranza de 6 de enero de 1915, de la Constitución de 1917 o de cualquier otra disposición. Se mencionaba específicamente el reconocimiento de los derechos petroleros y mineros adquiridos en México por los extranjeros de conformidad con las leyes de 1884, 1892 y 1909, así como la devolución o pago de toda propiedad norteamericana tomada a partir de 1910.[55] Obregón respondió que confiaba en que Estados Unidos aplicara en el caso de México la política tradicional de reconocimiento anunciada por Jefferson, es decir, que debía entablar relaciones con todo gobierno constituido por la voluntad del pueblo, y declaró que legalmente no podía firmar un tratado que privaba a la Suprema Corte de sus atributos como intérprete de la Constitución. El Presidente mexicano se declaró convencido de que tarde o temprano su política haría ver a Washington lo inútil de sus preocupaciones y pretensiones.[56] Hughes aparentó no percatarse de las razones a que obedecía la negativa

[53] El 13 de febrero de 1921, Colby, secretario de Estado, informó a Wilson que el enviado del Presidente mexicano no hizo más que reiterar la posición de sus predecesores, oponiéndose a la firma de un tratado previo. LC, WWP, Caja 471.

[54] J. P. Withers, que dijo ser representante extraoficial del Departamento de Estado en México, aseguró que entre febrero y marzo de 1921 Colby y otros funcionarios trataron de obtener del gobierno mexicano ciertas concesiones a cambio de otorgarle el reconocimiento. Un norteamericano, de apellido Phillippi, ofreció a Pani el 2 de mayo concertar una entrevista entre los Presidentes de ambos países, y en ella se podría solucionar el problema. Cabot Lodge —conocido enemigo de los gobiernos revolucionarios— sería el conducto para propiciar tal reunión. NAW, 812.00, pp. 81/82; AREM, L-E 1574, T. II, Leg. IV, ff. 59-65.

[55] NAW, 812.6363/R228/E0893-0899.

[56] NAW, memorándum de la División de Asuntos Mexicanos del Departamento de Estado, 27 de abril de 1922, 812.6363/R228/E0975-0976; Aarón Sáenz, op. cit., pp. 43-44. A su regreso de Texas, Obregón declaró a la prensa que Estados Unidos no tardaría en reconocer incondicionalmente a México, al percatarse de la bondad de su política hacia los intereses extranjeros. El Universal (23 de octubre de 1920).

mexicana;[57] no quiso comprender que Obregón podía aceptar en la práctica, pero no formalmente, los principales puntos del proyecto de Washington: era imposible hacerlo a la vista de todo el país mediante un tratado que había sido comparado con la "enmienda Platt" y que despojaría a México de la facultad de interpretar y aplicar su ley constitucional.[58] Para borrar toda sospecha de los círculos nacionalistas, Obregón declaró que no modificaría, a cambio del reconocimiento norteamericano, las leyes petroleras de Carranza, ni el artículo 27.[59]

Toda la correspondencia oficial cambiada entre los gobiernos de México y Estados Unidos, del 17 de mayo de 1921 al 21 de marzo de 1923 en torno al asunto petrolero, giró alrededor del tratado de amistad y comercio propuesto, pues Washington consideró que cualquier otra cosa no garantizaría adecuadamente sus intereses.[60] Pani insistió, a partir del memorándum del 11 de mayo de 1921, que no era intención de ninguno de los tres poderes del gobierno dar al artículo 27 un efecto retroactivo; por lo que hacía al tratado, éste sería fácilmente negociado una vez que las relaciones entre ambos países hubieran sido normalizadas, pero no antes, ni en la forma anticonstitucional sugerida por el gobierno norteamericano. En todas las comunicaciones de Pani a Estados Unidos entre 1921 y 1923, se aseguró la formulación de una ley petrolera que satisfaría plenamente las demandas del Departamento de Estado, y hasta se llegó a insinuar una reforma a la Constitución para poner fin a la posibilidad de que el artículo 27 afectara los "derechos adquiridos".[61] Según se asienta en las "Memorias" de Adolfo de la Huerta y en otros documentos de los Archivos de la Secretaría de Relaciones Exteriores, cuando las negociaciones del secretario de Hacienda con los banqueros le llevaron a Estados Unidos, a mediados de 1922, pudo tratar con el Presidente y secretario de Estado norteamericanos el problema petrolero. Las conversaciones sostenidas entonces —según De la Huerta— condujeron a un acuerdo: Washington reconocería a Obregón sin necesidad de la firma del tratado previo, y aceptaría que los "derechos adquiridos" por los petroleros antes de mayo de 1917 fueran cambiados por conce-

---

57 Hughes dijo no entender por qué Obregón no aceptaba un proyecto que contenía los mismos puntos que él había enunciado en su programa político. James Fred Rippy, *The United States and Mexico*, p. 366.

58 Vito Alessio Robles, *Los Tratados de Bucareli* (México: A. del Bosque, Impresor, 1937), pp. 15-16; y Manuel González Ramírez, *Los llamados Tratados de Bucareli: México y los Estados Unidos en las Convenciones Internacionales de 1923* (México, s.p.i., 1939), p. 18.

59 *Excélsior* (13 de noviembre de 1920).

60 México, desde un principio, propuso a Washington la firma de una convención de reclamaciones por daños causados a los ciudadanos americanos durante la Revolución, después de lo cual se procedería a restablecer las relaciones diplomáticas, y a continuación se firmaría una convención general de reclamaciones que atendería los casos pendientes desde el siglo pasado.

61 Esta insinuación se hizo en el memorándum que envió Pani a Summerlin el 4 de julio de 1921. La correspondencia completa se puede consultar en: México, Secretaría de Relaciones Exteriores, *La cuestión internacional mexicano-americana durante el gobierno del general don Alvaro Obregón*, 3ª ed. (México: Editorial Cultura, 1949).

siones gubernamentales con una duración de cincuenta años. ¿Cómo se obtuvo un cambio tan repentino y fundamental en la posición norteamericana, y que no se reflejó en la correspondencia oficial que posteriormente intercambiaron ambas cancillerías? El autor no lo explica; tampoco indica el motivo por el cual las relaciones entre los dos países continuaron interrumpidas a pesar del ofrecimiento que entonces hizo Hughes.[62]

Al tiempo que el gobierno mexicano reiteraba al de Estados Unidos, a través de los canales diplomáticos, que los intereses norteamericanos en México serían protegidos, Obregón desató una verdadera ofensiva propagandística para obtener el reconocimiento de Washington en sus propios términos; parte importante de esta campaña fueron sus declaraciones a la prensa.[63] Desgraciadamente, si bien los funcionarios norteamericanos se mostraron "muy complacidos", las declaraciones y otras manifestaciones en igual sentido no contribuyeron a modificar la posición de Washington ni la de los petroleros.[64] Los norteamericanos estaban decididos a aprovechar la coyuntura y obtener una solución definitiva mediante un compromiso formal; consecuentemente, la propaganda hizo poca mella; además, no dejaron de afluir al Departamento de Estado las quejas motivadas por las concesiones dadas en zonas federales que afectaban a las compañías petroleras norteamericanas; la negación de permisos de perforación a compañías con derechos anteriores a mayo de 1917 fue igualmente motivo de quejas.[65]

---

[62] Es cierto que las "Memorias" no son otra cosa que la justificación de la decisión de De la Huerta de romper con Obregón en 1923, pero los pormenores de sus negociaciones en Washington, en la forma descrita, se encuentran también en la versión taquigráfica de la reunión del Gabinete de 4 de noviembre de 1922, es decir, antes de su rompimiento con Obregón. Según este documento, a las acusaciones que hizo Hughes sobre la confiscación de los derechos de los petroleros, De la Huerta respondió "...que era equivocada aquella apreciación, que efectivamente exigiría a las compañías petroleras que se pusieran dentro del nuevo orden de cosas [pero]... que no existe, de parte del gobierno, el propósito de entorpecerlas, lejos de eso darles facilidades; pero únicamente queremos, por discusión académica, si ustedes quieren... que estos hombres [los petroleros] se pongan el saco que les ofrecemos... no pierden con ello ninguno de sus derechos, pero sí queremos que reconozcan los nuestros, porque tenemos derecho a exigirlo. Me dijo [Hughes]: está usted en lo justo". De acuerdo con este documento y con sus "Memorias", Hughes aceptó que cambiara la "modalidad de la propiedad petrolera"; asegurándole que a su retorno de Brasil las relaciones entre México y Estados Unidos serían restablecidas con mayores requisitos. AREM, C-3-2-43, Exp. III/625 (011)/2-1, Leg. 1, ff. 15-17: Adolfo de la Huerta, *Memorias de don... según su propio dictado* (México: Ediciones Guzmán, 1957), pp. 212-215.

[63] Un ejemplo típico lo constituyen las declaraciones que hizo al *World*, según las cuales México protegería ampliamente todo derecho privado adquirido antes del 1º de mayo de 1917. "...El famoso artículo 27 —dijo Obregón—, una de cuyas secciones declara propiedad de la nación los derechos petroleros del subsuelo, no tendrá nunca efecto retroactivo...", *El Universal* (29 de junio de 1921).

[64] En junio de 1921 Doheny expresó categóricamente: "Es ya tiempo de que México acceda a la petición de Mr. Hughes, y que estas declaraciones oficiales tantas veces repetidas sean puestas en forma de un compromiso internacional que tenga la forma de un tratado", *El Universal* (29 de junio de 1921).

[65] Un ejemplo de la persistencia de conflictos en las zonas federales lo constituyen las concesiones dadas a la compañía "El Sol", que afectaron intereses norteamericanos, por lo cual se ordenó a Summerlin presentar una protesta.

4. LOS ESFUERZOS POR SATISFACER LAS DEMANDAS NORTEAMERICANAS SIN SUSCRIBIR UN ACUERDO FORMAL

Desde que Obregón inició su campaña presidencial en 1919 dejó ver que pensaba seguir una política distinta a la de Carranza, más acorde con los deseos de las compañías en relación al petróleo. *Excélsior* observó el 9 de junio, no sin júbilo, que "ya no descubrimos en él [Obregón] tendencias socialistas".[66] Según palabras del propio Pani, al asumir Obregón la Presidencia rechazó formalmente el compromiso que Washington le exigía porque "aguardaba pacientemente que los avances en la ejecución del programa presidencial volvieran innecesario, ante el Gobierno de los Estados Unidos, el tratado que tanto lo obsesionaba para la protección de sus nacionales".[67] Un primer paso en este programa extraoficial lo constituyó la suspensión de las concesiones petroleras en las zonas federales, que habían molestado al gobierno y a los petroleros norteamericanos.[68] Por un decreto de 15 de enero de 1921, Obregón exigió que sólo se dieran permisos de perforación a quienes hubieran cumplido con el decreto de Carranza de 18 de agosto de 1918, pero al mes siguiente —después de las protestas de la Standard ante el Departamento de Estado— revocó la orden.[69] Removidos estos dos obstáculos, Obregón se comunicó directamente con el presidente Harding el 21 de julio y el 18 de agosto de 1921 para

NAW, Departamento de Estado a Summerlin, 22 de octubre de 1921, 812.6363/R219/E0548; y Pani a Summerlin, 18 de noviembre de 1921, 812.6363/R219/E0881. En febrero de 1922 el Departamento de Estado volvió a quejarse ante México porque se negaban los permisos de perforación a dos compañías cuyos derechos habían sido adquiridos antes del 1º de mayo de 1917, pero que no les eran reconocidos por no haber hecho ningún trabajo encaminado a captar petróleo antes de esa fecha; Washington consideró que los derechos de los petroleros no estaban condicionados en forma alguna. NAW, Departamento de Estado a Summerlin, 28 de febrero de 1922, 812.6363/R219/E0997-0998; Pani a Summerlin, 18 de abril de 1922, 812.6363/R219/E1119; Departamento de Estado a Summerlin, 6 de junio de 1922, 812.6363/R219/E1122-1123.

66 En un manifiesto fechado en Nogales, Sonora, el 1º de julio de 1919, Obregón prometió, al abordar el problema económico: "Completo reconocimiento de todos los derechos adquiridos legítimamente en nuestro país, con absoluto apego a nuestras leyes, por todos los extranjeros." Se manifestó también en favor de facilitar el ingreso de capital foráneo para el desarrollo y fomento de los recursos naturales. Álvaro Obregón, *Campaña política del C. ... candidato a la Presidencia de la República de 1922*, Vol. I, pp. 53 y 76.

67 Alberto J. Pani. Introducción a *La cuestión internacional mexicano-norteamericana, durante el gobierno del general don Álvaro Obregón*, 3ª ed. (México: Editorial Cultura, 1949), p. IV.

68 Por acuerdo presidencial de 13 de diciembre de 1920 se suspendieron estas concesiones hasta que se promulgara la ley del petróleo. A raíz de esta disposición, la Asociación de Petroleros, el 29 de enero de 1921, dio las gracias al Departamento de Estado. NAW, 812.6363/R217/E0379-0380.

69 El 20 y el 23 de mayo de 1921, Mr. Swain, de la Standard Oil (N. J.), y la Asociación de Petroleros, respectivamente, se dirigieron al Departamento de Estado protestando por los requisitos exigidos para obtener los permisos de perforación. NAW, 812.6363/R217/E0614 y 0617-0618. La prensa de 22 de febrero de 1921 aclaró que sólo era necesario presentar los documentos que comprobaran que quienes solicitaban los permisos de perforación eran dueños o arrendatarios de los terrenos que se proponían explotar.

informarle que era su intención hacer honor a sus declaraciones de no aplicar con efecto retroactivo el artículo 27, y reiterarle las seguridades dadas por su secretario de Relaciones a Summerlin.[70] El paso más importante dado por Obregón —antes de los acuerdos de Bucareli de 1923— para satisfacer las demandas norteamericanas sobre los derechos de sus compañías petroleras, fueron las cinco resoluciones de la Suprema Corte en el caso de otros tantos amparos pedidos por los abogados petroleros en contra de los decretos de Carranza.[71] La decisión de la Suprema Corte de 30 de agosto no debió sorprender mucho a los norteamericanos, ya que en el memorándum de 9 de junio de 1921, que Pani entregó a Summerlin, se decía que si el Ejecutivo y el Legislativo estaban en favor del principio de la no retroactividad de las leyes, "¿qué otra cosa puede hacer la Suprema Corte de la Nación que sumarse en tales propósitos de equidad, a los otros dos poderes?" Pani "suponía" que quizá no transcurriera mucho tiempo sin que se confirmara su aseveración, y dado el tradicional control del Poder Ejecutivo sobre el Judicial, ello equivalía casi a una seguridad. La Suprema Corte dio a conocer su fallo el 30 de agosto de 1921, en el momento en que el gobierno entablaba pláticas con los representantes del grupo petrolero, aunque por la prisa, la opinión escrita tuvo que esperar algunas semanas más para ser conocida. La esencia del dictamen judicial la constituía el carácter no retroactivo con que interpretó el párrafo IV del artículo 27, basándose en el artículo 14 de la misma Constitución, que prohibía dar efecto retroactivo a una ley (pero no a un precepto constitucional); sin embargo, esta decisión sólo amparó aquellos terrenos en que se hubiera ejecutado un "acto positivo", o sea, indicado el deseo del propietario de explotar el petróleo antes del 1º de mayo de 1917. Esto significaba que los principales terrenos de las compañías estaban a cubierto de la reforma petrolera, pero no todos.[72] La Corte sólo cedió lo estrictamente

---

70 El 21 de julio de 1921, el Presidente Obregón escribió a Harding haciéndole saber que sus declaraciones al *World*, en las que se comprometió a interpretar el artículo 27 en el sentido que Washington demandaba, constituían "el compromiso moral más fuerte que, en mi carácter de jefe del Poder Ejecutivo de México, pueda yo contraer no solamente ante mi propio país sino ante el mundo", y le aseguró que los Poderes Legislativo y Judicial actuarían de conformidad con ese punto de vista. No consideraba Obregón, por tanto, que hubiera ya motivo para condicionar su reconocimiento. El 18 de agosto volvió a comunicarse con su colega norteamericano para informarle, entre otras cosas, que "...pronto se llegará a definir el carácter no retroactivo y no confiscatorio del artículo 27 constitucional". Obregón se refería a la ley reglamentaria de dicho artículo que, finalmente, no llegó a promulgarse. AREM, C-3-2-43, Exp. III/625 (011)/2-1, Leg. 3, ff. 90-91, y Leg. I, ff. 91-92.
71 El número de amparos contra los decretos de Carranza, y que estaban pendientes, ascendía a más de 200.
72 El fallo se produjo en relación con una demanda presentada por la Texas Oil Co., protestando por el hecho de que, en virtud de no haber acatado los decretos de 1918, se había otorgado a un ciudadano mexicano una concesión petrolera en un terreno que le pertenecía con anterioridad a 1917. En primera instancia el caso fue resuelto en su contra; la Texas apeló entonces a la Suprema Corte, y durante varios años el conflicto quedó suspendido, en espera de que se resolviera el aspecto político del asunto. Resuelto éste, la Corte sentenció que

necesario, pues no declaró no retroactivo todo el artículo ni condenó la aplicación retroactiva en sí, ya que admitió que la Constitución podía tener efectos retroactivos, y éstos tendrían que respetarse; [73] además, dependiendo de lo que se entendiera por "acto positivo", entre el 80 y 90 % de las propiedades de las compañías podían ser aún afectadas por la legislación revolucionaria.[74] Pese a los argumentos presentados entonces y posteriormente sobre lo acertado del fallo, fue la presión norteamericana y no otra cosa lo que obligó a Obregón a dar al artículo 27 una interpretación que no era acorde con un espíritu nacionalista y revolucionario.[75] Para que la decisión del 30 de agosto sentara precedente, eran necesarias cuatro decisiones consecutivas en igual sentido. Para 1922 ya existían las cinco ejecutorias.[76]

En tanto que el paso dado por Obregón a través de la Suprema Corte no significó la aceptación total de las demandas norteamericanas, ni tuvo la fuerza obligatoriá de un tratado, la posición del Departamento de Estado o del grupo petrolero no varió; en su opinión, mientras no se reconocieran plenamente los derechos sobre el subsuelo en todas las propiedades adquiridas antes del 1º de mayo de 1917, continuaba existiendo una confiscación.[77] No en todas sus decisiones posteriores la Suprema Corte continuó dando fallos en favor de los petroleros, pero estos casos fueron raros y no sentaron ningún

el párrafo IV del artículo 27 —en los casos en que se hubiera efectuado un "acto positivo", concepto entonces no bien definido— no era retroactivo "ni por su letra ni por su espíritu".

[73] Stanley R. Ross et al., op. cit., p. 547.

[74] Frederick Sherwood Dunn, op. cit., p. 349.

[75] Los defensores del régimen obregonista han pretendido argüir, en su afán de no empañar el brillo del nacionalismo de este caudillo, que Obregón no obligó a la Suprema Corte a dar el fallo en el sentido en que lo dio, y que tal decisión estuvo ciento por ciento de acuerdo con el espíritu del Constituyente de 1917. Éste es el caso, entre otros, de Manuel González Ramírez en Los llamados Tratados de Bucareli: México y los Estados Unidos en las Convenciones Internacionales de 1923, p. 126, y de Aarón Sáenz en La política internacional de la Revolución. Estudios y documentos, pp. 52-53. Pretender ignorar el tradicional manejo del Poder Judicial por el Ejecutivo en México es, en el mejor de los casos, desconocer la realidad. En cuanto al espíritu que originalmente tuvo el artículo 27, puede consultarse lo expuesto en el capítulo IV de este trabajo.

[76] Las otras cuatro fueron: dos en relación con las demandas de la International Petroleum Co. y otras tantas en el caso de la Tamiahua Petroleum Co.

[77] Al conocerse la primera decisión de la Suprema Corte, los petroleros comunicaron a Washington que, en tanto no se protegieran definitivamente sus derechos, debía continuarse negando el reconocimiento a México. Summerlin compartió esta opinión: debía seguirse presionando hasta obtener la firma del tratado. NAW, Asociación de Petroleros a Departamento de Estado, 6 de septiembre de 1921, 813.6363/R219/E0106-0108; Summerlin a Fletcher, 1º de septiembre de 1921, 812.6363/R219/E0115. Cuando en 1922 se cumplieron las cinco decisiones, los representantes de Doheny expresaron al Departamento de Estado que las decisiones eran poco satisfactorias. De igual opinión fue Hanna, del Departamento de Asuntos Mexicanos: en tanto no se reconocieran plenamente los derechos sobre el subsuelo, no desaparecería el carácter confiscatorio de la legislación mexicana, y así se declaró a través de un comunicado de prensa el 10 de agosto de 1922. NAW, memorándum del Departamento de Asuntos Mexicanos al Departamento de Estado, 19 de mayo de 1922, 812.6363/R219/E1215-1216; petroleros al Departamento de Estado, 812.6363/R220/E0196 y 0213-0219.

precedente.[78] Sólo el Poder Legislativo podía hacer la verdadera interpretación del artículo 27. Como no hubo una respuesta positiva de parte del gobierno y de los círculos petroleros norteamericanos —que esperaban que a las decisiones judiciales seguiría el anuncio de la firma del esperado tratado de amistad y comercio—, Obregón dejó entender en su informe al Congreso, de 1º de septiembre de 1922, que no podía ir más lejos: el tratado propuesto, dijo, resultaba ya innecesario, además de indecoroso.

Finalmente, las negociaciones directas entre los representantes de las grandes compañías norteamericanas y los funcionarios mexicanos sirvieron, en primer lugar, para tratar de solucionar algunas diferencias específicas, pero México también intentó aprovecharlas, para hacer desistir a Washington de la celebración del famoso tratado. El primer contacto directo entre las compañías y el gobierno de Obregón fue motivado por la negativa de aquéllas a aceptar el aumento impositivo decretado el 7 de junio de 1921 con objeto de redimir la deuda externa mexicana según los acuerdos De la Huerta-Lamont. México confió entonces en que el apoyo de los banqueros contrarrestaría la protesta petrolera, pero no fue así.[79] La respuesta de las empresas fue contundente: el 1º de julio suspendieron sus embarques de combustible alegando que les era imposible cubrir el nuevo impuesto; con esto el gobierno dejó de percibir un ingreso muy importante, ya que la producción estaba en su nivel más alto, a la vez que se dejó sin trabajo a más de 20 000 obreros.[80] La paralización de las actividades (que se prolongó por dos meses) fue acompañada por llamados de auxilio de las compañías al Departamento de Estado;[81] inmediatamente aparecieron varios buques de la armada norteamericana frente a la región petrolera. Su presencia fue justificada como una medida de precaución ante el descontento obrero surgido en Tampico a raíz de los despidos en masa. Obregón manifestó estar dispuesto a mantener el nuevo impuesto a pesar de las protestas, considerando que era justo que los grandes dividendos que entonces percibía la industria petrolera fueran de algún beneficio para el país.[82]

---

[78] El 4 de agosto, por ejemplo, la Corte falló contra un amparo presentado por Doheny y contra otro de la Gulf. *El Universal* (5 de agosto de 1922).

[79] En los convenios firmados por De la Huerta con Lamont, representante de los tenedores de la deuda externa mexicana, se había establecido que la redención de los bonos mexicanos se haría con fondos provenientes de un nuevo impuesto a la exportación de combustible. Este impuesto quedó establecido el 7 de junio de 1921 y su monto variaba entre $1.50 y $2.50 por m3, según el valor comercial del producto.

[80] Gobierno de México, *El petróleo de México...*, p. [19], NAW, Summerlin a Departamento de Estado, 26 de agosto de 1921, 812.6363/R219/E0102-0103.

[81] NAW, Asociación de Petroleros a Departamento de Estado, 15 de junio de 1921, 812.6363/R219/E0940.

[82] En julio, Obregón declaró que los impuestos eran legítimos "...porque con todo y que [el grupo petrolero] obtiene enormes dividendos del petróleo que saca de los pozos mexicanos, no quiere que México reciba ni una parte de su riqueza natural como ayuda para cumplir con las justas demandas de los tenedores de nuestras obligaciones exteriores". Antes de desaparecer, era necesario que el petróleo rindiera una justa utilidad al país. *En pro del reconocimiento de*

Ante la difícil situación creada por la paralización de la industria, y tras conferenciar con funcionarios del Departamento de Estado, una delegación integrada por cinco magnates petroleros se trasladó a México en agosto de 1921.[83] Las negociaciones se iniciaron de inmediato con un memorándum que los petroleros presentaron el 29 de agosto a De la Huerta en su calidad de secretario de Hacienda, y el 3 de septiembre, después de cuatro reuniones —que se desarrollaron en un clima cordial, según se informó a Washington— se llegó a un acuerdo. La esencia de éste consistió en que el impuesto de exportación se pagaría con los títulos de la deuda exterior mexicana. Estos títulos se aceptarían al 100 % de su valor nominal, mientras que las compañías los adquirirían en el mercado de Nueva York al 50 o 40 % de este valor. El arreglo se mantuvo más o menos en secreto y las compañías reanudaron sus actividades al ritmo normal.[84] A pesar de que el gobierno se había visto obligado a disminuir el impuesto en un 50 o 60 %, la reacción oficial en México fue de satisfacción: ¡las compañías —se dijo— habían aceptado resolver el problema sin la mediación de Washington![85] En algunos círculos interesados se pensó que este acercamiento con los petroleros —y con los banqueros— se traduciría en el reconocimiento incondicional de Obregón; sin embargo, como la rebaja en los impuestos no solucionaba en absoluto el problema de los derechos del subsuelo, los petroleros no pidieron a Washington un cambio de actitud.[86]

No transcurrió mucho tiempo sin que los representantes petroleros volvieran a reunirse con el secretario de Hacienda; esta vez las conversaciones prácticamente no trascendieron al público. El 23 de abril arribaron a la ciudad de México los representantes de cinco grupos petroleros norteamericanos, más o menos los mismos que habían estado presentes en las conferencias del año anterior.[87] Después de una visita de cortesía a Obregón, volvieron a entablar discusiones con De la Huerta. Las reuniones tuvieron lugar entre el 24 de abril y el 3 de mayo. Como en la ocasión anterior, el problema impositivo fue uno de los puntos vitales, ya que el "Comité de Ejecutivos Petroleros" aún no estaba conforme con la situación fiscal, por considerar

México por el gobierno de los Estados Unidos (folleto anónimo; México, 1922), p. 11; *El Universal* (18 de agosto de 1921).

83 La delegación estaba compuesta por Doheny, de la Mexican Petroleum; H. F. Sinclair, de la Sinclair Oil Co.; J. W. Van Dyke, de la Atlantic Refining Co., y Amos L. Beatly, de la Texas.

84 Los memoranda y otros documentos relacionados con esta conferencia se encuentran en NAW, 812.6363/R220/E0707-0766.

85 *El Universal* (4 de septiembre de 1921).

86 La Asociación Americana de México, rompiendo definitivamente con los petroleros, atacó el acuerdo a que éstos habían llegado con Obregón, pues temía que ello fuera el primer paso para llevar a Washington a retirar su demanda de la firma previa de un convenio, y en esta forma los intereses agrícolas y otros quedarían sin protección. Boletines Nos. 6 y 7, de 16 y 26 de septiembre de 1921, respectivamente.

87 La delegación estaba integrada por los representantes de la Standard Oil (N.J.), la Mexican Petroleum Co., la Sinclair, la Atlantic Refining Co. y la Texas Oil Co.

que los gravámenes —basados en el valor del combustible norte-americano— eran excesivos. Pero, a diferencia del año anterior, esta reunión no se limitó a discutir el problema de las cargas impositivas, sino que se extendió a la situación de la industria en general. Los petroleros preveían ya la crisis que habría de afectar sus explotaciones en México. Como no se habían hecho nuevos descubrimientos de mantos petrolíferos, se pensó en unir los esfuerzos de las empresas extranjeras y del gobierno mexicano a través de la formación de la *Petroleum Development Company de México* y en desarrollar una intensa campaña de exploración.[88] Una profunda divergencia entre los petroleros y el gobierno mexicano sobre la interpretación del artículo 27 —como por ejemplo, en el caso de los decretos de Carranza o de las concesiones dadas en las zonas federales— impidió que el plan se llevara a la práctica. Así pues, el problema de los derechos sobre el subsuelo continuó en pie y, como en la reunión anterior, De la Huerta aceptó una rebaja en los impuestos al combustible. En el comunicado de prensa final sólo se mencionó el acuerdo fiscal, sin hacer referencia al otro tema y a las divergencias de puntos de vista.[89]

Las diversas entrevistas que celebró De la Huerta con los petroleros en Nueva York, entre los días 19 de junio y 7 de julio de ese año, no fueron en realidad más que una prolongación de las efectuadas en México un mes antes.[90] En esta ocasión, como no existía ya el problema impositivo, las pláticas se centraron alrededor de los planes para abrir nuevas zonas a la explotación, y en cuanto a la proyectada empresa mexicano-americana, no pudo llegarse a un acuerdo. Las compañías exigieron entonces mayores garantías o de lo contrario no podrían acelerar sus proyectos de exploración en nuevas zonas; además, pidieron una baja de impuestos en las explotaciones que se hicieran en zonas recién descubiertas. Si no se aceptaba su petición, se carecería de los estímulos necesarios para continuar la explotación intensiva del petróleo mexicano. De la Huerta denegó esta nueva rebaja, pues las anteriores habían sido muy criticadas en México. Finalmente, el secretario de Hacienda pidió a las empresas un adelanto de veinticinco millones de dólares sobre los impuestos, que las compañías rechazaron. Así, esta tercera conferencia concluyó sin llegar a acuerdo alguno. A partir de entonces, las compañías dedicaron sus mejores esfuerzos a desarrollar los campos petrolíferos de Venezuela.[91] El *New York*

---

[88] En realidad, el plan presentado inicialmente por las compañías excluía al gobierno mexicano; la acción conjunta de las cinco empresas se desarrollaría en terrenos fuera de la zona entonces en explotación.

[89] El *dossier* que contiene los diversos documentos relacionados con estas pláticas, se encuentra clasificado en NAW, 812.6363/R222/E0451-0545.

[90] El objetivo principal del viaje del ministro de Hacienda a Estados Unidos fue el arreglo de la deuda pública, pero al término de sus negociaciones con Lamont, se entrevistó con los representantes de las cinco compañías que habían estado en México el mes anterior.

[91] Según diría De la Huerta a Obregón el 4 de noviembre de ese año, en las conferencias de Nueva York logró que los petroleros consideraran el problema únicamente desde el punto comercial y no legal, ya que su posición original implicaba el "desconocimiento del artículo 27 constitucional y la obligación de parte del Gobierno de México, de pedir al Congreso la reforma constitucional".

Times señaló que el obstáculo para el entendimiento entre México y las compañías petroleras continuaba siendo la interpretación del artículo 27. Mientras De la Huerta exigía una participación para el Estado en los nuevos trabajos por realizar —ya que cedía sus derechos sobre el subsuelo—, las compañías se negaron a reconocerle derecho alguno sobre los terrenos adquiridos antes de mayo de 1917. El desacuerdo no fue considerado como definitivo; De la Huerta prometió someter a la consideración de Obregón los argumentos presentados por las compañías.[92] En agosto de 1922 se rumoró que el Presidente había decidido finalmente no aplicar el artículo 27 a las propiedades de las empresas petroleras adquiridas antes de que entrara en vigor la nueva Constitución, independientemente de que se hubiera ejecutado o no un acto positivo.[93] Pero pronto se comprobó que la posición mexicana se mantenía invariable.

El contacto directo entre los funcionarios mexicanos y los petroleros norteamericanos —pues "El Águila" nunca estuvo presente en estas reuniones— no desembocó en la solución final del problema, pero sí mejoró notablemente las relaciones entre éstos y la administración obregonista. Prueba de ello fue que el conflicto por la posesión de la copropiedad de "Juan Felipe", cercana al campo de "Cerro Azul" de la "Huasteca", se resolvió en favor de Doheny.[94] Otro ejemplo lo constituye la disolución, ordenada por el gobierno, de una huelga petrolera en Veracruz y el fusilamiento de sus líderes. Tan buena disposición de parte de Obregón se vio retribuida por Doheny, quien, pese a las negativas anteriores y a que el Departamento de Estado no lo aconsejaba, decidió hacer un préstamo de cinco millones de dólares a México a cuenta de futuros impuestos.[95] A fines de 1922 la tensión entre México y Estados Unidos había disminuido relativamente; la situación, sin embargo, distaba mucho de tranquilizar a Obregón: "estamos viendo —dijo el Presidente mexicano a sus colaboradores al discutir la situa-

AREM, 111/625 (011)/2-1, Leg. 1, ff. 13-14. Obviamente, en tanto se continuó sin reconocer a Obregón, el problema legal —a pesar de las declaraciones de De la Huerta— permaneció vigente, independientemente del económico. Los documentos relacionados con estas conversaciones se encuentran clasificados en NAW, 812.6363/R222/E0546-0602.

[92] *New York Times* (30 de junio y 8 de julio de 1922).

[93] El 22 de agosto de 1922, la Texas remitió a Hughes el contenido de un telegrama que había enviado su representante en México, el general Ryan, en que anunciaba la decisión de Obregón. NAW, 812.6363/R228/E1065.

[94] Doheny necesitaba obtener ese terreno para proteger su campo de "Cerro Azul"; en 1922 se promulgó un decreto que prácticamente fue especial para el caso, ya que las condiciones que señaló únicamente pudieron ser llenadas por la "Huasteca". Tan manifiesta fue la parcialidad de la medida, que la Cámara de Diputados, en una decisión poco común, interpeló al subsecretario de Industria y Comercio al respecto. José Domingo Lavín, *Petróleo*, pp. 71-73.

[95] Ramón Puente, *Hombres de la Revolución: Calles* (Los Ángeles, California, s.p.i., 1933), p. 128; Merrill Rippy, *op. cit.*, p. 93. En un memorándum del Departamento de Estado, fechado el 11 de julio de 1922, sobre una conversación sostenida por Hughes con los representantes de las compañías petroleras, se señala que Washington no aconsejaba dar ningún préstamo al gobierno mexicano, aunque tampoco se opondría si los petroleros decidían efectuarlo. NAW, 812.6363/R220/E0672-0674.

ción de las relaciones con Norteamérica— que cada día aumenta más la autoridad de ellos, en relación con las pretensiones que quieren ejercitar sobre nosotros...".[96]

5. LOS "GRUPOS DE PRESIÓN" EN MÉXICO Y ESTADOS UNIDOS

Las decisiones sobre la política petrolera que se tomaron en México y en Washington se vieron influidas no sólo por la acción de las empresas, sino también por la de otros grupos que, marginalmente, se interesaron en ese problema por diversas razones. En México, el grupo que con Carranza apoyó una actitud nacionalista en relación al petróleo y a la aplicación del artículo 27 con un sentido revolucionario, no desapareció y continuó presionando desde sus posiciones en la Secretaría de Industria. A través de personas como Manuel de la Peña, encargado del Departamento Jurídico de la Secretaría de Industria, el gobierno obregonista mantuvo viva la política petrolera de Carranza. El *Boletín del Petróleo* conservó su calidad de órgano de difusión de esta corriente, en cuyos círculos prevaleció una actitud contraria a continuar la explotación intensiva del petróleo por los intereses extranjeros; preferían que tal riqueza se conservara hasta que México pudiera explotarla en su propio beneficio. Las decisiones de la Suprema Corte fueron aceptadas sin entusiasmo por este grupo, que consideró —coincidiendo con la opinión de Washington— que la interpretación definitiva del artículo 27 correspondía al Poder Legislativo, que seguramente en el momento oportuno enmendaría el error de la Corte.[97] Aunque sometida y controlada en última instancia por el gobierno, la actitud de este sector no dejó de influir y ser tomada en cuenta por Obregón al formular su política petrolera.[98] Dentro del grupo de "Agua Prieta",

[96] AREM, C-3-2-43, Exp. 111/625 (011)/2-1, Leg. 1, versión taquigráfica de la reunión del Gabinete de 4 de noviembre de 1922, ff. 43-44.

[97] En sus escritos Manuel de la Peña insistió en que el superficiario no tenía derecho alguno sobre el petróleo sino hasta el momento de captarlo; por tanto, los depósitos de combustible en el subsuelo no pertenecían ni habían pertenecido nunca a las compañías. Para un estudio más amplio de las tesis de este autor, pueden verse, *La cuestión palpitante...*; *El petróleo y la legislación frente a las compañías petroleras*; el *Boletín del Petróleo*, Vol. x, julio-diciembre, 1920, pp. 1-5; *Excélsior* (13 de septiembre de 1920). Para un examen de la posición de este grupo ante la interpretación dada por la Suprema Corte al artículo 27, pueden consultarse los artículos de Salvador Mendoza aparecidos en *El Universal* de 28 de septiembre de 1921 y de 15 de mayo de 1922. Otros ejemplos de interés son los artículos de Luis Zubiría y Campa, del Ing. Felipe Llanas, del Lic. Eduardo Castillo y de Cepeda Medrano, entre otros, que aparecieron en la publicación de la Cámara de Senadores: *El petróleo: La más grande riqueza nacional*. La posición de este sector nacionalista ante la política general norteamericana en México, puede examinarse a través de los diversos artículos que a partir de marzo de 1921 publicó Isidro Fabela en *El Universal*, *Excélsior* y *El Globo*.

[98] En un memorándum que envió Pani a Obregón el 27 de noviembre de 1922, dándole su opinión acerca de la interpretación del párrafo iv del artículo 27, proponía que, aun reconociendo plenamente los "derechos adquiridos" de las compañías norteamericanas en el petróleo, no se las eximiera del cumplimiento de las disposiciones fiscales y de los reglamentos de explotación, para complacer a la "patriotería ambiente" que con toda seguridad atacaría esa interpretación. AREM, C-3-2-43, Exp. 111/2225(011)/2-1, Leg. 3, ff. 104-112.

Calles era entonces, en cierta medida, el vocero de esta corriente y favorecía la aplicación del artículo 27 en un sentido nacionalista.[99] Las empresas petroleras, por su parte, no dejaron de promover sus intereses en México a través de una campaña periodística encaminada a obtener la derogación o modificación, en un sentido favorable, del artículo 27.[100]

En la formulación de la política del Departamento de Estado sobre la cuestión del petróleo durante el gobierno de Obregón, la influencia de las compañías fue el factor principal, pero no el único; al lado de Doheny y la Standard, se movieron otras fuerzas que se oponían o convergían hacia sus intereses. Entre éstas destacaron los banqueros tenedores de la deuda externa mexicana, los grupos de agricultores, mineros, etc., con propiedades en México, las cámaras de comercio interesadas en el mercado mexicano, grupos religiosos, de intelectuales, sindicatos obreros, etc.; todos ellos —por diversas razones y en distinto grado— se interesaron en las condiciones que la Casa Blanca puso a Obregón para reconocerle.

La influencia de los círculos bancarios ante Washington no era menor que la de los petroleros. En gran medida, ambos grupos coincidieron en que el reconocimiento del gobierno mexicano fuera condicionado en beneficio de sus intereses, pero estos intereses no fueron idénticos en cuanto que los banqueros no se vieron en la necesidad de defender derechos de propiedad contra la legislación revolucionaria. Obregón lo comprendió así, y trató de oponer a la agresiva actitud de los petroleros el apoyo de los banqueros. Los acuerdos De la Huerta-Lamont, concluidos en 1922, fueron muy onerosos para México, ya que cotizaban los bonos de la deuda a su precio nominal sin importar que, como ya se dijo, su valor real en el mercado de Nueva York fuese muy inferior: 40 % del valor nominal; sin embargo, Obregón creyó conveniente aprobarlos a pesar de la oposición de Pani, como una forma de inducir a Washington a reconocerle sin la firma del tratado que exigían los petroleros. En un sentido similar, se pensó, obraría la cláusula que disponía que el pago de la deuda se hiciera empleando parte de los impuestos a la exportación de petróleo; de esta manera se intentaba que el grupo bancario apoyara ante Washington un alza en las cargas fiscales a las compañías petroleras.[101] Es verdad

---

[99] En *El Universal* de 26 de enero de 1921, Calles, entonces secretario de Gobernación, acusó a las compañías petroleras de tratar de sobornar a algunos legisladores a fin de revocar los artículos 27 y 123. En su opinión, el subsuelo debía ser siempre considerado propiedad de la nación y el gobierno debía explotar por su cuenta la riqueza petrolífera de las zonas federales. Posteriormente hizo otras acusaciones similares.

[100] *Excélsior*, cuando la presión gubernamental no lo obligaba a actuar en sentido opuesto, fue el vocero de quienes apoyaban la nulificación de la reforma petrolera. En el editorial de 21 de junio de 1921 señaló que al no darse garantías a las compañías petroleras, el artículo 27 estaba perjudicando al país. El 26 de agosto apoyó, editorialmente también, la modificación de la *bête noire* en que había convertido al artículo 27, etc. *El Universal* no fue ajeno a esta campaña, como lo demuestra, por ejemplo, su editorial de 11 de agosto.

[101] Alberto J. Pani, Introducción a *La cuestión internacional mexicano-americana...*, pp. V-VI.

que la separación de banqueros y petroleros en relación a la política mexicana no se logró completamente, pero también es cierto que los banqueros no favorecieron una actitud tan agresiva como los petroleros.[102] En las conversaciones de Bucareli de 1923, según opinión de George K. Lewis, los delegados mexicanos lograron que sus colegas norteamericanos aceptaran algunos aspectos de la reforma petrolera que disgustaban a las compañías únicamente porque los banqueros contrarrestaron en Estados Unidos los esfuerzos de los petroleros por derogar definitivamente el párrafo IV del artículo 27.[103]

Las cámaras de comercio del sureste norteamericano fueron otro sector del que intentó valerse México para debilitar la presión petrolera. Como los banqueros, los comerciantes no tenían propiedades en México que se vieran amenazadas por el programa revolucionario; en cambio, la ruptura de relaciones con México era un inconveniente al desarrollo normal de sus actividades de importación y exportación. Desde el momento mismo de asumir la presidencia, Obregón procuró obtener el apoyo de este grupo: varios de sus representantes fueron invitados a la toma de posesión para que comprobaran la tranquilidad política y las posibilidades económicas que México les ofrecía.[104] Los intereses comerciales lograron que en el Congreso de Washington se pidiera un cambio en la política mexicana del Departamento de Estado, acusándole de estar sometido a los deseos de los petroleros. Las legislaturas de ocho Estados de la Unión formularon a la Casa Blanca peticiones demandando el reconocimiento incondicional del gobierno del general Obregón, y algunas cámaras de comercio solicitaron directamente a Washington el restablecimiento inmediato de relaciones con México.[105] Gracias a Morones y a la CROM, la American Federation of Labor dio su apoyo a la posición de México y los obreros norte-americanos exigieron el reconocimiento del gobierno de Obregón.[106]

102 De acuerdo con Anita Brenner, la toma de Tampico en 1921 se frustró merced a la oposición de los banqueros. Esta autora asegura que el desembarco en la zona petrolera se evitó debido a las instancias de un banquero y minero norteamericano —no dio su nombre—, que convenció a los petroleros de que era mejor continuar negociando con el gobierno mexicano que recurrir a la acción directa. Anita Brenner, *op. cit.*, p. 67.

103 George K. Lewis, *op. cit.*, pp. 46-47.

104 En la ceremonia se encontraron presentes delegados de Alabamba, Arkansas, Colorado, Mississippi, Kansas, Indiana, Arizona, Iowa, Oklahoma y Texas. También estuvieron los gobernadores de Texas y Nuevo México y los representantes de otros. Alvaro Obregón, *Campaña política del C. ...candidato a la Presidencia de la República, 1920-1924*, Vol. 1, pp. 587-588.

105 En febrero de 1922, Mr. Connally, representante por Texas, pidió en el Congreso que se reconociera a Obregón, y acusó a la administración de estar sometida a los petroleros en el caso de México. El 19 de julio, el senador Ladd expresó una opinión similar. Las legislaturas estatales que se manifestaron en igual sentido fueron las de Arizona, California, Texas, Oklahoma, Kentucky, Maryland, Illinois y Michigan. Todas ellas fueron presionadas por los comerciantes (en el caso de Arizona, por ejemplo, se hizo ver que su decisión era resultado de las peticiones de un grupo de comerciantes, ganaderos y mineros). Las cámaras de comercio que directamente se hicieron oír en Washington, fueron las de St. Louis, Los Ángeles y San Francisco. *New York American* (24 de febrero de 1922); *En pro del reconocimiento de México...*, p. 6; y Stuart Alexander MacCorkle, *op. cit.*, p. 94.

106 El 26 de enero de 1922, en Los Ángeles, 40 000 trabajadores se declararon en favor del reconocimiento de Obregón.

A la posición de los sectores mencionados debe añadirse una campaña de prensa, que obedeció en parte al auténtico deseo de los grupos liberales norteamericanos de apoyar a los gobiernos revolucionarios mexicanos, y en parte fue también resultado de los esfuerzos de Obregón para contrarrestar la propaganda de sus adversarios e influir favorablemente en el público norteamericano. En julio de 1921 nació en Nueva York la sociedad de "Amigos de México", cuyo propósito era lograr que el gobierno norteamericano reanudara de inmediato sus relaciones diplomáticas con el de México. El vocero principal de las tesis mexicanas continuó siendo *The Nation*, aunque también aparecieron opiniones favorables a Obregón en otros diarios. Al regreso de su viaje a México a fines de 1921 y tras la entrevista que tuvo con el jefe del Ejecutivo mexicano, Randolph Hearst —quien por largo tiempo se había destacado como uno de los más apasionados intervencionistas— dio su completo apoyo a Obregón a través de la importante cadena periodística que controlaba y atacó a quienes impedían el justo reconocimiento del gobierno mexicano, es decir, a los "banqueros internacionales" y a "ciertos grandes intereses petroleros". La campaña no se concretó a los artículos periodísticos, sino que aparecieron algunos libros como el de Dillon, *México en su momento crítico*, o el de Woolsey, *Some Thoughts on the Mexican Oil Question*, que denunciaron la agresividad de Washington hacia México y pusieron de manifiesto el papel desempeñado por las compañías petroleras en esta política.[107] En la medida en que Estados Unidos impuso su política a Europa, tuvo que afrontar la presión de algunos de estos países, como fue el caso de Francia, que, sin tener intereses petroleros que defender, veían entorpecidas sus actividades comerciales con México por la interrupción de relaciones diplomáticas.[108] En un principio, el presidente Obregón confió en que esta gama de presiones favorables lograría modificar tarde o temprano la actitud de Washington a pesar de la oposición de los petroleros, y así lo manifestó en su informe al Congreso de 1º de septiembre de 1921.[109] Año y medio después sería

---

[107] En *The Nation*, J. Kennet Turner y E. L. Dillon señalaron que la política del Departamento de Estado ponía a México ante la alternativa de convertirse en un protectorado norteamericano o ser objeto de una agresión. *The Mexican Post*, de 1º de agosto de 1921, dijo que únicamente la Standard Oil y la Mexican Petroleum impedían un mejoramiento de las relaciones comerciales con el vecino país. Hearst, en un editorial de 1º de noviembre, aseguró que Obregón estaba dispuesto a respetar los intereses norteamericanos y que difícilmente se encontraría otra persona con mejores cualidades para dirigir este país.

[108] En un comunicado que Rodolfo Nervo, encargado de negocios de México en Francia, envió a Pani el 18 de junio de 1922, aseguró que en su entrevista con el director de asuntos políticos del Ministerio de Asuntos Extranjeros, éste le manifestó que "...el gobierno francés consideraba la actitud del nuestro perfectamente regular, y convenimos en que el embajador Jusserand haría una nueva instancia ante el State Department para que los Estados Unidos cedan ante las consideraciones de derecho y patriotismo que nuestra Cancillería opone a las exigencias de Washington". Añadió que Francia pediría la cooperación de Inglaterra en ese asunto. AREM, L-E, 1874, T. II, Leg. 4, ff. 77-77 v.

[109] Al hacer referencia a las demandas formuladas por ciertos grupos norteamericanos en su favor, Obregón manifesto que ello "...nos hace esperar que no pasará mucho tiempo antes de que el espíritu justiciero y el buen sentido de la

obvio que la fuerza del grupo petrolero era superior a la de sus oponentes y que su criterio prevalecería en el Departamento de Estado. Ante la evidencia, Obregón se vería precisado a iniciar las conversaciones de Bucareli.

Si bien el gobierno mexicano llevó a cabo en Estados Unidos una campaña publicitaria, la APPM no se contentó con presionar directamente al gobierno norteamericano, sino que también empleó sus enormes recursos para difundir su punto de vista ante el público de Estados Unidos, atacando con todos los argumentos posibles, legales y políticos, la posición del gobierno obregonista.[110] Los petroleros no se encontraron solos en su deseo de exigir a México un compromiso formal que garantizara los derechos de propiedad norteamericanos en este país; su deseo fue compartido por la Asociación Americana de México (AAM), cuya actitud fue tan radical, que rompió con las compañías —las cuales por un tiempo habían formado parte de ella— al sospechar, a raíz de las pláticas que celebraron en México los cinco representantes petroleros con De la Huerta en 1921, que estaban tratando de "moderar su posición frente a Obregón". Para la AAM la única solución posible al problema mexicano era el repudio total y absoluto de la legislación revolucionaria; su posición frente al párrafo IV del artículo 27 consistía en eliminar todas aquellas medidas "que prescriben la nacionalización del subsuelo petrolífero de propiedad privada", y se opuso totalmente a que las zonas petroleras adquiridas *después* de 1917 cayeran "bajo la influencia esterilizadora del absoluto dominio de un gobierno".[111] Los católicos norteamericanos también se manifestaron en contra de que la Casa Blanca diera su reconocimiento incondicional a Obregón. A instancia suya se incluyó en el proyecto de tratado que Summerlin entregó al gobierno mexicano en 1921 una cláusula sobre libertad religiosa. Hay indicios de que el clero católico de Estados Unidos no sólo exigió un reconocimiento condicionado, sino que incluso apoyó también la idea de una intervención armada. Monseñor Kelly, a su regreso de México en 1922, dijo a Leland Harrison, subsecretario de Estado, que, en su opinión, el 98 % de la

nación norteamericana triunfen al fin y sean causa de que se trate a México en la forma que México merece". *Alvaro Obregón, Informes rendidos por el C. Presidente Constitucional al Congreso de 1921-24 y contestación de los Presidentes del Congreso en el mismo período* (México: Talleres Linotipográficos del *Diario Oficial*, 1924), p. 33.

[110] John Ise, *op. cit.*, p. 482.

[111] La AAM nació en enero de 1921, casi inmediatamente después de que Obregón asumió formalmente la Presidencia. Desde el principio hizo suya la política recomendada por Fall, y aún fue más allá; su programa constituye la mejor muestra de la posición del grupo más intransigente de la colonia norteamericana en México. Exigía que antes de dar el reconocimiento a cualquier gobierno mexicano, éste se comprometiera a efectuar la devolución de todas las propiedades confiscadas, el pago de los daños causados por la lucha civil, y la eliminación de todas las prescripciones constitucionales que "restrinjan el desarrollo de la empresa americana en México". La flamante asociación se proponía nada menos que convertir a México en una colonia, y manifestó preferir que se apoyara a la contrarrevolución o se llegara a la intervención, "a que continuara el actual estado de cosas". Asociación Americana de México, *op. cit.*; Boletines Nos. v y vi (agosto y septiembre, 1921).

población mexicana aceptaría de buen grado una intervención norte-americana.[112]

6. LAS QUEJAS DE LAS EMPRESAS

El motivo de fricción más importante entre los petroleros y la administración del general Obregón —aparte del problema legal de los derechos sobre el subsuelo— fueron las medidas impositivas decretadas en junio de 1921. Las compañías, además de decidir la suspensión de actividades ya examinada, denunciaron al gobierno mexicano ante el Departamento de Estado por pretender fijar un impuesto ilegal y confiscatorio.[113] Aparte del problema impositivo y de ciertas maniobras dilatorias y "vejaciones" en el otorgamiento de los permisos de perforación, la APPM continuó quejándose por la expedición de concesiones en las zonas federales que atravesaban las propiedades de sus miembros.[114] La suspensión de estas concesiones, ordenada por Obregón al iniciar su período, pronto fue revocada y la Standard aconsejó al Departamento de Estado que vigilara a ciertos grupos ingleses y franceses que estaban muy activos adquiriendo, a través de mexicanos, estas concesiones petroleras.[115] Para julio, los cargos se habían concretado, la compañía canadiense "El Sol", dijo la APPM, había empezado a perforar en terrenos propiedad de las compañías americanas, amparada por sus concesiones para explotar las zonas federales. Esta compañía —informó Guy Stevens, secretario de la APPM— contaba con el apoyo de los generales Treviño y Calles.[116] Washington sospechó que "El Sol" estaba controlada nada menos que por la Royal Dutch Shell o la firma Rothschild y conectada con el AGWI.[117] "El Sol" empezó a explotar depósitos que la Standard consideraba suyos, reanudando en cierta forma la vieja lucha entre los dos gigantes, americano e inglés, por los campos mexicanos.[118] Como en el caso del conflicto impositivo, la APPM no tardó en hacer llegar al secretario de Estado un concienzudo estudio, apoyando sus demandas contra el gobierno de México en el

112 Elizabeth Ann Rice, *The Diplomatic Relations between the United States and Mexico as Affected by the Struggle for Religious Liberty in Mexico, 1925-1929* (Washington: The Catholic University Press, 1959), pp. 17-18.
113 *New York Times* (21 de junio de 1921). El abogado petrolero Frederick R. Kellog, preparó entonces un memorándum para Hughes que contenía todos los argumentos legales y económicos posibles contra los decretos de 24 de mayo y 7 de junio de 1921. NAW, 812.6363/R221/E1183-1206.
114 NAW, Summerlin a Departamento de Estado, 23 de febrero de 1921, 812.6363/R228/E0859.
115 NAW, Standard Oil a Departamento de Estado, 3 de febrero de 1921, 812.6363/R217/E0413.
116 NAW, Guy Stevens a Departamento de Estado, 23 de julio de 1921, 812.6363/R217/E0913.
117 NAW, informe de un agente especial al Departamento de Estado, 12 de agosto de 1921, 812.6363/R219/E0072-0075.
118 En un informe de la Standard Oil al Departamento de Estado, de 17 de agosto de 1921, se dice que "El Sol" estaba perforando en un arroyo que atravesaba su propiedad, y que casi siempre se encontraba seco, pese a lo cual el gobierno mexicano lo había considerado como "zona federal". NAW, 812.6363/R219/E0007.

caso de las zonas federales.[119] Las protestas de las compañías y de Washington ante Obregón por este motivo parecen no haber surtido el efecto deseado, pues todavía en febrero de 1924 la APPM continuaba pidiendo al Departamento de Estado se hicieran las más severas reclamaciones ante México por la actividad perjudicial que desarrollaban "El Sol" y otras compañías en lo que sostenía eran sus terrenos.[120] Las quejas también se enderezaron contra las actividades petroleras de los Ferrocarriles Nacionales. El 27 de julio de 1923 —mientras tenían lugar las conferencias de Bucareli—, la APPM se dirigió directamente a Obregón solicitándole decretara la suspensión de las actividades de ésta y otras empresas, como la Cía. Petrolera Marítima, en aquellas zonas federales cercanas a sus propiedades. El Presidente no reconoció a la Asociación ningún derecho para efectuar tal reclamo y se negó a aceptar su petición.[121] Guy Stevens tuvo que disculparse ante el Presidente mexicano por el lenguaje usado, pero mantuvo invariables sus puntos de vista.[122] El Departamento de Estado hizo llegar varias protestas de los petroleros al gobierno mexicano, mas sin lograr que éste modificara su posición respecto a la legalidad de las concesiones en las zonas federales que cruzaban los depósitos petroleros de las compañías.[123]

7. LOS PROYECTOS DE LEY REGLAMENTARIA

Al igual que Carranza, Obregón no encontró solución definitiva al conflicto planteado por el párrafo IV del artículo 27; por tanto, y tras una serie de intentos fallidos, decidió abstenerse de abordar el problema que significaba la elaboración de la ley reglamentaria respectiva; no pudo dar una legislación consecuente con el espíritu de 1917, pero tampoco creyó prudente rendirse definitivamente a la presión norteamericana y consideró que el único camino era mantener el *modus vivendi* establecido con los petroleros en espera de que, en el futuro, circunstancias más favorables permitieran una interpretación del artículo 27 acorde con los lineamientos nacionalistas de la Revolución. Esta decisión, sin embargo, sólo fue tomada tras una larga serie de intentos de sacar adelante una ley aceptable a todos los grupos en pugna.

[119] Association of Producers of Petroleum in Mexico, *Petroleum Concessions on "Federal Zones" of Mexican Rivers: their Unconstitutional, Illegal and Confiscatory Character: Memorandum Submitted to the Secretary of State of the United States of America* (New York, 1921).

[120] NAW, Asociación de Productores de Petróleo en México a Departamento de Estado, 29 de febrero de 1924, 812.6363/R221/E1422-1424.

[121] El telegrama de 27 de julio protestaba contra las perforaciones efectuadas por los Ferrocarriles Nacionales y la Cía. Petrolera Marítima. Obregón respondió al día siguiente haciendo notar, en primer término, la forma irrespetuosa del cable y, en seguida, puso de manifiesto el hecho de que la nación era dueña indiscutible de dichas zonas y, por tanto, a nadie reconocía el derecho para protestar por el uso que de ellas hiciera el gobierno federal. NAW, 812.6363/R221/E0758-0760.

[122] NAW, Guy Stevens a Obregón, 1 de agosto de 1923, 812.6363/R221/E0807-0808.

[123] NAW, Departamento de Estado a Summerlin, 6 de agosto de 1921, 812.6363/R221/E0805.

En 1920, De la Huerta, en su calidad de Presidente interino, sometió al Consejo Consultivo del Petróleo un proyecto de ley cuya característica fundamental era la "internacionalización" del petróleo mexicano, impidiendo así que nación alguna adquiriera un interés preponderante sobre ese combustible. El Consejo rechazó tal proyecto, insistiendo en que la nacionalización, y no la internacionalización, era la única solución correcta.[124] Al iniciar su período el general Obregón, se declaró que el gobierno tenía "ideas muy firmes" sobre la futura ley del petróleo y, por tanto, el proyecto de Carranza que se encontraba en la Cámara de Diputados tendría que ser reformado.[125] De acuerdo con los deseos del Ejecutivo, los legisladores nombraron dos comités para preparar un nuevo proyecto. Pani informó entonces a Summerlin que el Poder Legislativo no tenía intenciones de dar interpretación retroactiva al artículo 27, pero en tanto Washington se negara a reconocer a Obregón, no se podría reglamentar definitivamente ese artículo, pues una interpretación sobre su aplicación no retroactiva sería vista en México como resultado de la presión norteamericana.[126] A mediados de 1921, la embajada norteamericana y la prensa informaron que las Cámaras habían debatido secretamente el problema petrolero, aunque por el momento no se esperaba resultado alguno. Obregón y los legisladores examinaban mientras tanto la conveniencia de dar facultades extraordinarias al Ejecutivo en la nueva ley, es decir, se discutía si convendría que la responsabilidad de las decisiones petroleras recayera teóricamente sobre el Presidente o el Congreso; en el primer caso la presión de las compañías podría ser más fácil de ejercer.[127] Los diputados del bloque social-demócrata presentaron entonces un proyecto favorable a las empresas petroleras, pero el hecho de no haber sido tomado en cuenta indica que Obregón no tenía intenciones de frustrar completamente la reforma sobre la propiedad del subsuelo.[128] En agosto de 1921 la prensa publicó varios proyectos y rumores sobre la futura ley que estaba siendo considerada por los legisladores, quienes tenían la meta común de no afectar fundamentalmente los "intereses adquiridos" de las compañías. Un diputado declaró que a pesar de ello la presencia de buques norteamericanos frente a Tampico les obligaba a posponer la publicación de la ley.[129] En medio de tales rumo-

---

124 *El Heraldo de México* (13 de octubre de 1920); *Excélsior* (4 de noviembre de 1920).

125 Declaraciones de Vázquez Schiaffino, *Excélsior* (14 de febrero de 1921).

126 Arturo Pani, *op. cit.*, pp. 147-148.

127 NAW, Summerlin a Departamento de Estado, 28 de junio y 28 de julio de 1921, 812.6363/R217/E0785 y 0991-0993; *El Universal* (24 de junio de 1921).

128 En el artículo 8º del proyecto social-demócrata, presentado el 22 de julio de 1921, se declaraba: "La exploración y explotación petrolera se hará libremente en los terrenos de propiedad particular, respecto de los cuales se hayan celebrado contratos de exploración o explotación del subsuelo con anterioridad al 1º de mayo de 1917 y también en aquellos en los cuales el superficiario haya realizado, antes de esa fecha, trabajos tendientes a adquirir las sustancias del subsuelo." Salvador Mendoza, *op. cit.*, p. 410.

129 Un proyecto apareció en *El Heraldo de México* (10 de agosto de 1921) y otro en *El Universal* (1º de sepiembre de 1921). Las declaraciones del diputado Manrique se encuentran en *Excélsior* (4 de agosto de 1921).

134 DE OBREGÓN A LOS ACUERDOS DE BUCARELI

res, Obregón, en su informe del 1º de septiembre, hizo público que en poco tiempo se promulgaría la ley orgánica sobre los hidrocarburos. Las compañías, aparentemente bien informadas, hicieron del conocimiento del Departamento de Estado que México pretendía llevar adelante el proyecto de 1919, que no respetaba íntegramente sus derechos.[130] En los meses de septiembre y octubre, la prensa sostuvo que el criterio del Poder Ejecutivo y del Legislativo era similar: el artículo 27 no podía afectar los derechos petroleros creados por leyes anteriores a 1917.[131] Tales noticias no modificaron la actitud de los petroleros; en noviembre Stevens solicitó repetidas veces al Departamento de Estado que impidiera al gobierno mexicano promulgar la ley que estaban considerando las Cámaras, pues era violatoria de los derechos de las compañías. Entonces Fletcher hizo llegar al Presidente norteamericano un memorándum en que apoyaba las opiniones de Stevens y aconsejaba que se siguiera sin restablecer relaciones diplomáticas con México; como resultado, Summerlin informó "a las autoridades apropiadas" acerca de los inconvenientes de las diversas disposiciones de carácter retroactivo, especialmente los cuatro primeros artículos del proyecto que examinaban los diputados, y aconsejó su modificación.[132]

A partir de noviembre de 1921, dejó de hablarse del controvertido proyecto. Las compañías informaron a Washington que no había indicios de que éste o algún otro fuera aprobado en un futuro próximo;[133] pero en septiembre de 1922, nuevamente el Departamento de Estado estuvo en posesión de un proyecto que, se dijo, contaba con la aprobación de Calles, por lo que a principios de octubre se ordenó a Summerlin que investigara los nuevos rumores.[134] El día 6 de ese mes, Summerlin informó que Pani le había comunicado en una conversación la imposibilidad de enmendar el artículo 27 como querían las compañías, porque el Congreso se opondría; sin embargo, dijo, era deseo de Obregón reglamentarlo en tal forma que su aplicación no fuera retroactiva o confiscatoria.[135] Seis días después, el encargado de negocios envió a Washington copia de lo que consideró el "proyecto final", que le fue entregado por el mismo Pani tras insistir en que cualquier "crítica sana" sería bien acogida. En nota extraoficial

[130] NAW, Guy Stevens a Departamento de Estado, 20 de septiembre de 1921, 812.6363/R219/E0700-0715. Un memorándum de la Office of the Solicitor del Departamento de Estado, de 21 de septiembre, confirmaba los puntos de vista de Guy Stevens: el proyecto que estaba considerando el gobierno mexicano no reconocía "todas" las propiedades adquiridas por los petroleros antes de mayo de 1917; 812.6363/R217/E0749-0754.
[131] El Universal (23 de septiembre de 1921); Excélsior (27 de octubre de 1921).
[132] NAW, Guy Stevens a Departamento de Estado, 3 y 11 de octubre y 4, 7 y 15 de noviembre de 1921, 812.6363/R219/E0664, 0694-0697 y 0771; Fletcher a Harding, 14 de noviembre de 1921, 812.6363/R219/E0766-0770; Departamento de Estado a Summerlin, 19 de noviembre de 1921, 812.6363/R219/E0677-0682.
[133] NAW, Branch a Departamento de Estado, 21 de abril de 1922, 812.6363/R221.
[134] NAW, Departamento de Estado a Summerlin, 9 de octubre de 1922, 812.6363/R219/E0587-0613.
[135] NAW, Summerlin a Departamento de Estado, 6 de octubre de 1922, 812.6363/R219/E0622-0623.

fechada el 22 de octubre, Pani dijo a Summerlin que muy pronto el Ejecutivo presentaría al Congreso un proyecto de ley que le daría a conocer previamente, lo cual indica que el del día 12 ya había sido descartado.[136] Para entonces estaban en poder de Washington otros dos "posibles" proyectos enviados por su embajada.[137] El 3 de noviembre, las cinco compañías que habían estado en contacto con el gobierno mexicano expresaron ante éste su desacuerdo con los proyectos de ley que entonces estaban siendo considerados.[138]

Los frecuentes rumores sobre posibles proyectos de ley no carecían enteramente de fundamento. El 4 de noviembre Obregón se reunió con sus ministros para discutir el problema de la legislación petrolera, teniendo como base un proyecto elaborado por las Secretarías de Hacienda e Industria.[139] El proyecto en estudio tenía rasgos interesantes: daba al Ejecutivo amplias facultades extraordinarias que le permitirían nulificar aun aquellos contratos celebrados con anterioridad a mayo de 1917, y señalaba un monto de los impuestos equivalente al 15 % o más del valor del producto.[140] En opinión de Obregón, Calles y De la Huerta, era necesario evitar que se afectaran los intereses que entonces explotaban el petróleo; más bien había que hacerles aceptar un cambio en su *status* jurídico a través de una concesión que no invalidara los principios en que se asentaba la reforma agraria.[141] De las actas de esta discusión se desprende que Obregón era quien mejor comprendía el problema; el proyecto le pareció "desastroso": las facultades extraordinarias que se le daban simplemente no iban a ser aceptadas por las compañías.[142] Era necesario que tales facultades correspondieran al Congreso, y que éste reglamentara el artículo 27 en todos sus aspectos y no sólo en el de los hidrocarburos; de esta manera —opinó Obregón— la presión norteamericana sería más difícil de ejercer. Finalmente, la reglamentación debía aparecer como obra del

136 NAW, 812.6363/R220/E0644-0650 y 0842.
137 NAW, Summerlin a Departamento de Estado, 17 y 20 de octubre de 1922, 812.6363/R220/E0804-0815 y 0828-0833.
138 NAW, compañías petroleras a Ryan, 812.6363/R220/E0847; memorándum de Walker, de la "Huasteca", a Hanna, 4 de noviembre de 1922, 812.6363/R229/E0008-0009.
139 Este proyecto, según dijo De la Huerta, fue elaborado por "tres de los principales doctorados en asuntos petroleros, los más radicales... No es pues, este proyecto resultado de la presión del otro lado del Bravo...". AREM, L-E 537, T. IV, Leg. 3, versión taquigráfica de la reunión del Gabinete de 4 de noviembre de 1922, f. 18.
140 El artículo 5º daba al Presidente —de acuerdo con lo dispuesto en el artículo 27 constitucional— facultades para declarar nulos los contratos celebrados antes del 1º de mayo de 1917. Los derechos adquiridos con anterioridad a esa fecha y que fueran confirmados, lo serían, según el artículo 6º, a través de un contrato-concesión, y los propietarios no retendrían el título original. El Ejecutivo, de acuerdo con el artículo 16, podía expedir todas las disposiciones complementarias que fuera menester, *Ibidem*, ff. 11-15.
141 *Ibidem*, ff. 9-10, 16-19.
142 Obregón observó: "¿Podrá el Ejecutivo Federal decir 'son nulos los derechos adquiridos por tal compañía'? Ese es el punto que nosotros debemos discutir... porque esta facultad del Ejecutivo no se la reconocería ninguna compañía, como no se ha reconocido la facultad que la misma Constitución da al Ejecutivo para reglamentar la Ley del Petróleo", *Ibidem*, f. 24.

Congreso, "...y nosotros velamos porque la Cámara lo haga sin desvirtuar en absoluto el artículo 27, en este momento eso es nuestra salvación".[143] Obregón se sentía obligado a respetar el artículo 27, a pesar de las dificultades que le ocasionaba.[144] De la discusión salió modificado el proyecto: El Ejecutivo no tendría facultades extraordinarias. Durante un año a partir de su promulgación, quienes hubieran adquirido antes de mayo de 1917 derechos para explorar y explotar yacimientos petrolíferos podrían solicitar su ratificación.[145]

Las circunstancias inmediatamente posteriores al 4 de noviembre indican que se intentó llevar adelante el plan trazado. El día 15 la prensa informó que el Presidente no proyectaba resolver de inmediato el problema de la ley petrolera, pero que apoyaba la idea de tratar la reglamentación del artículo 27 en su conjunto.[146] Ese mismo día, un comunicado de Summerlin a Pani hizo saber que el gobierno de la Casa Blanca conocía este proyecto y se oponía a varias de sus cláusulas. Obregón aprovechó la oportunidad para capitalizar el incidente y, ante la sorpresa de Washington, y con gran alarde de celo nacionalista, lo hizo público, ganándose el aplauso de amplios sectores en México.[147] En opinión de Summerlin, la actitud de Obregón obedecía a un doble motivo: distraer la atención pública de la mala situación económica interna, y permitir a Calles dar un golpe a De la Huerta, quien había hecho llegar ese proyecto de ley al Departamento de Estado.[148] Hughes se indignó ante lo que consideró un acto de mala fe del gobierno mexicano.[149]

A pesar de todo, los intentos de expedir la ley iban a continuar, y en diciembre el Congreso informó que discutía un nuevo proyecto, conforme al cual se requería solicitar una concesión gubernamental para que los derechos adquiridos antes de 1917 fueran confirmados.[150] El 22

143 En opinión del Presidente, la reglamentación se había demorado más de lo conveniente: "Si esta ley la hubiéramos reglamentado con todo radicalismo en un año o dos después de promulgada la Constitución, ya estaría familiarizada con ella la Humanidad...", *Ibidem*, f. 50.
144 "Si no estuviera la trinqueta del artículo —afirmó el Presidente—... pero, desgraciadamente ya existe en el cuerpo de nuestras leyes fundamentales y no podemos dar paso atrás", *Ibidem*, f. 50.
145 *Ibidem*, ff. 44-50.
146 Fueron declaraciones de Obregón a una comisión de diputados, *Excélsior* (14 de noviembre de 1922).
147 Obregón informó sobre el incidente al Congreso —que en ese momento examinaba el problema petrolero— y éste de inmediato hizo público su apoyo al Ejecutivo, manifestándole su decisión de expedir una ley del petróleo que estuviera impregnada de un sentido nacionalista. A la vez, Pani comunicó a Summerlin el día 16 que ningún gobierno extranjero tenía derecho a censurar un proyecto de ley que aún no era promulgado. El Departamento de Estado respondió que su conducta no había tenido intenciones intervencionistas, y que si México deseaba su reconocimiento debía conocer su punto de vista.
148 NAW, Summerlin a Departamento de Estado, 18 de noviembre de 1922, 812.6363/R220/E0964-0967. En un memorándum de 20 de noviembre, del secretario de Estado al presidente Harding, se dice que fue De la Huerta —a través de Lammont— quien había hecho llegar a Washington el proyecto que el Ejecutivo mexicano deseaba dar a conocer al Congreso el 12 de octubre; 812.6363/R220/E0940-0944.
149 *New York Times* (20 de noviembre de 1922).
150 El proyecto, redactado por las Comisiones Unidas del Petróleo, se encuen-

de diciembre se inició su discusión y, ante la posibilidad de que en esta ocasión sí se promulgara la tan debatida ley reglamentaria al párrafo IV del artículo 27, la APPM expresó a Washington que el proyecto no era aceptable.[151] En febrero y marzo de 1923 las Cámaras debatieron acaloradamente la cuestión petrolera, en tanto que las compañías, a través del general Ryan, notificaban a De la Huerta su inconformidad con un proyecto que insistía en la nacionalización del combustible.[152] A pesar de la manifiesta oposición de los petroleros, el 26 de abril la Cámara de Diputados aprobó el proyecto, que en su artículo 5º confirmaba los derechos adquiridos con anterioridad a la vigencia de la nueva Constitución, pero que contenía también varios elementos enojosos para las empresas, como era exigir el cambio de sus títulos por concesiones que tendrían una duración de cincuenta años.[153] El proyecto pasó al Senado. La APPM estaba alarmada, y se entrevistó con Hughes para exponerle sus temores.[154] Tampoco los sectores nacionalistas de México encontraron satisfactorio el proyecto, ya que se oponían al reconocimiento de cualquier "derecho adquirido".[155] En julio, mientras tenían lugar las conferencias de Bucareli, el Senado empezó a examinar el proyecto. Estas conferencias tuvieron un inmediato y profundo efecto sobre el cuerpo legislativo: se decidió que los "derechos adquiridos" fueran reconocidos en forma casi absoluta.[156] En vista de la importancia de las modificaciones, el proyecto se turnó nuevamente a la Cámara de Diputados, donde quedó detenido definitivamente. Obregón había tranquilizado ya a los norteamericanos, pero —aparentemente— no juzgó conveniente ir tan lejos que quedara convertido en ley lo acordado en Bucareli. También es posible que ante el disgusto que continuaba mostrando la APPM frente al proyecto, se decidiera aplazar la aprobación de la ley en ese período de sesiones.[157]

tra en el *Diario de los Debates de la Cámara de Diputados*, 11 de diciembre de 1922, T. I, Nº 72, pp. 8-12.

[151] NAW, APPM a Departamento de Estado, 31 de enero y 5 de febrero de 1923, 812.6363/R221/E0027-0028 y 0030.

[152] NAW, APPM a Ryan, 14 de marzo de 1923, 812.6363/R221/E0170-0174.

[153] Según el proyecto, los "derechos adquiridos" tenían que ser convertidos en contratos-concesión en los próximos tres años. Además, el Ejecutivo podía hacer uso del párrafo final de la sección petrolera del artículo 27, para nulificar títulos adquiridos antes de 1917. México, Cámara de Senadores, *El petróleo: La más grande riqueza nacional*, pp. 319-320; *Boletín del Petróleo*, Vol. XV, enero-junio, 1923, pp. 538 ss.

[154] El 4 de mayo de 1923, la APPM se quejó ante Hanna, y el 14 ante Hughes, a quien entregó un estudio de Calero contra el proyecto de ley. NAW, 812.6363/ R221/E0356-0361, 0404-0414 y 0609-0621.

[155] Ver el artículo de Eduardo L. Castillo en *Boletín del Petróleo*, Vol. XV, enero-junio, 1923, p. 456.

[156] Merced a las modificaciones del Senado, estos "derechos adquiridos" ya no se cambiarían por concesiones, pero deberían verificarse; no tendrían límite, ni se consideró la posibilidad de anular títulos anteriores a 1917; tampoco se llegó a declarar de utilidad pública la industria petrolera. *El Heraldo de México* (15 de noviembre de 1923).

[157] Como el proyecto continuaba sin reconocer derechos a quien no hubiera efectuado un "acto positivo", la División de Asuntos Mexicanos no encontró satisfactorio el proyecto. NAW, 812.6363/R221/E1294-1296. En una carta de 30 de noviembre y en un memorándum de 6 de diciembre, la APPM hizo saber al Depar-

8. LAS POSIBILIDADES DE UNA INTERVENCIÓN O UN
MOVIMIENTO SUBVERSIVO

El inicio del período presidencial del general Obregón coincidió con lo
que pareció ser el fin del "frente unido" petrolero, pues se informó que
"El Águila" abandonaba la asociación; la prensa mexicana, con gran
júbilo, anunció que la importante compañía británica pronto se some-
tería a las nuevas leyes.[158] Poco duró el regocijo, pues los ingleses
tuvieron que admitir que el tiempo en que podían actuar en México
independientemente o contra los deseos de Estados Unidos había pasado. El frente se mantuvo, y Obregón no encontró ninguna fisura que le
permitiera aliviar la presión que desde el principio se dejó sentir
en forma alarmante.

De acuerdo con las notas de las reuniones del gabinete de Wilson,
tomadas por Daniels, en enero de 1921 Doheny insistió ante Washington sobre la necesidad de invadir México.[159] En los primeros meses
de ese año varios diarios de Nueva York, Washington, Boston y Fila-
delfia anunciaron el fracaso total de la administración obregonista.[160]
No faltó quien denunciara a los petroleros como fuente de agitación
y la posibilidad de que ocasionaran un choque armado con México.[161]
Se aseguró que el despido de obreros en Tamaulipas en 1921 tenía por
objeto hacer que éstos recurrieran a la violencia, dando así la justificación necesaria para el desembarco de tropas norteamericanas en la
zona petrolera.[162] En una carta fechada el 6 de julio de 1921 y publicada más tarde por el New York American, un representante de las
compañías informaba que Hughes había comunicado a Henry Lane
Wilson que el propósito de la administración de Washington era exigir
a Obregón la firma del tratado, mas como éste no parecía dispuesto a
aceptar, "el gobierno americano apoyaría a cualquier grupo que iniciara
una revolución basada en la Constitución de 1857". El diario aseguró
que el plan se había intentado, pero sin éxito.[163]

Fue aparentemente a raíz de la intranquilidad obrera provocada
por los despidos de 1921, cuando aparecieron ante Tampico los buques
de guerra norteamericanos Cleveland y Sacramento. El secretario de
Marina, Denby, informó que los comandantes de ambos tenían autorización para emplear la fuerza, pero añadió que "este hecho no tenía
ninguna significación internacional". Hughes informó que los buques

tamento de Estado su oposición al proyecto aprobado por el Senado, que violaba
lo acordado en Bucareli; 812.6363/R221/E1168 y 1326-1345.
[158] El Heraldo de México (3 de enero de 1921).
[159] E. David Cronon, The Cabinet Diaries of Josephus Daniels, 1913-1921, p. 590.
[160] Un ejemplo típico lo constituye el artículo de Albert W. Fox, aparecido
en el Washington Post de 28 de marzo. Fox aseguraba que la situación de México estaba empeorando en forma tal, que en tres o seis meses habría un cambio
de gobierno.
[161] Ver el artículo de John K. Turner, El Universal (30 de abril de 1921).
[162] New York Evening Post (19 de mayo de 1921).
[163] Obregón informó que dos agentes de las compañías, Lee y Leroy, habían
tenido contactos con Pablo González y otros enemigos suyos. New York American
(25 y 28 de enero de 1922).

habían sido enviados sólo como medida de precaución para "recordar" a las autoridades mexicanas que debían proteger a los extranjeros.[164] El 9 de julio las naves se retiraron sin que se hubiera producido ningún incidente que diera pie a un choque.[165] Años más tarde —basándose en las declaraciones de Charles Hunt, socio de Fall— *El Universal Gráfico* informó con mayor amplitud sobre supuestos planes trazados entonces por los petroleros para tomar la zona en que operaban sus empresas. Se trataba, según Hunt, de formar una República con los Estados del norte de México —el viejo plan de H. L. Wilson—, y para ello se pensó en provocar un incidente en Tampico que obligara a los *marines* a desembarcar (se esperaba que un rebelde, Daniel Martínez Herrera, "fabricara" el incidente, pero el general Guadalupe Sánchez lo disuadió). Los emisarios de los petroleros también entraron en contacto con Pablo González, Peláez y Esteban Cantú, ex gobernador de Baja California; Francisco Murguía rechazó la propuesta que se le hizo y únicamente Eusebio Gorozane, levantado en la Huasteca, recibió cierta ayuda, pero nunca llegó a contar con una fuerza importante. La división entre los intereses norteamericanos (de la que habla A. Breaner), aunada a la oposición inglesa, dio al traste con estos planes.[166] Al finalizar 1921 la situación cambió y la actitud de las compañías hacia Obregón fue más moderada; los rumores de una acción hostil contra México fueron desapareciendo.[167] El 28 de abril de 1922, el Departamento de Estado negó la existencia de cualquier vínculo con Félix Díaz y el rumor de que los ingleses hubieran sugerido la necesidad de dar apoyo a un movimiento antiobregonista;[168] sin embargo, hasta 1923, el gobierno mexicano continuó recibiendo noticias, a través de su servicio consular en Norteamérica, de posibles movimientos subversivos alentados por los petroleros, mas nunca pasaron de la categoría de rumores.[169]

---

[164] *El Heraldo de México* (6 de julio de 1921); *El Universal* (8 y 10 de julio de 1921).

[165] La American Federation of Labor protestó por el despliegue de fuerza hecho para atemorizar a los trabajadores mexicanos.

[166] *El Universal Gráfico* (12 a 19 de marzo de 1924).

[167] Ante la insistencia de ciertos rumores que señalaban a Harding y Hughes como instigadores de un movimiento contra Obregón, Washington se vio obligado a desmentir las acusaciones. Un cable de la Universal Service aclaró que los nombres del Presidente y su secretario de Estado habían sido usados indebidamente por algunos conspiradores, así como el de Fall. *El Universal* (27 de enero de 1922).

[168] NAW, 812.6363/R220/E0857.

[169] El 22 de enero de 1923, el cónsul mexicano en Los Ángeles informó a su colega en Caléxico sobre los preparativos de una expedición filibustera contra Baja California apoyada por un "conocido petrolero". Tres días más tarde confirmó la veracidad de sus informes: el jefe de la expedición era Charles Downey, aunque no supo quién era el magnate petrolero. AREM, L-E 863, R. Leg. 10, ff. 1-10. En una comunicación fechada en Los Ángeles, en mayo de ese mismo año, Rafael Múzquiz manifestó a la Secretaría de Relaciones Exteriores que a Barsio Lope, detenido en San Antonio, se le habían encontrado documentos que probaban que los petroleros (no dice cuáles) pensaban organizar una revuelta en México, a cuyo frente se encontrarían Rubio Navarrete y Guadalupe Sánchez AREM, L-E 709, R. T. 100, Leg. 1, f. 1.

9. BUCARELI

Las controvertidas reuniones celebradas durante cinco meses entre los representantes de los Presidentes de México y Estados Unidos en un edificio de las calles de Bucareli, a partir del 14 de marzo de 1923, dieron como resultado una transacción entre las posiciones que ambos países adoptaron a raíz del advenimiento del nuevo gobierno de México. No se firmó el tratado formal que exigió Fall, pero tampoco se obtuvo la reanudación incondicional de relaciones diplomáticas, como demandaron De la Huerta y Obregón. Sólo después de estas conferencias, del arreglo sobre el pago de la deuda externa y de la firma de las convenciones sobre reclamaciones, pudieron reanudarse las relaciones formales entre Washington y México. En opinión de Aarón Sáenz —entonces subsecretario de Relaciones Exteriores— las conferencias fueron un sucedáneo necesario de la ley reglamentaria del artículo 27, cuya falta no dejó otro camino para interpretar la ley.[170] Según ciertos autores norteamericanos, si no se hubiera llegado al acuerdo de 1923, el gobierno norteamericano hubiera dado su apoyo a una rebelión de carácter contrarrevolucionario, o invadido el país, para poner fin a toda amenaza contra los intereses de sus ciudadanos.[171] Los acontecimientos posteriores demuestran que la preocupación de Obregón ante la posibilidad de que la trasmisión del poder a Calles condujera a una rebelión —en cuyo caso la actitud de Washington sería decisiva— no era infundada.

El motivo que llevó finalmente a la Casa Blanca a desistir del cumplimiento literal de las recomendaciones de Fall, se encuentra quizá en un informe, fechado el 23 de enero de 1923, del cónsul general norteamericano en México, que señalaba que ciertos círculos norteamericanos en el país consideraban que la ofensiva diplomática de Washington había fracasado. Obregón se había mantenido en el poder durante dos años sin el reconocimiento de Estados Unidos y su propaganda había encontrado eco en el público norteamericano. Era necesario —en opinión de estos círculos— reconocer al gobierno mexicano aunque fuera condicionalmente. En el Departamento de Estado, Hanna manifestó su acuerdo con las observaciones del cónsul general. Poco daño causaría ya el reconocimiento de Obregón, sobre todo porque se le podría obligar a no interpretar retroactivamente el artículo 27.[172]

La posibilidad de sustituir por otra clase de compromiso la firma de un tratado formal previo al reconocimiento, surgió desde 1921.[173] En febrero de 1922, al proponer Obregón que la firma del

170 Aarón Sáenz, *op. cit.*, p. 135.
171 Daniel James, *Mexico and the Americans* (Nueva York: Frederick A. Praeger, 1963), p. 223; Henry Bamford Parkes, *op. cit.*, p. 378.
172 Elizabeth Ann Rice, *op. cit.*, pp. 25-27.
173 En agosto de ese año el ex embajador Fletcher declaró en Estados Unidos que si México tenía una idea mejor que la firma de un tratado para solucionar el problema, podía proponerla, pero en cualquier caso era indispensable asegurar la no retroactividad del artículo 27. *El Universal* (18 de agosto de 1921). De la Huerta

tratado fuera posterior al reconocimiento, recibió de Washington la sugerencia de negociar antes su contenido.[174] El 3 de agosto de ese año, la abundante correspondencia sostenida entre Pani y Summerlin por primera vez dejó ver la posibilidad de que Estados Unidos no exigiera la firma del tratado, siempre y cuando se encontrara una fórmula que garantizara sus intereses de manera adecuada. El camino que habría de conducir a Bucareli estaba abierto. A través del general James Ryan —quien, como se ha dicho, era representante de la Texas Oil Co. en México y, además, amigo de Obregón— se ultimaron los detalles de la conferencia mexicano-norteamericana donde se discutirían los problemas existentes entre ambos países. El 9 de abril de 1923 se formalizó el proyecto, no sin que antes Obregón expresara serias dudas al respecto: si las pláticas fracasaban, la brecha que separaba a Washington de México se ensancharía.[175] En un principio, Obregón —según se desprende de la correspondencia oficial publicada— hizo hincapié en que no se discutiría la legislación en vigor, mas a instancias de Ryan accedió a suprimir este requisito del documento en que daba su aceptación para la celebración de las pláticas.

Las conversaciones fueron sostenidas, del lado norteamericano, por Charles Beecher Warren, antiguo embajador en Japón, y John Barton Payne, ex secretario del Interior; como representantes de Obregón fueron designados Ramón Ross y Fernando González Roa.[176] Las instrucciones dadas a los comisionados norteamericanos por Hughes sentaron la tónica de las pláticas; en ellas se insistía en que no era propósito de Estados Unidos imponer a México una ley determinada, pero de ninguna forma se podía consentir en la confiscación de derechos legalmente adquiridos; éste era el punto neurálgico del problema, sobre el cual debería llegarse a un acuerdo definitivo. En el caso específico del petróleo habría que precisar, por tanto, lo que se entendía por "derecho adquirido", sin consentir en la pérdida de ningún derecho de propiedad adquirido con antelación al 1º de mayo de 1917.[177]

—sin dar pormenores— afirma que en ese año los norteamericanos propusieron el nombramiento de dos comisionados por cada país, para discutir la política en relación con los intereses extranjeros. No explica el motivo por el cual este plan no se puso en marcha entonces. Adolfo de la Huerta, *op. cit.*, p. 218.

174 En enero de 1922, Juan Ochoa Ramos, representante de Obregón, propuso en Estados Unidos que el tratado se firmara después de haberse restablecido las relaciones diplomáticas, pero Washington insistió en que la negociación debía ser anterior al reconocimiento. NAW, memorándum de la División de Asuntos Mexicanos del Departamento de Estado, 27 de abril de 1922, 812.6363/R228/E0977-0978.

175 NAW, Ryan a Hughes, 13 de abril de 1923, 812.6363/R227.

176 Ross, amigo de Obregón, fue nombrado por éste; Roa lo fue a instancias de Pani. En realidad, el peso de las conferencias por parte de México fue llevado por González Roa a base de largos y eruditos alegatos jurídicos. Arturo J. Pani, *op. cit.*, p. 150.

177 En estas instrucciones se decía que era necesario que se reconocieran "todos" los derechos adquiridos antes de mayo de 1917 y no sólo de quienes hubieran efectuado trabajos antes de esa fecha. También se exigía terminar con la necesidad de solicitar permisos de perforación y con los impuestos confiscatorios; finalmente, era menester acordar los términos de la futura ley orgánica. NAW, instrucciones de Hughes a J. V. Payne, 5 de mayo de 1923, 812.6363/R227/E0200-0214.

Las pláticas se desarrollaron en un ambiente de tensión que no se disipó a lo largo de los cinco meses que duraron.[178] No es posible conocer su desarrollo, ya que en las breves minutas oficiales sólo se encuentran los puntos en los que se alcanzó un acuerdo,[179] pero a juzgar por éstas y otros documentos, las conferencias giraron en torno a la protección de los derechos adquiridos por los extranjeros en la época preconstitucionalista, al estudio de las resoluciones de la Suprema Corte sobre petróleo para extender su doctrina a casos análogos, a la interpretación del "acto positivo", al problema impositivo, al de las zonas federales y al de los permisos de perforación. La APPM estuvo en contacto constante con Warren y Payne, exponiéndoles problemas y proponiendo soluciones. Los norteamericanos sostuvieron que las leyes anteriores a 1917 habían dado al superficiario un derecho de propiedad perfecto sobre el subsuelo; los delegados mexicanos combatieron este punto de vista con los argumentos forjados durante la época de Carranza: antes de 1917, afirmaron, el superficiario sólo tenía una "expectativa de derecho"; además, muchas de las propiedades petroleras se encontraban en la "faja prohibida" a lo largo de costas y fronteras, a pesar de las disposiciones en contrario que existían con anterioridad a 1917. Para Warren, las resoluciones de la Suprema Corte equivalían a la negación absoluta de la aplicación retroactiva, mas para González Roa ello sólo se aplicaba al párrafo IV del artículo 27. Ante el desacuerdo sobre la teoría de los "actos positivos", los comisionados norteamericanos hicieron la reserva de los derechos de sus conciudadanos sobre el subsuelo de los terrenos adquiridos antes de 1917. González Roa, por su parte, señaló que Obregón se proponía respetar las resoluciones de la Suprema Corte y dar derechos preferenciales sobre el subsuelo —por un tiempo determinado— a quienes hubieran ejecutado un "acto positivo"; finalmente, aceptó la reserva hecha por Estados Unidos, pero él hizo lo mismo con el derecho de México sobre aquellas tierras en donde no hubiera sido ejecutado el "acto positivo".[180]

El eje de las discusiones de Bucareli fue el artículo 27, y la cues-

[178] El 31 de mayo, Obregón telegrafió a Calles: "Hay días que todo hace suponer resultados favorables; pero son en mayor número las posibilidades terminen como Rosario Amozoc. Todo será preferible, antes que aceptar condiciones que lesionen nuestro decoro y soberanía." Aarón Sáenz, op. cit., pp. 65, 248.
[179] Según Guy Stevens, el senador Lodge examinó unos gruesos diarios de las conversaciones, que nunca se dieron a conocer. James Fred Rippy, José Vasconcelos y Guy Stevens, op. cit., p. 201. Sin embargo, en un comunicado de Kellogg al senador Charles Curtis, del 18 de enero de 1926, se dice que los únicos arreglos a que se llegó en Bucareli son los contenidos en la publicación Proceedings of the United States-Mexican Conference Convened in Mexico City, May 14, 1923, es decir, las minutas oficiales. AREM, L-E 1576, T. IV, Leg. 2, f. 12.
[180] México, Secretaría de Relaciones Exteriores, La cuestión internacional mexicano-americana...; Alberto J. Pani, Las conferencias de Bucareli, pp. 132-137; Stuart Alexander MacCorkle, op. cit., p. 96. AREM, L-E 552, T. XXI, Leg. 1, Morones a Sáenz, 1926; ff. 141-155; NAW, APPM a Warren y Payne, 24 de mayo, 26 y 27 de junio, 6 de julio y 1 de agosto de 1923, 812.6363/R221/E0909, 0757, 0765-0769 y 0771-0792; memorándum de la División de Asuntos Mexicanos del Departamento de Estado, 812.6363/R221/E0842-0847 y 0852-0854; Warren a Departamento de Estado, 21 de julio de 1924, 812.6363/R222/E0071-0072.

tión petrolera, no la agraria, fue la más importante. En sentido estricto, las reservas hechas por los representantes de ambos Presidentes indican que no se llegó a un acuerdo sobre la interpretación del párrafo IV de este artículo; en la práctica, se resolvió la situación de las propiedades petroleras adquiridas por los extranjeros antes de la vigencia de la Constitución de Querétaro; se aceptó que los títulos de propiedad fueran convertidos en simples "concesiones confirmatorias". México, en cambio, aceptó una interpretación tan amplia del "acto positivo", que prácticamente todas las zonas importantes para las compañías quedarían amparadas por él. Los acuerdos nunca llegaron a ser el "tratado secreto" que han querido ver algunos enemigos de Obregón, aunque tampoco fueron un inocuo cambio de impresiones cuyos resultados se apegaron estrictamente a la letra de la Constitución, como han sostenido otros. En la práctica, el gobierno mexicano se vio obligado por las circunstancias a poner un alto —que pareció definitivo— a la reforma petrolera. La reanudación de las relaciones con Washington —recibida en la capital mexicana con repique de campanas y ediciones extras de los periódicos—, calificada como "un triunfo y un éxito" por Obregón, fue un éxito sólo para su régimen, que recibiría todo el apoyo del gobierno vecino al estallar la rebelión delahuertista en diciembre de 1923.[181]

El nombramiento de Warren como embajador en México, fue visto como un signo de que Estados Unidos se proponía mantener lo acordado; [182] aún más, Hughes dio un significado latinoamericano al acuerdo con México: el 30 de noviembre, en un discurso conmemorativo del centenario de la "doctrina Monroe", y refiriéndose a los países de la región, subrayó que su gobierno no discutía las leyes de sus vecinos, pero que los derechos adquiridos por los extranjeros de conformidad con las leyes vigentes debían ser respetados por constituir una "obligación internacional".

Poco antes de que los lazos diplomáticos entre Washington y México fueran restablecidos, los petroleros dijeron estar dispuestos a dar un fuerte empuje a sus actividades en México; [183] sin embargo, modificaron su actitud y no ocultaron su desencanto al conocer los resultados obtenidos por Warren y Payne. En su opinión, la falta de un acuerdo escrito equivalía a sancionar y perpetuar la incertidumbre sobre sus derechos. En público y en privado mostraron su desacuerdo con Warren y con los arreglos de Bucareli.[184]

181 Técnicamente, los comisionados de ambos países se reunieron para "cambiar impresiones" que llevaran a un arreglo entre ambos países, según se leía en las credenciales de Warren y Payne. NAW, 812.6363/R227/E0199. En la práctica, este cambio de impresiones equivalió a un verdadero "pacto extraoficial", mantenido más o menos en secreto. Cuando Obregón informó el 1º de septiembre que la reanudación de relaciones con Estados Unidos no fue fruto de compromisos ni convenios contrarios a las leyes, sólo decía una verdad a medias.
182 Warren tuvo que dejar su puesto en México poco tiempo después por razones personales. Graham H. Stuart, op. cit., p. 172.
183 New York Times (21 de agosto de 1923).
184 El 24 de agosto, después de oír los informes de Warren y Payne, Guy Stevens

Es conveniente hacer notar que en estos acuerdos de agosto de 1923, De la Huerta encontró una justificación teórica a su lucha contra Obregón y Calles. La rebelión delahuertista fue fundamentalmente un movimiento de carácter conservador apoyado por la mitad del ejército después de que Obregón nombró a Calles como su sucesor, y nada tuvo que ver con las relaciones entre Obregón y Washington.[185] Según De la Huerta fue su conocimiento del pacto "extraoficial" lo que originalmente le llevó a presentar su renuncia a Obregón, situación que después se complicó con la lucha entre partidarios de ambos en San Luis Potosí. De la Huerta siempre sostuvo que la pugna con Obregón nada tuvo que ver con sus aspiraciones presidenciales frustradas, pues desde un principio se opuso a los convenios de Bucareli, al punto que casi logró convencer a Obregón de anular lo ahí acordado.[186] El manifiesto delahuertista de 7 de diciembre de 1923, que desconocía a Obregón, no aludió en absoluto a los acuerdos de Bucareli —supuesta causa fundamental de la rebelión—, y sí en cambio garantizó la propiedad de los nacionales y extranjeros.[187] El hecho de que la rebelión de 1923 fuera motivada por razones distintas del deseo de castigar la "traición" de Obregón, no significa que los acuerdos entre Ross y los enviados americanos no hubieran influido en absoluto. Cándido Aguilar acusó desde un principio al Presidente de haber claudicado ante Estados Unidos y dio ese motivo como la causa principal de su lucha al lado de Adolfo de la Huerta.[188] Fue sólo hasta el 20 de febrero de 1924, a ins-

dirigió un memorándum a Hughes haciéndole patente su disgusto por la inexistencia de una cláusula que derogara definitivamente los decretos de Carranza, así como el que se hubiera dejado a México la facultad de señalar el monto de los impuestos sobre propiedades adquiridas antes de 1917. NAW, 812.6363/R221/ E0834-0840; New York Times (24 de agosto de 1924). Hughes calmó a los petroleros haciendo ver que Estados Unidos no había reconocido la doctrina mexicana de los "actos positivos". Departamento de Estado a la Gulf Oil Co., 19 de noviembre de 1923, 812.6363/R221/1236-1239. En 1924 Stevens hizo saber a Ignacio Morán que mientras no fuera derogado el artículo 27, los petroleros no darían su apoyo al gobierno y culparon a Warren del poco éxito de Bucareli. AGN, R. Obregón-Calles, Paq. 5-1, Leg. 8, Exp. 101, R2-Z2.

[185] Aunque fue una revuelta de carácter más bien reaccionario la que estalló en diciembre de 1923, no dejó de contar con el apoyo de ciertos elementos revolucionarios como Salvador Alvarado, Antonio Villarreal y otros. Este choque entre De la Huerta y Calles era esperado mucho antes de que se iniciaran las pláticas de Bucareli; la embajada norteamericana lo previó desde noviembre de 1922. NAW, Summerlin a Departamento de Estado, 20 de noviembre de 1922, 812.6363/R220/ E0945.

[186] En un telegrama que De la Huerta envió al Presidente desde Hermosillo el 26 de abril de 1923, le hizo ver la inconveniencia de haber celebrado las conferencias, e insistió en que había ya convenido con Hughes en el reconocimiento a condición de cumplir con el pago de la deuda, confirmar los derechos adquiridos y proceder al avalúo real de las tierras expropiadas. Obregón, ofendido, respondió que no era su intención aceptar un reconocimiento condicionado. Ya en México, De la Huerta insistió en su posición. Aarón Sáenz, op. cit., pp. 189-191; Adolfo de la Huerta, op. cit., pp. 219-220 y 230-233; Miguel Alessio Robles, op. cit., pp. 347-348.

[187] De la Huerta explicó después que no hubiera sido prudente iniciar la lucha atacando a Washington. Excélsior (30 de enero de 1958).

[188] Aguilar escribió el 3 de enero de 1924 a De la Huerta que lo que se había iniciado como simple pugna entre grupos rivales, se había convertido en una

tancias de Aguilar, y cuando Obregón le batía en todos los frentes, cuando De la Huerta redactó un manifiesto acusando al caudillo de Sonora de haber "puesto en venta la Soberanía Nacional" y añadió que lo que se había iniciado como un movimiento "reivindicador del voto... se eleva hoy por aspiración inmensa y avasalladora, al deber sagrado de sostener incólume nuestra soberanía...".[189]

10. EL APOYO DE WASHINGTON Y DE LAS COMPAÑÍAS AL RÉGIMEN OBREGONISTA

Aunque lo acordado en Bucareli no tuvo la fuerza de un tratado, el Departamento de Estado consideró que el programa ahí expuesto por los representantes de Obregón, era lo suficientemente ventajoso para no desear otro cambio político en México y arriesgar lo ganado.[190] A pesar de que De la Huerta nunca amenazó seriamente la estabilidad de los intereses norteamericanos, Hughes consideró prudente esclarecer desde un principio la posición norteamericana: el 23 de enero de 1924, en Nueva York, señaló que el único objetivo de los rebeldes en México era resolver violentamente la sucesión presidencial; no eran revolucionarios y habían cobrado ilegalmente tributo a ciertos intereses norteamericanos; por tanto, Estados Unidos no podía negarse a proporcionar armamento a Obregón si éste lo solicitaba.[191] Las fuerzas

lucha nacionalista a causa de la política de Obregón. La actitud de Aguilar no era improvisada: en junio de 1923 ya se había comunicado con González Roa, advirtiéndole contra una traición "a la Revolución y a la Patria" con tal de obtener el reconocimiento de Washington. Derrotado y desde una prisión tejana, el general Aguilar redactó un manifiesto explicando que el objetivo de su lucha al lado de De la Huerta, fue su deseo de imprimirle un sello nacionalista al movimiento después de que Obregón había ultrajado la soberanía nacional en Bucareli. Adolfo Manero Suárez y José Paniagua Arredondo, *Los Tratados de Bucareli. Traición y sangre sobre México*, 2 Vols. (México, s.p.i., 1958), pp. 326-327, 337-338 y 350-351; Emilio Portes Gil, *Autobiografía de la Revolución Mexicana*, p. 374.

[189] Mario Mena, *Álvaro Obregón. Historia militar y política, 1912-1929* (México: Editorial Jus, S. A., 1960), pp. 91-92.

[190] Pese a los innumerables escritos sobre un tratado secreto en Bucareli, no hubo tal. Una buena exposición del carácter de lo acordado entonces se encuentra en un memorándum intercambiado en 1926 entre las Secretarías de Industria y Relaciones Exteriores. Este documento sostenía que: "...los compromisos a que hace mención el señor Kellog [secretario de Estado], sólo podrían resultar de algún acuerdo tomado en las conferencias de 1923; pero por más que se estudien con minucioso empeño las declaraciones hechas en la correspondencia cambiada de 1921 a 1923, por más que se miren cada una de las palabras vertidas por los representantes del Presidente de México, en el cambio de impresiones que medió en las conferencias, y sobre todo, atendiendo a las declaraciones finales hechas por dichos representantes, y a lo aprobado por el Ejecutivo y el Senado de ambas naciones no podrá comprobarse el pacto que supone el señor Kellogg". AREM, L-E 552, T. xx, Leg. 1, ff. 133-134.

[191] Al estallar la rebelión, Obregón envió a Ramón Ross —su antiguo representante en Bucareli— a obtener el apoyo militar de Washington. Recibió todo lo que pidió, excepto buques de guerra: diecisiete aviones De Havilland y Lincoln, ametralladoras, fusiles y municiones; además se permitió el paso por Texas a sus tropas. De la Huerta sólo pudo obtener 300 000 cargas de municiones. John W. F. Dulles, *op. cit.*, pp. 228-229; Daniel James, *op. cit.*, p. 221; James Morton Callahan,

rebeldes siempre tuvieron buen cuidado de no interferir con los intereses norteamericanos, mas a pesar de ello el enviado delahuertista en Washington, Álvarez del Castillo, en nada consiguió modificar la actitud del Departamento de Estado.[192]

A pesar de su desacuerdo con el arreglo de 1923, los petroleros norteamericanos dieron cierto apoyo a Obregón a través de varios préstamos.[193] Álvarez del Castillo —representante de un movimiento que luchaba contra el "pacto extraoficial" de 1923— intentó impedirlo... ¡acusando a Obregón y a Calles de pretender aplicar una política "bolchevista" y confiscar los derechos de los petroleros![194] A pesar del peligro que ello implicaba, De la Huerta no pudo dejar de cobrar impuestos a las compañías petroleras cuando sus tropas controlaron los puertos de embarque.[195] La necesidad de obtener fondos obligó a los rebeldes a amenazar con la destrucción a ciertas compañías, pero éstas confiaron en que su gobierno obligaría a los delahuertistas a actuar con mesura; así fue, y sólo a mediados de febrero hubo una pequeña interrupción de actividades.[196] Por lo que hace a los ingleses, hay vagos indicios de que intentaron actuar una vez más en forma contraria a sus colegas norteamericanos y ofrecieron su ayuda —a través del gobierno de Belice— a los enemigos de Obregón; pero quizá, en caso de haber algo de cierto en este rumor, la lección dada por Wilson a Victoriano Huerta estaba aún muy reciente, y los rebeldes declinaron la oferta. En cualquier caso, De la Huerta no llegó a contar con el apoyo efectivo de ningún grupo petrolero.[197]

11. LOS ARREGLOS DE 1924

Del 3 de septiembre de 1923 al 29 de octubre de 1925, la correspondencia oficial entre México y Estados Unidos en relación al problema petrolero es muy escasa y no señala la existencia de problemas graves.

op. cit., p. 595. Según De la Huerta, Washington accedió a reconocer su beligerancia a condición de que aceptara lo acordado en Bucareli, pero él se negó. Adolfo de la Huerta, op. cit., pp. 263-265.

[192] En enero y febrero, las fuerzas antiobregonistas abandonaron Tampico y Veracruz, sin presentar combate, ante las amenazas norteamericanas de intervención en caso de que la lucha estallara en esos puertos. Adolfo de la Huerta, op. cit., pp. 259-260; Ludwell Denny, op. cit., p. 58.

[193] "La Huasteca" auxilió al gobierno de Obregón con un préstamo de diez millones de pesos; otros círculos americanos le facilitaron ocho millones más. Alberto J. Pani, Tres monografías (México, s.p.i., 1941), p. 63; John W. F. Dulles, op. cit., p. 230.

[194] AGN, R. Obregón-Calles, Paq. 4, Leg. 2, Exp. 101, Álvarez del Castillo a la American Oil Export Co., Washington, 26 de marzo de 1924, R2-A-22.

[195] El Dictamen de Veracruz, de 31 de diciembre de 1923, publicó un decreto que obligaba a los petroleros a pagar sus impuestos a los rebeldes y declaraba nulos los que se hicieran al gobierno de Obregón. Éste, por su parte, también desconoció los pagos hechos a De la Huerta, aunque no pudo cumplir su amenaza.

[196] New York Times (21 de enero de 1924); NAW, cónsul en Tampico a Departamento de Estado, 10 y 15 de febrero de 1924, 812.6363/R221/E1386 y 1403.

[197] El 27 de febrero de 1924, la Secretaría de Gobernación hizo saber al cónsul mexicano en Belice que se habían recibido informes sobre un posible auxilio de "El Águila" a los rebeldes. AREM, L-E 860, Leg. 1. De la Huerta afirmó en sus

Las compañías comprendieron que era difícil llevar a Washington más allá de lo acordado en Bucareli y decidieron llegar a un acuerdo directo con Obregón. Una vez más, entre septiembre y octubre de 1924, los representantes de las compañías se reunieron con funcionarios mexicanos en busca de la "solución definitiva". Desde abril, las empresas habían señalado que para aumentar la producción era preciso que México accediera a cumplir con varias condiciones: a) expedir una ley petrolera "práctica" que protegiera sus derechos contra la aplicación retroactiva del artículo 27, b) suspender las concesiones en las "zonas federales", c) desistir del cobro de rentas y regalías según los decretos de Carranza, d) asegurar que el artículo 123 fuese aplicado "razonablemente", y e) mantener invariables por 10 años los impuestos.[198] A instancias del embajador Warren, en junio se formó el comité de petroleros que se trasladaría a México para discutir el problema con las autoridades correspondientes.[199] El arreglo se hacía necesario: Obregón acababa de acusar a las compañías de estar amenazando nuevamente la estabilidad de las instituciones mexicanas.[200] Las pláticas se iniciaron el 14 de octubre entre los representantes petroleros, Pani y Pérez Treviño, de las Secretarías de Hacienda e Industria, respectivamente. Los puntos discutidos —que no se dieron a la publicidad— fueron los relativos a los impuestos (tanto en las zonas ya conocidas como en las nuevas), a las condiciones laborales y al artículo 27. Las compañías no se resignaban a cambiar sus títulos por concesiones; trataban además de anular la teoría de los "actos positivos" y conjurar el peligro de las expropiaciones agrarias, pero dando la impresión de cumplir con los preceptos constitucionales. El resultado no fue plenamente satisfactorio para los petroleros, pues Obregón no aceptó ninguna modificación; sin embargo, lo consideraron un adelanto, en espera de concretar un nuevo arreglo más adelante.[201] Ante la cercanía del cambio de poder, el acuerdo fue sometido a la consideración de Calles, quien dio su aprobación.[202]

"Memorias" que, en efecto, el gobernador de Belice le ofreció su ayuda, pero la declinó porque no deseaba tener con Inglaterra una relación similar a la de Obregón con Estados Unidos. Adolfo de la Huerta, op. cit., p. 261.

[198] NAW, Departamento de Estado a su embajada en México, 15 de abril de 1924, 812.6363/R221/E1474-1475.

[199] El comité fue integrado por el general Andrews, C. O. Swain y Dean Emery. NAW, Stevens a Departamento de Estado, 23 de junio de 1924, 812.6363/R222/E0046-0047.

[200] El 8 de junio, en Nogales, Son., Obregón dijo que ciertos intereses se habían convertido en una lápida que impedía el desarrollo de toda idea noble en el país, y esa lápida estaba hecha de petróleo; también acusó a Wall Street de amenazar a su gobierno. New York Times (9 de junio de 1924).

[201] El acuerdo final se logró cuando el comité se encontraba ya en Estados Unidos. El plan contenía muchas generalidades que los petroleros esperaban concretar cuando Pani fuera nombrado embajador en Washington. Se aceptó, por ejemplo, rebajar los impuestos en las nuevas zonas que se explotaran, pero no se especificó su monto. Tampoco se acordó definitivamente la situación de las zonas federales ni de aquellos terrenos donde no se hubiera efectuado un "acto positivo", etc. Las minutas se encuentran clasificadas en NAW, 812.6363/R222/E0193-0392, y compañías petroleras a J. R. Clark, 19 de septiembre de 1927, 812.6363/R229/E0847-0849.

[202] NAW, memorándum de conversación entre representantes de las compañías

A Obregón, como a Carranza le fue imposible llevar a la práctica la reforma petrolera. Sujeto a la presión de Estados Unidos en una época en que este país no tenía preocupaciones extracontinentales y estaba regido por una administración dispuesta a respaldar totalmente los intereses petroleros, el caudillo norteño se vio obligado a recurrir a las resoluciones de la Suprema Corte y a las pláticas de Bucareli como única alternativa a la conclusión de un tratado que hubiera hecho nugatorio el párrafo IV del artículo 27. Sus compromisos con los intereses norteamericanos fueron graves, mas no definitivos; la puerta quedó abierta aún y Calles habría de realizar un nuevo esfuerzo para solucionar el problema petrolero con un espíritu nacionalista.

y funcionarios del Departamento de Estado, 19 de mayo de 1928, 812.6363/R231 E1090.

CAPÍTULO VI

EL PRESIDENTE CALLES Y LA EXPEDICIÓN DE LA "LEY DEL PETRÓLEO"

Al asumir el poder, el general Plutarco Elías Calles era considerado el líder del ala izquierda del grupo de Agua Prieta.[1] Sin duda, la influencia de Obregón continuó siendo un factor político que el nuevo Presidente debió tener en cuenta; no obstante, logró la suficiente libertad de acción para imprimir un sello propio a su régimen y para empezar realmente a buscar solución a los problemas planteados por la lucha revolucionaria.[2] Como primer paso —y suprimida ya la rebelión delahuertista— se purgó al ejército de todos los elementos que no eran adictos al gobierno, y en unión de las principales organizaciones obreras y campesinas, se le situó sólidamente tras el nuevo gobernante. Terminada la reorganización, Calles dio principio a su importante programa de obras públicas y reformas fiscales y monetarias, impulsó la educación secular y se enfrentó resueltamente a la Iglesia, relegándola a un segundo plano en la estructura política del país, principalmente a través de la confiscación de sus propiedades.[3] De esta forma, el régimen callista sentó algunas de las bases institucionales y estructurales en materia económica y financiera que más tarde, pasada la crisis mundial, llevaron al país a una etapa de rápido desarrollo; el proceso se vio favorecido decisivamente por una mayor demanda de los productos mexicanos en el mercado exterior —especialmente en el caso de los minerales, con excepción del petróleo—, motivada por la etapa de prosperidad que antecedió a la crisis de 1929.[4]

Fue en realidad durante la primera etapa de su período cuando Calles adoptó posiciones consecuentes con su prestigio revolucionario; a partir de 1926 ó 1927 el callismo empezó a oscilar hacia la derecha, lo que coincidió con la acumulación de grandes fortunas por el grupo dirigente. No fue ajena a este cambio la enorme presión norteamericana que se volcó sobre México entre 1925 y 1927; en cierta forma, los dos períodos que marcaron las relaciones de Calles con la Casa Blanca correspondieron a los cambios que imprimió a su política interna. La llegada del embajador Morrow a fines de 1927 y la consecuente disminución de la tensión entre los dos países, coincidió con el inicio de una etapa de conservadurismo que sólo acabaría con la expulsión de Calles del país en 1935. Los años de 1924 a 1926 vieron de nuevo el choque del gobierno mexicano con el capital extranjero, en su intento de

[1] En esos años, Calles fue calificado con frecuencia de bolchevique y comunista por sus enemigos, y de "hombre de izquierda" por sus partidarios. Henry Bamford Parkes, *op. cit.*, p. 379; J. M. Puig Casauranc, *El sentido social del proceso histórico de México* (México: Ediciones Botas, 1936), pp. 178-179.

[2] Víctor Alba, *op. cit.*, p. 221.

[3] Fue entonces cuando se formaron las Comisiones Nacionales de Caminos e Irrigación, y se crearon el Banco de México y las instituciones de crédito agrícola y ejidal.

[4] La producción petrolera, en contraste, fue uno de los pocos renglones que no mantuvo el ritmo ascendente general de la economía.

lograr que el sector oficial ocupara el lugar que Calles consideró correspondería al capital nacional de no haber sido éste tan escaso. En su opinión, había llegado el momento en que el desarrollo del país quedara en manos nacionales y el capital extranjero pasara a ocupar un lugar secundario.[5] La situación internacional no favoreció entonces su esfuerzo nacionalista.

1. LA ADMINISTRACIÓN DE COOLIDGE

Calles tuvo que enfrentarse a la administración republicana del Presidente Coolidge, apasionado partidario del *statu quo* y enemigo de todo movimiento progresista.[6] En el plano internacional, Washington volvió a reavivar la "diplomacia del dólar";[7] el Presidente norteamericano brindó la máxima protección a la inversión de sus conciudadanos en el extranjero aduciendo que tales intereses continuaban formando parte del "dominio nacional". Partiendo de esta base, señaló: "Debemos estar preparados para una intervención armada... en cualquier parte del globo en donde el desorden y la violencia amenacen los pacíficos derechos de nuestro pueblo."[8] A semejanza de la administración anterior, los petroleros volvieron a estar representados en el Gabinete, esta vez en forma directa, a través del magnate petrolero Andrew W. Mellon, secretario del Tesoro.[9] Con estos antecedentes no es difícil comprender la resuelta defensa que Washington hizo de los intereses norteamericanos que Calles pretendió afectar. Coolidge nunca ocultó su pesar por la caída del general Díaz, quien —a decir del Presidente— por treinta años influyó para que el capital norteamericano se estableciera en México; después de su caída, sólo el desorden había imperado en el país vecino.[10]

A la posición nacionalista de Calles, el gobierno de Washington enfrentó el concepto de propiedad defendido por sus tribunales, lo que no impidió que en el caso de las propiedades petroleras sólo se aplicara una de las diversas tesis aceptadas por las cortes norteamericanas, la que favorecía a las compañías, al declarar propiedad absoluta de los superficiarios los depósitos petrolíferos del subsuelo, olvidando convenientemente que esos mismos tribunales también habían aceptado la tesis —defendida por México— que consideraba que el superficiario únicamente se convertía en propietario del combustible al extraerlo.[11]

5 William English Walling, *op. cit.*, pp. 147-150.
6 Samuel E. Morison y Henry S. Commager, *op. cit.*, T. III, p. 88.
7 De "nuevo imperialismo" calificaron sus contemporáneos la política exterior de Coolidge. William English Walling, *op. cit.*, p. 17.
8 *Ibidem*, p. 184; Josephus Daniels, *Shirt-Sleeve Diplomat*, p. 228.
9 Antes de asumir su nuevo puesto, Mellon declaró que sus intereses habían quedado a cargo de su familia ¡y, por tanto, como miembro del Gabinete no tenía ningún interés especial que defender! *Ibidem*, p. 171.
10 Harold Nicolson, *Dwight Morrow* (Nueva York: Harcourt, Brace and Company, 1935), p. 306.
11 John P. Bullington, "The Land and Petroleum Laws of Mexico", *The American Journal of International Law*, Vol. XXII (enero, 1928), p. 58.

El primer embajador de Coolidge en México, James R. Sheffield, fue un perfecto representante del "nuevo imperialismo". Abogado neoyorquino y con una desahogada posición económica, Sheffield sostuvo siempre el punto de vista de la colonia norteamericana en México (especialmente el de los gerentes de las compañías petroleras) y se comportó como un celoso administrador de sus propiedades.[12] El embajador, como Coolidge, mostró desde un principio sus simpatías por Díaz y el antiguo régimen, considerando que "México necesitaba ese trato" por ser incapaz de gobernarse a sí mismo.[13] Sistemáticamente presentó a Washington la peor imagen del régimen mexicano, a cuyo Presidente tenía por "asesino, ladrón y violador de su palabra de honor".[14] Por lo que se refiere a los petroleros, el embajador no se concretó a sostener incondicionalmente su posición, sino que cuando las compañías dieron muestras de querer aceptar la legislación mexicana, insistió en la necesidad de que se mantuvieran firmes en su oposición y no vaciló en proponer el empleo de la fuerza para frustrar "la violación del derecho internacional a través de la confiscación" que intentaba México; tal acción era necesaria "en bien de la civilización y el comercio pacíficos".[15]

2. LA REANUDACIÓN DEL CONFLICTO: EL PROYECTO DE LEY REGLAMENTARIA

A despecho de la disminución en su producción, la industria petrolera aún era la más importante del país, pero su *status* continuaba incierto. Calles inició su período cuando este problema aparentemente se encontraba en vías de solución por virtud de los acuerdos de 1924, que si bien se habían concertado con Obregón, él ratificó ya en calidad de Presidente.[16] Se esperaba que tal arreglo daría origen a una ley reglamentaria acorde con los deseos norteamericanos.

La baja en la producción petrolera no era considerada irremediable en Estados Unidos. La Federal Oil Conservation Board señaló que aún había en México prometedoras estructuras geológicas por perforar y convenía que las compañías norteamericanas las mantuvieran bajo su control.[17] En México, la calma creada por Obregón era aparente; las voces que insistían en modificar el estado de cosas no habían cesado. Luis Cabrera advertía: "Nuestra riqueza petrolera no es tan grande como se supone: lo que es grande es la inconsciencia con que la explotamos...". Era a todas luces insuficiente la parte de esa riqueza que México recibía;[18] desde España, Camilo Barcia Trelles, en su obra

---

[12] Frank Tannenbaum, *op. cit.*, p. 269; Anita Brenner, *op. cit.*, p. 67.
[13] E. David Cronon, *Josephus Daniels in Mexico*, p. 49.
[14] *Ibidem*, pp. 48-49.
[15] *Ibidem*, pp. 48-49.
[16] El 23 de diciembre de 1924, Morones y Pani confirmaron al Comité de Petroleros la aceptación de Calles. NAW, 812.6363/R222/E0424.
[17] Burt M. McConnell, *Mexico at the Bar of Public Opinion* (Nueva York: Mail and Express Publishing Company, 1939), p. 4.
[18] Citado por Manuel Villaseñor en: México, Secretaría de Educación Pública, *Sobre el petróleo de México. Conferencias* (México: DAPP, 1938), pp. 73-75.

El imperialismo del petróleo y la paz mundial, insistía en que México debía dar la batalla decisiva a los petroleros y ganar su libertad.[19] Con objeto de asegurar el cumplimiento de los acuerdos de 1923 y 1924, el Departamento de Estado propuso a Calles, desde un principio, la firma de un tratado de amistad y comercio similar al que había puesto a la consideración de Obregón; Frank B. Kellogg, Secretario de Estado, se preocupaba ante la posibilidad de que México pudiera apartarse de lo convenido en Bucareli. Pero Calles no aceptó.[20]

A partir de 1925, hubo en las relaciones mexicano-norteamericanas tres motivos de conflicto: el problema petrolero y las cuestiones agraria y religiosa. En opinión de Coolidge, la legislación petrolera con carácter retroactivo y la expropiación de propiedades agrícolas (de los dos millones y medio de hectáreas expropiadas, únicamente 200 000 pertenecían a norteamericanos) afectaban el interés nacional de su país.[21] Posteriormente, la falta de pago sobre la deuda extranjera se añadió como un cuarto factor. Pero, por su importancia, el asunto petrolero se mantuvo en el primer plano; en cierta medida, la magnitud de los otros problemas fue acrecentada artificialmente por el Departamento de Estado para aumentar su presión y obtener una solución favorable en el conflicto sobre la legislación del subsuelo.

En los programas y discursos de la campaña presidencial de Calles no se encuentran referencias claras al asunto petrolero; en numerosas ocasiones manifestó públicamente su apoyo a los "principios fundamentales de los artículos 27 y 28 de la Constitución", pero siempre pareció referirse al aspecto agrario; sin embargo, el énfasis puesto en las actitudes nacionalistas, su crítica del capital extranjero que únicamente había llegado a México "a tomar todo y no dejar nada", y su interés por "salvaguardar lo que pertenecía a México" y por el control público de los recursos naturales, debieron ser vistos con recelo por los intereses petroleros y los gobiernos interesados.[22] A los pocos meses de haber iniciado su mandato, Calles nombró una comisión mixta que debía redactar un nuevo proyecto de ley reglamentaria del artículo 27 en el ramo del petróleo, desechando así aquellos proyectos emanados del régimen anterior.[23] A fines de julio de 1925, Washington comenzó

[19] Citado por Antonio Gómez Robledo, *op. cit.*, p. 46.
[20] La correspondencia oficial intercambiada entre México y Washington durante el gobierno del Presidente Calles, a la que se hará referencia en páginas siguientes, se encuentra en: México, Secretaría de Relaciones Exteriores, *Correspondencia oficial cambiada entre el Gobierno de México y los Estados Unidos con motivo de las dos leyes reglamentarias de la fracción primera del artículo 27 de la Constitución Mexicana* (México: Imprenta de la Secretaría de Relaciones Exteriores, 1926). Ver los memoranda de Kellogg a Aarón Sáenz, de 17 y 27 de noviembre de 1925. AREM, L-E 533, T. I, Leg. 3.
[21] Lesley Byrd Simpson, *Many Mexicos* (Univ. of California, 1961), p. 280.
[22] Los discursos y programas a los que se hace referencia pueden encontrarse en: Plutarco Elías Calles, *Mexico before the World* (Nueva York: The Academy Press, 1927), pp. 3, 51-52, 55-56, 93.
[23] Esta comisión estuvo integrada por el diputado Jesús Yépez Solórzano, el senador Ignacio Rodarte, Joaquín Santaella, de la Secretaría de Hacienda, y Manuel de la Peña, de la Secretaría de Industria.

a recibir noticias a través de sus agentes diplomáticos y de las compañías petroleras sobre cierto proyecto que estaba siendo examinado por Calles. Las noticias eran alarmantes: no se daba ninguna protección a quien no hubiera llevado a cabo el famoso "acto positivo" —que era definido en un sentido muy limitado— y se daba al beneficiario únicamente un plazo preferencial para efectuar el denuncio, limitando sus derechos a treinta años.[24] La alarma disminuyó un tanto cuando apareció un proyecto de ley, presentado por el diputado Justo A. Santa-Anna, en que se hacía a un lado definitivamente la teoría del "acto positivo" en favor del reconocimiento absoluto de todos los derechos sobre el subsuelo adquiridos antes de que entrara en vigor la nueva Constitución.[25] A pesar de que el proyecto reconocía "todos sus derechos", las compañías no dejaron de objetar la inclusión de un impuesto del 10 % sobre el valor del combustible extraído.[26] El Departamento de Estado estaba satisfecho con este proyecto y consideró que más de cien diputados lo respaldaba;[27] sin embargo, la comisión mixta dio forma a otro proyecto, que se publicó a principios de septiembre, en el que se continuaba insistiendo en confirmar sólo los derechos de quienes hubieran iniciado sus trabajos antes de mayo de 1917.[28] A mediados de noviembre, el embajador Sheffield se encontraba francamente preocupado; no se sabía aún cuál de los dos proyectos iba a ser favorecido por la administración. Pani le aseguró que probablemente el período de sesiones terminaría sin que el Legislativo se hubiera pronunciado en favor de alguno de ellos.[29] Un nuevo motivo de zozobra para los petroleros fue otro proyecto de ley sometido por Calles al Congreso para reglamentar la fracción I del artículo 27, pues les afectaba al prohibir a individuos o corporaciones extranjeras poseer terrenos en la faja de 50 y 100 kms. que corría a lo largo de costas y fronteras.[30]

Contrariamente a lo que suponía Sheffield, Calles había decidido que las Cámaras aprobaran la reglamentación de las fracciones I y IV

[24] NAW, cónsul en Nuevo Laredo a Departamento de Estado, 23 de julio de 1925, 812.6363/R222/E0859-0864; Guy Stevens a Departamento de Estado, 24 de agosto de 1925, 812.6363/R222/E0866; embajada en México a Departamento de Estado, 28 de agosto de 1925, 812.6363/R222/E0872-0873.

[25] México, Cámara de Diputados del Congreso de la Unión, Comisión Especial Reglamentaria del Artículo 27, *Proyecto de ley orgánica del artículo 27 de la Constitución Política de la República en la parte relativa a los combustibles minerales presentado por el C. diputado Justo A. Santa-Anna* (México: Imprenta de la Cámara de Diputados, 1925).

[26] NAW, compañías petroleras a Departamento de Estado, 23 de octubre de 1925, 812.6363/R222/E0971-0975.

[27] NAW, memorándum del *solicitor*, Departamento de Estado, 7 de noviembre de 1925, 812.6363/R222/E1029-1032.

[28] México, Congreso de la Unión, *Proyecto de ley reglamentaria del artículo 27 constitucional en el ramo del petróleo formulado por la comisión mixta* (México: Imprenta de la Cámara de Diputados, 1925).

[29] NAW, Sheffield a Departamento de Estado, 16 de noviembre de 1925, 812.6363/R222/E0994-0995 y 1033-1037.

[30] La embajada mexicana en Washington informó que en los círculos oficiales y de negocios norteamericanos existía ya un estado de alarma y con motivo de ambos proyectos. AREM, L-E 536, T. IV, Leg. 7, 14 de octubre de 1925, f. 19; AREM, Exp. A/628 (010)/2, Leg. 3, "A-O", 30 de noviembre de 1925, f. 34.

del artículo 27 sin demora, y que la base de esta última fuera el proyecto de la comisión mixta y no el de Santa-Anna, circunstancia que provocó el consiguiente disgusto de éste y de los norteamericanos, sobre todo porque los diputados pusieron un límite de cincuenta años a quienes vieran confirmados sus derechos sobre el subsuelo.[31] Hasta el final, Sheffield continuó informando a Washington que el proyecto no sería aprobado por el Senado, o en caso de que lo fuera sería rechazado por Calles, pues así le había informado Pani a un funcionario de las compañías. Sin embargo, el 31 de diciembre de 1925 fue aprobada la primera ley orgánica del artículo 27 en el ramo del petróleo, y su reglamento en abril del año siguiente.[32]

Fueron varios los motivos de conflicto que trajo consigo la promulgación de las dos leyes reglamentarias. Se insistía, por ejemplo, en la necesidad de exigir confirmaciones y en que éstas no fueran a perpetuidad. Este problema revestía un doble carácter: en principio, los norteamericanos se oponían a que un país cualquiera pudiera alterar los derechos de propiedad, y en este caso, además, a que los cincuenta años comenzaran a correr desde el momento en que se hubieran iniciado los trabajos, es decir, con anterioridad a 1925. Un segundo punto de desacuerdo fue la restricción —respecto de lo acordado en Bucareli— a lo que se entendía por "acto positivo". Un tercer punto lo constituía la imposición de la "Cláusula Calvo" a los extranjeros dedicados a la extracción de petróleo. Otro motivo más de dificultades fue la aparente contradicción entre ambas leyes, que hacía imposible que una compañía extranjera pudiera ver confirmados sus derechos en la "zona prohibida" que corría a lo largo de costas y fronteras. Finalmente, un quinto problema era tener que cumplir con la circular de 15 de enero de 1915.[33] Por dos años habría de prolongarse esta disputa que, como en casos anteriores, finalizaría sólo después de que las principales demandas de los intereses petroleros fueran aceptadas.

Desde la segunda mitad de 1925, cuando las compañías petroleras habían comprobado que era muy segura la posibilidad de que el nuevo gobierno aprobara una ley reglamentaria del artículo 27 que no se amoldara a sus deseos, se pidió a Washington que hiciera saber a Morones de manera informal que los proyectos bajo consideración se apartaban de lo acordado en 1923.[34] En noviembre, teniendo ya en su poder documentos sustraídos a la Secretaría de Industria, las compañías insistieron con mayor firmeza ante Kellogg que México preparaba una legislación retroactiva y anticonstitucional. La Standard afirmó que la

[31] Ver *El Universal* (27 de noviembre de 1925).
[32] Las leyes aprobadas se encuentran en: México, Secretaría de Industria, Comercio y Trabajo, *La industria, el comercio y el trabajo en México durante la gestión administrativa del señor general Plutarco Elías Calles*, 5 Vols (México: Tipografía Galas, 1928) (Ramo industrial), Vol. v, pp. 207 *ss.*, 291 *ss.*
[33] AREM, L-E 547, T. xv, Leg. 3, ff. 27-30; NAW, memorándum de conversación con Guy Stevens, División de Asuntos Americanos del Departamento de Estado, 9 de diciembre de 1925, 812.6363/R223/E0146.
[34] NAW, memorándum de la División de Asuntos Mexicanos del Departamento de Estado, 21 de agosto de 1925, 812.6363/R222/E0967.

hostilidad del régimen mexicano la estaba orillando a salir definitivamente del país (hay que tener en mente que esos fueron años de sobreproducción petrolera mundial).[35] En diciembre, cuando eran ya del conocimiento público los proyectos que se estaban debatiendo en las Cámaras mexicanas, la APPM exigió a Washington que protestara sin rodeos.[36]

Los petroleros no dejaron de hacer llegar directamente sus quejas y temores a Calles: en una comunicación le recordaron que había dado su aprobación a los acuerdos de 1924 y sin embargo propiciaba una legislación contraria a su letra y espíritu. Un mes más tarde, Calles respondió simplemente que él era ajeno a las medidas que discutía el Poder Legislativo.[37] El 22 de diciembre, el representante de la Pan American puso en manos del secretario de Relaciones un memorándum que contenía todas sus objeciones al proyecto de legislación petrolera que se disponían a aprobar en esos momentos los legisladores.[38] Pani aseguró entonces a los petroleros reunidos en Nueva York —pero sin lograr convencerlos— que una reglamentación posterior mitigaría los errores de esta legislación; sin embargo, los petroleros estaban ya sólidamente unidos contra los planes del gobierno mexicano y dispuestos a hacerlos fracasar.[39]

El Departamento de Estado, desde el momento en que sospechó que Calles preparaba una posible ley reglamentaria de la fracción IV del artículo 27 que no satisfacía plenamente sus deseos, empezó a hacer presión, por más que teóricamente asumiera una flagrante actitud intervencionista. Kellogg se apresuró a indicar al gobierno mexicano, por los canales diplomáticos y extraoficialmente, que no podía permitir que sus planes en torno a la legislación petrolera salieran adelante. Casi un año antes de que la ley reglamentaria del petróleo fuera aprobada, el Departamento de Estado manifestó a Sáenz su preocupación ante los posibles daños que pudieran infligirse a los intereses petroleros norteamericanos.[40] En mayo, Sheffield se entrevistó con el Presidente Calles y le recordó el precedente implicado en las resoluciones de la Suprema Corte sobre el artículo 27. Pero el Jefe del Ejecutivo le señaló que estas decisiones no habían sentado jurisprudencia y eran mero reflejo de la política gubernamental en aquel momento y, por tanto, no comprometían en nada a su adminis-

[35] NAW, compañías petroleras a Departamento de Estado, 21 de noviembre de 1925, 812.6363/R223/E0072-0074; memorándum de la División de Asuntos Mexicanos, 1º de diciembre de 1925, 812.6363/R222/E1152-1154.
[36] NAW, APPM a Departamento de Estado, 9 de diciembre de 1925, 812.6363/R222/E1158; Departamento de Estado a APPM, 15 de diciembre de 1925, 812.6363/R222/E1170-1171.
[37] NAW, compañías petroleras a Calles, 24 de septiembre de 1925, 812.6363/R222/E1155-1156; Calles a compañías petroleras, 29 de octubre de 1925, 812.6363/R222/E1157.
[38] NAW, 812.6363/R223/E0273-0274.
[39] NAW, memorándum de la División de Asuntos Mexicanos del Departamento de Estado, 29 de diciembre de 1925, 812.6363/R223/E0254-0255.
[40] AREM, 42-15-3, Exp. A/628 (010)/2, Leg. 4, memorándum de la embajada norteamericana al secretario de Relaciones Exteriores, 17 de enero de 1925, f. 24.

tración.[41] En octubre, Washington volvió a manifestar al gobierno mexicano su inquietud por el carácter retroactivo de la ley que estaba siendo examinada.[42] En noviembre y diciembre la presión aumentó. Sheffield preguntó a Sáenz si se pensaba proceder en los casos de retroactividad de conformidad con las normas aplicadas bajo Obregón y advirtió que, en caso de ser aprobada una ley confiscatoria, su país se reservaba el derecho de reclamar por los efectos negativos que tuviera sobre los títulos de propiedad de sus nacionales. Sáenz le aseguró que México no tenía la menor intención de perturbar sus buenas relaciones con Estados Unidos, aunque se abstuvo de señalar qué se haría para impedir que el proyecto se convirtiera en ley.[43] Al final de 1925 las relaciones entre Estados Unidos y México distaban mucho de ser cordiales: a mediados de año habían sufrido una seria crisis, que culminó en las veladas amenazas que deslizó Kellogg en una entrevista de prensa el 12 de junio; en aquella ocasión, el secretario de Estado se había referido a un posible movimiento contra Calles y consideró que México se encontraba en el banquillo de los acusados ante el mundo.[44] La respuesta de Calles fue violenta: México no permitía ser juzgado por nadie y no le reconocía al secretario de Estado ningún derecho para intervenir en los asuntos internos mexicanos. La organización de una gran campaña interna de apoyo al Presidente no se hizo esperar.[45] Por un momento se llegó a temer que el rompimiento de relaciones fuera inevitable, pero Coolidge no creyó conveniente ir tan lejos.[46] A partir de entonces, y hasta diciembre, los contactos entre ambos países parecieron ir recobrando su ritmo normal aunque la sombra de la ley petrolera mantuvo la tirantez. El 1º de septiembre, Calles se refirió al "entendimiento cordial y franco" por el que marchaban estas relaciones,[47] pero la "cordialidad" era más

[41] NAW, Sheffield a Departamento de Estado, 16 de mayo de 1925, 812.6363/ R222/E0848-0849.
[42] AREM, L-E 536, T. IV, Leg. 7. Téllez a Sáenz, 30 de octubre de 1925, f. 19.
[43] AREM, 42-15-3, Exp. A/628(018)/2, Leg. 3, "AO", f. 34; L-E 536, T. IV, Leg. 7, memorándum de conversación entre Sáenz y Sheffield, 16 de diciembre de 1925, ff. 185-187. NAW, 812.6363/R223/E0083-0086.
[44] Las declaraciones de Kellogg —totalmente imprevistas para México— fueron dadas a la prensa el 12 de junio de 1925, después de haber celebrado una entrevista con Sheffield. Kellogg señaló entonces que su país continuaría dando su apoyo a México sólo en tanto que éste protegiera las vidas e intereses de los ciudadanos americanos. Su amenaza cobró fuerza al añadir: "se sabe que una nueva revolución se prepara en México", en momentos en que elementos delahuertistas estaban tratando de organizar una nueva campaña contra Calles. E. David Cronon, *Josephus Daniels in Mexico*, pp. 47-48; Isidro Fabela, "La política internacional del Presidente Cárdenas", p. 66.
[45] A las manifestaciones de solidaridad de Obregón siguieron otras muchas del Congreso, el ejército y las organizaciones obreras y campesinas. La prensa mexicana, de grado o por fuerza, censuró unánimemente la conducta de Kellogg. En Estados Unidos, el *World*, el *New Republic*, el *Washington Post* y muchos otros se pronunciaron contra la maniobra del secretario de Estado.
[46] Isidro Fabela, "La política internacional del Presidente Cárdenas", p. 67.
[47] Plutarco Elías Calles, *Informes rendidos por el C. Gral. ... Presidente Constitucional de los Estados Unidos Mexicanos ante el H. Congreso de la Unión los días 1º de septiembre de 1925 y 1º de septiembre de 1926 y contestación de los C.C. presidentes del citado Congreso* (México: Talleres Gráficos de la Nación, ¿1926?), p. 30.

aparente que real: en México se recibían constantemente informes sobre la organización de un movimiento anticallista en Estados Unidos y sobre el apoyo que quizá recibía ya del gobierno de ese país, de las compañías petroleras norteamericanas y de otros intereses.[48]

3. LA REACCIÓN NORTEAMERICANA ANTE LA LEGISLACIÓN DE 1925

El objetivo perseguido por Calles al favorecer una ley petrolera que se apartara de lo convenido entre el Departamento de Estado y su antecesor, era iniciar una etapa diferente en las relaciones políticas de México con Estados Unidos. La legislación sobre los hidrocarburos era el punto neurálgico exacto para intentar encauzar al país por la vía de la independencia de Washington. Calles estaba decidido —y así lo hizo saber a los petroleros— a ser el "amo de su propia casa".[49] Antes de discutir y aprobar la nueva legislación sobre el petróleo, varios miembros del Congreso advirtieron a Calles las posibles consecuencias internacionales de su acción; cuando éste les manifestó estar decidido a caer pero no a transigir, los legisladores siguieron adelante.[50] Bien sabía Calles de los riesgos que tal empresa entrañaba y, por ello, antes de poner en marcha sus proyectos, reanudó el pago de la deuda externa. El arreglo concertado por Pani con los banqueros implicó un gran sacrificio para la economía mexicana, pero Calles consideró que el apoyo de éstos era vital para el buen éxito de la reforma petrolera.[51]

La posición del grupo petrolero no fue monolítica. En un principio la Royal Dutch y la Transcontinental, entre las grandes compañías, parecieron dispuestas a aceptar las nuevas disposiciones, pero la posición intransigente de Doheny y de la Gulf pronto se impuso al resto de los grupos importantes de productores.[52] El gobierno les advirtió entonces que el incumplimiento de las nuevas disposiciones

[48] Arturo M. Elías y M. G. Prieto, del consulado mexicano en Nueva York, comunicaron a Calles que Guy Stevens había dicho que si las condiciones no mejoraban en México Kellog reconocería la beligerancia de un movimiento rebelde, y éste podría ser financiado ampliamente por las compañías petroleras. AGN, R. Obregón-Calles, Paq. 5, Exp. 101, R2-1-1, 29 y 31 de julio, 4, 12, 16 y 19 de agosto y 11 de septiembre de 1925. Washington fue informado de que el general Estrada estaba en contacto con ciertos intereses financieros para exponerles sus planes de lucha contra Calles. NAW, RG 59.812.0/1830; G. E. Hoover a Departamento de Estado, 2 de noviembre de 1925. Cándido Aguilar, desde La Habana, hizo saber que agentes norteamericanos habían pedido su colaboración en un movimiento anticallista. Adolfo Manero Suárez y José Paniagua Arredondo, *op. cit.*, p. 419.
[49] NAW, Sheffield a Departamento de Estado, 24 de diciembre de 1925, 812.6363/R223/E0163.
[50] Declaraciones de Vicente Lombardo Toledano tomadas de Nathaniel y Silvia Weyl, *op. cit.*, p. 284.
[51] George K. Lewis, *op. cit.*, pp. 50-51, 70.
[52] El número de las empresas que acataron la nueva legislación fue superior al de aquellas que la rechazaron, pero estas últimas representaban más del 70 % de la producción y el 90 % de los terrenos petrolíferos adquiridos antes del 1º de mayo de 1917. Wendell C. Gordon, *op. cit.*, p. 78; John W. F. Dulles, *op. cit.*, p. 319; Merrill Rippy, *op. cit.*, p. 420.

conduciría a la cancelación de sus permisos de perforación y a la pérdida de sus derechos. Con ello se iniciaba una nueva fase de la batalla del petróleo, batalla que fue dirigida por las grandes empresas norteamericanas, seguidas, tras largas vacilaciones, por las inglesas. Sólo hasta fines de 1926, la APPM recibió completas seguridades de "El Águila" y "La Corona" de que no acatarían las nuevas disposiciones.[53] El embajador Sheffield insistió constantemente ante Washington sobre la necesidad de impedir que algunas compañías se sometieran a la nueva legislación. Si el gobierno mexicano lograba dar soluciones individuales satisfactorias, las protestas norteamericanas perderían fuerza.[54]

En enero de 1926 las compañías se ampararon,[55] y la APPM entró en contacto con Calles: la armonía podría retornar aún mediante una reglamentación de la ley petrolera que anulara los artículos 14 y 15. Durante ese mes y el siguiente un pequeño comité, instruido por Guy Stevens, trató de redactar una reglamentación aceptable para ambas partes, pero fue imposible.[56] Las compañías decían temer que la aceptación de la nueva ley sería el primer paso de un proceso que acabaría por privarlas de sus derechos; tal precedente crearía un peligro enorme para sus propiedades en todo el mundo.[57] Las compañías hicieron llegar al Departamento de Estado —directamente o a través de Sheffield— sus puntos de vista contrarios a la nueva legislación, y solicitaron su apoyo y protección.[58] Washington, que ya había expresado inútilmente sus puntos de vista aun antes de que esta ley entrara en vigor, no tardó en protestar formalmente. La correspondencia intercambiada entre México y Estados Unidos desde fines de 1925 hasta el 17 de noviembre de 1926 —que fue publicada poco después— es muy abundante (más de doscientas cincuenta cuartillas), pero los puntos en torno a los cuales se desarrolló la controversia son unos cuantos; si bien —como se ha dicho— reapareció el problema agrario, fue el petrolero la verdadera manzana de la discordia.

Desde un principio, Kellogg pretendió dar a los acuerdos de Bucareli un valor equivalente al de un tratado internacional para poder objetar todos los aspectos de las leyes de 1925 que no se conformaban con lo expuesto por González Roa dos años atrás.[59] El gobierno

[53] NAW, Sheffield a Kellogg, 18 de julio de 1926, 812.6363/R223/E0926-0927; "El Águila" a APPM, 18 de noviembre de 1926, E0186.

[54] NAW, Sheffield a Departamento de Estado, 15 de abril de 1926, 812.6363/R224/E0542-0544.

[55] Estos juicios de amparo pueden consultarse en Manuel de la Peña, *El dominio directo del soberano en las minas de México...*, Vol. II, pp. 281 ss.

[56] NAW, Guy Stevens a la Comisión de Petroleros en México, 29 de enero y 8 de febrero de 1926, 812.6363/R223/E0775-0797; Sheffield a Departamento de Estado, 18 de febrero de 1926, 812.6363/R223/E1070-1071.

[57] Guy Stevens, *op. cit.*, p. 187.

[58] NAW, memorándum de conversación del subsecretario de Estado con Swain, 30 de diciembre de 1925, 812.6363/R223/E0231-0240; memorándum de Swain al subsecretario de Estado, 6 de enero de 1926, 812.6363/R231/E0345-0360; Sheffield a Departamento de Estado, 17 de abril y 3 de mayo de 1926, 812.6363/R224/E0616-0623 y E0823-0832.

[59] Como los petroleros, el Departamento de Estado atacó los artículos 14 y 15 de la ley de 31 de diciembre de 1925 y sus artículos transitorios 2º, 3º, 4º y 6º Al

mexicano negó sistemáticamente que estos acuerdos —mera enunciación de la posición de la administración anterior— pudieran obligar a los sucesores de Obregón por no tener el carácter propio de un instrumento internacional. Una interpretación similar se dio a las decisiones de 1922 de la Suprema Corte.

Las notas americanas basaron sus ataques en las palabras "retroactividad" y "confiscación", calificativos que México sostuvo estaban fuera de lugar, pues su nueva legislación no afectaba los "derechos adquiridos" con anterioridad a 1917; además, si el plazo de cincuenta años no bastara para agotar los depósitos en explotación, habría una prórroga, y las empresas petroleras podrían conservar hasta su disolución las propiedades que se encontraran ubicadas dentro de la "zona prohibida", es decir, se las eximía totalmente del cumplimiento de la ley reglamentaria de la fracción I del artículo 27. Estas concesiones en poco aliviaron la presión. El Departamento de Estado nuevamente rechazó la posibilidad de una distinción entre aquellas zonas donde se habían efectuado "actos positivos" y donde no. Calles no quemó sus naves y en la nota de 27 de marzo de 1926 dejó abierta la posibilidad de que la Suprema Corte resolviera —como en tiempos de Obregón— si las leyes controvertidas tenían o no carácter retroactivo. Sáenz señaló, en la comunicación de 30 de octubre, que era propósito de su gobierno dejar que los derechos adquiridos por los norteamericanos antes de 1917 subsistieran bajo el nuevo régimen sin menoscabo alguno. Nada se resolvió con esta larga correspondencia permeada de tonos jurídicos. México sostuvo que mientras Estados Unidos no presentara un caso concreto en que la nueva legislación afectara a los intereses norteamericanos, sus protestas estaban fuera de lugar. Washington, por su parte, se reservó todos los derechos de sus ciudadanos que fueran afectados por las leyes de diciembre de 1925, es decir, no aceptó la validez de tal legislación.

Cuando supo que Calles había permitido, a pesar de sus advertencias, que el Congreso aprobara la ley petrolera, Kellogg pensó retirar el reconocimiento a México (tal como lo pedía el *Wall Street Journal*) y levantar el embargo sobre la venta de armas destinadas a este país. Esto fue en enero de 1926; para marzo de ese año, Washington no consideró ya conveniente una acción tan enérgica, convencido de que bastarían las negociaciones para llevar la controversia a un desenlace feliz.[60] La posición del Departamento de Estado fue respaldada incondicionalmente por las cancillerías del viejo continente interesadas en el asunto,[61] aunque la importancia de las protestas inglesa y holandesa fue secundaria, ya que la disminución de su influencia política en

respecto pueden consultarse los siguientes memoranda del Departamento de Estado: sobre la ley de 1925, NAW, sin fecha, 812.6363/R227/E0087-0090, y sobre los reglamentos de abril de 1926, 19 de abril de 1926, 812.6363/R225/E0033-0046.

60 NAW, Kellogg a Sheffield, 2 de enero de 1926, 812.6363/R223/E0118-0119 y subsecretario de Estado a la embajada británica, 5 de marzo de 1926, 812.6363/R223/E1258-1259. *Wall Street Journal* (15 de enero de 1926).

61 La embajada española notificó a Sheffield, el 4 de marzo de 1926, que correspondía a Estados Unidos proteger los intereses europeos en México, pues este país quedaba dentro de la esfera de influencia norteamericana. NAW, 812.6363/R223/E1271-1273.

México corría al parejo de sus intereses económicos. Los ingleses —que aún no descubrían los yacimientos de Poza Rica— tenían ya poco interés en México y, como los norteamericanos, planeaban concentrar sus esfuerzos en Venezuela.[62] Pese a todo, no dejó de haber cierta fricción entre la embajada norteamericana y el representante inglés, Mr. Ovey, pues si bien Foreign Office reafirmó a Kellogg su disposición de actuar de consuno con Estados Unidos en el caso de México, Sheffield consideró que la conducta de Ovey era "vaga y poco firme".[63] Inglaterra y Estados Unidos acordaron nuevamente no aceptar que ninguno de sus nacionales tomara ventajas en detrimento de otros, denunciando las propiedades petroleras de aquellas compañías que no aceptaban la legislación callista.[64]

4. LOS DIVERSOS GRUPOS QUE INTERVINIERON EN EL CONFLICTO

Cuando la controversia petrolera fue reiniciada por Calles, en Estados Unidos volvieron a tomar posiciones los diversos grupos —además de los petroleros— que habían dejado sentir su influencia sobre el problema desde la época de Carranza. En México el panorama presentó una novedad, pues el grupo callista se encontraba dividido: por un lado, Pani quiso impedir a toda costa un choque con los intereses petroleros y, por el otro, Morones, el líder de la CROM y artífice de la legislación de diciembre de 1925, se mostraba decidido a triunfar sobre ellos. En una nota confidencial que enviara el embajador Morrow a Kellogg a fines de 1927, aseguró que Calles le confió que la ley de 1925 había resultado de la necesidad de satisfacer los deseos del ala radical del grupo revolucionario en momentos de grave tensión interna.[65] De haber sido así, no hay duda de que Morones, secretario de Industria, fue el vocero de tal grupo, ya que a él se debió esa legislación y, en gran medida. la defensa que posteriormente se hizo de ella frente a la presión de Estados Unidos.[66] De acuerdo con los informes norteamericanos, Morones, en unión del secretario de Agricultura —contando en cierta medida con el apoyo del Presidente, representaban dentro del Gabinete al sector que desde 1917 favorecía el desconocimiento de los derechos de quienes habían adquirido sus propiedades petroleras antes de que fuera modificado el orden constitucional. A los ojos de las compañías, Morones era, ni más ni menos, un bolchevique. En opinión del embajador Sheffield, Pani y el secretario de Relaciones Exteriores constituían la influencia moderadora dentro del grupo callista, opuesta

62 Federico Bach y Manuel de la Peña, op. cit., p. 20. Las notas de protesta británica y holandesa fueron de 12 de enero y 7 de junio de 1926, respectivamente. NAW, 812.6363/R223/E0452-0454 y R224/E0860-0861.
63 NAW, embajada en Londres a Departamento de Estado, 12 de noviembre de 1926, 812.6363/R225/E0092; Sheffield a Departamento de Estado, 24 de diciembre de 1926, 812.6363/R225/E0778-0780.
64 NAW, embajada británica a Departamento de Estado, 30 de noviembre de 1927, 812.6363/R230/E0311-0314.
65 NAW, Morrow a Kellogg, 8 de noviembre de 1927, 812.6363/R230/E0122.
66 George K. Lewis, op. cit., pp. 72-73.

a todo lo que pudiera perjudicar las relaciones de México con su vecino del Norte. De acuerdo con estos mismos informes, el secretario de Industria consideraba, a principios de 1926, que era posible obtener el apoyo de Europa y América Latina y contrarrestar así la presión norteamericana.[67]

Pani —según parece— intentó destruir de raíz los planes de Morones, y para ello trató de impedir la promulgación de las dos leyes reglamentarias del artículo 27 (o al menos de modificarlas. En noviembre de 1925, la embajada norteamericana informó a Kellogg que Pani se disponía a ejercer su influencia en las Cámaras, a fin de entorpecer el proyecto de ley que tanto preocupaba a las compañías, y consideró que la devolución del proyecto reformado que hizo el Senado a los diputados había sido producto de esa maniobra, la cual, sin embargo, no llegó a ser coronada por el éxito.[68] En los decisivos días de fines de 1925, Pani estuvo en contacto constante y directo con las empresas petroleras (y con la embajada norteamericana) a través de Wallace Payne Moats, hombre de negocios norteamericano.[69] Fue quizá esta actitud una de las causas que más tarde llevaron al secretario de Hacienda a presentar su renuncia y a ser sustituido por Montes de Oca.

El sector de la prensa nacional que desde Carranza había venido defendiendo los intereses petroleros, cuando aparentemente se llegó a encontrar libre de la presión gubernamental, atacó con denuedo las leyes de 1925, antes y después de ser aprobadas;[70] empero, en los momentos en que el conflicto se agudizaba, ese mismo sector de la prensa —de grado o por fuerza— respaldó la posición de Calles.[71] El sector obrero mostró también contradicciones; a despecho de haber sido Morones, el líder de la CROM, quien dio forma y alentó la política petrolera del gobierno, los sindicatos petroleros en varias ocasiones tomaron partido en favor de las compañías: la experiencia les había enseñado que las dificultades de éstas con el gobierno se traducían con sorprendente frecuencia en suspensión de labores y despidos en masa.[72]

En la Unión Americana, como siempre, el panorama que presentaban los grupos de presión era más complejo. Calles —ya se dijo— buscó el apoyo de los banqueros; en octubre de 1925, Pani firmó un nuevo acuerdo con ellos modificando el que había sido concertado por De la Huerta. A semejanza del caso anterior, se especificó que los impuestos al petróleo se emplearían para cubrir la deuda externa. Los pagos se reanudaron de inmediato. En realidad no habría de servir mucho a Calles la buena voluntad que mostró hacia los tenedores de

---

[67] NAW, Sheffield a Departamento de Estado, 11 de enero de 1926 y 4 de enero de 1927, 812.6363/R225/E1020-1022 y E0874-0877; Sheffield a Departamento de Estado, 26 de enero de 1926, 812.6363/R223/E0719-0722.

[68] NAW, Sheffield a Departamento de Estado, 23 de noviembre y 1º de diciembre de 1925, 812.6363/R222/E1038-1039 y 1150-1151.

[69] NAW, Sheffield a Departamento de Estado, 11 de diciembre de 1925, 812.6363/R223/E0099-0101.

[70] Ver los editoriales de *El Universal* de 17 y 18 de diciembre de 1925 y de 5 de enero de 1926.

[71] Ver, por ejemplo, el editorial de *El Universal* de 15 de noviembre de 1926.

[72] NAW, Schoenfeld a Departamento de Estado, 24 de agosto de 1927, 812.6363/R227/E1095-1097.

la deuda nacional. Cuando a principios de 1927 el embajador Téllez pidió a Lamont que mediara entre el gobierno mexicano y las empresas petroleras, éste respondió que nada podía hacer y sugirió, en cambio, que las cortes mexicanas apresuraran su veredicto sobre la legitimidad de la legislación de 1925;[73] sin embargo, Lewis asegura que el cambio de política que habría de traer consigo la sustitución a fines de ese año del agresivo Sheffield por Morrow, más conciliador, fue obra de este grupo.[74] Después de 1927, México suspendió sus pagos sobre la deuda externa.

La importancia de la franca oposición que surgió en el Senado norteamericano a la política mexicana que sostuvieron Coolidge y Kellogg no fue poca, sobre todo porque provino de dos de sus miembros más influyentes: el senador Borah, Presidente del Comité de Relaciones Exteriores del Senado, y el senador LaFollete (autor, este último, de la resolución que recomendaba la investigación sobre el arriendo que hizo Fall de las reservas petroleras de la armada a Doheny y Sinclair). La actitud del Congreso se explica por razones de partido, a la vez que por una divergencia de concepciones sobre lo que debía ser la política latinoamericana de Estados Unidos. En opinión de Borah y otros miembros del cuerpo legislativo, era necesario dejar de apoyar incondicionalmente a los productores de petróleo y de bananos o a los Caballeros de Colón; ese tipo de imperialismo sería, a la larga, perjudicial a los intereses norteamericanos en el hemisferio.[75] El senador Borah en múltiples ocasiones señaló que Coolidge y su secretario de Estado habían exagerado la situación mexicana para favorecer a los intereses petroleros. Calles, en su opinión, actuaba de buena fe y su gobierno estaba lejos de ser comunista, como lo calificaban los medios oficiales de Washington y el Departamento de Estado debía hacer reclamaciones a México a medida que fueran apareciendo casos concretos de violaciones a los derechos norteamericanos (ésa era también la posición sostenida por Aarón Sáenz ante Kellogg).[76] La forma de combatir la política oficial hacia México empleada por el Congreso, consistió en una serie de resoluciones que exigían la publicación de la correspondencia intercambiada con el gobierno mexicano sobre los problemas del petróleo, tierras, etc., proponiendo el arbitraje de las diferencias con México (como lo había sugerido Calles), y solicitando informes sobre el cumplimiento de las leyes mexicanas por parte de los grupos petroleros.[77] En marzo de 1927, Borah condujo una serie

---

[73] NAW, memorándum del International Committee of Bankers on Mexico, 25 de mayo de 1927, 812.6363/R226/E1063-1064.

[74] George K. Lewis, *op. cit.,* p. 71.

[75] James Fred Rippy, *Latin America in World Politics. An Outline Survey* (Nueva York: Alfred A. Knopf, Inc., 1928), p. 269.

[76] William English Walling, *op. cit.,* p. 170; *The United States Daily* (21 de marzo de 1927); *The Nation* (13 de abril de 1927).

[77] La resolución que proponía arbitrar las diferencias con México fue aprobada por unanimidad el 25 de enero de 1927. La resolución por la cual se hizo pública la correspondencia diplomática entre México y Estados Unidos del 17 de noviembre de 1925 al 27 de marzo de 1926, fue aprobada el 6 de marzo de 1926. El 3 de febrero de 1927, el Senado pidió informes sobre el cumplimiento de la legislación mexicana por parte de las compañías petroleras americanas.

de audiencias en torno al problema mexicano, en el curso de la cual interrogó a varios funcionarios del Departamento de Estado.[78] El senador Morris intentó que su Cámara investigara si el Departamento de Estado había o no inducido a un sector de la prensa norteamericana a sostener que México trataba de implantar un régimen bolchevique en Nicaragua; de este modo, la actitud del Congreso "clavó los cañones de los intervencionistas".[79] Borah y LaFollete estuvieron en contacto con las autoridades mexicanas para obtener informes y contrarrestar la propaganda desatada en contra de México, pero Borah insistió ante Calles en que los tribunales mexicanos debían apresurar un fallo en favor de las compañías. Era la única forma de evitar un serio conflicto entre ambos países.[80]

La posición de los congresistas demócratas en el caso de México, se vio secundada por los círculos liberales que a través de libros y artículos intentaron aclarar la situación y valorar con justicia la actitud de Calles, a quien los grandes diarios norteamericanos sistemáticamente calificaban de bolchevique. Estos escritores se oponían al apoyo incondicional que Coolidge daba a los *big business* en México; temían que el mismo proceso pudiera repetirse en el plano interno.[81] Este sector liberal comprendía y justificaba la necesidad que tenía México de afectar los intereses extranjeros para poner fin a una estructura económica anacrónica que impedía una más justa organización social. Demostró que en ciertas etapas de su desarrollo, Norteamérica se había visto precisada a lesionar —como México— derechos adquiridos por así requerirlo el interés público. En el caso concreto del petróleo, se acusó a Kellogg de impedir que México pusiera en práctica una doctrina jurídica aceptada muchas veces por los tribunales norteamericanos, o sea que el combustible en el subsuelo no se convertía en propiedad de los particulares sino hasta el momento en que se extraía.[82] Aparecieron entonces varios libros en los que se vindicaban las políticas reformistas y nacionalistas del callismo, a la vez que se denunciaba la inoperancia e injusticia de una oposición a ultranza ante las nuevas fuerzas renovadoras de América Latina.[83] Esta campaña del Congreso y de los círculos liberales tuvo efectos importantes en el público norteamericano porque el escándalo del *Teapot Dome*, en el que

[78] *United States Daily* (22 y 23 de marzo de 1927).

[79] Samuel Flagg Bemis, *op. cit.*, p. 226.

[80] NAW, Sheffield a Departamento de Estado, 4 de mayo de 1927, 812.6363/ R226/E0687-0689; AREM, 42-15-3, Exp. "A" 628/(010)/2, Leg. 3, f. 27; *New York Times* (1º de marzo de 1927).

[81] William English Walling, *op. cit.*, p. 190.

[82] Excelentes ejemplos de esta posición son los artículos de Walter Lippman "Vested Rights and Nationalism in Latin America", *Foreign Affairs*, Vol. v (abril de 1927); Walter D. Hawk, *op. cit.*; John P. Bullington, "Problems of International Law in the Mexican Constitution of 1917", *The American Journal of International Law*, Vol. xxi (octubre de 1927), pp. 694-705; "The Land and Petroleum Laws of Mexico", pp. 59-60; Moisés Sáenz y Herbert I. Priestley, *op. cit.*

[83] Algunos ejemplos son el libro de Walling ya citado, el de Charles Wilson Hackett, *The Mexican Revolution and the United States, 1910-1926* (Boston: World Peace Foundation, 1926) y el de James Fred Rippy, *Latin America in World Politics. An Outline Survey.*

se vieron envueltos Doheny, Sinclair y Fall, había dejado sumamente desprestigiado al grupo petrolero. Ciertos sectores de la prensa norteamericana —con el *World* a la cabeza— se opusieron a que la controversia con México llegara a un punto en el que pudiera desembocar en un conflicto armado.[84] La opinión pública norteamericana, en general, se mostró contraria a un choque con su vecino y sí, en cambio, favoreció un arbitraje de las diferencias. Ni el "espantapájaros" del comunismo ni el de la interferencia mexicana en Nicaragua, agitados por Kellogg para inclinar a la opinión pública de su país en favor de la defensa agresiva de los intereses petroleros —afirman Morrison y Commager—, tuvieron éxito alguno.[85] La posición mexicana no se vio favorecida únicamente por los grupos liberales, organizaciones laborales, etc., sino que aun sectores de carácter francamente conservador, como el Ku Klux Klan, se sumaron a los críticos de Coolidge.[86]

Siguiendo la línea trazada por Carranza y Obregón, el gobierno de Calles no dejó de enviar a algunos de sus representantes para efectuar giras de propaganda dentro de Estados Unidos. Los enviados mexicanos —entre los que se contaba el subsecretario de Educación— basaron su defensa en los mismos argumentos empleados por los grupos liberales: "El primer objetivo de la Revolución —dijo Moisés Sáenz— [. . .] fue derrocar al dictador, después recobrar la tierra y poner la riqueza nacional bajo el control gubernamental para beneficio de la mayoría"; en este proceso era inevitable que ciertos intereses extranjeros fueran afectados.[87] Es muy probable que Calles empleara —como se denunció ante el Congreso norteamericano— algunos millones de dólares en fomentar la propaganda contra la política exterior de Coolidge.[88]

[84] Esta actitud se observó sobre todo en la prensa del Sur y del Oeste.
[85] Samuel E. Morison y Henry S. Commager, *op. cit.*, T. III, p. 80; Daniel Cosío Villegas, *Extremos de América*, p. 71. Una encuesta de la National Civic Federation, efectuada en momentos de gran tensión en las relaciones mexicano-norteamericanas, mostró que la mayoría del público estadounidense se oponía a una guerra con su vecino del Sur. Huddleston, en la Cámara de Representantes, señaló que el 99 % del pueblo americano era contrario a una lucha con México. William English Walling, *op. cit.*, p. 173; *New York Times* (9 de enero y 2 de febrero de 1927). Las asociaciones que se manifestaron en favor de arbitrar las diferencias con México formaban un grupo muy heterogéneo, lo que pone de manifiesto la amplitud de la oposición a la política de Kellogg; por ejemplo, había organizaciones religiosas como la Union of Hebrew Congregations, la National Council of Jewish Women y el Federal Council of Churches of Christ in America; organizaciones obreras como la American Federation of Labor y la National League of Farmers, o agrupaciones pacifistas como la Union of Pacifist Women y la Anti-imperialist League of America.
[86] La posición de los KKK, así como la de muchas iglesias protestantes, tenía su origen en el descontento que provocó el apoyo de Coolidge a los católicos norteamericanos en su campaña contra Calles. Ludwell Denny, *op. cit.*, p. 68.
[87] Moisés Sáenz y Herbert I. Priestley, *op. cit.*, p. 6. Ver también Guy Stevens, Santiago Iglesias y Heberto M. Sein, *The Issue in Mexico. Discussed by...* (Nueva York, s.p.i., 1926).
[88] En la Cámara de Representantes, James A. Galliman acusó a la embajada mexicana de haber empleado dos millones de dólares en fomentar la propaganda contra el Presidente norteamericano y su secretario de Estado. AREM, L-E 533, T. I, Leg. 2, f. 111. El 23 de enero de 1926, Sheffield informó a sus superiores que el embajador Téllez contaba con un fondo para influir en la prensa norteamericana. NAW. 812.6363/R223/E0567-0569.

Calles, naturalmente, buscó el apoyo de los intereses norteamericanos que mantenían contacto comercial con México. Les hizo ver que el objetivo de su programa de reformas —que incidentalmente podía perjudicar a ciertos inversionistas extranjeros— consistía en aumentar el poder adquisitivo de doce millones de mexicanos pobres, que de esta manera se convertirían en un valioso mercado para los productos norteamericanos.[89] El llamado en esta ocasión fue inútil, pues los sectores exportadores norteamericanos se unieron al ataque contra Calles; posiblemente porque ahora las presiones del grupo petrolero sobre ellos fueron mayores que durante el período de Obregón. En diciembre de 1925 el Presidente de la Cámara de Comercio de Estados Unidos expresó a su colega mexicano que era necesario que su gobierno respetara los derechos adquiridos por el capital norteamericano, pues de lo contrario no se podría colaborar en el desarrollo del país.[90] Con todo, las medidas tomadas por los importadores y exportadores norteamericanos estuvieron lejos de constituir el bloqueo deseado por los petroleros.[91] Finalmente, conviene observar que a raíz del conflicto religioso —que se agudizó en 1927— los católicos norteamericanos pidieron a Coolidge que interviniera en México para detener la persecución de que era objeto la Iglesia.[92] En esta forma, la propaganda católica coincidió perfectamente con la petrolera en su afán de formar en el público norteamericano la imagen de un gobierno mexicano ateo, comunista, que amenazaba los valores norteamericanos.[93]

5. REACCIÓN DE WASHINGTON Y DE LAS EMPRESAS ANTE LA LEY REGLAMENTARIA

Al entrar en vigor la ley del petróleo, las compañías —contra los deseos de Morones— recurrieron al juicio de amparo,[94] al tiempo que se ponían en contacto con el secretario de Industria, en un último esfuerzo por lograr que el futuro reglamento de la ley orgánica contrarrestara los "efectos negativos" de los artículos 14 y 15 de dicha ley. El 15 de enero un comité formado por representantes de cinco compañías

---

89 Plutarco Elías Calles, *Mexico before the World*, pp. 51-52.
90 AREM, L-E 536, T. iv, Leg. 7, 19 de diciembre de 1925, ff. 207-210. La Cámara de Comercio de Los Ángeles definitivamente recomendó a sus miembros que suspendieran sus transacciones con México. AREM, 42-15-3, Exp. A/628 (010)/2, Leg. 3, "A-O", f. 34.
91 El 3 de agosto de 1927, Guy Stevens sugirió a la Cámara de Comercio de Estados Unidos que aplicara a México el mismo trato que a la Rusia soviética. Hacía tal demanda en nombre de la *Business Morality*. NAW, 812.6363/R227/E0946.
92 William S. McCrea, *op. cit.*, p. 14.
93 Un buen ejemplo de esta propaganda lo constituye la voluminosa y poco seria obra de Francis McCullagh, *Red Mexico* (s./l.: Louis Carrier, 1928). Este libro es un compendio de todos los crímenes imaginables que podían achacarse al "tirano Calles". El libro de Francis C. Kelley, *The Mexican Question* (Nueva York: The Paulist Press, 1926), es otro caso similar.
94 NAW, Sheffield a Departamento de Estado, 16 de enero de 1926, 812.6363/R223/E0570/0574.

—que incluía a las inglesas— inició las discusiones.[95] Las conversaciones se prolongaron durante todo el mes de febrero y parte de marzo. Los representantes de las compañías, que no tenían plenos poderes, se negaron a discutir todo lo relacionado con la modificación de sus derechos adquiridos y rechazaron cinco diferentes proyectos de reglamento que les presentó la Secretaría de Industria, por considerar que ninguno les confirmaba sus derechos anteriores a 1917.[96] Ante la falta de progreso en las negociaciones, llegó a México un nuevo "comité de ejecutivos" que se entrevistó con Morones.[97] Esta vez las dificultades surgieron en el seno mismo del comité, pues la Standard no quería aceptar nada que no fuera la modificación de la ley misma; de todas formas, se presentaron sugestiones para salvaguardar sus derechos adquiridos en los reglamentos, a reserva de obtener una futura modificación de la ley.[98] Pani informó a los petroleros que, de acuerdo con sus deseos, la ley misma iba a ser enmendada, pero la verdad fue que ni Calles ni Morones tomaron en cuenta las sugestiones del comité que, a su vez, rechazó los reglamentos de 8 de abril.[99] Todavía en mayo un grupo de abogados de las compañías volvió a reunirse con funcionarios mexicanos, pero fue imposible un acuerdo y cesó toda negociación.[100] En el número de octubre de la revista *Foreign Affairs*, apareció un artículo firmado por Calles: el único propósito de su política, decía, era "poner a un lado las ventajas que están demandando ciertos individuos o grupos, en beneficio del bienestar común". Estaba decidido a poner en práctica las disposiciones de la Constitución en forma justa y estricta, a pesar de la oposición de un pequeño pero sumamente poderoso grupo, es decir, de los inversionistas extranjeros.[101] Aparentemente, su posición continuaba invariable, pero ya entonces la embajada norteamericana comenzaba a mostrar una actitud más conciliadora.[102] En su informe del 1º de septiembre, el Presidente mexicano anunció que no se modificarían las dos leyes orgánicas del artículo 27, pero que si la experiencia o la práctica "aconsejaran modificaciones... el Ejecutivo a mi cargo iniciará las medidas correspondientes".[103] Cuando al mes siguiente las compañías consultaron a la Secretaría de Industria sobre la interpretación que se daría a algunos de los puntos más delicados

[95] Los representantes pertenecían a "El Águila", la Standard Oil (N. J.), "La Huasteca", "La Corona" y la Marland.

[96] Los documentos se encuentran en NAW, 812.6363/R223/E1077-1089, E1095-1100, E1122-1243 y E1297-1298.

[97] En esta ocasión vinieron los representantes de la Pan American y la Gulf.

[98] Ver los documentos en NAW, 812.6363/R224/E0334-0373. El fondo de la posición del comité era la preservación íntegra de sus derechos adquiridos antes de mayo de 1917.

[99] NAW, Sheffield a Departamento de Estado, 7 de abril de 1926, 812.6363/R224/E0555-0557.

[100] C. W. Hackett, *op. cit.*, pp. 97-98.

[101] Plutarco Elías Calles, "The Policies of Mexico Today", *Foreign Affairs*, Vol. v (octubre, 1926).

[102] NAW, Schoenfeld a Departamento de Estado, 14 de septiembre de 1926, 812.6363/R224/E1195-1199.

[103] Plutarco Elías Calles, *Informes rendidos por el C. Gral. ...*, p. 16.

de la nueva legislación, Morones, por orden presidencial, declaró lo siguiente: las compañías con intereses adquiridos antes de que entrara en vigor la Constitución de 1917, podían mantenerlos a la vez que conservaban su nacionalidad extranjera; lo mismo sucedería en el caso de compañías mexicanas con mayoría de accionistas extranjeros. En cuanto a las concesiones, éstas no caducarían a los cincuenta años, sino que, de acuerdo con el artículo 5º de la ley orgánica del párrafo I del artículo 27, continuarían en vigor hasta la disolución de las sociedades; por su parte, las compañías constituidas en México se verían favorecidas con prórrogas.[104] La respuesta de Morones, en la práctica, modificaba radicalmente la ley de 1925 en favor de los petroleros y el secretario de Industria advirtió que si a pesar de ello para el 31 de diciembre éstos no habían solicitado sus concesiones confirmatorias, perderían todos sus derechos.[105]

Al acercarse el fin del año las compañías intentaron nuevamente entablar conversaciones con el gobierno mexicano (no sin antes haber pensado en la conveniencia de lanzar un ultimátum a Calles en vez de negociar).[106] Esta vez fueron sólo representantes locales quienes se entrevistaron con Morones, quien se limitó a repetir las seguridades dadas en octubre: México no podía ceder más.[107] En una reunión celebrada el 27 de diciembre, las compañías acordaron no solicitar ninguna concesión; dos días más tarde, al finalizar el plazo dado para que se sometieran a la nueva legislación, las empresas pidieron a Calles una demora en la aplicación del artículo 15 de la ley del petróleo, con el fin de que ésta se modificara en el sentido expuesto por Morones: no podían arriesgar sus derechos, dijeron, aceptando una concesión. Calles negó la prórroga.[108] El gobierno de México volvía a estar ante el conocido dilema: la rebelión de las compañías le obligaba a desconocer sus derechos, pero carecía del poder necesario para tomar tal medida. La solución inmediata fue la consignación que se hizo el 4 de enero ante el procurador general de aquellas compañías petroleras que no habían solicitado la confirmación de sus derechos, y nada más.[109] Casi todas las compañías americanas importantes quedaron incluidas.[110] Junto con la consignación, la Secretaría de Industria empezó a cancelar los permisos provisionales de perforación que había dado en 1926. El Departamento de Estado vio tal consignación como la mejor alter-

---

104 NAW, Morones a las compañías, 14 de octubre de 1926, 812.6363/R225/E0109-0114; AREM, L-E 533, T. I, Leg. 2, ff. 144-148.

105 *Excélsior* (19 de octubre de 1926).

106 NAW, 812.6363/R225/E0326-0328.

107 NAW, compañías petroleras a Morones, 13 de diciembre de 1926, 812.6363/R225/E0685; Morones a compañías petroleras, 16 de diciembre de 1926, 812.6363/R225/E0686-0688.

108 AREM, L-E 538, T. VI, Leg. 1, f. 48 y Leg. 2, f. 78.

109 *Boletín del Petróleo*, Vol. XXIII, enero-junio, 1927, p. 80.

110 Las únicas empresas que solicitaron entonces concesiones confirmatorias fueron la Penn-Mex, la Texas Petroleum and Asphalt Co., la East Coast y la New England. Las dos primeras no producían nada en esa fecha, y las segundas únicamente contaban con los terrenos. Más tarde, en septiembre, la Penn-Mex otorgó al gobierno federal un préstamo por varios millones de dólares. NAW, Schoenfeld a Departamento de Estado, 30 de septiembre de 1927, 812.6363/R229/E0384-0387.

nativa, pues por un momento temió que el gobierno hubiera decidido tomar las propiedades; los tribunales aún podían dar un fallo similar al que se produjo en el caso de la Texas.[111] A ciertas demandas de amparo hechas inmediatamente por las compañías en contra de la cancelación de los permisos de perforación dictada por la Secretaría de Industria, los tribunales dieron curso favorable, aminorando la tensión; [112] de todas formas, la revocación de ciertos permisos iba llevando las relaciones del gobierno con las empresas a un punto crítico. Sinclair llegó entonces a México en busca de una solución, pero aparentemente el resultado de sus gestiones no fue satisfactorio.[113] De acuerdo con documentos que la embajada norteamericana aseguró habían sido sustraídos en mayo de oficinas gubernamentales, Calles se preparaba a enmendar la ley del petróleo según el deseo de los norteamericanos, pero era necesario que antes el Poder Judicial —como lo hizo bajo la presidencia de Obregón— decidiera favorablemente la posición de las compañías.[114] No tardó la realidad en desmentir los informes del embajador: los tribunales mexicanos revocaron precisamente algunas de las decisiones que favorecían a las compañías, obligándolas a suspender sus obras de perforación.[115]

En enero de 1927 los petroleros discutieron la conveniencia de detener completamente su producción para presionar al gobierno mexicano.[116] Aparentemente la disminución de la importancia de sus impuestos para el fisco obligó a las compañías a cambiar de opinión, y el 27 de abril acordaron una línea de conducta completamente diferente: no detener los trabajos, pese a no contar con los permisos de perforación.[117] Es a todas luces evidente que la APPM consideró que tenía el apoyo suficiente como para lanzar tal desafío al gobierno mexicano. Sheffield aprobó tal decisión: si los trabajos eran detenidos, por fin se tendría

111 NAW, memorándum del procurador a Departamento de Estado, 8 de enero de 1927, 812.6363/R231/E0429-0432.
112 NAW, Sheffield a Departamento de Estado, 21 de enero de 1927, 812.6363/R226/E0001-0002; cónsul en Tampico a Departamento de Estado, 17 de febrero de 1927, 812.6363/R226/E0270-0271.
113 Según unos documentos que Sheffield aseguró eran auténticos, Sinclair había llegado a un arreglo con Calles, en virtud del cual México le permitiría explotar las zonas costeras a cambio de una regalía del 15 %, de un préstamo de 20 millones de dólares y de favorecer la posición mexicana. Obviamente eran documentos apócrifos, pues Sinclair no varió su actitud de apoyo al "frente unido petrolero". NAW, 812.6363/R226/E0784-0785, E0789-0790, E0794-0796.
114 NAW, Sheffield a Departamento de Estado, 16 de mayo de 1927, 812.6363/R226/E0724-0770, E0801-0853.
115 El 19 de mayo de 1927, Sheffield notificó la revocación de la decisión en favor de la Gulf. NAW, 812.6363/R226/E0718-0719. Al fallo que el juez de Villa Cuauhtémoc, Ver., dio en favor de la Gulf, siguió una fuerte presión de la Secretaría de Industria que finalmente le obligó a renunciar, y su sucesor dio marcha atrás. Memorándum de la Mexican Gulf, 31 de mayo de 1927, 812.6363/R226/E1060-1061; Excélsior (1 y 3 de junio de 1927).
116 NAW, Sheffield a Departamento de Estado, 24 de enero de 1927, 812.6363/R225/E1094-1095.
117 El cónsul norteamericano en Tampico informó el 14 de abril que México dependía ya muy poco de los impuestos a la industria petrolera. NAW, 812.6363/R226/E0561-0563. La decisión de perforar sin permiso la tomó la APPM en Nueva York, según informó Schoenfeld el 25 de junio, 812.6363/R227/E0674-0675.

la prueba de que México violaba los derechos de los norteamericanos.[118] La respuesta mexicana consistió en sancionar con fuertes multas a las compañías rebeldes y cerrar las válvulas de los pozos perforados sin autorización.[119] En esta ocasión los petroleros parecían dispuestos a llevar las cosas más lejos: rompieron los sellos y continuaron sus actividades. El gobierno no tuvo más remedio que correr el riesgo y emplear tropas para hacer cumplir sus órdenes. Schoenfeld, encargado de negocios norteamericano, consideró que finalmente se había producido el "caso concreto" de violación de los derechos de las compañías a que Sáenz había hecho referencia en sus notas y que Estados Unidos debía aprovecharlo.[120] La situación era bastante seria y el gobierno de Coolidge podía haberle dado una solución armada: [121] quizá de haber contado con el apoyo interno necesario, el Presidente norteamericano no hubiera vacilado en tomar ese camino. En opinión de Tannenbaum, fue el 14 de junio cuando los petroleros decidieron dar marcha atrás, al comprobar que no contaban con el pleno apoyo de Washington.[122] El 18, Morones declaró a la prensa que el gobierno estaba decidido a emplear la fuerza para hacer respetar sus acuerdos, y se notificó a la Gulf y a la Transcontinental que habían perdido sus derechos; sin embargo, no se procedió a hacer efectiva tan seria decisión, que hubiera agravado considerablemente la crisis. Se abrió entonces un compás de espera que solamente habría de concluirse con los arreglos concertados entre Calles y el embajador Morrow al finalizar el año.

Paralelamente a las negociaciones, cancelaciones, amenazas, etc., el gobierno de Calles, en el transcurso de 1926 y 1927, trató de debilitar la resistencia de las compañías oponiendo unas a otras para acabar con el "frente unido petrolero". Las posibilidades de tal política no fueron pocas. Durante 1926 ciertas compañías, entre las que destacaban "El Águila" y "La Corona", demostraron tener poca confianza en el apoyo del Departamento de Estado, favoreciendo una mayor flexibilidad en la posición de la APPM, de tal forma que pudiera llegarse a un acuerdo con México. Ya en enero Morones había hecho saber a la Gulf que las empresas que mostraran una actitud amigable serían favorecidas; [123] en diciembre, tras unas conversaciones con Sáenz, Manuel Calero, consejero de "La Huasteca", trató de convencer a su compañía de la conveniencia de solicitar las concesiones confirmatorias según lo exigía México. La opinión de Calero fue rechazada.[124] El año de 1927 encontró

118 Sheffield comunicó el 11 de abril de 1927 que la actitud de las compañías obedecía a la necesidad de cumplir sus contratos [¿en momentos de sobreproducción petrolera?]. NAW, 812.6363/R226/E0544-0548.
119 *El Universal* (21 de julio de 1927).
120 NAW, Schoenfeld a Departamento de Estado, 15, 18 y 24 de junio y 7 de julio de 1927, 812.6363/R227/E0654-0658, E0662-0664, E0693-0696.
121 Daniel James, *op. cit.*, p. 239.
122 Frank Tannenbaum, *op. cit.*, p. 274.
123 NAW, 812.6363/R224/E0543. Sheffield a Departamento de Estado, 15 de abril y 11 de octubre de 1926, 812.6363/R224/E0542-0543, R225/E0006-0011.
124 NAW, Sheffield a Departamento de Estado, 21 de diciembre de 1926, 812.6363/R225/E0773-0777.

a las compañías sólidamente unidas en su oposición al gobierno.[125] "El Águila", "La Corona" y la Texas fueron sorprendidas entonces al notificárseles que ciertos derechos anteriores a 1917 —sobre los que habían solicitado confirmaciones que después retiraron— les habían sido otorgados en forma unilateral por el gobierno mexicano.[126] En abril la embajada temía que "El Águila", "La Corona" y la Sinclair rompieran la unión y contemporizaran con México, mas a fines de junio tales dudas se habían disipado: en opinión de Schoenfeld, la sobreproducción mundial había evitado que bajo la presión de los consumidores ciertas compañías optaran por buscar un compromiso.[127]

México vio la baja de la producción petrolera —que, como se ha dicho, tuvo su origen en un agotamiento de los depósitos, conjugado con el fracaso en las nuevas exploraciones— como una acción deliberada de las compañías para ejercer presión sobre el gobierno. Como éstas no desmintieron tales rumores, la declinación natural de la extracción de combustible realmente fue considerada como una presión económica, sobre todo porque las compañías la combinaron con el retiro de sus depósitos bancarios en el país.[128] A estas armas económicas de los petroleros se añadió, cuando fue posible, una campaña de propaganda en la prensa mexicana, cuya finalidad era demostrar que los daños ocasionados por la política petrolera gubernamental eran mayores para el país que para las compañías.[129] Los rumores de que los petroleros nuevamente se proponían financiar a los enemigos de Calles estuvieron a la orden del día: el levantamiento de los generales Arnulfo R. Gómez y Francisco Serrano, después del anuncio de la reelección de Obregón, que frustró sus aspiraciones presidenciales, ha sido relacionado con el descontento de las empresas por un gran número de autores, que calificaron a Gómez de "amigo íntimo" de los intereses petroleros.[130] Además, los informes consulares

---

[125] Tal unión surgió de una serie de reuniones celebradas en Nueva York por las 16 compañías principales. NAW, 812.6363/R225/E0907-0908, E0912-0915.

[126] NAW, cónsul en Salina Cruz a Departamento de Estado, 21 de febrero de 1927, 812.6363/R226/E0344; Sheffield a Departamento de Estado, 6 de abril de 1927, 812.6363/R226/E0955-0956; *Diario Oficial* (27 de junio de 1927).

[127] NAW, Sheffield a Departamento de Estado, 12 de abril de 1927, 812.6363/R226/E0532-0533; Schoenfeld a Departamento de Estado, 25 de junio de 1927, 812.6363/R227/E0671-0673.

[128] Ver, por ejemplo, las declaraciones de la Secretaría de Industria aparecidas en *Excélsior* de 11 de junio de 1926, sosteniendo que la baja en la producción era debida a una acción voluntaria de las compañías. Universidad Obrera de México, *El conflicto del petróleo en México, 1937-1938* (México: Ediciones Universidad Obrera de México [¿1938?]), pp. 43-50; Merrill Rippy, *op. cit.*, p. 40; Gobierno de México, *El petróleo de México...*, p. [17].

[129] No hay duda de que esta corriente oposicionista fue promovida por las compañías. Por ejemplo, Sheffield informó a Washington que el editorial del periódico de Tampico, *El Mundo* (16 de marzo de 1926), se debió a la influencia de una de las compañías petroleras. NAW, 812.6363/R223/E1291. Entre los numerosos editoriales similares, pueden consultarse los de *Excélsior* de 22 de noviembre de 1926, 31 de julio y 1 y 4 de agosto de 1927.

[130] Nathaniel y Silvia Weyl mencionan un telegrama de la embajada norteamericana que hacía referencia a un compromiso entre Gómez y ciertos intereses estadounidenses, *op. cit.*, p. 171. Otros autores que mencionan las ligas de este general con las empresas petroleras, son: Ludwell Denny, *op. cit.*, p. 73; Frank

mexicanos provenientes de Norteamérica mencionaron la posibilidad de movimientos subversivos encabezados por Félix Díaz, De la Huerta, Pablo González, etc., que contaban con ayuda del capital petrolero.[131] Las compañías hicieron llegar al Departamento de Estado una corriente ininterrumpida de informes y documentos para mantenerlo al tanto de su conflicto en México; las demandas de protección fueron igualmente constantes. Las quejas de los petroleros a principios de 1927 eran cinco: a) la negativa mexicana a concederles permiso de perforación por no aceptar una legislación que lesionaba sus intereses; b) cancelación de permisos ya dados, por la misma razón; c) paralización de trabajos por la fuerza; d) amenaza de embargo ante su negativa a pagar multas impuestas por perforar sin permiso, y e) permitir el denuncio de sus terrenos por tercera persona.[132] En México, el embajador norteamericano consideraba que era necesario actuar con energía, y expresó a Kellogg que las compañías petroleras tenían derecho a una mayor protección.[133] Tanto él como el jefe de la División de Asuntos Mexicanos consideraron conveniente levantar el embargo sobre el envío de armas a México.[134] Como no se tomaron medidas tan radicales, los petroleros acusaron a Washington de haberlos abandonado,[135] y al finalizar el año de 1926, y con él el plazo dado a las compañías para hacer sus solicitudes, los rumores de un inminente rompimiento reaparecieron.[136] Sheffield aconsejó a Kellogg mantener una actitud firme, ejercer verdadera presión sobre México y no permitir a los petroleros el menor signo de compromiso. Consideraba que Calles no se atrevería a actuar contra las empresas rebeldes.[137] En los primeros meses de 1927, la embajada renovó su demanda en favor de una actitud firme y agresiva.[138]

C. Hanighen, op. cit., p. 127; William English Walling, op. cit., p. 15; Federico Bach y Manuel de la Peña, op. cit., p. 19.
    131 Berta Ulloa, Revolución Mexicana, 1910-1920 (México: Secretaría de Relaciones Exteriores, 1963), pp. 431 ss.
    132 NAW, memorándum de J. Reuben Clark, del Departamento de Estado, de 21 de septiembre de 1927, 812.6363/R229/E0522-0525; Pan American Oil Co. a Olds, 11 de mayo y 26 de octubre de 1927, 812.6363/R229/E0755, E1169-1170; memorándum de conversación de Kellogg con los representantes de las compañías petroleras, 9 de agosto de 1927, 812.6363/R229/E0731-0732; Standard Oil (N. J.) a Olds, 28 de junio y 19 de julio de 1927, 812.6363/R227/E0785-0786, E0791-0793; American International Fuel a Departamento de Estado, 15 de agosto de 1927, 812.6363/R227/E1043-1048.
    133 NAW, 19 de enero de 1927, 812.6363/R223/E0456.
    134 NAW, Sheffield a Departamento de Estado, 19 de julio de 1926, 812.6363/R224/E0932-0933; memorándum de la División de Asuntos Mexicanos del Departamento de Estado, 31 de julio de 1926, 812.6363/R224/E1105-1106; Kellogg a Coolidge, 26 de agosto de 1926, 812.6363/R224/E1167-1169.
    135 NAW, compañías petroleras a Departamento de Estado, 28 de mayo de 1926, 812.6363/R224/E0850-0852.
    136 World (27 de noviembre de 1926); Washington Post (29 de noviembre de 1926).
    137 NAW, Sheffield a Departamento de Estado, 2, 5, 22, 29 y 30 de diciembre de 1926, 812.6363/R225/E0266, E0293-0295, E0694-0696, E0731-0734. Ante la actitud de su embajador, Kellogg tuvo que recordarle, el 4 y el 9 de diciembre que Washington no podía obligar a las compañías a actuar en determinada forma, 812.6363/R225/E0266, E0296.
    138 NAW, Sheffield a Departamento de Estado, 9 de febrero de 1927, 812.6363/R226/E0148-0149.

Ante esta situación, el 9 de enero de 1927 el Presidente Calles comunicó a un grupo de norteamericanos que la solución al problema entre su país y el vecino —problema esencialmente petrolero— se encontraba en recurrir al arbitraje de La Haya o cualquier otro tribunal; al decir esto, no dejó de notar que en estricto derecho, México no tenía por qué sujetar al arbitraje el ejercicio de sus derechos soberanos. El día 20, México dio a conocer en forma oficial al Departamento de Estado su disposición de resolver las diferencias entre ambos a través del arbitraje.[139] El Congreso norteamericano, como ya se vio, respaldó la posición de Calles, pero Coolidge no cedió y negó toda posibilidad de arbitrar los "derechos de propiedad" de sus conciudadanos; se arguyó que si el laudo fuera condenatorio de la posición mexicana, este país carecería de medios para resarcir a los terratenientes y compañías americanas, y la tensión no decrecería;[140] la APPM de inmediato tomó partido con Coolidge. Según Guy Stevens, no era el momento de arbitrar sino de presionar, pues Calles daba ya señales de estar dispuesto a modificar su posición, obligado por la "crisis financiera" en que había caído el país.[141] La prensa norteamericana que apoyaba a Coolidge y a las empresas, no vaciló en respaldar el rechazo del arbitraje; éste era improcedente por estar en juego los principios mismos del derecho internacional.[142] En realidad, la posición de Coolidge era motivada, en parte, por el conocimiento de la debilidad de los argumentos norteamericanos ante una Corte internacional: el Departamento de Estado sabía que México contaba con muy buenas posibilidades de obtener un laudo favorable; no era del todo seguro que los derechos de los petroleros pudieran modificarse únicamente previa compensación, y ello disminuiría la posibilidad de obligar a Calles a modificar su legislación.[143] Por ello, el peligro del empleo eventual de la fuerza por parte de Washington no era lejano.

6. LA CRISIS DE 1927

Numerosos y diversos testimonios, de origen mexicano y norteamericano, señalaban que la política petrolera y agraria de Calles llevó a la

[139] AREM, L-E 542, T. x, Leg. 1, f. 38.
[140] De acuerdo con esa posición, todo país económicamente débil tendría que abstenerse en casos similares, de recurrir a una Corte internacional. John P. Bullington, "The Land and Petroleum Laws of Mexico", p. 69.
[141] Guy Stevens, op. cit., pp. 202-203, 206-209. Todavía el 10 de agosto, la Pan American recordaba al Departamento de Estado la necesidad de no recurrir al arbitraje. NAW, 812.6363/R229/E0798.
[142] En el Saturday Evening Post de 5 de mayo de 1927, David Lawrence, en un largo artículo, señalaba que Estados Unidos no podía permitir que México pusiera en entredicho los principios internacionales vitales, equiparables en lo interno a aquellos que permitían la protección policiaca en las calles de la ciudad.
[143] En un memorándum del Departamento de Estado, preparado por J. Reuben Clark —futuro embajador de México—, y fechado el 25 de enero de 1927, se aconsejaba no llevar el conflicto petrolero ante la Comisión General de Reclamaciones, donde México contaría para su defensa con muchos de los instrumentos que proveía el derecho internacional; además, las mismas Cortes norteamericanas no aceptaban en todos los casos la compensación como algo intrínseco a la ley del dominio eminente. NAW, 812.6363/R226/E0115-0118.

administración de Coolidge en 1927 a considerar seriamente la posibilidad de una solución violenta, ya fuera concediendo su apoyo a los numerosos grupos enemigos de Calles o invadiendo el país.[144] Desde 1926, Calles denunció a un grupo de capitalistas norteamericanos, principalmente petroleros, por estar buscando que su gobierno empleara la fuerza para solucionar sus problemas con México.[145] Fue, sin embargo, en 1927, vencido ya el plazo para que las compañías acataran la nueva legislación, cuando el peligro se acrecentó. En enero, Kellogg presentó al Congreso un informe titulado *Bolshevik Aims and Policies in Mexico and Latin America*. El documento, que había sido preparado meses atrás, era, en opinión de Walling, un paso más en la preparación del terreno para el empleo eventual de la fuerza armada.[146] El 10 de enero, Coolidge anunció que existían pruebas irrefutables del auxilio mexicano a los "rebeldes" nicaragüenses, pruebas que los periodistas norteamericanos buscaron en vano; [147] la APPM secundó a Washington y señaló que era necesario poner fin a la intromisión mexicana en Nicaragua.[148] Todo indica que fue en marzo cuando la posibilidad de un conflicto armado se convirtió en una amenaza real para México. La cancelación de los permisos de perforación y el choque de las políticas mexicana y norteamericana en Nicaragua —donde Washington apoyaba al general Díaz y Calles al Vicepresidente Sacasa, pues el Presidente Solórzano había abandonado el país— llevó las relaciones de ambos países al borde del rompimiento. Parece ser que el gobierno mexicano estuvo al tanto de la situación después de sustraer ciertos documentos de las oficinas del agregado militar norteamericano. Esto, y las actitudes favorables de Borah y La Follette, contribuyeron a conjurar el peligro. De todas formas, Calles ordenó al comandante militar de la zona petrolera, general Lázaro Cárdenas, que procediera a incendiar los campos de las compañías en caso de que las tropas norteamericanas desembarcaran.[149] El peligro no quedó conjurado definitivamente. En marzo, Sheffield informó

144 De acuerdo con un informe del presidente de la Mexican Petroleum, subsidiaria de la Standard Oil (N. J.), presentado después de la expropiación de 1938, el gobierno norteamericano amenazó a México con el empleo de la fuerza a raíz de la aplicación de las leyes de 1925, para obligarle a observar las normas del derecho internacional. Willy Feuerlein y Elizabeth Hannan, *op. cit.*, pp. 120-121. De igual opinión fue el *Journal of Commerce* de 31 de julio de 1940. Debe tenerse en cuenta que la idea del empleo de la fuerza contra aquellos que afectaban los intereses norteamericanos en el extranjero estaba bastante extendido; por ejemplo, en esas mismas fechas la Cámara Americana de Comercio en Shanghai, exigió una demostración de fuerza para recuperar sus propiedades confiscadas y el pago de las destruidas. William English Walling, *op. cit.*, p. 180.

145 James Morton Callahan, *op. cit.*, p. 602.

146 William English Walling, *op. cit.*, p. 178.

147 Alexander de Conde, *Herbert Hoover's Latin America Policy* (Stanford, Cal.: Stanford University Press, 1951), p. 8.

148 Guy Stevens, *op. cit.*, pp. 130-141.

149 James Morton Callahan, *op. cit.*, pp. 607-608; Isidro Fabela, "La política internacional del Presidente Cárdenas", p. 70; Emilio Portes Gil, "Cómo se conjuró en 1927 una invasión armada", *El Universal* (28 de mayo de 1950); *Autobiografía de la Revolución Mexicana*, pp. 388-397; James Fred Rippy, *Latin America in World Politics. An Outline Survey*, p. 268.

a Washington que Calles estaba dispuesto a llevar su política "radical" tan lejos como Estados Unidos lo permitiera; por tanto, en sus manos estaba detenerlo.[150] En abril, cuando Morones hizo suspender las perforaciones hechas sin permiso, la embajada norteamericana sugirió una acción directa para proteger a los petroleros.[151]

En agosto, la posición de Washington empezó a modificarse un tanto —según Lewis, principalmente por la influencia de los intereses bancarios. Kellogg informó entonces a la APPM que Washington no consideraba conveniente presionar a México hasta el punto de causar una ruptura de relaciones o una intervención armada.[152] A pesar de esto, según Emilio Portes Gil, en septiembre volvió a surgir la posibilidad de una intervención. Finalmente, Coolidge decidió dar marcha atrás y Sheffield dejó su puesto para ser remplazado por Morrow, cuyas instrucciones se apegaron a los lineamientos expuestos por el secretario de Estado a los petroleros el mes anterior. La cordial conversación telefónica de Calles y Coolidge el día 30 fue muestra significativa de la nueva actitud norteamericana.[153] Portes Gil no ahonda en el problema, pero de acuerdo con una carta del embajador Daniels a su hijo, un señor Robins, que arregló las conferencias entre Morrow y Calles a fines de 1927, le expresó que poco antes de la llegada de aquél a México, dos personas, después de conferenciar con Coolidge y Kellogg, declararon que había grandes posibilidades de que estallara una lucha con México.[154] De los documentos del Departamento de Estado se desprende únicamente que en septiembre Schoenfeld consideró que México no daba señales de modificar su actitud, e hizo saber a Kellogg que la situación interna de este país era tal que sin gran esfuerzo podría hacerse triunfar a un movimiento anticallista.[155] Hay indicios también de que la "línea dura" no siempre contó con el apoyo unánime de los petroleros; Dougherty, al menos, no favoreció en 1926 el uso de la fuerza, como parecía ser entonces la opinión de ciertas compañías y del embajador.[156] Pasado septiembre, todo el panorama habría de cambiar, aunque según Morrow, todavía en enero de 1928 Morones

---

[150] NAW, Sheffield a Departamento de Estado, 21 de marzo de 1927, 812.6363/R226/E0511-0512.

[151] Frank Tannenbaum, op. cit., pp. 273-274.

[152] En un memorándum fechado el 9 de agosto de 1927, que contenía los puntos tratados entre Kellogg y J. Reuben Clark con la APPM, se dice que el Departamento de Estado no deseaba ir más allá de las representaciones diplomáticas e instar a Calles a modificar la legislación petrolera. NAW, 812.6363/R229/E0731-0744.

[153] Emilio Portes Gil, Autobiografía de la Revolución Mexicana, pp. 388-397, El Universal (28 de mayo de 1950).

[154] JDP, Daniels a su hijo, 16 de agosto de 1933.

[155] NAW, Schoenfeld a Departamento de Estado, 5 y 12 de septiembre de 1927, 812.6363/R227/E1118-1122 y 1202-1203. De la Huerta, en sus "Memorias", asegura que en esa época los norteamericanos le ofrecieron su apoyo para que iniciara un movimiento contra Calles. Adolfo de la Huerta, op. cit., pp. 279-283.

[156] En una carta a Coolidge, de 18 de agosto de 1926, Dougherty señalaba que había una serie de elementos que trabajaban para provocar la intervención norteamericana en México, cosa que él no favorecía a pesar del peligro en que se hallaban sus intereses. Criticó la posición de Sheffield por ser más propia de un juez que de un diplomático. NAW, 812.6363/R224/E1176-1190.

continuaba considerando que el objetivo de los petroleros era envolver a México en una guerra con su vecino del Norte.[157]

7. LAS NEGOCIACIONES DE OBREGÓN Y PANI CON LAS COMPAÑÍAS

Todo indica que el general Obregón fue mantenido al corriente de la controversia con Estados Unidos.[158] Según informes de la embajada norteamericana, el ex Presidente participó en reuniones del Gabinete en que se discutió el problema petrolero.[159] Por todo ello, y conociendo la incuestionable influencia de Obregón, además de los buenos términos que había establecido con las empresas al final de su gobierno en 1924, no es de extrañar que en febrero de 1927 el vencedor de Celaya, en compañía de Pani, se trasladara a San Francisco en busca de un arreglo con las compañías.[160] Estas negociaciones se mantuvieron relativamente secretas en México, aunque no así en Estados Unidos. Como preámbulo a estas pláticas, el 1º de febrero se anunció que México había decidido no detener los trabajos que las compañías hubieran iniciado antes del 31 de diciembre del año anterior, por más que técnicamente hubieran perdido todo derecho sobre el combustible.[161] Inmediatamente Obregón y Pani se pusieron en camino a San Francisco, llevando plenos poderes para negociar. Aparentemente los petroleros consideraron entonces bastante segura su posición y decidieron prolongar la crisis; para ello, y a pesar de haber partido de ellos la iniciativa de tal reunión, dieron órdenes a sus representantes en California de no seguir adelante, con lo cual la situación en vez de mejorar empeoró.[162] De acuerdo con Sheffield, Obregón había sido invitado a trasladarse a California para buscar una solución al problema a través de sus contactos con los representantes de las compañías en México, pero fue imposible llegar al arreglo esperado ¡porque el ex Presidente carecía de la autoridad necesaria para concertar el acuerdo deseado por las compañías! [163] Ante el fracaso de San Francisco, Obregón regresó a México, pero Pani continuó su viaje a Nueva York —su destino final era París— con el fin de entrar en contacto con los propios directores de las empresas y con los banqueros. Al concluir el mes, Pani había conferenciado tanto con los petroleros como con J. P. Morgan (uno de cuyos socios, Morrow, en pocos meses se convertiría en

---

157 NAW, Morrow a Mellon, 11 de abril de 1928, 812.6363/R231/E0970.

158 Por ejemplo, la Secretaría de Relaciones, a través de oficio 14262 de 15 de octubre de 1926, enteró al ex Presidente —a la sazón en Cajeme, Son.— sobre el contenido de la nota que con fecha 17 mandaría a Kellogg.

159 El 20 de marzo de 1927 Sheffield informó a Washington sobre la presencia de Obregón en una reunión ministerial que abordó la cuestión petrolera. NAW, 812.6363/R226/E0469.

160 Acompañaron a Obregón el licenciado Gonzalo Ramírez Carrillo y José Colomo.

161 El Universal (1º de febrero de 1927).

162 New York Times (10 de febrero de 1927).

163 NAW, Sheffield a Departamento de Estado, 6 de abril de 1927, 812.6363/R226/E0536-0539.

el nuevo representante de la Casa Blanca ante Calles). Pani prometió entonces cablegrafiar a Calles sugiriéndole modificar su política petrolera de acuerdo con cuatro puntos: *a)* apresurar las decisiones sobre los amparos interpuestos por las compañías, *b)* autorizar a Obregón a concluir las negociaciones interrumpidas en 1924, *c)* dar permisos provisionales de perforación, y *d)* no otorgar ninguna concesión confirmatoria en tanto no diera su fallo la Suprema Corte.[164] Obviamente Pani no fue escuchado entonces por Calles; sin embargo, sus recomendaciones serían la base del acuerdo a que habría de llegarse con la embajada norteamericana al final del año, y que se traduciría en la aceptación de las demandas de amparo de las compañías y la posterior modificación de la ley de 1925. Las negociaciones de Pani con los banqueros decidieron el nombramiento de Morrow como embajador ante México.[165]

8. MORROW Y LA NUEVA POLÍTICA NORTEAMERICANA

Si la Casa Blanca finalmente adoptó hacia México una política distinta de aquella deseada por las empresas petroleras, no fue únicamente debido a los sacrificios hechos por el régimen callista para evitar la suspensión de los pagos sobre la deuda externa con el fin de mantener la buena voluntad de los banqueros. Desde principios de 1927, Coolidge comprendió que no eran sólo sus enemigos en el Senado quienes se oponían a la política que hasta entonces había seguido en México y Nicaragua, sino que era el grueso de la opinión interna e internacional la que exigía una rectificación de la actitud norteamericana hacia ambos países.[166] Cronon sitúa alrededor del mes de julio el momento en que Coolidge empezó a considerar la conveniencia de un cambio en los métodos hasta entonces empleados con Calles.[167] En México no se apreció de inmediato este viraje de la posición norteamericana; los diarios hicieron resaltar las ligas del nuevo embajador, que presentó credenciales el 29 de octubre, con la Casa Morgan, y anunciaron ominosamente: "Después de Morrow vienen los *marines*". Pronto se comprendió que el embajador —a quien sus relaciones personales con el Presidente norteamericano le impidieron obtener un puesto en el Gabinete— traía también una nueva política. Las instrucciones que recibió de Coolidge fueron lacónicas pero decisivas: "Manténganos alejados de una guerra con México";[168] su libertad de acción dentro de este marco era casi absoluta. Morrow no perdió tiempo en dejar claramente establecido que las relaciones entre Estados Unidos y su vecino del Sur entraban en una nueva época; la agresiva actitud personificada por Sheffield, y propia del imperialismo de viejo

[164] George K. Lewis, *op. cit.*, pp. 74-76 y NAW, Pan American Petroleum a Departamento de Estado, 24 de febrero de 1927, 812.6363/R226/E0361.
[165] George K. Lewis, *op. cit.*, p. 77.
[166] Samuel E. Morison y Henry S. Commager, *op. cit.*, Vol. III, p. 80.
[167] E. David Cronon, *Josephus Daniels in Mexico*, p. 49.
[168] Harold Nicolson, *op. cit.*, pp. 287-293; Josephus Daniels, *Shirt-Sleeve Diplomat*, p. 272.

cuño, estaba fuera de época; Morrow la reemplazaría por una más sutil y adecuada a las circunstancias. Ya era necesario emplear nuevos medios para obtener los mismos fines.

Morrow, según Nicolson —su biógrafo— trazó y aplicó en México la teoría del *moral guardianship* que debía ejercer el fuerte para con el débil. Para la solución de la controversia, el embajador procuró prescindir tanto de los *marines* como de los argumentos legales, y decidió acudir al contacto directo con los líderes mexicanos —desde Calles hasta los dirigentes del Partido Comunista— a la vez que labrarse una imagen de "simpatía y confianza" ante ellos y ante el público mexicano en general.[169] Las relaciones que muy pronto logró establecer con Calles revistieron un carácter bastante informal, y lo mismo sucedió con otros miembros del Gabinete, como Morones, Montes de Oca o Genaro Estrada.[170] El objetivo de Morrow era convencer a los gobernantes mexicanos de que no había nada fundamental en sus programas que no pudiera ser conciliado con los intereses norteamericanos;[171] esta empresa, que objetivamente hubiera parecido imposible, fue lograda plenamente por Morrow. Según Vasconcelos, el embajador norteamericano —representante de las fuerzas "judío-capitalistas"— llegó prácticamente a dirigir la política interna y externa de México;[172] estas exageraciones no carecen de cierto fundamento. El mismo coronel Alexander MacNab —agregado militar norteamericano durante el período de Morrow— señaló que Morrow "había puesto de pie a México y le había dado un gobierno fuerte... no hay un departamento gubernamental en México en el que él no haya dirigido y aconsejado. Tomó al secretario de Hacienda bajo su ala y le enseñó finanzas".[173]

Morrow mostró un vivo interés por todos aquellos asuntos que en alguna forma estuvieran en relación con los intereses americanos: se preocupó por comprender los problemas y encontrar aquella solución que fuera a la vez aceptada por México y no perjudicara los intereses de sus conciudadanos o de su país. El Presidente Calles relegó a un conveniente olvido lo que cuatro años atrás había dicho en un discurso pronunciado en Morelia, en el que condenó la intromisión de los extranjeros en los asuntos internos: de Morrow aceptaría algo más que sugestiones. A partir de 1928, las relaciones entre México y su vecino del Norte entraron en un período de cordialidad pocas veces conocida, pero tal estado de cosas tuvo un precio: a la aparición de Morrow en el escenario político mexicano —afirma Brandenburg— siguió un franco apoyo a la inversión extranjera en des-

[169] Harold Nicolson, *op. cit.*, pp. 296-299.
[170] *Ibidem*, p. 336.
[171] Stanley R. Ross, "Dwight Morrow and the Mexican Revolution", *Hispanic American Historical Review*, Vol. xxxviii (1958), pp. 509-510.
[172] José Vasconcelos, *Breve historia de México, Obras Completas*, Vol. iv (México: Libreros Mexicanos Unidos, S. A.), pp. 1684-1695.
[173] Las declaraciones de MacNab fueron hechas en su discurso de 23 de abril de 1930, durante la campaña electoral de Morrow para ocupar una banca en el Senado. Harold Nicolson, *op. cit.*, p. 382.

medro de los capitales locales; el sindicalismo fue suprimido, el anticlericalismo abandonado y la reforma agraria detenida.[174]

Cambio tan radical estuvo lejos de ser únicamente obra de un solo hombre o de la tremenda e irresistible presión de Washington; la tarea de Morrow fue facilitada decisivamente por ciertos cambios operados en el seno mismo del grupo de "Agua Prieta". La transformación de la maquinaria callista, "que pasó de ser un instrumento de reforma a uno de reacción", fue un proceso independiente de la labor del embajador norteamericano. Al hacer resaltar las bondades del capitalismo ortodoxo con la vehemencia de un apóstol, el antiguo miembro de la Casa Morgan únicamente proporcionó al grupo callista la justificación que necesitaba para este cambio.[175] Si Morrow hubiera llegado tres años antes, difícilmente hubiera encontrado al Presidente y a su grupo tan "receptivos" a sus ideas y consejos.[176] Para 1927, dice Mauricio Magdaleno, "los peces gordos empezaban a formar ya legión. Unos, viejos revolucionarios ex orozquistas, ex villistas, ex carrancistas, ex convencionistas, o todo ello revuelto en una sola precaria dimensión a fuerza de oportunos desplazamientos de unos a otros campos, estaban convertidos en magnates o andaban en vías de convertirse".[177] La campaña de Vasconcelos es testimonio elocuente de la insatisfacción y descontento que había generado para entonces el grupo sonorense que, en vez de continuar con los programas destinados a efectuar una mejor distribución de la riqueza, había vuelto a propiciar su concentración, aunque sin dejar de enarbolar la bandera de la reivindicación de la mayoría.[178] En cierta medida, los intereses recién adquiridos por el grupo gobernante lo llevaron a coincidir en ciertos aspectos con la defensa que los empresarios extranjeros hacían de los suyos. La identificación, sin embargo, estuvo lejos de ser total; el capital extranjero continuaba ocupando un lugar que la nueva clase de generales, caciques y líderes obreros deseaba para sí. La confrontación únicamente se aplazaba, pero no desaparecía.

9. LA MODIFICACIÓN DE LA LEY DE 1925

A su llegada, el embajador Morrow se enfrentó con cuatro grandes problemas: el petrolero, el de las deudas y reclamaciones, el agrario y el religioso. El embajador no perdió tiempo en abordar el primero de los cuatro, para lo cual contó con la valiosa colaboración de

[174] Frank Brandenburg, op. cit., p. 75.
[175] Henry Bamford Parkes, op. cit., p. 391.
[176] Harold Nicolson, op. cit., p. 304; Stanley R. Ross, op. cit.
[177] Mauricio Magdaleno, Las palabras perdidas (México: Fondo de Cultura Económica, 1956), p. 103. Posiblemente Calles, en lo personal, había mostrado cierta moderación en la acumulación de riqueza, pero no fue ése el caso de sus colaboradores. Morones y el "Grupo Acción", dirigentes de la poderosa CROM, Aarón Sáenz, Abelardo Rodríguez, Alberto Pani, Luis León, Puig Casauranc y otros más eran poseedores de importantes intereses económicos.
[178] Daniel Cosío Villegas, Extremos de América, pp. 32-33.

J. R. Clark.[179] Morrow había estudiado ya el problema petrolero; sus instrucciones le sugerían la conveniencia de establecer, a la mayor brevedad, un *modus vivendi* que permitiera a las compañías mantener el ritmo normal de producción. Posteriormente debía buscar la solución permanente del problema a través de una decisión de la Suprema Corte.[180] Una vez en México, el nuevo embajador, acompañado de Clark, se entrevistó con los abogados de las compañías para conocer sus puntos de vista.[181] En su opinión, la controversia mostraba seis aspectos principales: la limitación de las concesiones a cincuenta años, la inseguridad en la confirmación de derechos en la llamada "zona prohibida", la estrecha definición del "acto positivo", la imposición de la "Cláusula Calvo", la determinación sobre si las manifestaciones hechas de acuerdo con la orden de 15 de enero de 1915 constituían o no un "acto positivo", y el esclarecimiento del carácter exacto de los títulos que los extranjeros poseían sobre todas las tierras adquiridas antes de mayo de 1917.[182] Los petroleros opinaron que era necesario obtener un fallo favorable a ellos en las Cortes mexicanas y que permitiera la posterior modificación de la ley; fue eso precisamente lo que hizo Morrow.[183]

El 2 de noviembre, a instancias del Presidente mexicano, tuvo lugar la primera entrevista informal entre el embajador y Calles; seis días más tarde hubo otra, tras la cual Morrow acompañó al Presidente a una gira por el norte del país (el objetivo de Calles al hacerse acompañar del embajador, dice Nicolson, era mostrar a los católicos que no podían esperar ya apoyo alguno del gobierno norteamericano). Fue en la reunión de 8 de noviembre cuando, a iniciativa de Calles, se planteó el problema petrolero, y tras hora y media de discusión se llegó a un acuerdo. Morrow no quiso abordar el problema desde un ángulo estrictamente legal, como hasta entonces habían hecho Kellogg y Sheffield.[184] En vez de ello, y como respuesta a una pregunta de Calles, el embajador sugirió que se utilizara el fallo dado por el juez de Tuxpan —el mismo que le había acarreado la destitución— y que la Suprema Corte, siguiendo el precedente sentado en el caso de la Texas en 1922, lo ratificara. El Presidente aseguró al representante norteamericano

---

[179] Según diría Morrow a Mellon en una carta fechada el 21 de abril de 1928, fue a instancias del senador Knox que pidió la asignación de Clark a la embajada en México, pues en opinión del senador, Clark era una de las personas más versadas en derecho internacional en Estados Unidos. NAW, 812.6363/R231/E0966.

[180] NAW, memorándum confidencial del Departamento de Estado a Morrow, 10 de octubre de 1927, 812.6363/R229/E0472-0473. Hay un memorándum sobre la cuestión petrolera preparado por Clark y fechado el 21 de septiembre, que muy probablemente utilizó Morrow, 812.6363/R229/E0513-0679.

[181] NAW, Morrow a Mellon, 21 de abril de 1928, 812.6363/R231/E0966-0967.

[182] NAW, memorándum de Morrow al secretario de Estado, 12 de septiembre de 1930, 812.6363/2698.

[183] NAW, Palmer E. Pierce a Ira J. Williams, 3 de octubre de 1927, 812.6363/R229/E1394.

[184] Tras un estudio detenido del caso, Morrow había comprendido que eran válidos muchos de los argumentos dados por México, en el sentido de que en más de una ocasión las Cortes norteamericanas habían dado fallos que revestían el mismo carácter "retroactivo y confiscatorio" con que se había atacado a la legislación mexicana de 1925.

que si por ese medio podía encontrarse solución al conflicto, en dos meses lograría que el fallo fuera pronunciado.[185] No fue necesario esperar tanto: a través de Morones, Calles pidió a la Suprema Corte que actuara en la forma convenida con Morrow, y el día 17 ésta dio a conocer una sentencia en el sentido aconsejado por el Ejecutivo.[186] Según la embajada norteamericana, la Suprema Corte se hallaba preparada para esta eventualidad desde marzo; de ahí la rapidez con que se procedió.[187] La Suprema Corte señaló en su decisión que una confirmación de los derechos petroleros de acuerdo con la ley de 1925 equivaldría a una verdadera modificación en perjuicio de los intereses de las empresas.[188] En el dictamen se señaló que: *a)* los derechos de las compañías sobre el subsuelo no eran simples expectativas sino derechos adquiridos, *b)* la fijación de un límite de cincuenta años tenía un carácter retroactivo, *c)* la negativa de las compañías a pedir la confirmación de sus derechos no había revestido un carácter ilegal, y *d)* continuaba siendo necesario que, bajo nuevas condiciones, las compañías obtuvieran de la Secretaría de Industria la confirmación de sus derechos.[189] El día 14 Calles informó a Morrow que procedería de inmediato a modificar la ley de 1925 de acuerdo con el fallo de la Corte.[190] Washington se mostró bastante complacido con el nuevo giro del problema: todos los amparos en contra de la cancelación de los permisos de perforación se resolverían favorablemente y las actividades volverían a reanudarse;[191] pero las compañías no se mostraron igualmente optimistas: el 21 de noviembre los diarios mexicanos publicaban unas declaraciones de Stevens que indicaban su desconten-

---

[185] NAW, Morrow a Kellogg, 8 de noviembre de 1927, 812.6363/R230/E0118-0124; Harold Nicolson, *op. cit.*, pp. 328-330; Stanley R. Ross, *op. cit.*, pp. 510-511.

[186] Según Lombardo Toledano, Morones pidió al Presidente de la Corte el mencionado fallo porque "el gobierno estaba en peligro". Citado por Nathaniel y Silvia Weyl, *op. cit.*, p. 284.

[187] En un memorándum preparado para el embajador Daniels y fechado el 16 de abril de 1934, se afirma que el fallo de 17 de noviembre fue dado de acuerdo con las instrucciones de Calles que desde marzo y julio le habían sido trasmitidas al Presidente de la Corte. JDP, Caja 801. Schoenfeld, por su parte, informó el 30 de septiembre de 1927 al Departamento de Estado que la Suprema Corte de México tenía preparadas dos sentencias: una en favor y otra en contra de los amparos presentados por los petroleros, para emplearlas de acuerdo con las necesidades de la situación política. NAW, 812.6363/R229/E0386-0387.

[188] Los amparos que tenían interpuestos las compañías a fines de 1927 abarcaban una variada gama de juicios, desde los presentados contra los decretos de Carranza de 1918, pasando por aquellos contra la ley de 1925 y la consignación hecha por Calles a principios de 1927, hasta los que se interpusieron contra la cancelación de los permisos de perforación y denuncios de terceros sobre las propiedades no confirmadas. Ver NAW, memorándum de J. Reuben Clark, 21 de septiembre de 1927, 812.6363/R229/E0532-0535, y el informe de la APPM al Departamento de Estado, 812.6363/R230/E0437-0489.

[189] El fallo puede consultarse en el *Boletín del Petróleo*, Vol. xxv, enero-junio, 1928, pp. 256 ss.

[190] NAW, Morrow a Kellogg, 20 de noviembre de 1927, 812.6363/R230/E0155-0158.

[191] NAW, Departamento de Estado a Morrow, 16 y 28 de noviembre de 1927, 812.6363/R230/E0106 y 0114-0117. Las siete principales compañías norteamericanas e inglesas tenían solicitados 247 permisos de perforación, de los cuales 208 habían sido negados y el resto aún estaba pendiente de trámite. Morrow a Departamento de Estado, 18 de noviembre de 1927, 812.6363/R230/E0198.

to por el fallo de la Suprema Corte; el *Wall Street Journal* —que sería el vocero de las empresas en este período en que sus relaciones con el Departamento de Estado no marcharon tan bien como en el pasado— aseguró que la decisión judicial reafirmaba, en el fondo, la política confiscatoria de Calles.[192] El subsecretario de Estado, Olds, informó a su embajador que tales expresiones no representaban el sentir de todos los petroleros; las cosas marchaban tan bien que el Gabinete iba a considerar la posibilidad de que Lindbergh, el héroe de la aviación norteamericana, efectuara un vuelo de buena voluntad a México.[193] Un día más tarde Olds tuvo que admitir que la insatisfacción no provenía sólo de Stevens: a través de un memorándum las compañías mostraron claramente su inconformidad con la decisión.[194]

Desde fines de noviembre al 26 de diciembre, fecha en que Calles envió al Congreso la reforma a los artículos 14 y 15 de la ley de 1925, Morrow mantuvo un constante contacto con los representantes de las empresas —aunque se opuso a que una delegación de ejecutivos petroleros viniera a México a tratar personalmente el asunto con Calles— y aun logró que, ya en el Congreso, el proyecto de ley del Ejecutivo fuera ligeramente modificado añadiendo el calificativo de "confirmatorias" a las concesiones.[195] El 3 de enero de 1928 entraron en vigor las reformas a la ley de 1925. Los derechos adquiridos por quienes hubieran efectuado un acto positivo fueron confirmados por tiempo indefinido, no pudiendo ser cancelados por ningún motivo. Seis días más tarde, "La Huasteca" consultó a Morones para saber si la solicitud de tales concesiones confirmatorias implicaba la pérdida de algún derecho adquirido con anterioridad a mayo de 1917; el secretario de Industria respondió negativamente, en un intento de poner punto final a ciertas dudas que aún abrigaban las compañías.[196] En México aparentemente no hubo ninguna reacción en contra de la decisión de Calles; la prensa, como era lógico, aplaudió la enmienda.[197] Los tradicionales sectores nacionalistas, a pesar de su disgusto, guardaron un prudente silencio.[198]

[192] Ver los artículos de 11, 12 y 13 de diciembre de 1927.
[193] NAW, Olds a Morrow, 29 de noviembre de 1927, 812.6363/R230/E0251-0256.
[194] Debían eliminarse los artículos 14 y 15 y modificarse otros y, sobre todo, no debía aceptarse la teoría de los "actos positivos". NAW, 812.6363/R230/E0343-0353.
[195] Las iniciativas de reforma pueden verse en *Boletín del Petróleo*, Vol. xxv, enero-junio, 1928, pp. 265 ss. El 26 de diciembre Morrow informó a los petroleros que, si lo deseaban, podía hacer que Calles retirara su proyecto y pidiera únicamente al Congreso "poderes extraordinarios" en el ramo del petróleo. Las compañías decidieron que era preferible obtener de una vez por todas la mejor legislación posible. NAW, Morrow a Mellon, 11 de abril de 1928, 812.6363/R231/E0968; Morrow a Departamento de Estado, 8 de diciembre de 1927, 812.6363/R230/E0374.
[196] J. Reuben Clark, *op. cit.*, p. 611. Puede consultarse también el *Diario Oficial* de 11 de enero de 1928. La correspondencia entre Branch, de "La Huasteca", y Morones, se encuentra en NAW, 812.6363/R230/E1317-1320.
[197] El editorial de *Excélsior* de 25 de diciembre de 1927 se complacía en recordar que ese periódico había señalado tiempo atrás los defectos de la ley petrolera que la Suprema Corte acababa de poner al descubierto; celebraba la decisión y pedía la reforma de la ley.
[198] El 30 de noviembre de 1927, Morrow informó a Olds que González Roa estaba sumamente inconforme con la decisión de la Suprema Corte, pues consi-

Las compañías tampoco encontraron satisfactorias las reformas a los artículos 14 y 15 de la ley, y pusieron en juego toda su influencia para obtener un reglamento de la ley orgánica que acogiera sus puntos de vista. El que a la confirmación se le antepusiera la palabra "concesión", decían a Olds, entrañaba un grave riesgo: con ello, algún futuro gobierno podía volver a intentar despojarlas de sus derechos.[199] Morones no estaba dispuesto a ceder más, y rechazó de plano el proyecto de reglamento que el 8 de febrero le presentaron las compañías. El 19 de enero la Standard comunicó a Morrow, en La Habana, donde se encontraba en ese momento, que la ley reformada continuaba siendo inaceptable, pues ponía en entredicho principios vitales que hacían peligrar sus posesiones en otros países latinoamericanos. Cuatro días después, luego de celebrar una reunión en Nueva York, los petroleros hicieron saber a Olds que de no conseguirse un reglamento adecuado, volverían a ampararse contra la ley reformada.[200] La embajada logró detener el proyecto que el secretario de Industria iba a pasar al Congreso; durante tres semanas, Morrow, Clark y los representantes de la Secretaría de Industria celebraron una serie de reuniones informales, de las que salió el proyecto final. En estos nuevos reglamentos no existía ninguna "Cláusula Calvo", y la definición de "acto positivo" se ajustó a lo especificado en Bucareli por los comisionados mexicanos.[201] Washington recibió bien esta reglamentación, y Obregón aprobó públicamente todas las modificaciones a la legislación petrolera.[202] La reforma legislativa podía considerarse un importante triunfo para los norteamericanos. A más de diez años de promulgada la Constitución de Querétaro, y tras una larga batalla, los avances de la reforma petrolera eran bastante modestos: sólo se había logrado que los intereses extranjeros aceptaran la teoría de los "actos positivos" (sin las reservas de Bucareli), y accedieran a cambiar por concesiones sus títulos de propiedad absoluta sobre los depósitos de hidrocarburos en el subsuelo. En la práctica, estas modificaciones no significaron entonces gran cosa; la explotación petrolera continuaba conservando, de hecho, todas las características que tenía antes de 1917. Apa-

deraba que iba más lejos que la dada en 1922 en el caso de la Texas. NAW, 812.6363/R231/E0167-0168.
[199] NAW, compañías petroleras a Olds, 2 de febrero de 1928, 812.6363/R231/ E0362-0363. No es improbable que el amparo otorgado a "La Huasteca" y a otras compañías por el juez del Tercer Distrito en la capital un día antes de que entraran en vigor las modificaciones a la ley petrolera, y que declaraba anticonstitucionales no sólo los artículos 14 y 15 de la ley, sino el 2º y el 4º, reflejara los verdaderos deseos de las compañías. La Secretaría de Industria no dejó de apelar contra este fallo. Ver *Documents Relating to the Petroleum Law of Mexico of December 26, 1925 with Amendments of January 3 1928* (México, s.p.i., 1928), pp. 32-40.
[200] NAW, Standard Oil a Morrow, 19 de enero de 1928, 812.6363/R231/E0392-0394; Walker a Olds, 23 de enero de 1928, 812.6363/R231/E0329-0338; el memorándum de lo discutido por las compañías el día 20 en Nueva York se encuentra en: 812.6363/R231/E0331-0332.
[201] Las reformas al reglamento se encuentran en el *Diario Oficial* de 28 de marzo de 1928. NAW, Morrow a Departamento de Estado, 6 de marzo de 1928, 812.6363/R231/E0073-0075; 12 de septiembre de 1930, 824.6363/2698.
[202] *Excélsior* (29 de marzo de 1928).

rentemente la Revolución había sido incapaz de imponer sus criterios en la industria petrolera.[203] Desde 1928 hasta 1937 el gobierno mexicano extendería títulos confirmatorios amparando 6 940 568 hectáreas, en tanto que las concesiones ordinarias serían ligeramente superiores al millón y medio. Aún quedaba por resolver un número importante de concesiones de carácter confirmatorio al producirse la expropiación de 1938.

10. EL ARREGLO MORROW-CALLES Y LAS COMPAÑÍAS PETROLERAS

Una vez modificada la ley orgánica del párrafo IV del artículo 27 y su reglamento, el Departamento de Estado no tardó en manifestar oficialmente su completa aprobación. En ciertos círculos de Estados Unidos se consideró a Morrow el mejor miembro del cuerpo diplomático en ese momento.[204] El 28 de marzo el gobierno de Washington (y Morrow en México) manifestaron a la prensa que las medidas recientemente tomadas por México parecían ponerle punto final a la controversia iniciada diez años atrás y, por tanto, los conflictos que surgieran en el futuro por la aplicación de la ley del petróleo debían ser ventilados en los tribunales mexicanos.[205] Por primera vez desde que el Presidente Wilson dejó la Casa Blanca a los republicanos, las compañías petroleras se encontraron en serio desacuerdo con Washington. En varias comunicaciones, y a través del *Wall Street Journal* y otros diarios, los petroleros insistieron ante el Departamento de Estado en que el problema mexicano estaba lejos de haber sido resuelto: se había aceptado a espaldas suyas una política que en el fondo conservaba su carácter confiscatorio al obligarlas a cambiar un derecho absoluto por concesiones, y de propiedad la teoría de los actos positivos, poniendo en peligro sus posesiones en otros países. En Colombia, decían, se empezaba a dar muestras de querer seguir los pasos de México; [206] sin embargo, la falta de respuesta de Washington llevó a las empresas a aceptar, contra su voluntad, la legislación mexicana y a hacer sus solicitudes.[207] La aceptación formal, sin embargo, no impidió que las empresas continuaran presionando al Departamento

203 Años más tarde, el embajador Daniels diría que Morrow había obtenido de Calles, en el campo petrolero, la nulificación de la Constitución y la expedición de leyes que eran "una copia virtual de aquellas que prevalecían en Estados Unidos". Josephus Daniels, *Shirt-Sleeve Diplomat*, p. 274. Para Gómez Robledo, Calles hizo ley las conferencias de Bucareli. Antonio Gómez Robledo, *op. cit.*, p. 93.

204 Harold Nicolson, *op. cit.*, pp. 332-349. El 31 de marzo, Kellogg felicitó a Morrow por su labor. NAW, 812.6363/R231/E0870.

205 El jefe de la División de Asuntos Mexicanos del Departamento de Estado, Olds el 28 de marzo que no estaba de acuerdo con esta forma de "lavarse las manos" respecto a los futuros problemas de las compañías. NAW, 812 6363/R231/E0806-0807.

206 *Wall Street Journal* (28 y 30 de marzo, 4 y 28 de abril de 1927); *Herald Tribune* (28 de marzo de 1028). NAW, L. Mellon a Morrow, 11 de abril de 1928, 812 6363/R231/E0975; L. Mellon a A. Mellon, 11 de abril de 1928, 812.6363/R231/E0908-0911; Guy Stevens, *op. cit.*, pp. 325-355.

207 *New York Times* (16 y 19 de abril de 1928).

de Estado, sugiriendo la posibilidad de obtener una nueva modificación de la legislación petrolera mexicana que se conformara a sus deseos; al efecto, presentaron varios proyectos: simplemente no podían aceptar el más leve principio de nacionalización. La Standard (N. J.) llegó a afirmar ante los funcionarios del Departamento de Estado que prefería perder sus propiedades en México antes que vulnerar un principio fundamental abriendo las puertas a la confiscación.[208] Todavía en 1929 los petroleros habrían de continuar criticando severamente la posición adoptada por las autoridades de Washington, e insistiendo —sin buen éxito— en que sus problemas con México, contrariamente a lo expresado por los voceros gubernamentales, no habían sido resueltos.[209]

Ante la abierta inconformidad de los dirigentes petroleros con el nuevo régimen legal del subsuelo mexicano, tanto Morrow como Clark y el Departamento de Estado en general, se vieron en la curiosa necesidad de tener que defender las leyes de su vecino del Sur. En opinión de Clark, la posición de las compañías estaba permeada por un *spirit of oil super sovereignity* que de aceptarse al pie de la letra, haría imposible todo arreglo con México. Las concesiones confirmatorias no les despojaban ya de ninguno de sus derechos, y la teoría de los actos positivos no era una arbitraria disposición mexicana: tenía 370 años de vigencia (lo probó con unas ordenaciones mineras de Felipe II). La clase de seguridad que demandaban las compañías sólo podrían obtenerla invadiendo el país o eliminando a sus habitantes; Clark suponía que la intransigencia de los petroleros era motivada sobre todo por su deseo de dar una lección a otros países del hemisferio donde sus intereses eran muy superiores a los que tenían en México. Morrow compartía este punto de vista y el 8 de mayo escribió a Olds: "Los últimos seis meses han constituido para mí una revelación de hasta qué punto las compañías petroleras responsables consideran que el deber del Departamento de Estado es manejar sus negocios en tierras extranjeras. ¡Nunca lo hubiera creído posible!" [210] Olds expresó a las compañías que la política de ese Departamento no se apartaría de lo estipulado en las declaraciones de 27 de marzo. En el caso de que consideraran que México violaba alguno de sus derechos, el Departamento de Estado tomaría en cuenta la queja y actuaría como considerara pertinente. Días más tarde el subsecretario informó a Morrow que las compañías le exigían adoptar una política que prácticamente equivalía a un seguro contra cualquier contingencia que pudiera afectar sus intereses en el extranjero.[211] El *New York Times* con-

208 NAW, compañías petroleras a Departamento de Estado, 27 de abril de 1928, 812.6363/R231/E0991-1007; memorándum de conversación entre Clark y Arthur B. Lane, del Departamento de Estado, y los representantes de las compañías petroleras, 19 de mayo de 1928, 812.6363/R231/E1082-1094; L. Mellon a Morrow, 25 de junio de 1928, 812.6363/R231/E1128-1132.

209 James Morton Callahan, *op. cit.*, p. 617; *Wall Street Journal* (11 de enero de 1929).

210 NAW, Clark a Morrow, 3 de febrero de 1928, 812.6363/R231/E0438-0448; Morrow a Olds, 8 de mayo de 1928, 812.6363/R231/E1049.

211 NAW, compañías petroleras a Olds, 27 de abril de 1928, 812.6363/R231/E0985-0986; Olds a Morrow, 1 de mayo de 1928, 812.6363/R231/E0977-0978.

trarrestó la campaña del *Wall Street Journal*, y apoyó plenamente el acuerdo concertado por Morrow con las autoridades mexicanas; ese influyente periódico consideró que la controversia petrolera había llegado a su fin.[212]

11. LAS RELACIONES ENTRE LOS PETROLEROS Y EL GOBIERNO DESPUÉS DE LA MODIFICACIÓN DE LA LEY REGLAMENTARIA

Tras la solución del conflicto petrolero, las autoridades mexicanas confiaron en que, como contrapartida, verían un rápido aumento en la producción de combustible, que se traduciría en un incremento de los ingresos fiscales; como tal aumento no ocurrió —pues la disminución de la extracción de petróleo no tenía su origen en causas políticas—, consideraron que ello obedecía a un plan de las compañías, empeñadas en obligarles a ceder aun más. Las declaraciones de ciertos círculos petroleros en el sentido de que los depósitos mexicanos quedarían agotados en diez años fueron consideradas como una maniobra más de las empresas extranjeras; [213] las relaciones entre los petroleros y el gobierno, por tanto, estuvieron lejos de mejorar; a unos continuaba pareciéndoles confiscatoria la legislación imperante y al otro injustificada la baja producción y desmedidas las pretensiones de los primeros; la situación no se tradujo en fricciones serias, pero no dejaron de presentarse con cierta frecuencia pequeños choques.

El principal motivo de queja por parte de las compañías a partir de 1928 lo constituyen los impuestos; repetidamente hicieron notar al gobierno mexicano que éstos eran demasiado altos en comparación con los que existían en Venezuela, y eran el motivo principal por el cual no se procedía a explotar los nuevos campos que sin duda existían en México.[214] En sentido similar —opinaron las empresas— obraba la política laboral al aumentar desmedidamente los costos de producción,[215] lo que constituía el principal, pero no el único, motivo de queja; el "Control de Administración del Petróleo Nacional" continuaba perforando en zonas federales que las compañías reclamaban como suyas.[216] Aunque la tramitación de concesiones confirmatorias se desarrolló normalmente —según informaron las compañías a la embajada—, no dejaron de presentarse ciertos casos en la revisión de los títulos que llevaron a Morrow o a Clark a interponer su influencia, de manera informal, ante la Secretaría de Industria y Comercio para

212 *New York Times* (7 de enero y 28 y 29 de marzo de 1928).
213 México, Secretaría de Industria, Comercio y Trabajo, *La industria, el comercio y el trabajo en México durante...*, Vol. I, pp. 429-430; Ludwell Denny, *op. cit.*, pp. 88-89.
214 Según un informe de la APPM de 30 de agosto de 1928, los impuestos mexicanos ascendían a 38 centavos de dólar por barril, mientras que en Venezuela su monto se reducía a 8 centavos. NAW, 812.6363/R232/E0597-0598.
215 El informe de la APPM de 30 de agosto señalaba que la legislación laboral había aumentado el costo de la mano de obra. NAW, 812.6363/R232/E0596-0598.
216 NAW, cónsul en Tampico a Departamento de Estado, 8 de septiembre de 1928, 812.6363/R232/E0028-0029; Walter a Morrow, 11 de octubre de 1928, 812.6363/R232/E0089-0090.

obtener una solución favorable en aquellas ocasiones en que los funcionarios mexicanos pusieran en duda la legitimidad de los títulos presentados.[217]

A pesar de la influencia de Obregón, Calles pudo llevar mucho más adelante que éste las reformas que se suponía constituían el programa de la Revolución. El sector del petróleo fue elegido para realizar un nuevo intento de cambio de la posición del capital extranjero. A pesar de la disminución en la producción, la industria petrolera continuaba siendo una de las más importantes, o quizá la más importante del país. La enorme presión de la administración republicana de Coolidge, combinada con la evolución hacia la derecha del propio grupo de Agua Prieta, dio por resultado la modificación de la primera ley petrolera promulgada a principios del período del general Calles, en el sentido deseado por el Departamento de Estado. Es conveniente hacer notar que si por un lado el grupo callista se volvió más conservador a medida que pasaba el tiempo, el gobierno de Washington tampoco mantuvo inalterable su posición inicial y, a mediados de 1927, hizo una revisión de su política mexicana a raíz de la cual —y quizá por la influencia de los banqueros y la opinión pública nacional e internacional— empezó a dejar de apoyar incondicionalmente los intereses petroleros, llegando a admitir el derecho del gobierno mexicano a introducir ciertas reformas al régimen de propiedad de los hidrocarburos en el subsuelo, aunque por el momento fueran bastante inocuas. El cambio de posiciones de ambos gobiernos dio por resultado el llamado acuerdo Calles-Morrow, que no contó con el total apoyo ni de los petroleros ni de los sectores nacionalistas mexicanos, pero que dio solución temporal a un conflicto que por más de diez años había enfrentado a Washington y México. En la práctica el precio del arreglo fue mayor para México, que aceptó una ley orgánica del párrafo IV del artículo 27 muy lejana del espíritu de la Constitución de 1917.

217 NAW, Clark a Morrow, 30 de octubre de 1928, 812.6363/R232/E0084-0085; Morrow a Ramón P. de Negri, 9 de mayo de 1929, 812.6363/R232/E0813; y las varias comunicaciones que dirigió Clark al secretario de Industria entre el 16 de mayo y el 13 de septiembre en relación con las concesiones solicitadas por F. A. Lilliendahl, y clasificadas bajo las siglas 812.6363/2748.

CAPÍTULO VII

EL MAXIMATO: UNA PAUSA

Desde 1920 hasta el momento de su muerte, el general Obregón mantuvo un control indiscutible sobre todas las facciones del "grupo revolucionario". Cuando anunció su decisión de volver a la Presidencia como sucesor de Calles, se pensó que el caso de Díaz volvería a repetirse, y que ambos líderes se turnarían en el poder indefinidamente,[1] pero el asesinato de Obregón echó por tierra esta posibilidad, a la vez que produjo una seria crisis en el seno del grupo gobernante. A pesar de la sólida unión mantenida entre Obregón y Calles, se había ido gestando una cierta división entre los integrantes del grupo en el poder, división que se acentuó a partir de 1928: por un lado se encontraban los "callistas" y, por el otro, los "obregonistas". La muerte de Obregón en vísperas de volver a cruzarse la banda presidencial causó una profunda y comprensible frustración entre sus seguidores, que vieron desaparecer así la oportunidad de ocupar los altos puestos administrativos. Era lógico que los obregonistas —creyéranlo o no— culparan a Calles de la muerte de su jefe; y el hecho de que aquél, desoyendo los consejos de Morrow, rechazara la posibilidad de permanecer al frente del Poder Ejecutivo, aun en calidad de Presidente Interino, y dejara en manos de conocidos obregonistas la investigación del asesinato, retardó, pero no impidió, el estallido de la violencia. Al tiempo que apoyaban la candidatura del ex secretario de Gobernación, Gilberto Valenzuela, en contra de Ortiz Rubio, los militares obregonistas preparaban una revuelta a cuyo frente se encontraba el general José Gonzalo Escobar, jefe de operaciones militares en Coahuila.

La renuncia de Calles a la Presidencia no significó que abandonara el poder en manos de sus sucesores: a través del Partido Nacional Revolucionario, que formó y dirigió, pudo llenar el vacío político creado por la desaparición de Obregón. Con esta nueva maquinaria, en que se dio cabida prácticamente a todas las fuerzas y tendencias políticas de importancia, Calles —el "Jefe Máximo" de la Revolución— tuvo en sus manos el control de las administraciones del licenciado Emilio Portes Gil, del ingeniero Pascual Ortiz Rubio y del general Abelardo L. Rodríguez. No fue sino hasta el momento en que el Presidente Cárdenas, en 1935, contó con un poder propio, como consecuencia de su política encaminada a reavivar y dar cumplimiento al programa revolucionario trazado en Querétaro, cuando Calles dejó de ser "el poder tras el trono".

A partir de 1928 el general Calles rompió abiertamente con el movimiento obrero; su interés ya no era hacer avanzar a la Revolución, sino consolidar su dominio. La CROM, que se había fortalecido y enajenado a la sombra de Obregón y Calles, perdió rápidamente todas las posiciones que aparentemente había conquistado entre 1920 y 1928. Igual suerte corrió el movimiento agrarista: Portes Gil —que como gober-

---

1 Mario Mena, *op. cit.*, p. 102.

nador de Tamaulipas había favorecido en cierta medida la reforma agraria— se valió de la ausencia de Calles, que había partido a Europa, para continuar con un tibio reparto de tierras (cosa que no agradó al embajador Morrow); sin embargo, apenas Portes Gil hubo hecho entrega de su cargo a Ortiz Rubio, Calles hizo una famosa declaración asegurando que la reforma agraria había sido un fracaso. En la reunión que el nuevo Presidente y su Gabinete tuvieron con el "Jefe Máximo" el 20 de marzo de 1930, éste informó que la división de las grandes propiedades estaba causando un grave daño a la economía nacional. Era una orden: el reparto agrario prácticamente se detuvo.[2] El Presidente Ortiz Rubio no pudo concluir el período, pues sus diferencias con Calles —que no fueron de carácter ideológico— le obligaron a renunciar. El general Abelardo Rodríguez, uno de los hombres más prósperos del país y miembro del grupo callista, fue designado por el PNR para sustituir al infortunado ingeniero.[3] Durante su período, en 1933, la redistribución de la propiedad agraria llegó a su punto más bajo desde 1922.[4] Todo avance real en el proceso de nacionalización de la economía mexicana se detuvo, a pesar de que aproximadamente la mitad de la riqueza nacional continuaba en manos extranjeras.[5] Es difícil imaginar que bajo tal régimen se formulara el famoso "Plan Sexenal", de un agudo tono revolucionario y nacionalista, que habría de servir de programa de gobierno a la siguiente administración.

1. LAS RELACIONES CON ESTADOS UNIDOS

A partir de 1928 el gobierno norteamericano mostró claramente su decisión de evitar que la estabilidad política de México fuera alterada nuevamente y para ello dio todo su apoyo al grupo callista. No se puede afirmar que la rebelión escobarista de 1929 —que contó con el concurso de una parte importante del ejército— fue sofocada sólo gracias al apoyo político y militar que Calles y Portes Gil recibieron de Hoover y Morrow; sin embargo, no hay duda de que el triunfo callista sobre los seguidores del Plan de Hermosillo fue por lo menos grandemente facilitado con la actitud adoptada por la Casa Blanca, que dio su apoyo al gobierno mexicano, porque, como señaló el Presidente Hoover "...el actual régimen ha sido el más amigable con Estados Unidos desde los tiempos de Porfirio Díaz...".[6] Vasconcelos, el tercer candidato

---

[2] En opinión de Ross, Morrow —y por ende Estados Unidos— fue ajeno a esta determinación de Calles. Stanley R. Ross, op. cit., p. 524.
[3] Cuando fue designado Presidente, Abelardo Rodríguez pasaba por ser uno de los hombres más ricos del país. Su fortuna la había amasado mediante sus actividades bancarias y el control de casas de juego.
[4] Ese año se distribuyeron únicamente 196 000 hectáreas.
[5] Dato citado por G. A. Palma en su discurso de 14 de marzo de 1938. Secretaría de Educación Pública, op. cit., pp. 31-32.
[6] Al llegar a Washington las noticias del levantamiento escobarista, el Presidente Hoover decidió de inmediato no permitir más envíos de armas que aquellos destinados al gobierno mexicano. Kellogg se negó a recibir a los enviados de Escobar, y se procedió a remitir armas a Calles por valor de 11 millones de dólares. Se ha rumoreado que junto con las armas, Estados Unidos facilitó al gobierno mexicano varios pilotos que participaron en las batallas de Torreón y Jiménez,

a la Presidencia, sostuvo que el verdadero artífice del fraude electoral y de su derrota, no había sido Calles, sino Estados Unidos a través de Morrow.[7] La estabilidad del régimen mexicano no fue propiciada por Washington únicamente a través de ayuda militar; fue igualmente importante su decisión de que las futuras dificultades con México se arreglaran usando métodos distintos de aquellos empleados en el pasado inmediato. Morrow comunicó a las compañías que si se llegaba a presentar un caso de denegación de justicia, el gobierno norteamericano no estaba dispuesto a ir más allá del arbitraje; aparentemente las épocas de las amenazas y la ayuda a los enemigos del régimen eran métodos ya superados.[8] En realidad, ni los problemas de las deudas y reclamaciones —que eran entonces los más importantes— ni el del petróleo, ameritaron pasar de las negociaciones bilaterales al tribunal de arbitraje.[9] El final de la gestión de Morrow se vio relativamente ensombrecido porque el Presidente Ortiz Rubio no aceptó sus sugestiones para solucionar el problema de la deuda externa, pero este conflicto estuvo lejos de revestir el grave carácter que alguna vez habían tenido los problemas petroleros.[10]

2. LA REVISIÓN DE LA POLÍTICA EXTERIOR NORTEAMERICANA

Tras el acuerdo concertado por Calles y Morrow, las relaciones entre ambos países mejoraron, pero no fue ése el único factor que motivó el cambio, si bien es cierto que fue el de mayor importancia. Cuando Coolidge dejó el poder en manos de Herbert Hoover a principios de 1929, la Casa Blanca inició una revisión de su política hacia Latino-

rumores que Portes Gil ha calificado de infundados. Alexander de Conde, *op. cit.*, p. 94; John F. Dulles, *op. cit.*, p. 443; Mauricio Magdaleno, *op. cit.*, p. 82; Emilio Portes Gil, *Autobiografía de la Revolución Mexicana*, p. 482.

7 A pesar de que resulta obvio que el movimiento vasconcelista nunca estuvo en posibilidades de enfrentarse a Calles con las armas, su líder sostuvo poco después de haberse exilado en Estados Unidos, que el Presidente Hoover le advirtió que su país sólo permanecería al margen de un conflicto civil si se iniciaba el movimiento armado contra Calles antes de que el Presidente electo, Ortiz Rubio, llegara a Washington. José Vasconcelos, "El Proconsulado", *Obras Completas*, Vol. II (México: Libreros Mexicanos Unidos, 1961), pp. 291, 315.

8 NAW, memorándum de conversación entre Morrow y Branch, de la Huasteca Oil Company, 19 de noviembre de 1929, 812.6363/R232/E0753-0754.

9 Hacia 1933 el Departamento de Estado se encontraba ya más interesado en resolver los problemas planteados por la reforma agraria, las deudas y las reclamaciones, que en los pequeños problemas petroleros. JDP, Caja 6, Daniels a su hijo, 17 de abril de 1933; E. David Cronon, *Josephus Daniels in Mexico*, p. 130. Los choques que tuvieron lugar entre las delegaciones mexicana y norteamericana en la conferencia de Montevideo de 1933, fueron provocados precisamente por el deseo mexicano de que fuera aceptada una moratoria sobre la deuda externa de América Latina. Cordel Hull, *The Memoirs of...*, 2 Vols. (Nueva York: The Macmillan Co., 1948), pp. 335-336.

10 El agregado naval de la embajada norteamericana elaboró, por encargo de Morrow, un plan para reorganizar la deuda pública mexicana, pero éste fue rechazado por Ortiz Rubio. El embajador llegó a oponerse aun a que el gobierno efectuara ciertos gastos en materia de salubridad si antes no cumplía con sus compromisos internacionales. Harold Nicolson, *op. cit.*, pp. 381-382; Josephus Daniels, *Shirt-Sleeve Diplomat*, p. 176.

américa. El panamericanismo había llegado a su sima, como quedó de manifiesto en la Conferencia de La Habana de 1928, donde la defensa norteamericana de su política intervencionista fue objeto de severas críticas por parte de un grupo de países latinoamericanos.[11] En 1929 empezó a tomar forma una nueva actitud estadounidense.

Los países americanos suscribieron en Washington varios instrumentos encaminados a resolver sus diferencias por medio de la conciliación y el arbitraje; los cimientos de lo que más tarde sería la política de "Buena Vecindad" empezaban a echarse. Hoover mantuvo a Morrow en su puesto, pero poco después fue sustituido por Reuben Clark, cuando aquél pasó a ocupar un lugar en el Senado de su país.

La Gran Depresión de 1929 demandó la revisión de la vida económica de Norteamérica, y como los republicanos se mostraron incapaces de hacerla, fueron desplazados por los demócratas, que desde la caída de Woodrow Wilson habían tenido cerrado el camino a la Casa Blanca. El objetivo del nuevo mandatario, Franklin D. Roosevelt, consistió en poner al día un capitalismo cuyas estructuras correspondían aún al siglo XIX. Era necesaria una modificación del sistema si no se quería verlo desaparecer violentamente: había que despojarlo de sus aspectos más abusivos y anacrónicos; los *big business* tendrían que aceptar una nueva disciplina para sobrevivir. El *New Deal* de Roosevelt nunca pudo ser llevado a sus últimas consecuencias: precisamente aquellos intereses que pretendía salvar lo impidieron. La economía norteamericana sólo volvió a salir a flote plenamente con la segunda guerra. De cualquier forma, el programa de Roosevelt permitió al capitalismo norteamericano capear con buen éxito los difíciles años que mediaron entre 1929 y la nueva guerra mundial; a partir de entonces este capitalismo incorporaría plenamente los principales elementos de la política económica del *New Deal*. Lo importante en todos estos cambios es el hecho de que la política de "Buena Vecindad" fuera seguida como consecuencia del "Nuevo Trato": en principio, tal política debía tener una aplicación mundial, pero diversos factores la restringieron al ámbito latinoamericano. Esta "Buena Vecindad" era, en cierta forma, la tradicional política norteamericana de hegemonía sobre los países de Latinoamérica, pero una hegemonía más refinada y salpicada de un cierto idealismo: mostraba más —según la expresión de Edmund David Cronon— la zanahoria que el garrote.[12] Esta política habría de convertirse en uno de los factores más importantes cuando el problema del control del petróleo volviera a aparecer en México.

Al estudiar el problema petrolero, es conveniente tener en cuenta la posición de la persona que habría de representar en México a Roosevelt y su nueva política: el embajador Josephus Daniels. El hecho de que el subsecretario de Marina durante el gobierno de Wilson, Franklin D. Roosevelt, hubiera estado entonces bajo las órdenes inmediatas de Daniels creó una relación especial entre los dos personajes. Su amistad con el Presidente permitió al embajador Daniels una

---

[11] En esta conferencia el ataque contra la constante intervención de Estados Unidos en el hemisferio fue encabezado por El Salvador, Argentina y México.
[12] E. David Cronon, *Josephus Daniels in Mexico*, p. VIII.

libertad de acción con respecto al Departamento de Estado que muy pocos diplomáticos han tenido. En determinados momentos, esta posición del embajador desempeñaría un papel importante en las relaciones entre México y su país.[13] Daniels se había distinguido por sus ideas liberales desde la época de Wilson, y no es de extrañar que pusiera su periódico, *The News and Observer*, al servicio de Roosevelt y del *New Deal*. Por un tiempo se pensó que Daniels formaría parte del Gabinete, pero los planes de Roosevelt eran otros; el puesto reservado a su antiguo y anciano jefe —tenía 71 años— fue la embajada en México.[14] El nombramiento de Daniels estuvo lejos de ser del agrado de la colonia americana en México: eran harto conocidas sus pocas simpatías por algunas de las prácticas de los grandes negocios. El disgusto entre el grupo petrolero era especialmente comprensible, pues en su calidad de secretario de Marina durante el gobierno de Wilson se había negado a ordenar un desembarco en Tampico y a permitir que Doheny y otras empresas pusieran mano sobre las reservas petroleras de la armada norteamericana.[15] Al llegar a México, Daniels aceptaba y apoyaba la política del "Buen Vecino", considerando que la "diplomacia del dólar" debía ser definitivamente superada. En su opinión, las empresas norteamericanas en el exterior podrían obtener una utilidad justa, mas de ningún modo pretender el control político de los países en los que operaban.[16]

El examen de los discursos y la correspondencia de Daniels revela que, como embajador, siempre consideró que la mejor política a seguir en México continuaba siendo la formulada por Wilson: apoyar una revolución para acabar con todas las revoluciones. Desde sus primeras declaraciones Daniels se presentó como un "embajador de buena voluntad"; habló de la igualdad entre los Estados y se manifestó de acuerdo con los "experimentos sociales" que estaba llevando a cabo el gobierno mexicano.[17] El embajador hizo ver claramente que los "amos de las finanzas", monopolizadores del producto del trabajo de la comunidad, no contaban con sus simpatías. Evitó las referencias directas a la industria petrolera, pero al hablar de la política de Roosevelt en relación con los recursos naturales dijo que ésta tendía a buscar su conservación y "desmonopolización" y, aparentemente

---

[13] Cuando Roosevelt fue electo Presidente, Daniels se encontró un poco dudoso respecto a la forma en que debía dirigirse a su antiguo subordinado; pero en una carta, el Presidente le señaló: "My dear Chief: ¡That title still stands! and I am still Franklin to you." Estas líneas son representativas de la forma en que se desarrollaron las relaciones entre el Presidente y su embajador.

[14] La participación de Daniels en la toma de Veracruz en 1914 no había sido olvidada, y fue en contra de sus deseos como Abelardo Rodríguez aceptó al nuevo embajador. E. David Cronon, *Josephus Daniels in Mexico*, pp. 14-15.

[15] E. David Cronon, *Josephus Daniels in Mexico*; JDP, Caja 9, Daniels a su hijo, 21 de enero de 1939. Durante las investigaciones hechas por el *Fall Committee* en 1920, los petroleros acusaron a Daniels por haberse rehusado a darles las garantías necesarias. United States Congress, Senate Committee on Foreign Relations, *Investigation of Mexican Affairs...*, p. 1002.

[16] En una carta que Daniels envió a Roosevelt el 9 de septiembre de 1933, le decía: "Hemos tenido ya mucha diplomacia del dólar en este hemisferio." JDP, Caja 19.

[17] JDP, Caja 803, discurso de presentación de credenciales.

refiriéndose a su país, señaló que esos recursos "pertenecen al pueblo en general, [y] no deben ser secuestrados, transferidos o monopolizados con el fin de enriquecer a un grupo". La prensa mexicana dio entusiasta aprobación a lo dicho por el representante de Roosevelt.[18] Por lo anterior, por su apoyo a los programas gubernamentales que buscaban mejorar los niveles de vida de los grandes núcleos, y por otras actitudes —entre las que figuró la de aparecer en público vestido de charro—, el viejo liberal logró hacerse "simpático" a los ojos de un importante número de mexicanos, así como mantenerse en buenos términos con Calles (lo que dio origen a ciertas fricciones con Abelardo Rodríguez).

3. LAS NUEVAS RELACIONES CON LOS INTERESES PETROLEROS

Antes de examinar las relaciones entre las compañías norteamericanas y los tres gobiernos del período, cabe hacer ciertas aclaraciones sobre los intereses británicos. Alperovich y Rudenko aseguran que el general Escobar contó con el apoyo del capital inglés, que no había cejado en su lucha por controlar el petróleo mexicano; sin embargo, estos autores no proporcionan ninguna prueba al respecto.[19] Es difícil aceptar que en momentos en que el mercado petrolero sufría de una sobreproducción y en que la participación inglesa en la industria petrolera mexicana continuaba decayendo, la Shell y el gobierno de Su Majestad Británica estuvieran dispuestos a desafiar a Washington, rompiendo el acuerdo a que habían llegado con el Presidente Wilson. Además, desde la caída de Victoriano Huerta, las diversas facciones en México sabían lo caro que podía costar este apoyo inglés.[20] La cordialidad en las relaciones entre Ortiz Rubio y "El Águila" mal se comprende si suponemos que esta compañía financiaba a los enemigos del gobierno [21] (con Abelardo Rodríguez la situación sufrió ciertas modificaciones; el conflicto sostenido por "El Águila" contra la empresa mexicana Compañía Petrolera Comercial por la posesión del lote 113 de Amatlán, fue resuelto en favor de los intereses nacionales).[22]

[18] JDP, Caja 803, discurso de 22 de junio de 1933 y discursos de 4 de julio de 1933 y 1935. Sobre la buena acogida en México del discurso de 4 de julio de 1933, pueden consultarse: Excélsior, El Universal, El Nacional y La Prensa de 6 de julio de ese año.
[19] Moisei S. Alperovich y Boris T. Rudenko, op. cit., p. 312.
[20] En caso de ser ciertas sus afirmaciones, el propio Adolfo de la Huerta prefirió dejar el campo a Obregón antes que aceptar el auxilio británico.
[21] En un comunicado de 19 de mayo de 1930 de Clark al encargado de negocios H. V. Johnson, se dice que la Richmond Petroleum Company sospechaba que las autoridades mexicanas estaban retardando la aprobación de sus concesiones por influencia de "El Águila". NAW, 812.6363/2688. Se asegura también que el Presidente Ortiz Rubio deportó a Guatemala a don Luis Cabrera, a causa del conflicto legal que éste sostenía contra la compañía británica. José Domingo Lavín, Petróleo, pp. 159-161.
[22] La compañía mexicana, además de sacar a la luz lo que aseguró era una larga serie de irregularidades de la empresa británica, dijo que ésta no había recurrido a los gobiernos de Inglaterra y Holanda para que hicieran sentir su presión sobre el Presidente Rodríguez. Compañía Petrolera Comercial, S. A., La sombra internacional de "El Águila" (Folleto Nº 1, México, 1935), pp. 6-7.

4. LOS PROBLEMAS SECUNDARIOS ENTRE EL GOBIERNO Y LOS PETROLEROS

Solucionado en lo fundamental el problema petrolero, la embajada no recibió más quejas que aquellas que pueden ser consideradas como rutinarias, y aun la APPM tuvo que admitir en 1931 que la controversia había sido solucionada realmente.[23] Estos problemas secundarios se debieron, sobre todo en un principio, a la lentitud con que se expedían las concesiones confirmatorias.[24]

Las compañías pidieron repetidas veces a las autoridades mexicanas que apresuraran el trámite de sus solicitudes; Clark y Morrow las apoyaron: en más de una ocasión instaron en vano a la Secretaría de Industria y a la de Relaciones Exteriores para que se apresurara la expedición de los títulos, incluso Morrow trató personalmente el problema con Ortiz Rubio.[25] La Secretaría de Industria señaló que la lentitud no era producto de una política deliberada, sino resultado de la complejidad del trabajo de revisión de títulos, cosa que rara vez redundaba en la anulación de derechos. Hubo unos cuantos casos, sin embargo, en los que la Secretaría de Hacienda negó validez a la documentación presentada, llevando a la embajada a intervenir en apoyo de los intereses afectados.[26] Cuando Daniels tomó posesión de su cargo, la interposición diplomática disminuyó notablemente.[27] Por su parte la administración del Presidente Rodríguez se mostró más diligente en la entrega de concesiones, "a fin de dejar definida, cuanto antes, la situación de la propiedad petrolera en la República".[28]

Entre los motivos menores de descontento de los petroleros, se encontró la situación laboral. A partir de la creación de la Junta de Conciliación y Arbitraje en 1927, las compañías fueron demandadas varias veces; pero fue en realidad en 1931, al promulgarse la ley del trabajo —bastante avanzada para su tiempo y desproporcionada en relación con la influencia real de los sindicatos—, cuando las compañías empezaron a ver realmente un peligro en este campo. La promul-

23 NAW, APPM a Departamento de Estado, 20 de mayo de 1931, 812.6363/2731.
24 NAW, Clark a Departamento de Estado, 16 de noviembre de 1929, 812.6363/R232/E0758-0868; Morrow a Departamento de Estado, 12 de septiembre de 1930, 812.6363/2698.
25 NAW, APPM a Secretaría de Industria y Comercio, 17 de abril de 1929, 812.6363/R232/E0476-0478; Clark a Departamento de Estado, 16 de noviembre de 1929, 812.6363/R232/E0763-0765 y 0791; Morrow a Departamento de Estado, 15 de julio de 1930, 812.6363/2693.
26 Como un ejemplo se puede citar el conflicto que surgió al revisarse los títulos sobre los campos de Chapacao, Cerro Azul y Juan Felipe, y que se prolongó por varios años. La embajada intervino varias veces en favor de las compañías petroleras norteamericanas que reclamaban su propiedad. NAW, Clark a Departamento de Estado, 16 de noviembre de 1929, 812.6363/R232/E0765-0768; Morrow a Secretaría de Industria, 17 de abril de 1930, 812.6363/2699; Clark a Departamento de Estado, 30 de diciembre de 1930, 812.6363/2706; Clark a Departamento de Estado, 2 de febrero de 1931, 812.6363/2710.
27 Josephus Daniels, Shirt-Sleeve Diplomat, pp. 219-220.
28 México, Secretaría de la Economía Nacional, Programa de los fundadores de "Petróleos de México", S. A. (México: Talleres Gráficos de la Nación, 1934), pp. 8-9.

gación de esta ley durante la administración de Abelardo Rodríguez debe verse a la luz de la situación industrial del momento. Sólo el 15 % de la mano de obra del país se encontraba empleada en esta rama de la economía, controlada casi totalmente por el capital extranjero. En estas circunstancias, la legislación del año de 1931 puede verse como un medio para aumentar la participación mexicana en las utilidades de este sector.[29] El origen de las dificultades de las compañías con sus sindicatos obreros —que formalmente serían causa de la expropiación en 1938— se encuentra, no en el régimen cardenista, sino en las postrimerías del gobierno de Abelardo Rodríguez. En 1934 los sindicatos de "El Águila" y "La Huasteca" declararon sendas huelgas contra las compañías y las ganaron.[30]

El ya crónico descontento de las empresas con las tasas impositivas no desapareció con los arreglos de Morrow: al principiar 1929 las empresas protestaron por un gravamen, a su juicio anticonstitucional, sobre las rentas y regalías.[31] Entre las diversas sugestiones que las compañías hicieron al gobierno el 20 de mayo de 1931 para lograr la recuperación de su industria, se encontraba la de otorgar mayores incentivos fiscales.[32] A pesar de haberse rebajado el impuesto a la exportación a principios de ese año, ciertos círculos gubernamentales consideraban también que era necesario proceder a efectuar mayores rebajas, ¡pues las compañías estaban importando gasolina![33] El problema de las "zonas federales" no dejó de presentarse, pero ya sin la agudeza de otros tiempos.[34]

Las diferencias enumeradas no revistieron un carácter suficientemente grave como para distorsionar el cuadro fundamental de armonía entre el gobierno y los intereses petroleros. Prueba de este entendimiento fueron los préstamos que en 1931 y 1932 hicieron varias compañías al gobierno en calidad de anticipo de impuestos. Des-

---

[29] Ver el informe de 20 de mayo de 1931 de la Asociación de Productores de Petróleo en México. NAW, 812.6363/2731, p. 53; United States Congress, House of Representatives, Committee on Interstate and Foreign Commerce, *Fuel Investigation...*, p. 120; George Ward Stocking y Jesús Silva Herzog, *op. cit.*, p. 601.

[30] La huelga contra "El Águila" se inició el 9 de mayo de 1934 y poco después se nombró al Presidente Rodríguez árbitro del conflicto, el cual concluyó en julio. A raíz de esta huelga, el sindicato obtuvo reducción en la semana de trabajo, vacaciones pagadas, el derecho a determinar quiénes serían empleados por la compañía, etc. Poco después se inició un movimiento similar entre los trabajadores de "La Huasteca", que terminó con idénticos resultados. John W. F. Dulles, *op. cit.*, p. 601.

[31] El 29 de enero de 1929 el cónsul norteamericano en Veracruz informó que los petroleros pensaban ampararse en contra del nuevo impuesto. NAW, 812.6363/R232/E0326.

[32] Junto a la reforma fiscal figuraban algunas otras: una reforma laboral, la modificación de la política sobre las reservas nacionales, la modificación de los reglamentos técnicos, la abolición de las zonas federales, etc. NAW, 812.6363/2731.

[33] *El Nacional* (17 de febrero de 1931); *El Universal* (10 de enero de 1931). La importación de combustible para refinar y reexportar disminuyó en 1932.

[34] El cónsul general norteamericano informó al Departamento de Estado el 8 de marzo de 1932 que la Mexican Petroleum se había amparado en contra de una decisión que excluía de sus propiedades todas las tierras comprendidas en las "zonas federales". NAW, 812.6363/2745.

de 1930 se había solicitado un préstamo a los petroleros, pero en ese entonces Morrow se opuso: México no debía recibir ningún nuevo empréstito en tanto no liquidara sus compromisos anteriores. A principios de 1931 la embajada norteamericana informó sobre ciertas negociaciones entre el gobierno mexicano y "El Águila", "La Huasteca", la Pierce, la Sinclair y la Standard (Cal.), en las que el primero solicitaba un préstamo de 10 millones de dólares.[35] En junio, la Standard (Cal.) entregó dos millones ochocientos mil dólares al gobierno mexicano a un interés del 4.8 % anual. Aparentemente, el préstamo tenía como objetivo financiar los proyectos de construcción de vías de comunicación, pero según la embajada, su verdadero objetivo era estabilizar el tipo de cambio.[36] En noviembre del siguiente año, el gobierno recibió otros siete millones de dólares de "El Águila", "La Huasteca" y la Pierce a igual tasa de interés, que fueron destinados, según anuncio oficial, a la creación de un banco nacional hipotecario y a reforzar la estabilidad del peso. Esta buena disposición de las compañías se tradujo en ciertas concesiones fiscales.[37] La prensa nacional elogió la nueva actitud adoptada por los petroleros.[38]

5. LOS INTENTOS DE CREACIÓN DE UNA NUEVA COMPAÑÍA PETROLERA

Por largo tiempo no se consideró seriamente la posibilidad de que el Estado pudiera abandonar su condición de pequeño productor de petróleo para formar un gran consorcio encaminado a satisfacer las necesidades internas, bastante olvidadas por las compañías. La Gran Depresión y la crisis del mercado mundial del petróleo, llevaron a considerar la conveniencia de expandir las actividades petroleras estatales.[39] Morrow, al examinar esta posibilidad, consideró que la falta de capital impediría a México llevar a efecto un proyecto tan ambicioso.[40]

Las publicaciones oficiales de la época ponen de relieve que los gobiernos de Ortiz Rubio y Abelardo Rodríguez comenzaron a inquietarse por la ausencia de un suministro de combustible seguro y a bajo precio para la agricultura y la industria nacionales.[41] En el *Boletín del Petróleo* —publicación tradicionalmente nacionalista— se lanzó la idea de formar una empresa oficial similar a los "Yacimientos Fiscales" de Argentina: no había otra forma de evitar que los consorcios internacionales dominaran completamente el combustible mexicano.

[35] NAW, embajada norteamericana a Departamento de Estado, 20 de marzo de 1931, 812.6363/2716; embajada americana a Departamento de Estado, 8 de diciembre de 1932, 812.6363/2755.
[36] NAW, Clark a Departamento de Estado, 24 de junio de 1931, 812.6363/2727; Clark a Departamento de Estado, 8 de diciembre de 1932, 812.6363/2755.
[37] NAW, Clark a Departamento de Estado, 8 de diciembre de 1932, 812.6363/2755.
[38] *El Universal* (12 de noviembre de 1932).
[39] *Excélsior* (11 de marzo de 1929).
[40] NAW, Morrow a Departamento de Estado, 22 de marzo de 1929, 812.6363/R232/E0427-0428.
[41] México, Secretaría de la Economía Nacional, *op. cit.*, p. 9.

El mundo experimentaba un franco movimiento encaminado a dar a los Estados el control de sus recursos energéticos;[42] fue entonces cuando Luis Cabrera volvió a indicar la conveniencia de nacionalizar los depósitos de petróleo.[43] Entre 1932 y 1933, el gobierno dio a conocer su propósito de impedir el total acaparamiento de las reservas de combustible por intereses foráneos, de evitar la escasez de hidrocarburos para consumo interno y de dotar al Estado de los medios de control sobre esa riqueza. Para esto era necesario crear compañías petroleras mexicanas, formar una empresa semioficial que abasteciera totalmente la demanda de combustible del gobierno, aumentar los impuestos para reducir las superficies bajo concesión y disminuir el impuesto de exportación. Las concesiones ordinarias sobre las reservas nacionales se suspendieron: el gobierno preparaba sus propios campos.[44] En esta ocasión la prensa mexicana no se encontró en oposición a los designios gubernamentales; por el contrario, le preocupaban los estragos que pudieran sobrevenir a la economía nacional como resultado de la dependencia de la industria petrolera de los intereses externos. Este problema, señaló *Excélsior*, tendría que resolverse pronto.[45] La embajada norteamericana observó con cierta intranquilidad las nuevas manifestaciones nacionalistas relacionadas con combustible.[46]

La creación de Petromex, S. A., por el Presidente Rodríguez, fue un nuevo intento de explotar por parte del país y para beneficio del mismo los ya entonces poco florecientes recursos petroleros. Según el programa elaborado por sus creadores, esta empresa mixta estaría reservada únicamente al capital nacional; su objetivo consistía en crear y sostener una industria petrolera "genuinamente nacional", evitando que México continuara siendo como "un gran campo de reserva particular de las grandes empresas extranjeras". Se asentaba que el problema del aprovisionamiento interno no podía considerarse plenamente resuelto mientras las fuentes de producción y los medios de transporte, refinación y distribución "se encontrasen en manos de empresas controladas por capitales absentistas, que fijan a su arbitrio los precios de dichos productos". La nueva empresa proporcionaría al país combustible a "precios razonables".[47]

Las compañías mostraron cierta desazón ante el nuevo cariz que tomaba la política petrolera gubernamental. Jack Armstrong, de la APPM, visitó al embajador Daniels para discutir el problema. En su opinión, la nueva empresa amenazaba con privar a las compañías

<hr />

[42] *Boletín del Petróleo*, Vol. XXX (julio-diciembre, 1930), pp. 245-247, 250-251.

[43] En 1931, y en relación con las dificultades petroleras, Luis Cabrera observó: "Éste es quizá el problema más difícil de los que tiene México que resolver, pero me limito por ahora a indicar la conveniencia de nacionalizar las fuentes de producción de nuestros recursos naturales." Luis Cabrera, *Veinte años después*, 3ª ed. (México: Ediciones Botas, 1938), p. 86.

[44] *El Universal* (13 de febrero de 1932); *Excélsior* (10 y 15 de abril de 1932); *Boletín del Petróleo*, Vol. XXXV (enero-junio, 1933), p. 221.

[45] *Excélsior* (11 de abril y 22 de marzo de 1932).

[46] NAW, Clark a Departamento de Estado, 9 de marzo de 1932, 812.6363/2746.

[47] Secretaría de la Economía Nacional, *op. cit.*, pp. 3-9.

de la importante demanda de combustible ejercida por las dependencias gubernamentales; temía, además, que el programa destinado a ampliar las reservas nacionales volviera a revivir la controversia sobre el control de las "zonas federales"; el gobierno podía reclamar para sí la posesión de ciertas corrientes de agua que sólo aparecían en la temporada de lluvias y cuyos lechos estaban siendo explotados por las compañías; éstas perderían así —según Armstrong— el 40 % de sus mejores campos. El embajador se rehusó a ejercer presión sobre el gobierno y se limitó a sugerir, apegándose a la declaración del Departamento de Estado en 1928, que se recurriera a los tribunales mexicanos.[48] La preocupación de Armstrong era inmotivada: como Morrow había previsto, la falta de capital impidió a "Petromex" convertirse en el paralelo de los "Yacimientos Fiscales" argentinos. La corriente de capital nacional privado que se esperaba no afluyó y el gobierno no pudo —o no quiso— llevar la carga él solo.

En lo fundamental, los gobiernos del "maximato" observaron fielmente los acuerdos concertados por Morrow y Calles en 1928; tanto la reforma petrolera como el resto del programa revolucionario se vieron paralizados por el conservadurismo del período. La crisis de 1929 y su reflejo en la industria petrolera mundial, agobiada por la sobreproducción, llevaron a las compañías a no aumentar su ritmo de actividades, contrariando las expectativas del gobierno mexicano después de los acuerdos de 1928. Esto, aunado al peligro de que la industria nacional se viera afectada por una escasez de combustible, indujo a los gobiernos de Ortiz Rubio y Abelardo Rodríguez a intentar una solución distinta del problema petrolero. Se dejó de insistir en la nacionalización del subsuelo, y se hizo hincapié en la creación de una gran empresa semioficial cuyo objetivo inmediato sería arrancar el mercado interno de manos de los consorcios extranjeros: la escasez de capital nacional impidió que la nueva y parcial solución al problema petrolero tuviera algún resultado positivo.

48 Josephus Daniels, *Shirt-Sleeve Diplomat*, pp. 217-219; Gobierno de México, *El petróleo de México...*, p. 557.

CAPÍTULO VIII

EL RÉGIMEN CARDENISTA Y LA SOLUCIÓN DEL "PROBLEMA PETROLERO"

Después de casi tres lustros en el poder, el grupo sonorense aún estaba lejos de haber cumplido con el programa que formalmente constituía su bandera política: la Constitución de 1917. Calles y sus colaboradores tuvieron que reconocer en 1934 —al preparar la sucesión del general Rodríguez— la necesidad de presentar la candidatura de un elemento que, aun siendo miembro de su grupo, no estuviera identificado con la falta de espíritu revolucionario y la corrupción que le caracterizaba; de lo contrario, el gran descontento existente podría convertirse en una amenaza a su estabilidad. Dentro y fuera del PNR, un sector de la clase media buscó la unión con elementos obreros y campesinos, en un intento por disminuir la influencia del grupo callista y poner fin a la crisis en que había entrado el movimiento revolucionario. Los intereses y aspiraciones de los diversos sectores dieron por resultado la postulación del ex gobernador de Michoacán, general Lázaro Cárdenas, como candidato oficial. El ala izquierda del PNR consideró a Cárdenas como un elemento nuevo que no pertenecía a la generación de los antiguos líderes revolucionarios, sino a un grupo más joven que se encontraba en pugna con sus predecesores; por su parte, Calles y sus allegados vieron en Cárdenas al hombre que, controlado por ellos, podía dar fin a la intranquilidad que reinaba en el país.[1]

En ciertos círculos, principalmente entre sus enemigos, se afirma que Cárdenas fue designado personalmente por Calles para suceder al Presidente Rodríguez, y que contaba plenamente con su "afecto, voluntad y consideración".[2] Sin embargo, otros autores que han abordado el tema sostienen que, dentro de ciertos márgenes, su candidatura fue "impuesta" a Calles, quien hubiera preferido que el PNR postulara al general Manuel Pérez Treviño. Fuera o no del completo agrado de Calles tal designación, el líder sonorense estuvo lejos de ver en Cárdenas a un posible rival; pensó que el "radicalismo" mostrado hasta entonces por el general michoacano desaparecería con el ejercicio del poder limitado que le permitiría su tutela de "Jefe Máximo".[3]

[1] Anita Brenner, op. cit., pp. 83-84; Vicente Fuentes Díaz, Los partidos políticos en México: De Carranza a Ruiz Cortines, Vol. II (México: [edición del autor] 1954-1956), pp. 60-62; Manuel Moreno Sánchez, op. cit., p. 240; Moisés González Navarro, "La ideología de la Revolución Mexicana", Historia Mexicana, Vol. X (abril-junio, 1961), pp. 633-634; Problemas agrícolas e industriales de México, "Editorial", Vol. VII (julio-septiembre, 1955), p. 10.
[2] Victoriano Anguiano, "Cárdenas y el cardenismo", Problemas agrícolas e industriales de México, Vol. VII (julio-septiembre, 1955), pp. 200-201.
[3] Silvano Barba González, "Hechos y no palabras", Problemas agrícolas e industriales de México, Vol. VII (julio-septiembre, 1955), p. 223; E. David Cronon, Josephus Daniels in Mexico, pp. 112-113; Paul Nathan, "México en la época de Cárdenas", Problemas agrícolas e industriales de México, Vol. VII (julio-septiembre, 1955),

El nuevo gobierno inició sus actividades con la misma falta de independencia que había caracterizado a sus antecesores: en el Gabinete, en las Cámaras y en el partido, predominaban los elementos adictos a Calles. Los pequeños grupos "izquierdistas" que se podían considerar de filiación cardenista, se encontraban aparentemente neutralizados.[4] Pero Cárdenas bien pronto dio muestras de no estar dispuesto a prolongar esta situación. Para desembarazarse de la influencia de Calles, se apoyó no solamente en el ejército —base fundamental del poder de todos los gobiernos anteriores—, sino en los obreros y campesinos, en cuyo nombre habría de gobernar. Para 1935 Cárdenas pudo enfrentarse con buen éxito al caudillo sonorense: el caso de Ortiz Rubio no volvió a repetirse; las fuerzas adictas al Presidente en el ejército, el gobierno y las organizaciones de masas fueron empleadas en tal forma que rápidamente dieron al traste con los esfuerzos de Calles por recuperar el poder.[5]

El triunfo de Cárdenas sobre el "Jefe Máximo" fue asegurado con la rápida eliminación de los elementos callistas del Gabinete, de las fuerzas armadas, de las Cámaras legislativas, de los gobiernos estatales y del PNR. El apoyo obrero fue canalizado a través de la Confederación de Trabajadores Mexicanos (CTM), a cuyo frente se encontraba Lombardo Toledano; lo mismo sucedió con los campesinos, quienes por primera vez se encontraron agrupados en una organización propia: la Confederación Nacional Campesina (CNC). Desde un principio, ambas centrales quedaron bajo el control gubernamental. La CTM fue convertida en un instrumento de lucha contra el capital, y el obrerismo volvió a cobrar la fuerza perdida después de 1928. La intervención estatal en las relaciones entre capital y trabajo llegó a un nuevo estadio. El gobierno se dispuso a intervenir con objeto de mantener el equilibrio entre dos sectores básicamente desiguales e impedir que el conflicto entre ambos paralizara la actividad económica. El Estado se convirtió en árbitro final de las disputas obrero-patronales (situación que habría de jugar un papel importante en las futuras relaciones entre el gobierno y las compañías petroleras). El régimen cardenista y la CNC favorecieron definitivamente al ejido como la forma ideal de propiedad rural comprometiéndose a poner fin al latifundio.[6]

p. 56; Henry Bamford Parkes, *op. cit.*, p. 399; Nathaniel y Silvia Weyl, *op. cit.*, pp. 188-190.

[4] En el Gabinete, Bassols y Múgica, considerados como "radicales", se encontraban en minoría frente al grupo "conservador" de prominentes callistas, como Aarón Sáenz, Elías Calles y Garrido Canabal.

[5] El conflicto entre Calles y Cárdenas hizo crisis el 11 de junio de 1935, después de que la prensa publicó unas declaraciones del "Jefe Máximo" sobre la situación creada por las huelgas decretadas en contra de dos compañías extranjeras. Calles criticó entonces el "maratón de radicalismo" por el que atravesaba el país, así como la política obrera de Lombardo. El Presidente actuó con celeridad: con ayuda de los generales Almazán y Cedillo neutralizó al general Amaro, impidiendo así que el ejército se moviera en apoyo de Calles; el respaldo sindical no se hizo esperar. El 19 de junio Cárdenas era dueño de la situación.

[6] Fue esta política agraria el primer punto de choque entre Cárdenas y Estados Unidos, pues este país mostró una constante oposición a que se expropiara a los ciudadanos norteamericanos las grandes extensiones rurales que se encontraban en sus manos. E. David Cronon, *Josephus Daniels in Mexico*, pp. 136 *ss.*

El Presidente Cárdenas pudo haber intentado la modernización del país siguiendo la línea trazada por Calles, o bien a través de un verdadero cambio de estructuras: favoreciendo el reparto agrario, fortaleciendo los sindicatos y poniendo fin al carácter colonial de la economía. Eligió esta última alternativa y muy pronto su política estuvo permeada de un espíritu nacionalista y socializante. Entre 1935 y 1938 se llevaron a cabo una serie de reformas que vinieron a modificar sustancialmente la estructura económica del país, que hasta ese momento había mantenido las características heredadas del Porfiriato.[7]

En 1935 el predominio extranjero en la economía mexicana era indiscutible, y la reforma agraria aún no había modificado fundamentalmente la estructura de la tenencia de la tierra.[8] Los planes para el desarrollo de una "democracia socialista", como se apuntaba entonces en el "Plan Sexenal", en el programa del partido oficial y en los círculos gubernamentales cardenistas, nunca pudieron llegar muy lejos; lo mismo sucedió con la modernización del país a través del desarrollo del sector agrícola y de una industria subordinada a las necesidades de éste, con base en pequeñas plantas y evitando los males sociales que la industrialización capitalista había traído consigo.[9] Las transformaciones efectuadas durante el régimen cardenista no desembocaron en el tipo de sociedad deseada por sus autores, y en cambio fueron convenientemente aprovechadas por los regímenes posteriores para impulsar un desarrollo económico más acorde con las tradicionales estructuras de las economías capitalistas. El porvenir deparó mayor éxito a sus esfuerzos por "mexicanizar" la economía nacional. El gobierno reanudó la guerra contra el capital colonial, que había concluido en 1928. La naciente clase industrial mexicana, así como los sectores laborales, coincidieron en su apoyo a este ángulo de la política gubernamental para nacionalizar, o poner bajo control nacional, algunos de los sectores básicos de la economía mexicana, como los ferrocarriles, el petróleo, la propiedad rural, la industria eléctrica, etc.[10]

[7] Víctor Alba, op. cit., p. 145. En opinión del embajador Daniels, en México, como en Estados Unidos, había llegado la época del "hombre olvidado". El país no podía marchar con una parte de su población disfrutando de un alto nivel de vida, mientras otra permanecía sumida en la miseria. JDP, Caja 803, discurso de 10 de julio de 1935 a los estudiantes norteamericanos.

[8] En 1935, el 75 % de la inversión industrial era de origen externo; el capital extranjero controlaba, entre otras cosas, el 98 % de la actividad minera, el 99 % de la petrolera, el 79 % del sistema ferroviario y de tranvías, y el 100 % de la energía eléctrica. Association of Producers of Petroleum in Mexico, Current Conditions in Mexico; NAW, 812.6363/2763; Alfredo Navarrete, op. cit.

[9] Nathaniel y Silvia Weyl, op. cit., p. 191; Hubert Herring y Herbert Weinstock (eds.), Renascent Mexico (Nueva York: Covici Friede Publishers, 1935), pp. 81-82, 109; Daniel James, op. cit., p. 252; George Howland Cox, "Mexico's Industrialization Program", World Affairs, Vol. XCVII (junio, 1934); Sanford A. Mosk, Industrial Revolution in Mexico (Berkeley y Los Ángeles, Cal.: University of California Press, 1950), pp. 53-59.

[10] El general Cárdenas desde su campaña electoral mostró un marcado acento nacionalista en relación con el capital extranjero. Ya en 1935 un observador norteamericano hacía notar que el clima en el que se movían las inversiones extranjeras era extremadamente hostil. Cárdenas buscaba que el desarrollo de México fuera fundamentalmente obra de los nacionales; "México —dijo ante una concentración

1. CÁRDENAS Y EL CAPITAL PETROLERO

Al asumir la Presidencia, Cárdenas contaba ya con un conocimiento de primera mano de ciertos aspectos del problema petrolero, resultado de su experiencia como jefe militar de la zona petrolera durante el gobierno de Calles (desde aquel entonces las relaciones entre las empresas extranjeras y el general Cárdenas habían distado mucho de ser cordiales).[11]

Cuando el divisionario michoacano recibió la banda presidencial de manos de Abelardo Rodríguez, existía la impresión de que el acuerdo Calles-Morrow continuaría en vigor; sin embargo, ya desde entonces había indicios de que el *modus vivendi* entre los petroleros y el gobierno mexicano podía ser hecho a un lado: el "Plan Sexenal" y los discursos pronunciados por Cárdenas en su campaña presidencial. Con todo, la certeza de que Calles continuaba siendo el árbitro de la vida política mexicana, debió calmar los recelos de quienes estaban interesados en conservar el *status quo* de la industria petrolera. El Plan Sexenal —cuya formulación había sido propuesta por Calles— era un programa de acción, tan detallado como ingenuo, destinado a ser puesto en práctica por la administración que sucediera a la del Presidente Rodríguez. Su formulación final escapó un tanto de las manos de Calles, quedando marcado con el sello renovador que los elementos radicales del PNR lograron imprimirle en la convención de 1933.[12] Esto dio pie a que en el extranjero se llegara a considerar seriamente la construcción en México de una sociedad socialista de un tipo no soviético.[13] El gobierno tuvo que tranquilizar a la embajada norteamericana: el propósito del plan no era otro que resguardar la soberanía nacional y cumplir con los postulados de la Constitución de 1917.[14]

El Plan Sexenal se encontraba saturado de un claro espíritu nacionalista; México no podía aislarse del resto del mundo, pero debía buscar el predominio de los intereses nacionales sobre los extranjeros dentro de sus fronteras. Uno de los medios para lograr este objetivo, de acuerdo con el Plan, era proceder a la nacionalización de la rique-

de trabajadores mineros— no puede llegar a ser próspero sirviendo de atrayente sirena al capital extranjero". Hubert Herring y Herbert Weinstock, *op. cit.*, pp. 120-125; Nathaniel y Silvia Weyl, *op. cit.*, pp. 200-201. Posiblemente esta política nacionalista fue facilitada por el hecho de que desde 1929, como resultado de la depresión mundial, la ya de por sí pequeña entrada de capital procedente del exterior disminuyera aún más; por tanto, no existía el riesgo de ahuyentar a inversores potenciales en aquellos campos en que se requería su concurso. En un informe que Daniels envió al Departamento de Estado el 9 de febrero de 1939, señaló que el origen de la disminución de las inversiones extranjeras en México a partir de 1929, y que se había acelerado después de 1935, era en gran medida la política gubernamental de expropiación y apoyo a las demandas obreras, olvidando el carácter mundial del retraimiento de los capitales. JDP, Caja 754.

11 En varias ocasiones el general Cárdenas en su calidad de comandante de la zona, se opuso a ciertas prácticas corrientes de las compañías petroleras, y rechazó más de un intento de soborno por parte de estos intereses. William C. Townsend, *Lázaro Cárdenas, demócrata mexicano* (México: Editorial Grijalbo, 1959), pp. 43-45.

12 Stanley R. Ross *et al.*, *op. cit.*, p. 497.

13 George Howland Cox, *op. cit.*, pp. 106-109.

14 JDP, Caja 800, Daniels a Departamento de Estado, 17 de abril de 1934.

za del subsuelo, aumentar las reservas petroleras, etc.[15] En su campaña electoral, el general Cárdenas declaró repetidas veces que su propósito era sujetarse a los lineamientos trazados en ese documento; se refirió asimismo a la necesidad de poner en manos de los trabajadores las fuentes de riqueza y los medios de producción, y de acabar con la explotación del subsuelo por los "usureros capitalistas extranjeros".[16] Con la desaparición de Calles del plano político, los norteamericanos vieron con recelo el plan mexicano.[17]

2. EL FIN DEL ACUERDO CALLES-MORROW: LAS PRIMERAS SEÑALES

Aun antes de que Calles fuera eliminado del panorama político, los intereses petroleros dieron muestra de cierta preocupación por la cancelación de varias de sus concesiones.[18] En septiembre de 1934, la Standard (N. J.) comunicó al Departamento de Estado que, en su opinión, el gobierno mexicano estaba tratando de hacer nugatorio, o al menos de limitar, el acuerdo Calles-Morrow.[19] Dos meses más tarde, la APPM sugirió al embajador Daniels —y posteriormente al propio Departamento de Estado— que, con motivo de las dificultades que el gobierno mexicano estaba creando a la industria, era conveniente concertar una entrevista entre Calles y el ex embajador (pues Morrow había muerto), a fin de que este último expusiera al "hombre fuerte" de México las violaciones de que estaba siendo objeto el arreglo extraoficial de 1928. El gobierno norteamericano se negó a respaldar el plan de las compañías, pero no se opuso a él.[20] La suspensión de ciertas exenciones impositivas de que disfrutaban varias empresas petroleras, así como la publicación del programa de acción económica del gobierno federal en enero de 1935, que contenía algunas medidas destinadas a lograr un mayor aprovechamiento

[15] El artículo 97 del Plan pedía la efectiva nacionalización del subsuelo. El gobierno debía ejercer una verdadera regulación de las actividades de quienes se dedicaran a la explotación de los recursos naturales, e impedir el acaparamiento de los depósitos petrolíferos aumentando, a la vez, las reservas nacionales de ese combustible. El artículo 98 hacía hincapié en la conveniencia de aumentar la participación gubernamental en las utilidades de las empresas dedicadas a explotar los recursos naturales. El artículo 103 proponía lograr un equilibrio entre los diversos intereses económicos que operaban en la industria petrolera; era menester desarrollar empresas nacionales, ya fueran privadas u oficiales. El siguiente artículo hacía manifiesta la necesidad de mantener un ritmo de producción acorde con el volumen de las reservas. Finalmente, el artículo 106 proponía una prohibición sobre la exportación de aquellos productos derivados del petróleo que carecieran de un grado suficiente de refinación. Gilberto Bosques, *The National Revolutionary Party of Mexico and the Six Year Plan* (México: Partido Nacional Revolucionario, 1937), pp. 164-166.

[16] Merril Rippy, *op. cit.*, p. 98.

[17] En 1935, Hubert Herring vaticinó que la industria petrolera iba a sufrir una serie abrumadora de restricciones por parte del gobierno mexicano, y que prácticamente equivaldrían a la nacionalización de su producción, *op. cit.*, pp. 120-121.

[18] Paul Nathan, *op. cit.*, p. 123.

[19] E. David Cronon, *Josephus Daniels in Mexico*, p. 155.

[20] Josephus Daniels, *Shirt-Sleeve Diplomat*, p. 221; E. David Cronon, *Josephus Daniels in Mexico*, pp. 156-158.

del combustible por parte de México, llevaron a la APPM a acelerar el viaje de Clark a México.[21] El ex embajador norteamericano pudo entrevistarse con Calles, mas la pérdida de poder que el antiguo líder sufrió casi inmediatamente, frustró los planes de los petroleros. Es posible, como afirma Virginia Prewett, que entre los motivos que llevaron al general Calles a intentar detener el programa cardenista, se encontrara precisamente un desacuerdo con su política petrolera.[22]

La embajada y el gobierno norteamericano no auspiciaron la "misión Clark", pero no habían dejado de observar esta velada hostilidad del gobierno mexicano para con las empresas petroleras extranjeras. En un memorándum preparado para Daniels el 16 de abril de 1934, se hacía hincapié en que el gobierno se volvía cada vez más riguroso en la revisión de los títulos de propiedad de los petroleros. Pese a ello, otro memorándum de la embajada fechado el día 24, en el que se pasaba revista a los problemas pendientes entre México y Estados Unidos, no hacía referencia alguna al petróleo.[23] Para 1935 la situación había cambiado: la Standard convenció al secretario de Estado, Cordell Hull, de que la controversia petrolera estaba en vías de reanudarse. Hull se encontró preocupado por el aumento de los impuestos y la lentitud en la entrega de los títulos confirmatorios. Daniels informó al Presidente Cárdenas sobre los temores de Washington, pero el gobierno mexicano no dio muestra alguna de tener la intención de variar su política.[24]

Ya sin la influencia del "Jefe Máximo", todo el programa cardenista mostró un tono más radical, que de inmediato se hizo sentir en el ramo del petróleo. En su informe ante el Congreso en septiembre de 1935, el Presidente dejó entrever la posibilidad de modificar la legislación petrolera callista, aunque entonces sólo se refirió a las concesiones ordinarias.[25] Al año siguiente el gobierno mexicano tomó una importante medida para el desarrollo futuro de sus relaciones con los intereses petroleros: la ley de expropiación. Aparentemente, el propósito original de esta legislación no estuvo ligado en forma directa con la industria petrolera.[26] Esta ley —uno de cuyos propósitos era per-

21 El programa de acción económica dado a conocer por el Presidente Cárdenas el 1º de enero de 1935, indicaba, con relación a la industria petrolera, que el aprovechamiento de ese combustible debía hacerse en beneficio del país, y hasta donde fuera posible, a través de empresas nacionales. En todo caso, el Estado regularía su aprovechamiento, así como los precios de venta. Manuel de la Peña, *Necesidad de reformar la Ley del Petróleo, Orgánica del artículo 27 constitucional* (folleto; México, 1936), pp. 13-15; John W. Dulles, *op. cit.*, p. 632.

22 Según Virginia Prewett, el grupo callista tenía importantes intereses en las compañías petroleras extranjeras que el gobierno estaba afectando. Citado por Merril Rippy, *op. cit.*, p. 99.

23 JDP, Caja 801.

24 E. David Cronon, *Josephus Daniels in Mexico*, pp. 158-159.

25 "La aplicación de la Ley del Petróleo de 1925 —dijo Cárdenas—, en lo que a concesiones ordinarias se refiere, ha demostrado no responder al principio fundamental del artículo 27 constitucional. En efecto, permite la incorporación de enormes extensiones de terreno sin trabajar."

26 Armando de María y Campos, *op. cit.*, pp. 296-297. Años después, las compañías petroleras y sus defensores dirían que la promulgación de esta ley fue el primer

mitir una mejor distribución de la riqueza nacional— facilitaba la expropiación de cualquier propiedad por causa de utilidad pública, estipulando que sería pagada de acuerdo con su valor fiscal en un plazo máximo de diez años. Al tener conocimiento del proyecto, el secretario de Estado en funciones, Watleton Moore, objetó la "casi ilimitada extensión del derecho de expropiación" que dicha ley otorgaba al gobierno federal, y pidió inmediatamente a Daniels que discutiera el problema con el Presidente Cárdenas. La acción norteamericana fue tardía: la ley había sido aprobada por el Congreso antes de que la embajada pudiera cumplir la orden de Moore. El Presidente aseguró más tarde a Daniels que las aprensiones del Departamento de Estado, así como de ciertos círculos de negocios norteamericanos, eran infundadas: el único propósito de la nueva legislación era facultar al gobierno para tomar bajo su control aquellas industrias que, siendo necesarias para el bienestar público, hubieran cesado en sus actividades. Cárdenas señaló que no se proponía seguir una política desenfrenada de expropiación, e hizo notar lo absurdo que sería proceder, por ejemplo, a la expropiación de las industrias minera o petrolera.[27] Aparentemente no hubo ya mayor insistencia por parte del gobierno norteamericano sobre este asunto; en noviembre, Daniels dijo en un discurso que las relaciones entre su país y México nunca habían sido mejores.[28] La embajada norteamericana confiaba en que el futuro reglamento de la ley tendría un carácter más "liberal" y disiparía la ambigüedad que permeaba su texto y que podía dar origen a múltiples interpretaciones.[29]

En 1936 también tuvo lugar otro acontecimiento fundamental para las relaciones del gobierno con el grupo petrolero: el inicio de un nuevo conflicto obrero-patronal en esta industria. Desde 1913 se había iniciado el movimiento encaminado a dar forma a una agrupación sindical que congregara a todos los trabajadores petroleros, pero tanto la actitud gubernamental como la de las empresas impidió su consolidación por más de dos décadas.[30] En 1935 la política obrera del régimen permitió que las diversas agrupaciones de los trabajadores petroleros —que continuaron con mayor vigor los movimientos huelguísticos iniciados bajo el anterior gobierno— se fusionaran en 1936 en el Sindicato de Trabajadores Petroleros de la República Mexicana (STPRM). La nueva organización fue incorporada de inmediato a las filas de la CTM, quedando así bajo la influencia oficial. El 20 de julio de 1936 se reunió en la ciudad de México la asamblea del STPRM en

paso de un vasto plan que debería culminar con la expropiación de esta industria. Eduardo J. Correa, *El balance del cardenismo* (México, s.p.i., 1941), p. 153.

[27] E. David Cronon, *Josephus Daniels in Mexico*, pp. 123-125.

[28] JDP, Caja 806, discurso de 9 de noviembre de 1936.

[29] En el estudio sobre la Ley Federal de Expropiación elaborado por la embajada norteamericana el 14 de diciembre de 1936, se señalaba que el texto podía ser interpretado en forma tal, que haría posible prácticamente cualquier expropiación. JDP, Caja 800.

[30] El movimiento sindical a partir de 1913, año en que surgió la Unión de Petroleros Mexicanos, estuvo sujeto a una serie de presiones contrarias, que fueron desde el soborno hasta el asesinato. Véase al respecto la obra de Antonio Rodríguez, *El rescate del petróleo; epopeya de un pueblo* (México: Ediciones de la revista *Siempre!*, 1958), pp. 59 ss.

representación de casi 18 000 obreros, y dio forma al primer proyecto de contrato colectivo de trabajo. En principio las empresas no formularon objeción alguna a este tipo de contrato, pero rechazaron las demandas del sindicato por considerarlas extravagantes; según sus cálculos, el aumento combinado de salarios y prestaciones exigidas por el STPRM ascendía a 65 millones de pesos.[31] Las demandas fueron sin duda exageradas, mas se debe comprender que su propósito era permitir al sindicato un cómodo margen de negociación (es necesario tener en cuenta que el STPRM desde el principio actuó con el consentimiento del Presidente Cárdenas).[32] La tesis sobre el monto de los salarios expresada por el Presidente el 1º de septiembre de ese año, y según la cual la industria debía pagar a sus obreros conforme lo permitiera su capacidad económica, vino a aumentar el disgusto de las empresas.[33] "La Huasteca" informó al embajador que si el gobierno mexicano no adoptaba una actitud más amigable, abandonaría el país.[34] En opinión de Daniels, el problema era que los petroleros —así como el resto de los empresarios norteamericanos e ingleses en México— seguían conservando una mentalidad imperialista de viejo cuño, opuesta a toda mejoría de la situación de sus trabajadores.[35]

3. LA HUELGA PETROLERA Y LA INTERVENCIÓN GUBERNAMENTAL DIRECTA

Antes de que Cárdenas llegara al poder, las relaciones entre los trabajadores de la industria petrolera y el gobierno habían dejado mucho que desear; el Estado no siempre recibió el apoyo de los obreros cuando trató de poner en práctica el artículo 27, pues éstos vieron en ello una amenaza a sus fuentes de trabajo, ya que las compañías generalmente reaccionaban con una disminución de la producción y despidos masivos; otras veces los movimientos huelguísticos en esa industria fueron entorpecidos o suprimidos por el gobierno.[36]

---

[31] El aumento de los salarios ascendía a 28 millones de pesos; el resto correspondía a las prestaciones. Las demandas del sindicato iban desde el establecimiento de comedores y el suministro de servicios médicos, hasta el pago de pasajes de ida y vuelta del obrero y su familia al lugar escogido por éste para pasar sus vacaciones, el doble pago para quienes desempeñaran una labor a alturas superiores a los siete metros o en regiones pantanosas y suministro de automóviles a los líderes sindicales. Para un examen más detallado de este proyecto puede consultarse a Harlow S. Pearson, *Mexican Oil: Symbol of Recent Trends in International Relations* (Nueva York: Harper, 1942).

[32] Lombardo Toledano decía en 1938 que las decisiones del STPRM fueron estudiadas detenidamente desde un principio y tomadas de acuerdo con el general Cárdenas. Universidad Obrera de México, *op. cit.*, p. 45.

[33] Standard Oil Company (N. J.), *Present Status of the Mexican Oil "Expropriation"* (Nueva York, s.p.i., 1940), p. 35.

[34] E. David Cronon, *Josephus Daniels in Mexico*, p. 161.

[35] JDP, Caja 11, Daniels a su hijo, 15 de mayo de 1937. A Hull le informó el año anterior que la colonia norteamericana en México era enemiga de la "Buena Vecindad", y deseaba a toda costa una protección diplomática que le permitiera conservar sus grandes negocios a la vez que pagar sueldos de hambre. E. David Cronon, *Josephus Daniels in Mexico*, pp. 58-59.

[36] Un ejemplo lo constituye la huelga iniciada en abril de 1919 contra la Pierce, que Carranza suprimió por la fuerza.

La CROM y los trabajadores petroleros nunca establecieron relaciones armoniosas y Morones no llegó a controlar completamente a ese gremio. En 1936 la situación era distinta; cuando en noviembre el gobierno intervino en el conflicto a fin de evitar la paralización de la industria, lo hizo en apoyo de las demandas obreras.[37]

La intervención gubernamental en 1936 tuvo como objetivo inmediato hacer aceptar a ambas partes la formación de una convención obrero-patronal que se dedicara a buscar la solución del conflicto. La medida resultó inútil: la convención trabajó hasta mayo de 1937 sin llegar a ningún acuerdo. Las empresas señalaron la suma de 14 millones de pesos como límite del aumento que estaban dispuestas a conceder; en la CTM se estuvo a punto de aceptar la oferta, pero finalmente se desechó; de este modo fue ya imposible evitar el paro.[38] Volvió entonces a cobrar fuerza la opinión de quienes exigían el cumplimiento cabal del párrafo IV del artículo 27.[39] El famoso discurso presidencial en Monterrey —que hacía saber a los industriales que si la lucha obrero-patronal llegaba a resultarles insoportable, los trabajadores o el gobierno estaban dispuestos a hacerse cargo de sus intereses— dio un carácter más serio al conflicto. Poco antes de estallar la huelga, se supo de la existencia de un proyecto —que nunca se publicó— preparado por la Secretaría de Economía otorgando poderes al Presidente de la República para tomar las propiedades hasta entonces operadas por las compañías extranjeras. La APPM informó a la embajada que "se esperaba lo mejor, pero se temía lo peor". Daniels consideró que México no adoptaría medidas radicales aunque sí se podía llegar a una situación difícil; de todas formas, opinó, las compañías tendrían que subir los salarios.[40] Pese a lo dicho ante el embajador, la actitud de las empresas petroleras denotó una gran confianza en su fuerza: Cárdenas, creyeron, no se atrevería a aplicarles la ley de expropiación. En vez de temer un paro prolongado, amenazaron con ser ellas quienes suspendieran la producción si el sindicato insistía en sus demandas originales.[41] Aparentemente los petroleros juzgaron bien la situación, pues el Presidente Cárdenas

---

[37] En múltiples ocasiones el Presidente Cárdenas había señalado que en la lucha entre el capital y el trabajo, este último se encontraba en desventaja; por ello el Estado debía ser relativamente parcial en favor de los obreros. Siempre que un conflicto suscitara dudas, debía ser resuelto en favor del trabajo. George Ward Stocking y Jesús Silva Herzog, op. cit., p. 503.

[38] Universidad Obrera de México, op. cit., p. 61.

[39] A guisa de ejemplo, pueden verse las opiniones de Gilberto Bosques contenidas en una publicación del PNR, señalando la poca utilidad que reportaba a la economía nacional una industria petrolera en manos extranjeras; las utilidades que anualmente repatriaba constituían una importante sangría de recursos; Bosques prácticamente aconsejaba su expropiación. Gómez Robledo, por su parte, manifestó la inconveniencia de retardar más la nacionalización total de los hidrocarburos. Gilberto Bosques, op. cit., p. 283; Antonio Gómez Robledo, op. cit., pp. 38, 41-42.

[40] JDP, Caja 800, Daniels a Departamento de Estado, 6 de marzo de 1937.

[41] William C. Townsend, Lázaro Cárdenas, demócrata mexicano, p. 247; Josephus Daniels, Shirt-Sleeve Diplomat, pp. 223-224.

informó a Castillo Nájera en mayo de 1937, que a pesar de las circunstancias, no era su propósito tomar las propiedades de las empresas.[42]

4. LA COMISIÓN DE EXPERTOS

El paro no se prolongó por mucho tiempo; antes de que llegara a poner en peligro la actividad económica del país, la CTM pidió a la Junta Federal de Conciliación y Arbitraje que el litigio entre el STPRM y las empresas fuera declarado "conflicto económico". La petición fue aceptada de inmediato. Así, mientras los obreros reanudaban sus labores, las compañías debieron someter su contabilidad al examen de las autoridades a fin de averiguar si estaban o no en situación de satisfacer las demandas de los trabajadores.[43] Sin dilación se formó una junta de peritos para que en el corto plazo de treinta días marcado por la ley rindiera su informe. La creación de esta junta —que estuvo formada por Efraín Buenrostro, subsecretario de Hacienda, Mariano Moctezuma, subsecretario de Economía, y Jesús Silva Herzog— fue un paso más en la intervención gubernamental. Las compañías no se enfrentaban ya al STPRM o a la CTM, sino directamente al gobierno del Presidente Cárdenas.

Los intereses del gobierno mexicano no coincidían prácticamente en ningún punto con los de las empresas petroleras: ambas partes favorecían políticas diferentes respecto a los salarios, a la utilización óptima de los recursos petroleros, a las divisas obtenidas por su venta, etc. No es extraño, por tanto, que el conflicto obrero-patronal se convirtiera en un intento más de obligar a las compañías a operar de acuerdo con las necesidades del país. El informe de los expertos fue más allá de la pura investigación financiera, para convertirse en un examen oficial de la realidad petrolera; sus conclusiones no fueron otra cosa que la opinión de la administración cardenista sobre el estado de cosas que guardaba esa industria, opinión naturalmente contraria a las empresas afectadas. Las cuarenta conclusiones resultado de la voluminosa investigación (2 700 cuartillas) ponían de relieve el divorcio entre las necesidades de la economía mexicana y la política de las empresas petroleras desde que iniciaron sus actividades en el país, así como un gran número de irregularidades fiscales y políticas. En opinión de los expertos, las empresas bien podían hacer frente a un aumento de salarios hasta por 26 millones de pesos anuales.[44] El Presi-

---

[42] Francisco Castillo Nájera, *El petróleo en la industria moderna. Las compañías petroleras y los gobiernos de México* (México: Cámara Nacional de la Industria de Transformación, 1949), p. 40.

[43] Las compañías protestaron; según ellas, tal recurso había sido concebido para ser solicitado únicamente por los patronos.

[44] En esencia, el resultado de la investigación efectuada por Silva Herzog y un gran número de colaboradores fue el siguiente: *a)* las compañías investigadas eran parte de grandes consorcios extranjeros cuyos intereses no eran comunes a los de México y, en ocasiones, se encontraban en franca oposición; *b)* con objeto de llevar adelante sus propósitos, las empresas petroleras habían intervenido en numerosas ocasiones en la política interna del país; *c)* la baja en la producción se debía a un agotamiento de los depósitos en explotación, pero también cabía la

dente Cárdenas se mostró de acuerdo con los resultados y recomendaciones del informe.[45] Poco después, Castillo Nájera comunicó a Daniels que las noticias recibidas de Londres sobre las últimas remesas de capital hechas por las empresas, confirmaban que éstas poseían los medios suficientes para conceder el aumento de salarios recomendado por los investigadores.[46] El Presidente Cárdenas hizo saber a su embajador ante la Casa Blanca que el conflicto petrolero no podía tener otra solución que no fuera un aumento del control gubernamental de la industria; en adelante, la fijación de salarios e impuestos se haría de acuerdo con los estudios realizados por las dependencias oficiales.[47]

El informe sobre el estado que guardaba la economía de la industria petrolera fue aceptado sin ninguna objeción fundamental por parte de los obreros, pero no así por las empresas, las cuales —haciendo notar que ya pagaban unos de los salarios más altos del país— mostraron su desacuerdo con la teoría presidencial de que toda empresa debía pagar a sus obreros según su capacidad económica.[48] Todas las conclusiones del informe propiamente dicho fueron refutadas por las compañías, tanto las que se referían a su capacidad económica como aquellas relacionadas con otros aspectos políticos y económicos; además, según los petroleros, el verdadero aumento que exigían las recomendaciones era de 41 millones de pesos y no de 26.[49]

Mientras el informe de los peritos era discutido, las empresas petroleras habían ofrecido ya al sindicato un aumento de 20 millones de pesos; por tanto, la suma en disputa era únicamente de 6, pero las

posibilidad de que fuera resultado de una política expresa de las compañías. Se hacía necesario volver a animar la actividad de exploración y perforación, pues muchos de los pozos en explotación estaban a punto de agotarse; d) la importancia del consumo interno de combustible había ido en aumento; e) en el momento de realizar la investigación, "El Águila" era la empresa más importante: su producción representaba el 59.2 % del total; f) el examen del estado financiero de las empresas revelaba la existencia de una serie de anomalías tales como el registro de un precio de venta más bajo que el prevaleciente en el mercado mundial, el hacer aparecer las compras a las subsidiarias con precios superiores a los normales, o el inflar las nóminas de salarios, y g) por lo que hacía al estado financiero de las empresas, el comité de expertos encontró que entre los años de 1934 a 1936 las utilidades habían sido, en relación con el capital social, del orden del 34.3 %, y en relación al capital invertido no amortizado, del 16.8 %. Se hacía notar que en Estados Unidos la tasa de utilidad era entonces del 2 %. Gobierno de México, El petróleo de México...

[45] Chester Lloyd Jones, "Production of Wealth in Mexico", en Arthur P. Whitaker (ed.), Mexico Today (Philadelphia: The American Academy of Political and Social Sciences, 1940), p. 67.

[46] JDP, Caja 750, Daniels a Hull, 7 de septiembre de 1937.

[47] Francisco Castillo Nájera, op. cit., p. 40.

[48] Según esta teoría, se dijo, los empleados de aquellas industrias con una alta productividad se convertirían en obreros privilegiados; era más razonable tomar las ganancias excesivas a través de los impuestos.

[49] Las compañías, tras un largo estudio del informe, presentaron sus objeciones. Insistieron en la imposibilidad económica de conceder el aumento de salarios que se les exigía; sus utilidades entre 1934 y 1936 no habían sido de 55 millones de pesos anuales, como señalaba el informe, sino de 22. Sus beneficios habían sido del 4.25 % y no del 16 %. Las conclusiones del informe, dijeron, pecaban de apasionadas, y negaron todo, aun el hecho de que sus empresas fueran subsidia-

compañías no parecían dispuestas a ceder más, pues consideraron que de lo contrario el Estado continuaría aumentando su control sobre la industria. El Presidente Cárdenas, por su parte, se mostró dispuesto a llevar adelante las recomendaciones del informe.[50] Por cuatro meses se prolongó el examen del estudio presentado por Silva Herzog y sus colaboradores, y mientras se discutían las objeciones a éste, la JFCA, a través del Grupo Especial 7, realizó una nueva investigación sobre el terreno para comprobar la validez de lo asentado por los peritos; la nueva investigación confirmó la primera.[51] El debate concluyó sin ningún acuerdo y las partes en conflicto mantuvieron invariables sus posiciones. En noviembre, un representante de la Standard declaró que si se les forzaba a conceder el aumento de 26 millones de pesos, los petroleros se verían obligados a suspender las operaciones: "no podemos pagar y no pagaremos", dijo.[52] Las compañías estaban seguras de que, en última instancia y como en ocasiones anteriores, el gobierno tendría que ceder y así se lo informaron al embajador Daniels: en su opinión, Cárdenas no podría tomar sus propiedades porque carecía del personal especializado y, en el caso de tomarlas, jamás podría vender el producto por falta de transportes y, aunque no lo dijeron, por falta de mercados.[53]

5. EL ACUERDO CON "EL ÁGUILA"

El mes de noviembre de 1937 se inició con la franca hostilidad entre el gobierno y las compañías petroleras: la Standard (Cal.) y su subsidiaria, la Richmond Company, fueron privadas de una concesión de 350 000 acres; sin embargo, y casi de inmediato, el Presidente Cárdenas hizo un nuevo y prácticamente último intento por llegar a un acuerdo con las empresas. El día 11, ante la sorpresa de las compañías norteamericanas, se dio a la publicidad un acuerdo concertado por el gobierno con "El Águila" sobre la explotación de una importante zona recién descubierta: Poza Rica. En virtud de tal acuerdo, esa compañía entró en posesión de 13 000 acres de tierras petroleras cuya reserva se calculaba en 500 millones de barriles.[54] En opinión del *New York Times*, "El Águila" había adquirido el segundo depósito petrolífero más importante del mundo.[55] La contrapartida a este aspecto del acuerdo la constituyó el hecho de que los ingleses reconocieron que la nación poseía un derecho sobre el combustible en el subsuelo, así

rias de otros consorcios extranjeros. [Compañías petroleras], *Objeciones de la industria petrolera al informe y dictamen de la comisión parcial* (México, s.p.i., 1937); Donald R. Richberg, *Alegato sobre la cuestión petrolera de México* (México: Comisión de Estudios de la Presidencia, 1940); Wendell C. Gordon, *op. cit.*, pp. 83-85.
   [50] E. David Cronon, *Josephus Daniels in Mexico*, pp. 164-165.
   [51] Este grupo especial estaba compuesto por un representante de las compañías, otro de los obreros, y otro del gobierno.
   [52] Betty Kirk, *Covering the Mexican Front: The Battle of Europe Versus America* (Norman, Okla.: University of Oklahoma Press, 1942), p. 162.
   [53] JDP, Caja 7, Daniels a su hijo, 6 de noviembre de 1937.
   [54] George Ward Stocking y Jesús Silva Herzog, *op. cit.*, p. 499.
   [55] *New York Times* (14 de noviembre de 1937).

como facultades para fijar las condiciones de su explotación, tratárase o no de concesiones confirmatorias. El acuerdo iba aun más lejos, preveía una cooperación entre el gobierno y la compañía petrolera: ambas partes financiarían la construcción de dos refinerías y diez buques-tanque; en estas condiciones, "El Águila" daría al Estado una participación que fluctuaba entre el 15 y el 35 % de la producción.[56] Se estimaba que esta participación gubernamental en la producción petrolera proporcionaría al erario una suma regular de divisas y que, además, alejaría a esa empresa de las posiciones adoptadas por los petroleros norteamericanos.[57] El gobierno intentó entonces concertar un acuerdo similar con las empresas estadounidenses, pero éstas lo rechazaron.[58] México pretendió ligar algunos intereses norteamericanos independientes a la explotación de Poza Rica, evidentemente con el doble propósito de aumentar su participación en la industria del petróleo bajo las nuevas bases, y de contraponer a la hostilidad de los intereses norteamericanos tradicionales otros nuevos, que influyeran favorablemente en Washington.[59] El empeño fue inútil: ningún grupo norteamericano, nuevo o no, aceptó la oferta de Cárdenas. Por lo que hace a "El Águila", se mantuvo dentro del "frente unido"; como en ocasiones anteriores, los ingleses terminaron aceptando la línea trazada por el grupo petrolero norteamericano.

6. EL LAUDO DE LA JUNTA FEDERAL DE CONCILIACIÓN Y ARBITRAJE

El 18 de diciembre de 1937 y de acuerdo con los términos de la ley de 1931, el Grupo Número 7 de la JFCA procedió finalmente a dar su fallo sobre el conflicto obrero-patronal en la industria petrolera.[60]

[56] El contrato especificaba que la producción debía ser cuando menos de 12 600 barriles diarios. En sus declaraciones a la prensa, la Royal Dutch negó que fuera a pagar regalías sobre concesiones confirmatorias, y afirmó que se trataba de una "participación" del gobierno mexicano en la producción. *New York Times* (17 de noviembre de 1937).

[57] Wendell C. Gordon, *op. cit.*, pp. 103-104; Chester Lloyd Jones, *op. cit.*, p. 67; Merrill Rippy, *op. cit.*, p. 112; Betty Kirk, *op. cit.*, pp. 162-163.

[58] Paul Nathan, *op. cit.*, p. 123; Frank L. Kluckhohn, *The Mexican Challenge* (Nueva York: Doubleday Doran and Company Inc., 1939), pp. 110-111.

[59] El *New York Times* de 10 de diciembre de 1937 habló de un viaje secreto de Eduardo Suárez a Nueva York, a fin de entablar negociaciones con este grupo. El embajador Daniels, por su parte, menciona en su despacho de 26 de noviembre al secretario Hull, la oferta de un grupo independiente de petroleros ingleses a Eduardo Suárez. Esta oferta consistía en hacer un préstamo de 10 millones de dólares a México y la construcción de tres refinerías y varios buques, a cambio de 30 ó 40 pozos en la zona de Poza Rica. JDP, Caja 750.

[60] De acuerdo con la ley, la JFCA debía estudiar el informe del comité de expertos y esperar 72 horas para oír las objeciones de las partes en conflicto (en este caso el plazo fue superior) y dar su decisión. En caso de protesta, se procedería a una audiencia con las partes afectadas, después de la cual se daría el fallo. La JFCA tenía autoridad para decretar un aumento o disminución en el personal, fijar las horas de trabajo, cambiar la escala de salarios y, en general, modificar las condiciones de trabajo. Si el patrón no aceptaba la decisión, se declaraba terminado el contrato de trabajo, en cuyo caso los empleados debían recibir tres meses de sueldo como indemnización.

El fallo siguió de cerca las recomendaciones contenidas en el estudio de los peritos; aprobó un aumento total de 26 332 756 pesos en el costo del contrato y fijó en 1 100 el número de empleados de confianza de todas las compañías.[61] La reacción de las empresas petroleras fue inmediata: habían sido objeto de una clara denegación de justicia. Era materialmente imposible, alegaron, dar cumplimiento al contrato colectivo "más extremista que jamás se hubiera dado a trabajadores de cualquier industria de cualquier país". En su opinión, el gobierno mexicano había actuado con manifiesta parcialidad en favor de los obreros.[62] Más tarde, las compañías habrían de señalar que de haber cumplido con el laudo habrían aceptado una expropiación virtual, pues el corto número de empleados de confianza hubiera dado lugar a que fuera el sindicato quien ejerciera el verdadero control de la industria.[63] Era evidente que el núcleo del conflicto no se encontraba ya en el aumento de los salarios y prestaciones, sino en el hecho de que las compañías petroleras habían decidido continuar con su tradicional política de impedir una ingerencia gubernamental sustantiva en sus asuntos financieros y de política general.

Como en otras ocasiones, la industria petrolera puso en movimiento una gran maquinaria defensiva: en el plano interno ésta se movió a diferentes niveles; por un lado, sus abogados echaron mano de todos los instrumentos legales a su alcance y, por el otro, se recurrió a la presión económica. En la demanda de amparo presentada el 29 de diciembre, los representantes de las compañías impugnaron tanto el procedimiento como el laudo mismo; continuaron sosteniendo que el verdadero aumento no era de 26 sino de 41 millones de pesos, aumento que su estado financiero les impedía aceptar.[64] En esta ocasión no se detuvo la producción, pero en un momento en que la coyuntura económica ponía en peligro la estabilidad del tipo de cambio —la inflación originada por los grandes programas de inversión pública y otros fenómenos originaron un aumento excesivo de las importaciones—, las compañías retiraron de golpe sus depósitos bancarios e iniciaron una campaña tendiente a crear desconfianza en los círculos industriales y bancarios

---

61 Para un examen más detallado del laudo, puede consultarse: Universidad Obrera de México, *op. cit.*

62 La posición de las empresas afectadas puede verse en: [Compañías petroleras], *The Mexican Oil Strike*, Vol. I (may 28-june 9 [¿1938?]).

63 Donald R. Richberg, *op. cit.*, p. 40.

64 En su demanda de amparo, los abogados petroleros no reconocieron al Grupo Número Siete competencia alguna para decidir sobre el conflicto, pues ello correspondía al pleno de la JFCA. En cuanto al laudo mismo, sostuvieron que en su formación se habían violado 50 artículos de la Ley Federal del Trabajo, así como seis disposiciones constitucionales. El conflicto, insistieron, había sido indebidamente planteado como uno de orden económico y no debía pedirse un aumento de salarios "hasta el punto que su capacidad económica lo permitiera". La decisión de la JFCA, continuaban, obligaba a dar prestaciones no demandadas originalmente por los trabajadores, y había desechado las pruebas presentadas por los petroleros demostrando que su situación financiera había sido tergiversada. Los representantes de las compañías aseguraron que el verdadero aumento equivalía a 41 millones de pesos y no a 26, y rechazaron por injusta la restricción en el número de empleados de confianza. Universidad Obrera de México, *op. cit.*, pp. 35-39.

con objeto de agotar las reservas de divisas. Las reservas del Banco de México que aparentemente habían estado disminuyendo peligrosamente desde marzo, se resintieron ante el nuevo golpe.[65] La crisis no llegó a tener el carácter catastrófico deseado por los intereses petroleros, pero obligó al gobierno a imponer restricciones arancelarias a fin de disminuir las importaciones y hacer frente a la escasez de divisas.[66] La elevación de los precios y una cierta depresión en la actividad económica no se hicieron esperar.[67] La embajada inglesa advirtió a Eduardo Suárez sobre la posibilidad de que los petroleros ocasionaran un daño aún mayor a la economía mexicana si antes no se llegaba a un acuerdo; por ejemplo, podían suspender sus operaciones.[68]

A la actitud desafiante de las compañías, el STPRM y la CTM respondieron con una campaña de propaganda exigiendo de la Suprema Corte un fallo favorable a sus demandas.[69] El clima político indicaba ya claramente que en esa ocasión los tribunales no serían la puerta de escape que alguna vez fueron para Obregón y para Calles; a pocos debió sorprender la decisión de la Suprema Corte de 1º de marzo de 1938. Los 18 puntos en que estuvo dividido su fallo refutaron todas y cada una de las quejas presentadas por las empresas petroleras, señalándose el hecho de que éstas no estaban obligadas a cumplir con el laudo más allá de los 26 millones de pesos, dejando sin base la queja de que el aumento real excedía esa suma.[70] Teniendo como apoyo esta resolución, la JFCA fijó el 7 de marzo como fecha límite para que los petroleros pusieran en práctica los términos del laudo.

7. LA ACTITUD DEL GOBIERNO NORTEAMERICANO

Hasta 1936, el principal problema entre el Presidente Cárdenas y Estados Unidos lo constituyó su política agraria. La situación cambió

[65] De acuerdo con Silva Herzog, a fines de 1937 el país contaba sólo con reservas ligeramente superiores al límite legal, y con ellas se intentó hacer frente a la fuga de capitales, que de esa fecha y hasta principios de 1938, fue de aproximadamente 500 millones de dólares. Jesús Silva Herzog, *Petróleo Mexicano*, pp. 18-19; Nathaniel y Silvia Weyl, *op. cit.*, p. 328; Merrill Rippy, *op. cit.*, p. 76. Lombardo Toledano acusó a los intereses petroleros de haber buscado la cooperación de la Asociación Nacional de Banqueros en su propósito de provocar una crisis en la economía mexicana. Universidad Obrera de México, *op. cit.*, p. 46. "La Huasteca" intentó que la empresa minera más importante, la American Smelting and Refining Company, forzara un conflicto con sus obreros para agravar la crisis, mas la bonanza en las ventas de plata hizo que la empresa se negara a inmiscuirse en el problema. E. David Cronon, *Josephus Daniels in Mexico*, p. 181. Las compañías afirmaron que el retiro de sus fondos no obedecía a un intento de presionar al gobierno, sino al temor de que éste les congelara sus depósitos. Frank L. Kluckhohn, *op. cit.*, p. 108.

[66] Estas medidas fueron decretadas el 31 de diciembre de 1937. Federico Bach y Manuel de la Peña, *op. cit.*, p. 59.

[67] Wendell C. Gordon, *op. cit.*, p. 48.

[68] Paul Nathan, *op. cit.*, p. 127.

[69] En un discurso que pronunció Lombardo ante la Asamblea General de la CTM el 22 de febrero de 1938, dijo: "...tengo la convicción de que el viernes de esta semana se dictará la sentencia de la Suprema Corte de Justicia de la Nación, confirmando el laudo de la Junta Federal de Conciliación y Arbitraje".

[70] El fallo puede consultarse en: Universidad Obrera de México, *op. cit.*, pp. 67-68.

al año siguiente. Desde un principio las compañías mantuvieron informado al Departamento de Estado sobre sus problemas sindicales, pero al conocer el informe de la comisión de expertos nombrada por la JFCA, sus representantes acudieron a Washington en demanda de protección. En agosto de 1937 hubo una serie de contactos entre los petroleros, Cordell Hull y el subsecretario de Estado, Sumner Wells. Los primeros manifestaron que si las recomendaciones del comité investigador mexicano eran puestas en práctica, ellos se verían obligados a suspender sus actividades por antieconómicas. En opinión de las compañías, el objetivo del Presidente Cárdenas era bien claro: confiscar la industria petrolera, pues las demandas obreras eran simple cortina de humo; tal acción era contraria al interés nacional de Estados Unidos. El Presidente de la Junta de Directores de la Standard manifestó a Hull que "si México nacionaliza la industria petrolera, su acción podría sentar precedentes para que otras naciones de América Latina dieran pasos similares. En tal caso, Estados Unidos se vería privado de los únicos recursos petroleros realmente disponibles en el extranjero". Wells manifestó a las empresas que el Departamento de Estado se mantendría atento al desarrollo del conflicto, mas por el momento se abstendría de intervenir a menos que se configurara un caso claro de denegación de justicia.[71] La negativa del subsecretario se refirió sólo a una protesta formal, pues de inmediato dio órdenes al embajador en México para que hiciera ver al gobierno de ese país que Estados Unidos confiaba en que se mantendría el acuerdo Calles-Morrow. Daniels se entrevistó con el Presidente Cárdenas, el secretario de Relaciones, Eduardo Hay, el subsecretario Beteta y el embajador Castillo Nájera, que se encontraba entonces en México; el diplomático manifestó a los funcionarios mexicanos que su país esperaba que se llegara a un acuerdo justo para ambas partes.[72] Al finalizar el año de 1937 —y pese a que los petroleros decían haber sufrido ya una denegación de justicia— Wells informó al embajador inglés ante la Casa Blanca que Estados Unidos no deseaba ejercer una presión innecesaria sobre México para resolver el conflicto petrolero; las relaciones con ese país eran buenas y no se quería estropearlas innecesariamente.[73]

Las compañías y el gobierno norteamericano no pensaban seriamente en la posibilidad de una expropiación: la actitud más radical que se esperaba de Cárdenas, de no llegarse a un acuerdo, era la intervención de la industria para recibir el pago del impuesto sobre la producción y entregar a los obreros el aumento de salarios acordado por la

---

[71] E. David Cronon, *Josephus Daniels in Mexico*, pp. 168-169; William S. McCrea, *op. cit.*, p. 58; Standard Oil Company (N. J.), *Respuesta de las compañías petroleras al documento del Gobierno Mexicano intitulado "La verdad sobre la expropiación de los bienes de las empresas petroleras"* (Nueva York: Standard Oil Company [N. J.],1941).

[72] JDP, Caja 750, Daniels a Hull, 7 y 9 de septiembre y 26 de noviembre de 1937; Daniels a su hijo, 11 de septiembre de 1937.

[73] JDP, Caja 752, memorándum de conversación de S. Wells con el embajador inglés, 29 de diciembre de 1937.

Junta Federal de Conciliación y Arbitraje, pero se confiaba en que antes se llegaría a un arreglo.[74] Si Washington no consideró necesario intervenir en apoyo de las compañías petroleras cuando surgió el conflicto obrero, sí lo hizo a mediados de 1937, cuando su embajada en México le informó sobre la existencia de un proyecto para decretar un impuesto de 10 ó 15 % sobre la producción de todos los nuevos pozos, independientemente de que estuvieran o no localizados en terrenos de carácter "confirmatorio". Pierre L. Boal, encargado de negocios norteamericano, informó que su gobierno se oponía no tanto al impuesto en sí, como al hecho de que éste implicaba el reconocimiento del dominio de la nación sobre todo el combustible en el subsuelo. Hull advirtió que se opondría a una modificación unilateral de los términos del arreglo Calles-Morrow. En agosto el proyecto fue desechado por el gobierno mexicano.[75] Fue ésta la última vez que la intervención diplomática en favor de los intereses petroleros alcanzó plenamente su cometido.

Ante el conflicto obrero, el embajador Daniels mostró tener un punto de vista que difería del sostenido por las empresas afectadas; en septiembre de 1937 expuso ampliamente su opinión ante Roosevelt: según él, las compañías petroleras desde un principio adoptaron en México una política arbitraria, adquiriendo sus propiedades por medios no siempre claros y obteniendo "millones de ganancia a la vez que pagaban salarios de hambre y muy escasos impuestos hasta antes del gobierno de Carranza". De aquí que pensara que las compañías debían y podían aceptar un aumento en el nivel de salarios, pero éstas se empeñaban en mantener a toda costa el *status quo* en sus relaciones con los obreros y con el fisco, que las beneficiaba más allá de lo normal. Los petroleros, dijo Daniels al Presidente norteamericano, insistían en que Washington no debía apartarse de la antigua "diplomacia del dólar" en sus relaciones con México.[76] En su correspondencia con Hull, Daniels sostuvo esos mismos puntos de vista, aunque con menor vehemencia.[77] El embajador comprendió y aceptó en gran medida la posición del gobierno cardenista: ya era tiempo de que la industria petrolera reportara un mayor beneficio a la economía mexicana. Daniels confió hasta el último momento en que el conflicto no plantearía una crisis seria en las relaciones de México con su país.[78]

[74] JDP, Caja 7, Daniels a su hijo, 23 de diciembre de 1937; Josephus Daniels, *Shirt-Sleeve Diplomat*, p. 226; Betty Kirk, *op. cit.*, p. 157.

[75] E. David Cronon, *Josephus Daniels in Mexico*, pp. 163-165; William S. McCrea, *op. cit.*, pp. 57-58.

[76] JDP, Caja 7, Daniels a Roosevelt, 14 de septiembre de 1937.

[77] Daniels hizo ver a Hull que no había razón para que las compañían gritaran ¡confiscación! cada vez que los obreros pedían un aumento de salarios; y sostuvo que era justo que México recibiera un mayor porcentaje del valor del petróleo a través de los salarios y los impuestos. JDP, Caja 750, Daniels a Hull, 9 y 24 de septiembre de 1937.

[78] JDP, Caja 7, Daniels a su hijo, 18 de septiembre y 23 de diciembre de 1937. El 18 de septiembre el embajador informó a su hijo que: "Los mexicanos están convencidos que las compañías petroleras extranjeras están tomando la crema mientras ellos reciben únicamente la leche descremada."

El punto de vista del embajador Daniels nunca fue aceptado por el Departamento de Estado; en éste prevaleció una concepción distinta del conflicto, más acorde con la tradicional política de protección a los intereses norteamericanos en el extranjero. Al finalizar 1937, el secretario de Estado consideró que el conflicto había rebasado ya el marco obrero-patronal para convertirse en un nuevo enfrentamiento entre las empresas y el gobierno; y él debía evitar que los intereses de sus conciudadanos fueran afectados. En opinión de Hull, los salarios pagados por la industria petrolera eran los más altos del país y esto era lo que debía tomar en cuenta el gobierno mexicano, no el hecho de que las empresas pudieran aumentarlos aun más. El secretario de Estado no descartó la posibilidad de una expropiación u otra forma de interferencia; en este caso, consideró, Estados Unidos no objetaría la medida, pero en cambio exigiría a México una compensación adecuada, efectiva e inmediata. El jefe de la diplomacia norteamericana no creyó que hubiera llegado ya el momento de hacer uso de la interposición diplomática como le pedían las empresas; antes debían agotarse los recursos legales internos.[79] Este escrupuloso respeto por las formas no le impidió tratar de aprovechar la crisis económica provocada por las compañías para obligar a Cárdenas a desistir en su empeño por variar el *status* de la industria petrolera. El secretario de Estado propuso al Departamento del Tesoro que cesara sus compras de plata mexicana para aumentar las presiones sobre la moneda de ese país; sólo cuando México llegara a un acuerdo razonable con los petroleros se reanudarían las compras. Daniels y el secretario del Tesoro, Morgenthau, no compartieron la idea de Hull. Temían que las dificultades económicas obligaran a Cárdenas a buscar el apoyo de las potencias fascistas; tampoco aceptaron el perjuicio que sufrirían las empresas mineras norteamericanas, que prácticamente controlaban toda la producción de plata en México. El resultado de este conflicto de puntos de vista fue que el 29 de diciembre se anunció en Washington la compra de 35 millones de onzas de plata mexicana, pero a partir de entonces los contratos tendrían que renovarse mensualmente; de ese modo, Estados Unidos mantendría un instrumento para obligar a México, en el momento adecuado, a aceptar un arreglo razonable con los petroleros.[80]

En enero de 1938 el señor Armstrong, de la APPM, arribó a México para tratar de llegar a un compromiso con las autoridades mexicanas: el intento fracasó, pues ambas partes mantuvieron invariables sus puntos de vista sobre el aumento de 26 millones de pesos en los salarios. Armstrong sostuvo que según la contabilidad de las compañías, sus utilidades en 1937 habían sido de 19 millones de pesos; por lo tanto, no podían conceder el aumento exigido.[81] Desde entonces y

79 JDP, Caja 750, Hull a Daniels, 17 de noviembre de 1931; William S. McCrea, *op. cit.*, p. 67.
80 E. David Cronon, *Josephus Daniels in Mexico*, pp. 175-177; William C. Townsend, *Lázaro Cárdenas, demócrata mexicano.* p. 163.
81 JDP, Caja 7, Daniels a su hijo, 8 de enero de 1938. Armstrong rechazó los cálculos del secretario de Hacienda, según los cuales el margen de utilidades

hasta marzo, cuando fue negada la demanda de amparo presentada por las empresas, no hubo nuevos intentos por llegar a un arreglo.

En marzo se reanudaron los contactos entre las partes en conflicto; el embajador Daniels intervino activamente en busca de una solución sirviendo de mediador entre los petroleros y el gobierno mexicano; para entonces las compañías habían modificado un tanto su posición, y ofrecían un aumento de 22 millones de pesos (el embajador les había pedido que, si podían, aceptaran pagar los 26 millones señalados por el laudo, evitando así un rompimiento con México). Hasta el último momento Daniels esperó un arreglo. Confió en que los ingleses, que tenían en juego un interés mayor que los norteamericanos, acatarían el laudo en los términos exigidos por el Presidente Cárdenas, obligándolas así a seguir su ejemplo.[82] Aunque el 12 de marzo el embajador describió el conflicto en los siguientes términos: "da la impresión de ser el choque de una fuerza irresistible contra un objeto inamovible", mantuvo la confianza de que llegaría a un arreglo.[83]

El 14 de marzo la JFCA notificó a las compañías que al día siguiente debían dar cumplimiento a lo dispuesto en el laudo, pero éstas insistieron en la imposibilidad de hacerlo. ¿Llegaron a considerar seriamente que a su negativa podía seguir la aplicación de la ley de expropiación de 1936?; en opinión de varios autores, no.[84] Una vez más decidieron, confiadas en su propia fuerza, desafiar al gobierno mexicano, como lo habían venido haciendo con buenos resultados desde la época de Carranza; no se percataron de que las circunstancias internas y externas que habían prevalecido desde 1918 hasta la expulsión de Calles habían variado... y no en su favor.

de la industria petrolera era superior y permitía que ésta concediera desahogadamente a sus obreros el aumento señalado por la JFCA. E. David Cronon, *Josephus Daniels in Mexico*, pp. 178-179.

82 Parece ser que "El Águila" decidió someterse a las disposiciones del laudo de la JFCA, pero la presión de la Standard Oil y de otras compañías norteamericanas la obligaron a volver sobre sus pasos. Bryce Wood, *The Making of Good Neighbor Policy* (Nueva York: Columbia University Press, 1961), p. 205; E. David Cronon, *Josephus Daniels in Mexico*, pp. 182-184.

83 JDP, Caja 7, Daniels a su hijo, 12 de marzo de 1938; Caja 752, Daniels a L. Duggan, de la División de las Repúblicas Americanas del Departamento de Estado, 11 de abril de 1938. De acuerdo con una versión, el 8 de marzo las compañías hicieron saber a Cárdenas que estaban dispuestas a cumplir con el laudo si el gobierno les daba seguridades formales de que por ningún motivo el aumento en salarios y prestaciones excedería la suma de 26 millones de pesos; cuando los petroleros se negaron a aceptar la sola palabra del Presidente Cárdenas, que se indignó ante la duda de los representantes de las empresas, el arreglo que parecía inminente se vino abajo. Jesús Silva Herzog, *Petróleo Mexicano*, p. 121; José Domingo Lavín, *Petróleo*, pp. 184-185; Howard F. Cline, *op. cit.*, p. 237. Según la versión de Kluckhohn, Gordon y otros, Daniels y el embajador inglés ofrecieron a Cárdenas el día 12 que las compañías pagarían los 26 millones, pero a cambio debían eliminarse las restricciones sobre los empleados de confianza, pues las empresas no podían aceptar que algunos de ellos fueran sindicalizados; el Presidente mexicano rechazó la oferta. Frank L. Kluckhohn, *op. cit.*, pp. 113-115; Wendell C. Gordon, *op. cit.*, p. 117.

84 Richard J. Powell, *The Mexican Petroleum Industry* (Berkeley, Cal.: University of California Press, 1956), p. 25; Nathaniel y Silvia Weyl, *op. cit.*, p. 280; William C. Townsend, *Lázaro Cárdenas, demócrata mexicano*, p. 251.

La embajada norteamericana también consideró, pese a lo que las compañías aseguraban, que el propósito del Presidente Cárdenas no era tomar sus propiedades sino únicamente obtener de la industria extranjera los salarios e impuestos más altos posibles para seguir adelante con su experimento para construir en México una "democracia socializada".[85] Días antes de que tuviera lugar la expropiación, las relaciones entre Washington y México no denotaban tirantez alguna: todavía el 15 de marzo el Presidente Roosevelt comunicó a Daniels sus planes sobre una posible visita a México en ese año.[86]

8. LA EXPROPIACIÓN

Las empresas petroleras y varios de los autores que las apoyaron, sostuvieron que el conflicto y su culminación, la expropiación de 18 de marzo de 1938, fue resultado de un plan elaborado por el gobierno cardenista años atrás, exactamente en 1936, cuando Estados Unidos y los países latinoamericanos firmaron el protocolo de no intervención de Buenos Aires;[87] sin embargo, el propio gobierno mexicano y la mayoría de quienes han abordado el problema han negado la existencia de tal plan; el Presidente Cárdenas —como lo hiciera notar el embajador norteamericano— sólo buscaba una mayor integración de la industria petrolera a la economía nacional.[88] La improvisación a que dio lugar la falta de personal técnico y los innumerables problemas que surgieron después de que el gobierno mexicano tomó los bienes de las compañías, muestran que en sus planes no había entrado la posibilidad de hacerse cargo del vasto y complejo establecimiento petrolero. En marzo de 1937, a raíz de la formación de la Administración General del Petróleo Nacional, Kluckhohn —quien más tarde

[85] JDP, Caja 734, Daniels a G. F. Peabody, 21 de enero de 1938; Cajas 11 y 7, Daniels a su hijo, 22 de enero y 12 de marzo de 1938; Caja 752, Daniels a Walles, 29 de enero de 1938.
[86] JDP, Caja 16, Roosevelt a Daniels, 15 de marzo de 1938.
[87] [Compañías petroleras], *The Mexican Oil Strike of 1937. The Expropriatory Decree*, Vol. IV (s.p.i., 1938), pp. 54-55; Standard Oil Company (N. J.), *Confiscation or Expropriation? Mexico's Seizure of the Foreign-owned Oil Industry* (Nueva York, 1940, s.p.i.), pp. 20-28; Samuel Flagg Bemis, *op. cit.*, p. 352; Roscoe B. Gaither, *Expropriation in Mexico* (Nueva York: William Morrow and Company, 1940), pp. 8-9; Frank L. Kluckhohn, *op. cit.*, pp. 96-97; Eduardo J. Correa, *op. cit.*, pp. 153-154. Una de las más curiosas versiones sobre los motivos de la expropiación, y que ha tenido cierta difusión, es la expresada por Carreño y Manero Suárez, entre otros; según estos autores, el decreto de expropiación fue resultado de un plan trazado por Roosevelt y Cárdenas para eliminar al capital petrolero inglés; las protestas posteriores de Hull sirvieron únicamente para ocultar la existencia de tal acuerdo. Alberto María Carreño, *La diplomacia extraordinaria entre México y Estados Unidos, 1789-1947*, Vol. XI (México: Editorial Jus, S. A., 1961, Colección Figuras y Episodios de la Historia de México), p. 263; Adolfo Manero Suárez y José Paniagua Arredondo, *op. cit.*, p. 509.
[88] Gobierno de México, *La verdad sobre la expropiación...*, p. 72; William C. Townsend, *Lázaro Cárdenas, demócrata mexicano*, p. 249; *The Truth about Mexico's Oil* (Los Ángeles, Cal.: Summer Institute of Linguistics, 1940), p. 9; George K. Lewis, *op. cit.*, p. 20; Bryce Wood, *op. cit.*, pp. 203-204; Howard F. Cline, *op. cit.*, p. 237; Nathaniel y Silvia Weyl, *op. cit.*, p. 280; Harlow S. Pearson, *op. cit.*, p. 34, y otros.

también haría mención a la existencia de un plan para nacionalizar la industria petrolera— escribió en el *New York Times* de 3 y 7 de marzo, que aparentemente el propósito del gobierno mexicano era "mexicanizar" la industria petrolera, sin llegar a expropiarla.[89] Si en realidad no se puede hablar de un "plan" detallado para tomar la industria petrolera, tampoco puede considerarse la expropiación como un mero accidente: fue la culminación, en circunstancias propicias, del propósito de los gobiernos revolucionarios, más o menos definido tiempo atrás, para modificar la estructura "colonial" de una industria vital a la economía mexicana.

En la respuesta que en 1939 Daniels dio a una resolución de la Cámara de Representantes, dijo que él no tenía conocimiento de antemano del decreto de expropiación de 18 de marzo de 1938 contra las empresas petroleras. La decisión, según su informe, se tomó en una reunión del Gabinete una hora antes de que fuera anunciada al país por el Presidente mexicano; las compañías mismas nunca hicieron saber oficialmente a la embajada que esperaban la expropiación.[90] La posibilidad de que México recurriera a ésta sí había sido considerada por los diversos círculos norteamericanos, pero no seriamente. Nueve días antes de que la expropiación tuviera lugar, el embajador norteamericano conferenció con los representantes locales de las compañías; les advirtió que si continuaban negándose a pagar los 4 millones de pesos que mediaban entre su oferta de 22 millones y la exigencia del gobierno mexicano, se arriesgaban a sufrir la pérdida de sus bienes. Los petroleros aseguraron que era preferible renunciar a dichos bienes antes que aceptar las exigencias mexicanas. Daniels dudó de su sinceridad; [91] la duda era justa, pues en vísperas del 18 de marzo, Armstrong confió al embajador mexicano en Washington que en su opinión "Cárdenas no se atreverá a expropiarnos..."; lo más grave que podía ocurrir, sería el embargo temporal.[92]

La seguridad casi absoluta mostrada por las compañías y por el gobierno norteamericano de que México no se atrevería a aplicar la ley de expropiación de 1936, se antoja un tanto desmedida, pues no dejó de haber signos que mostraron que tal posibilidad era bastante real. Cuando las compañías solicitaron amparo en contra del laudo de la JFCA, Xavier Icaza, ministro de la Suprema Corte, advirtió que el problema rebasaba los límites puramente legales: si México se sometía en esta ocasión a los intereses petroleros, su soberanía quedaría en entredicho.[93] El 22 de febrero, Lombardo Toledano dijo ante la Asamblea General de la CTM que si la demanda de amparo presentada por las empresas era rechazada, "...los representantes de las compañías

89 El propio Presidente Cárdenas declaró el 15 de marzo de 1937 que no tenía intenciones de expropiar la industria petrolera. Nathaniel y Silvia Weyl, *op. cit.*, p. 284.
90 JDP, Caja 754, Daniels a Departamento de Estado, 9 de febrero de 1939.
91 JDP, Caja 7, Daniels a su hijo, 19 de marzo de 1938.
92 Francisco Castillo Nájera, *op. cit.*, p. 41.
93 Icaza se abstuvo de tomar parte en el juicio de amparo solicitado por los petroleros, pero sus declaraciones revelan el estado de ánimo que prevalecía en los círculos oficiales en general y en la Suprema Corte en particular.

tendrían que dejar su lugar a los representantes del Estado y de los obreros". Todavía más importantes fueron las declaraciones que entonces hizo el propio Presidente ante varios senadores: "nos encontramos —dijo— ante una magnífica oportunidad para que el país pueda colocarse en una posición de verdadera independencia política y económica, frente a la intervención constante que en los asuntos nuestros han querido tener las compañías petroleras..."[94] Al finalizar febrero, las empresas debieron considerar con mayor seriedad la probabilidad de que en esa ocasión el gobierno mexicano estuviera dispuesto a recoger el guante. En marzo, Icaza y Lombardo volvieron a insistir en la posibilidad de que gracias a la intransigencia de las compañías, la industria petrolera quedase finalmente en manos mexicanas.[95] Es cierto que las expropiaciones de La Laguna o Yucatán fueron juegos de niños comparadas con la magnitud que implicaría una solución similar al conflicto petrolero; con todo, demostraron en cierta medida que el gobierno cardenista no había dudado en aplicar los términos de la ley de 1936 cuando no quedaba otra solución.

Es posible que la embajada norteamericana y los representantes locales de las empresas petroleras hayan estado enterados de la oposición que mostraban algunos colaboradores cercanos del Presidente Cárdenas ante la posible expropiación de la industria petrolera y se confiaron en ella. Los argumentos de quienes aconsejaban prudencia eran de peso: la expropiación lanzaría a México contra la alianza de empresas más poderosa del mundo (su fuerza económica era indiscutiblemente superior) y los mercados mundiales para el combustible mexicano desaparecerían, la fuga de capitales aumentaría y, finalmente, la eventualidad de una reacción violenta por parte de Estados Unidos no debía ser descartada.[96]

Tras la negativa de las compañías a cumplir con el laudo, el Presidente examinó con detenimiento la situación interna e internacional antes de dar el siguiente paso.[97] Fue quizá en febrero cuando Cárdenas llegó a la conclusión de que México estaba en posición de dar la batalla decisiva a los petroleros: en el plano interno, su gobierno contaba con una solidez y apoyo del que carecieron sus predecesores; [98]

94 Universidad Obrera de México, *op. cit.*, pp. 91-92.
95 Icaza hizo ver el 1º de marzo que cualquiera que fuera la decisión que adoptaran las compañías en ese momento, el triunfo de México estaba asegurado. Si aceptaban el laudo, el buen éxito era obvio; en caso contrario, México podría finalmente entrar en posesión de la industria petrolera. Lombardo, por su parte, dijo en un discurso pronunciado en Bellas Artes que el verdadero significado del conflicto era la lucha de México por lograr que finalmente el petróleo sirviera a las necesidades del país. Universidad Obrera de México, *op. cit.*, p. 63; México, Secretaría de Educación Pública, *op. cit.*, p. 104.
96 El subsecretario de Relaciones, Beteta, fue uno de quienes se opuso a la expropiación. En Washington, Castillo Nájera temió que tal medida condujera a una represalia armada por parte de Estados Unidos. Nathaniel y Silvia Weyl, *op. cit.*, p. 280; Frank L. Kluckhohn, *op. cit.*, p. 249; Jesús Silva Herzog, *México y su petróleo*, p. 44.
97 *Problemas agrícolas e industriales de México*, "Editorial", Vol. VII (julio-septiembre, 1955), p. 13.
98 En febrero de 1938 Cárdenas le hizo saber a William Townsend, que "Las administraciones anteriores no se sentían lo suficientemente fuertes para afrontar

en el plano internacional, Cárdenas consideró que Roosevelt no recurriría a una intervención armada en apoyo de los intereses petroleros en México.[99] Los compromisos interamericanos en ese sentido, y otros actos del gobierno norteamericano, dieron un cierto margen de seguridad al Presidente de que México no se vería amenazado por una intervención en caso de que aplicara la ley de 1936 a las compañías petroleras.[100] No fueron ignoradas las posibilidades de presiones de tipo económico, diplomático y técnico; sin embargo, el Presidente parece haber considerado que era necesario pagar ese precio a cambio de poner fin al *status* privilegiado de que había venido disfrutando el capital extranjero desde el Porfiriato. En fin, la situación parecía propicia para terminar con una etapa de absorción por el capital imperialista y obtener una mayor independencia económica.[101]

Cuando menos ocho días antes de que la expropiación tuviera lugar, el Presidente Cárdenas ya había decidido que de ser necesario recurriría a ella, y encargó a Múgica que se preparara un documento al efecto.[102] Finalmente, el 18 de marzo el gobierno mexicano decretó la expropiación de los bienes de las dieciséis empresas petroleras que se negaban a acatar lo dispuesto por la JFCA.[103] La intervención, la medida más radical esperada tanto por las empresas como por la embajada norteamericana, no fue empleada por considerársela ineficaz: las compañías habían sacado ya del país sus activos líquidos, y hubiera dado lugar a gran número de conflictos legales que podrían detener la producción.[104] En la tarde del día 18, el Presidente Cárdenas dio a conocer al país el decreto de expropiación. En realidad la medida adoptada por el Presidente Cárdenas no fue una expropiación *stricto sensu,*

el problema [petrolero] enérgicamente. Sin embargo, creo que mi gobierno cuenta con el sólido apoyo del pueblo y se siente asimismo capaz de hacer frente al asunto resolviéndolo de la manera apropiada. Es lo que intento hacer si las compañías persisten en su actitud de provocación". William C. Townsend, *Lázaro Cárdenas, demócrata mexicano,* p. 256.

99 El Presidente señaló en el Senado el 7 de marzo: "...no habrá un conflicto internacional en defensa de los petroleros porque poderosos gobiernos han declarado en repetidas ocasiones su respeto y amistad por la soberanía de las naciones débiles". Betty Kirk, *op. cit.,* p. 164.

100 En 1933 Estados Unidos había aceptado, aunque con reservas, el principio básico de no intervención. Al finalizar la conferencia de Montevideo, Roosevelt definió la política latinoamericana de su país como contraria a la intervención. Después de los acuerdos de Montevideo se perfeccionaron los instrumentos para la solución pacífica de las controversias. A partir de 1934, Estados Unidos puso en práctica una nueva política en Cuba, Haití y Nicaragua.

101 México, Secretaría de Gobernación, *Seis años de gobierno al servicio de México, 1934-1940* (México, s.p.i., 1940), p. XVII. En septiembre de 1938, ante el Congreso de la CTM, el Presidente Cárdenas expuso su punto de vista sobre el gran capital internacional que explotaba los recursos naturales de los países débiles. Ese capital, en su opinión, siempre había buscado el apoyo de sus gobiernos para obtener privilegios especiales y condiciones de extraterritorialidad. Los gobiernos de las grandes potencias alentaban esta actitud en sus capitalistas como una forma de extender su soberanía y sus fronteras. Betty Kirk, *op. cit.,* pp. 53-54.

102 Armando Maria y Campos, *op. cit.,* p. 297.

103 La Mexican Gulf fue la única empresa importante no afectada porque pagaba salarios superiores al resto. Esta compañía continuó operando en México por algunos años más.

104 Wendell C. Gordon, *op. cit.,* p. 120.

sino más bien una nacionalización, pues a diferencia de la expropiación individualizada y personal, la nacionalización obedece a cambios operados en la estructura económico-social del Estado.[105] La nacionalización es, por tanto, un instrumento de cambio en los regímenes de economía liberal.[106] Fue necesario recurrir a tal medida, dijo, para evitar que los fallos de los Tribunales fueran anulados por la sola voluntad de las partes mediante una simple declaración de insolvencia. El conflicto, añadió, había amenazado tanto los intereses económicos del país como los políticos: la soberanía nacional no podía quedar a merced de las maniobras del capital exterior.[107] La decisión del Presidente Cárdenas causó gran conmoción tanto en México como en los círculos extranjeros conectados con el problema. A la sorpresa siguió el júbilo, la duda, el temor, o la ira, según el caso.[108] Con objeto de calmar un tanto al gobierno norteamericano, el Presidente aseguró que el petróleo nacionalizado sólo se destinaría a los países democráticos.

El decreto de expropiación sólo tomó en cuenta los bienes que las compañías tenían en la superficie; el petróleo en el subsuelo fue considerado desde un principio como propiedad de la nación. El debate en torno a la aplicación del párrafo IV del artículo 27 habría de reanudarse en toda su extensión; el acuerdo de Bucareli y el de Calles-Morrow quedaron anulados el 18 de marzo de 1938, anulación que sería objeto de una última y enconada controversia sobre la propiedad del petróleo mexicano al discutirse el monto de la compensación que debían recibir las empresas afectadas. Según el punto de vista mexicano —que excluía del pago los depósitos petrolíferos—, la compensación oscilaba entre 112 y 180 millones de dólares; las compañías y, en cierto sentido, el secretario de Estado, exigieron desde el principio una compensación por esos depósitos, que consideraban de su propiedad absoluta. Según estos cálculos, la suma que debía pagar México oscilaba entre los 500 y 600 millones de dólares.[109]

Como señala Gordon, la crisis de 1938 fue la culminación de una marcha, que nunca se detuvo realmente, para sustraer la industria petrolera de manos de las empresas extranjeras, ni aun cuando estuvo en vigor el acuerdo Calles-Morrow.[110] Cárdenas puso finalmente en

---

[105] Las bases legales de esta medida fueron el párrafo 2º de la fracción VI del artículo 27, y los artículos 1º, 4º, 8º, 10 y 20 de la ley de expropiación de 23 de noviembre de 1936.

[106] Organización de las Naciones Unidas, *Anuario de la comisión de derecho internacional*, Vol. II, 1959, p. 13.

[107] El Presidente señaló en su mensaje, que las empresas petroleras habían rechazado un arreglo con la garantía de que el aumento no excedería a los 26 millones de pesos señalados, y en cambio habían estado llevando a cabo una sorda campaña contra el interés económico del país. Su intervención en la vida política había sido constante, y el saldo de su obra social era claramente negativo. El gobierno no podía permitir que el conflicto privara de combustible al país; si el Estado perdía el control de la vida económica de la nación, corría el riesgo de perder también el control político. El documento completo puede consultarse en: Jesús Silva Herzog, *Petróleo Mexicano*, pp. 132 ss.

[108] Ver el reportaje ya citado de Antonio Rodríguez, *El rescate del petróleo; epopeya de un pueblo*.

[109] George K. Lewis, *op. cit.*, p. 137.

[110] Wendell C. Gordon, *op. cit.*, p. 102.

vigor el artículo 27 en forma diferente a la intentada por sus antecesores: a través del artículo 123. La actitud del Presidente Cárdenas ante los petroleros fue consecuente con una política interna que pretendía dar cabal cumplimiento a los postulados de la Constitución de 1917. La situación por la que atravesaba Estados Unidos fue decisiva en la formulación de la política petrolera del gobierno mexicano. La "Buena Vecindad" y todos los instrumentos internacionales que pretendían resolver pacíficamente las divergencias surgidas en el sistema interamericano —resultado del reajuste provocado en Estados Unidos por la Gran Depresión— dieron a México, por primera vez, una relativa seguridad de que el "coloso del Norte" no emplearía la fuerza en apoyo de las empresas petroleras.

Fue en realidad la intransigencia de las empresas, intransigencia dictada por la defensa de lo que consideraron eran los requisitos mínimos para sobrevivir, la que llevó a Cárdenas a una expropiación para la cual el país no estaba preparado, y que de haber fracasado hubiera hecho peligrar el sistema económico de la Revolución en su conjunto. El gobierno cardenista tuvo que correr ese riesgo y resolver finalmente la contradicción entre las reglas de ciertos sectores del capital internacional y lo que los gobiernos revolucionarios consideraron los principios esenciales de la soberanía nacional. México hizo frente a la hostilidad no sólo del gobierno de Washington sino de consorcios en extremo poderosos, que controlaban más del 90 % de la producción mundial de petróleo.

CAPÍTULO IX

DE LA NACIONALIZACIÓN A LOS ACUERDOS DE 1942

La decisión de expropiar las compañías petroleras extranjeras en México ha sido calificada, quizá con justicia, como la más audaz a partir del inicio de la Revolución.[1] El apoyo que como consecuencia de esta decisión recibió el jefe del Poder Ejecutivo ha tenido pocos precedentes en la historia moderna de México. Es verdad que las manifestaciones de masas que se sucedieron inmediatamente después del 18 de marzo, y que habrían de repetirse en años subsiguientes, fueron en parte montadas por el régimen; sin embargo, sobrepasaron los límites de las movilizaciones "hechas" para convertirse en una gran demostración de la unidad de prácticamente todos los sectores políticos del país —incluyendo a los empresarios y a la jerarquía eclesiástica— en apoyo a la acción gubernamental (el acercamiento entre la iglesia y los gobiernos revolucionarios se había gestado en las postrimerías del gobierno de Calles, pero la expropiación dio a la iglesia una magnífica oportunidad para fijar su nueva posición frente al Estado). Si las colectas populares y la emisión de bonos para indemnizar a las empresas afectadas estuvieron lejos de solucionar el problema económico creado por la nacionalización, fueron en cambio manifestaciones impresionantes de la opinión pública en apoyo de la nueva situación de la industria petrolera. Esta casi unánime aprobación de la conducta del Presidente Cárdenas no pasó inadvertida para la embajada norteamericana; en más de una ocasión Daniels señaló a Roosevelt, Hull y otras personas, que el apoyo interno a la acción contra las compañías era formidable: ningún poder bajo el sol haría dar marcha atrás a Cárdenas, cuya posición era más sólida que nunca. En su opinión, sólo una severa crisis económica que repercutiera en el ya de por sí bajo nivel de vida de las mayorías podría hacer peligrar la estabilidad del régimen.[2]

El golpe asestado a las empresas petroleras fue un paso fundamental en la consolidación del espíritu nacionalista a que dio origen la Revolución de 1910. "El momento histórico en el que se acendró el nacionalismo mexicano —señala Javier Rondero— como sentimiento del propio valer de la nación, corresponde al de la expropiación petrolera..."[3] La nacionalización fue contemplada por un amplio sector del país como un sacudimiento decisivo de las rémoras imperialistas que por tanto tiempo habían pesado sobre México impidiéndole confiar en su propia fuerza y capacidad.[4]

La nacionalización recibió un apoyo casi general, pero no unánime;

1 Henry Bamford Parkes, *op. cit.*, p. 407.

2 JDP, Daniels a Roosevelt, 22 de marzo de 1938, Caja 16; Daniels a su hijo, 9 de abril de 1938 y 18 de marzo de 1939, Cajas 7 y 800; Josephus Daniels, *Shirt-Sleeve Diplomat*, p. 230.

3 Javier Rondero, "Características del nacionalismo", *México: 50 años de Revolución*. Vol. III: *La política* (México: Fondo de Cultura Económica, 1961), p. 310.

4 Oscar Morineau, *The Good Neighbor* (México, s.p.i., 1938).

algunos sectores minoritarios la vieron con alarma o con franca hostilidad. Ciertos funcionarios públicos y observadores predijeron un futuro apocalíptico: las represalias económicas de las compañías y de Estados Unidos llevarían a la pérdida de valor del peso hasta un punto tal, que la confianza en él desaparecería y la actividad económica quedaría paralizada.[5] El rumor de una inminente represalia militar por parte de Estados Unidos y Gran Bretaña, no dejó de circular con insistencia en los primeros días. El Presidente se vio obligado a salir al paso de los rumores esparcidos por las compañías y por los alarmistas; en sus discursos se percibe claramente un esfuerzo por restaurar la calma y la confianza: la expropiación, aseguró, no significaría el caos, ni habría peligro de una invasión armada.[6]

La oposición más extrema a la política petrolera cardenista, en el ámbito interno, provino del cacique de San Luis Potosí y ex secretario de Agricultura, Saturnino Cedillo, que después de haber dado su apoyo a Cárdenas en su conflicto con Calles, empezó a distanciarse de él por estar en desacuerdo con su programa de reformas. La posibilidad de una revuelta encabezada por Cedillo no era desconocida para Cárdenas, quien en ningún momento dejó de tener el control del grueso del ejército.[7] Casi mes y medio después de haber sido decretada la nacionalización, el 15 de mayo, la legislatura de San Luis Potosí dio a la publicidad un decreto desconociendo al general Lázaro Cárdenas como Presidente de la República. Entre las razones que adujo la legislatura potosina para justificar su acción, destacaba la expropiación petrolera, acción que, asentaba el documento, no favorecía a la economía del país, y "visto bajo el sentido práctico de la vida real, resulta un acto antieconómico, antipolítico y antipatriótico". La rebelión cedillista nunca tuvo posibilidades de triunfo; el Presidente Cárdenas redujo al mínimo el empleo de fuerza para sofocarla (más bien recurrió a la persuasión para dispersar a la escasa fuerza rebelde).[8] La decisión de Cedillo de recurrir a las armas en 1938, quizá le impidió convertirse en el núcleo conservador que aglutinara a los diversos elementos en desacuerdo con la política del régimen; de haber sido así, probablemente la nacionalización hubiera hecho frente a una oposición interna más importante.[9]

5 Según esta versión, ante la pérdida de valor del peso, los metales preciosos serían el único medio de cambio, pero como se verían acaparados por los especuladores, el gobierno tendría que hacer aún mayores emisiones de papel moneda, que sería rechazado por los campesinos; el hambre y el desempleo reinarían en las ciudades. Nathaniel y Silvia Weyl, op. cit., p. 294.

6 De acuerdo con los informes del embajador norteamericano, los temores se apoderaron más bien de las clases altas y de los sectores burocráticos intermedios. JDP, Caja 7, Daniels a su hijo, 26 de marzo de 1938; William C. Townsend, Lázaro Cárdenas, demócrata mexicano, p. 266, y The Truth about Mexico's Oil, pp. 28-31.

7 En el ejército, una fracción encabezada por el general Fortunato Zuazua se manifestó en contra de la expropiación, y acusó a Lombardo de tratar de convertir al país en otra España; sin embargo, su influencia no fue importante. Merrill Rippy, op. cit., p. 128.

8 En 1939, casi solo, Cedillo fue muerto en un encuentro con el ejército.

9 Antes de lanzarse a la rebelión, Cedillo había establecido contacto con varias organizaciones de corte fascista, como eran la Unión Nacional de Veteranos de

La actitud de Cedillo y otras manifestaciones de descontento condujeron, doce días después de efectuada la expropiación, a la reorganización del Partido Nacional Revolucionario. La necesidad de contar con un sólido frente político ante las amenazas de subversión y el interés de llevar adelante el programa de reformas, fueron los motivos que dieron origen a la transformación del PNR en el Partido de la Revolución Mexicana.[10] La estructuración del partido en cuatro sectores (militar, campesino, obrero y popular) permitió al Presidente mayor control de la situación política del país; si alguno de ellos adoptaba una postura amenazadora, podría ser neutralizado por los restantes.[11]

El éxito de la expropiación, en el plano interno, no dependió únicamente de la habilidad del régimen para neutralizar a la oposición, sino de su capacidad para mantener a flote un enorme complejo industrial a pesar de la escasez de personal capacitado. El desarrollo general del país no había permitido la formación de cuadros técnicos nacionales que pudieran tomar fácilmente sobre sus hombros la dirección de la industria petrolera. En los primeros años, el gobierno tuvo que depender casi por entero del STPRM para mantener la industria en marcha; muchos obreros ocuparon los altos puestos abandonados por los técnicos extranjeros; algunos fracasaron, pero no todos. Tomó poco tiempo comprobar, contra los pronósticos de muchos, que las innumerables dificultades técnicas no hundirían a la industria recién nacionalizada.[12] Esta dependencia del gobierno con respecto al sindicato petrolero no estuvo libre de problemas. El intento de los líderes obreros por ser ellos y no el Estado, quienes administraran y controlaran a la industria nacionalizada, dio origen a un rápido deterioro en las relaciones entre la dirección de la empresa y sus empleados. Al no ser aceptadas sus pretensiones, y a pesar de que gran número de sus dirigentes ocupaban puestos en la Administración General del Petróleo, el sindicato ignoró la crisis en que el boicot de las empresas extranjeras había sumido a la industria petrolera —y en cierta medida al país— y exigió el cumplimiento inmediato de todas las prestaciones que el laudo de 1937 les había concedido. Fue imposible aceptar su demanda: la situación económica de la industria nacionalizada no lo permitía. Tras una serie de amenazas de huelga y ciertos actos de sabotaje, el gobierno logró imponer su punto de vista.[13]

la Revolución, la Confederación de la Clase Media, el Centro Patronal de México, la Acción Revolucionaria Mexicanista, etc. Para un examen de esta situación pueden consultarse las obras de Fernández Boyoli y E. Marrón de Angelis, *Lo que no se sabe de la rebelión cedillista* (México, s.p.i., 1938); Betty Kirk, *op. cit.*

[10] *Problemas agrícolas e industriales de México*, Vol. VII (julio-septiembre), 1955), pp. 7, 15.

[11] El objetivo del recién formado PRM, de acuerdo con el punto cuarto de su declaración de principios, era nada menos que la preparación del país para la adopción de una democracia del trabajador, que a su vez desembocaría en un régimen socialista.

[12] En opinión de algunos observadores, el que las compañías tuvieran en 1938 un equipo anticuado, y por tanto menos complicado, facilitó el buen éxito de los obreros nacionales. Paul Nathan, *op. cit.*, p. 130.

[13] El Presidente Cárdenas se entrevistó con los líderes petroleros en marzo de 1940; intentó hacerles comprender la imposibilidad en que se encontraba Pemex de cumplir con el laudo de 1937, así como la necesidad de proceder a la

1. LA ACTITUD DE LOS INTERESES AFECTADOS

Como era tradicional, la reacción de las compañías ante la medida gubernamental se desarrolló en varios planos. El 4 de abril, los abogados de las dieciséis compañías mencionadas en el decreto presidencial presentaron ante los Tribunales mexicanos una demanda de amparo contra la ley de expropiación de 1936, contra el decreto de 18 de marzo y contra la forma en que las secretarías de Hacienda y de Economía Nacional pretendían aplicarlo.[14] El juicio fue dilatado extraordinariamente por México, con el evidente propósito de impedir a las compañías esgrimir el argumento de una denegación de justicia —puesto que los recursos legales internos no habían sido agotados— y evitar cerrar de golpe todas las puertas de escape.[15] Cuando año y medio más tarde, en diciembre de 1939, se dio a conocer la decisión de la Suprema Corte, ya las posiciones de las partes en conflicto estaban bien definidas y no hubo sorpresa: la petición fue rechazada. Como era natural, los petroleros acusaron a los tribunales mexicanos de actuar con manifiesta parcialidad y sostuvieron que se configuraba así un caso evidente de denegación de justicia.[16]

Inmediatamente después de que se llevó a cabo la expropiación, surgieron rumores sobre la preparación de un movimiento armado contra el gobierno del Presidente Cárdenas, apoyado por los intereses petroleros afectados. Tales rumores fueron en gran medida exageraciones de los medios periodísticos o meros deseos de los representantes de las empresas expropiadas, aunque no carecieron enteramente de fundamento.[17]

reorganización de una industria en la que, a pesar de haber tenido que disminuir considerablemente el ritmo de sus actividades, el número de empleados había aumentado de 15 895 a 22 206 debido a las maniobras sindicales. El Presidente exigió al STPRM el despido de 2 592 trabajadores contratados innecesariamente y la devolución de 22 millones de pesos perdidos por incompetencia y corrupción atribuibles al sindicato. Los líderes petroleros no aceptaron las demandas del Ejecutivo, y Pemex tuvo que presentar ante la JFCA... ¡un conflicto de orden económico! A fines de ese año —como era de esperar— la JFCA aprobó la reducción del número de obreros y de los salarios. La amenaza de huelga no se materializó y el gobierno ganó la partida, aunque todavía en 1942 el conflicto no estaba plenamente resuelto. Merrill Rippy, *op. cit.*, pp. 141-152; Betty Kirk, *op. cit.*, pp. 65-69.

14 Ver: [Compañías petroleras], *Demanda de amparo y recurso administrativo de revocación contra el Decreto de Expropiación de la industria petrolera* (s.p.i., [¿1938?]; Standard Oil Company (N. J.), *The Mexican Expropriations in International Law* (New York, s.p.i., 1938), pp. 38-50.

15 El juicio no llegó a la Suprema Corte sino hasta octubre, y fue rechazado entonces mientras se apelaba a organismos administrativos.

16 Huasteca Petroleum Company y Standard Oil of California, *op. cit.*, pp. 19-32.

17 En realidad, estos rumores empezaron a circular aun antes del 18 de marzo. Al principiar 1938, L. Anderson, de "La Huasteca", informó a la embajada norteamericana que era imposible continuar con sus actividades bajo la administración cardenista, y pronosticó su derrocamiento. E. David Cronon, *Josephus Daniels in Mexico*, p. 180. Tan pronto como se conoció la noticia de la expropiación, el *Paris Soir*, el *Houston Post* y el *Time* de Londres, predijeron el inminente estallido de una revuelta en México. En ciertos círculos se pensó que el general Almazán, en estrecha relación con las compañías petroleras, podía intentar arrastrar a una parte del ejército contra Cárdenas. Gobierno de México, *El petróleo de México...*, p. [24].

En opinión del embajador norteamericano, los *big investors* que operaban en México hubieran deseado que Roosevelt empleara la fuerza armada; igualmente hubiera sido de su agrado la implantación de un gobierno fascista y aun la anexión. En los círculos petroleros se informó a Daniels, a principios de abril, que en los treinta días siguientes estallaría un movimiento armado contra el gobierno del Presidente Cárdenas.[18] Este supuesto movimiento contaría con la simpatía de los círculos de negocios extranjeros.[19] La previsión de los representantes de las compañías se cumplió parcialmente con la rebelión cedillista, pero nunca llegó a tener la magnitud ni la fuerza que éstos supusieron. En tanto que el gobierno de Washington decidió no favorecer ninguna actividad subversiva, éstas desde el principio carecieron de la menor oportunidad de triunfo.

Varios autores han señalado que la ayuda que las empresas nacionalizadas prestaron al movimiento de Cedillo fue únicamente moral. En realidad no se dispone de pruebas claras al respecto, pero la conexión entre el levantamiento en San Luis y la expropiación, fue algo más que un accidente. Cinco o seis meses antes del 18 de marzo, el gobierno mexicano tenía ya conocimiento de ciertos contactos entre los petroleros y el cacique potosino.[20] Este tipo de contactos no se limitaron a Cedillo; es posible que una de las agrupaciones de corte fascista que operaban en México, los Camisas Doradas, también haya llegado a considerar seriamente la viabilidad de obtener el apoyo financiero de los petroleros para derribar al gobierno cardenista;[21] sin embargo, para fines de 1938 fue evidente que éste no era el camino que conduciría a la solución del problema con las compañías: la esta-

---

[18] Daniels, sabedor del gran apoyo que entonces tenía el Presidente Cárdenas, desechó estos informes provenientes de un funcionario de la Standard Oil. JDP, Caja 7, Daniels a su hijo, 9 de abril de 1938.

[19] El 30 de agosto, Daniels informó a Hull que muchos de los norteamericanos residentes en México, favorecían el empleo de la fuerza para solucionar la controversia sobre el petróleo. JDP, Caja 750. En septiembre, el embajador comentó a su hijo, que en una entrevista que tuvo con Elmer Jones, de la Wells Fargo, y cuyas opiniones eran típicas de cierto sector de inversores norteamericanos, éste aconsejó la anexión de México por los Estados Unidos. JDP, Caja 7, 7 de septiembre de 1938. Un mes más tarde, el embajador Daniels volvió a informar a su hijo que en una conversación sostenida con G. Maton, de la British American Tobacco —a quien calificó como uno de los miembros más inteligentes de la colonia norteamericana—, aconsejaba el rompimiento con México. El tipo de gobierno que convenía a este país, según Maton, era uno similar al de Guatemala en ese momento, encabezado por un déspota benévolo. Daniels opinó que a estos inversionistas les agradaría ver a la América Latina gobernada por los grupos fascistas. JDP, Caja 9, Daniels a su hijo, 23 de octubre de 1938.

[20] Antes de producirse la expropiación, un licenciado Noyola estuvo negociando con ciertas empresas petroleras un pequeño empréstito para Cedillo —150 000 pesos— que aparentemente no llegó a efectuarse. Fernández Boyoli y E. Marrón de Angelis, *op. cit.*, p. 171; Jesús Silva Herzog, *Petróleo Mexicano*, pp. 156-157.

[21] Según la versión de Nathaniel y Silvia Weyl, el general Nicolás Rodríguez, líder de los Camisas Doradas, se comprometió con los petroleros a que, en caso de tomar el poder, anularía el decreto de expropiación así como el artículo 27. El general Rodríguez, por su parte, recibiría de las compañías entre dos y diez millones de dólares, que serían enviados a través de Cuba y el Canadá. Finalmente, por causas no del todo claras, este plan no pasó del papel. *Op. cit.*, p. 289.

bilidad interna del régimen y la posición de la Casa Blanca, impidieron que la sombra de Peláez volviera a proyectarse en el conflicto.[22]

Terminada esta primera etapa, tras comprender que un cambio violento era imposible, las compañías intentaron aprovechar las diferencias surgidas entre el gobierno y el STPRM para desarticular la actividad de Pemex. Los agentes de los petroleros entraron en contacto con algunos líderes del STPRM para ofrecerles apoyo económico a cambio de su oposición a la reorganización de la industria. Las amenazas de huelga y ciertos actos de sabotaje ocurridos en esos años fueron en parte atribuidos a la labor de agitación desarrollada por los agentes de las compañías entre los trabajadores petroleros.[23] El rompimiento entre la administración de Pemex y los obreros —como lo deseaban las compañías— no ocurrió, pero las dificultades laborales fueron ampliamente explotadas por el aparato propagandístico de las empresas, para demostrar que ni el mismo gobierno mexicano podía cumplir con los términos del laudo que condujo a la expropiación.[24] Los actos de sabotaje, promovidos tanto por las compañías como por los obreros descontentos, no acabaron sino hasta 1941, cuando los mismos agentes aliados se encargaron de velar por la seguridad de los campos petroleros mexicanos.[25] El cambio de gobierno y el movimiento almazanista proporcionó a las empresas expropiadas la última oportunidad para intentar echar por tierra la nacionalización de la actividad petrolera; sin embargo, Almazán, al no contar con el apoyo de la Casa Blanca en su movimiento de oposición, declinó los ofrecimientos de ayuda que le hicieron las compañías.[26]

---

[22] Todavía en septiembre los rumores de una revuelta inspirada por las compañías eran insistentes. En una carta enviada por Carroll Kilpatrick a Daniels, se decía que varios de los representantes de los petroleros en México estaban ya convencidos de la futilidad de los intentos por propiciar un movimiento armado contra Cárdenas, pero que un señor Swift le informó que su compañía pensaba financiar un movimiento de esta índole con un millón de dólares; todo dependía de la actitud de Washington. JDP, Caja 733, Kilpatrick a Daniels, 5 de septiembre de 1938.

[23] De acuerdo con un informe reservado de una secretaría de Estado, fechado el 29 de julio de 1940 y citado por Silva Herzog, la Standard Oil y "El Águila" establecieron contacto con ciertos líderes petroleros a quienes ofrecieron apoyo económico a cambio de su oposición a los planes de reorganización trazados por el gobierno. Según el informe, uno de los dirigentes se comprometió ante los representantes de las empresas a organizar la huelga en caso de que el gobierno pretendiera seguir adelante con sus planes. En otro informe similar fechado el día 30, se mencionó un acuerdo entre la Standard, de New Jersey, la California y "El Águila", con objeto de formar un fondo de ayuda para el STPRM en caso de que éste decidiera ir a la huelga; los ingleses contribuirían con el 50 % y los americanos con la otra mitad. Además, se mencionó también en ese informe un plan de agitación en los campos petroleros. Varios de los accidentes ocurridos entonces tuvieron las características del sabotaje. El propio Silva Herzog renunció en agosto de 1940 a la gerencia de la Distribuidora, tras de haber sido sustraídos varios contratos secretos por los empleados de esa dependencia, y publicados en Estados Unidos.

[24] Standard Oil Company (N. J.), *Respuesta de las compañías petroleras al documento del gobierno mexicano...*, p. 4.

[25] Betty Kirk, *op. cit.*, pp. 174-176.

[26] Ciertos intereses privados trataron de envolver a Estados Unidos en la campaña electoral de 1940, dice Herring, sobre todo porque Almazán tenía una

Los petroleros —a diferencia del gobierno norteamericano— nunca llegaron a aceptar el derecho de México a expropiar sus propiedades, sobre todo porque el gobierno se negó en principio a discutir la posibilidad de compensarlas por el combustible que aún permanecía en el subsuelo y que consideraban parte integral de sus posesiones.[27] Las compañías sostuvieron que sus propiedades habían sido tomadas no en virtud de una ley general e impersonal, sino para castigar lo que el gobierno consideró una actitud rebelde. Esto, aunado a la falta de un pago pronto y adecuado, era en su opinión una confiscación; por tanto, la única solución posible era la devolución de sus propiedades.[28] En los primeros tiempos, la propaganda de los petroleros repitió incansablemente que México no estaba capacitado para mantener en marcha la industria expropiada, por lo que resultaba más razonable dar marcha atrás antes de que fuera demasiado tarde y todo el país pagara las consecuencias del error de Cárdenas.[29] Esta insistencia en la devolución como única solución aceptable, debe verse a la luz del temor de que el ejemplo mexicano se extendiera a otras regiones de la América Latina, donde los intereses petroleros eran realmente importantes.[30] Conviene tener en mente que el conflicto mexicano había sido precedido por la expropiación de la Standard Oil of Bolivia. Dos expropiaciones, casi simultáneas, debieron preocupar sobremanera a los norteamericanos.[31] La acción del Presidente Cárdenas no llegó a repe-

buena disposición hacia los intereses norteamericanos petroleros y agrarios que habían sido afectados por Cárdenas. Cronon asegura que las empresas petroleras ofrecieron a Almazán 200 000 dólares, y Elliot Roosevelt —que se había distinguido por sus ataques a Cárdenas— también le brindó su ayuda. Sin embargo, como los esfuerzos de los enviados de Almazán para obtener el apoyo directo del Presidente Roosevelt fracasaron, éste desistió de sus planes de recurrir a la violencia. Hubert Herring, *op. cit.*, p. 95; E. David Cronon, *Josephus Daniels in Mexico*, pp. 256-257.

[27] El que Washington aceptara el derecho mexicano a expropiar, aunque condicionado a un pago inmediato y adecuado, llevó a las compañías a decir que habían sido abandonadas. Josephus Daniels, *Shirt-Sleeve Diplomat*, p. 231.

[28] JDP, Daniels a Departamento de Estado, 16 de abril de 1938. En una forma u otra, las compañías sostuvieron hasta 1942 que la única forma de llegar a un arreglo con México era la devolución.

[29] Según las compañías, México sólo había tomado sus propiedades físicas pero no los "factores intangibles", tales como los conocimientos técnicos, habilidad administrativa, etc., por lo cual tarde o temprano la industria nacionalizada caería en la bancarrota. La posición de las empresas puede examinarse a través de los varios folletos publicados en Nueva York por la Standard Oil (N. J.) entre 1938 y 1940. Estos folletos son los siguientes: *Confiscation or Expropriation?*, *Denials of Justice*, *Diplomatic Protection*, *Empty Promises*, *Investments and Trade*, *The Fine Art of Squeezing*, *The Mexican Expropriations in International Law*, *The Reply to Mexico*, *The Solution for the Mexican Confiscation*, *They Took what they Wanted*; véase también un folleto de la Huasteca Petroleum Company, *Expropriation*.

[30] En el folleto de la Standard, *Confiscation or Expropriation?* se señala: "La estructura misma de las relaciones comerciales mundiales está en peligro [por la acción del gobierno mexicano]. Si la propiedad privada puede ser tomada a voluntad, sin hacer un pago pronto y adecuado, toda la base de las relaciones entre los Estados es socavada", pp. 93-94.

[31] La expropiación boliviana fue menos importante, tanto por su magnitud como por no ser producto de una política preestablecida. El conflicto boliviano de 1938 tuvo su origen en la falta de pago de ciertos impuestos y en la exportación ilegal de combustible; el fraude hizo que se le negara toda compensación a la empresa afectada. El gobierno norteamericano pudo dar a la Standard Oil un

tirse en otro país del continente; sin embargo, en los primeros años no dejó de estimular el nacionalismo de otros países latinoamericanos, que modificaron sus legislaciones sobre petróleo. Para las compañías fueron evidentes los peligros potenciales que entrañaba el permitir que la industria petrolera mexicana saliera avante.[32]

2. LA REACCIÓN DEL DEPARTAMENTO DE ESTADO

La expropiación sorprendió al Departamento de Estado y produjo una irritación como no se había visto desde los primeros tiempos de la Revolución.[33] El 22 de marzo, los petroleros presentaron a ese departamento un documento en el que manifestaban haber sido víctimas de una denegación de justicia por parte del gobierno mexicano y pedían que se tomaran las medidas necesarias para que fuera remediado el error.[34] Seis días más tarde se reunieron con Hull y pidieron que se exigiera a México una pronta y adecuada indemnización; en caso de que ese país no pudiera satisfacer la demanda, se debía insistir en la devolución inmediata de sus propiedades.[35] Como en ocasiones anteriores, el Departamento de Estado tendió a identificarse inmediatamente con las demandas de los petroleros y hubiera exigido y presionado a México por diferentes medios hasta obtener la devolución, si las diferentes posiciones que habían aparecido dentro de la administración norteamericana desde el inicio del conflicto, no hubieran continuado después del 18 de marzo, frustrando un tanto los planes de Hull. Para fortuna de la administración cardenista, la posición del embajador Daniels, opuesto al ejercicio de una fuerte presión sobre el gobierno mexicano, tuvo cierta influencia.

La nacionalización mostró que Daniels era en verdad uno de los mejores diplomáticos de Roosevelt. Auténtico representante del *New Deal* y de la Buena Vecindad, pugnó por un capitalismo mucho más avanzado que aquel practicado por las compañías petroleras y defendido por casi todos los funcionarios del Departamento de Esta-

apoyo más eficaz que en el caso de México, retirando a Bolivia toda ayuda y evitando que la recibiera de terceros países para el manejo de la empresa expropiada. Bryce Wood, *op. cit.*, pp. 186-197.

[32] La ratificación que hizo la Suprema Corte de Bolivia el 11 de marzo de 1939 del decreto expropiatorio, fue resultado indirecto de la situación mexicana. Sin embargo, las presiones a que fue sometido ese país hicieron que en 1942 se retractara, devolviendo los bienes expropiados a la Standard. La política petrolera mexicana tampoco fue ajena a la expropiación de seis refinerías de propiedad inglesa y norteamericana en Uruguay, y a la legislación petrolera más o menos nacionalista de Cuba, Colombia, Ecuador, y en cierta medida a la venezolana de 1943. Betty Kirk, *op. cit.*, pp. 200-201; Daniel Durand, *op. cit.*, p. 50. En 1939, en Ginebra, y en el transcurso de un congreso obrero, el delegado uruguayo dijo que si los capitalistas extranjeros en la América Latina no cambiaban sus métodos, los gobiernos de la región tomarían medidas similares a las adoptadas por México con relación a las empresas petroleras. *New York Times* (21 de junio de 1939).

[33] Bryce Wood, *op. cit.*, p. 204.

[34] Merril Rippy, *op. cit.*, p. 120. En sentido estricto, las compañías no estaban en lo justo al formular su demanda, puesto que aún no agotaban todos los recursos legales.

[35] *New York Times* (30 de marzo de 1938).

do; [36] Daniels comprendió que la posición norteamericana en México no debía continuar basándose en las crudas relaciones capitalistas del siglo XIX; era menester aceptar ciertos cambios que pusieran al día esta relación. Daniels vio en el programa reformista del gobierno mexicano, incluida la expropiación, el medio de otorgar un mayor poder de compra a las grandes mayorías y convertir a México en un vecino estable y buen cliente de Estados Unidos.[37] Una mejor distribución de la riqueza disminuiría el atractivo de las doctrinas fascistas o comunistas que amenazaban a los sistemas democráticos occidentales. El embajador consideró que la nacionalización había sido un error, pero admitió que el Presidente Cárdenas tenía derecho a intentar que la riqueza del subsuelo mexicano —adquirida en forma no muy clara por las compañías, y explotada sin consideración a las necesidades locales— se convirtiera en parte integral de la economía nacional; la crisis era producto de la negativa sistemática de las empresas extranjeras a modificar las bases sobre las cuales habían iniciado sus actividades a principios de siglo.[38]

El embajador trató de convencer tanto al Presidente Roosevelt como al Departamento de Estado de que era casi imposible que Cárdenas diera marcha atrás.[39] Estaba convencido de que Estados Unidos no debía adoptar una posición de "mano dura" como aconsejaban los círculos afectados, ni exigir una compensación inmediata que México era incapaz de cubrir debido a la pobreza del erario.[40] En momentos en que la situación mundial era sumamente peligrosa, la "Buena Vecindad" estaba por encima de los intereses petroleros, y las relaciones con México eran la "prueba de fuego" de la nueva soli-

[36] En una carta fechada el 6 de septiembre de 1938, Daniels decía a Bower, embajador en España: "En realidad, la filosofía del New Deal y de la política de Buena Vecindad, son despreciadas por los diplomáticos de carrera, y entre los nombrados por Roosevelt algunos sólo la practican verbalmente". JDP, Caja 732.
[37] E. David Cronon, Josephus Daniels in Mexico, pp. 275-286.
[38] En carta a Bower, el 27 de septiembre de 1938, Daniels señaló que la justicia y la honestidad entre las naciones de América, bases de la Buena Vecindad, no eran fáciles de obtener "cuando la mayoría de los recursos en varios de los países pertenecen a extranjeros". En otra carta fechada 21 días antes, Daniels había dicho a su colega que en México los españoles habían sido sucedidos por los Dohenys, Cowdrays y otros explotadores, "que consideran que los mexicanos nacieron para enriquecer a los extranjeros, y que Dios puso importantes recursos naturales en el subsuelo de México para aumentar las fortunas que se encuentran en los cofres de los explotadores y concesionarios". JDP, Cajas 754 y 752. En su discurso del 4 de julio de 1938, el embajador afirmó ante sus oyentes que una de las causas por las cuales peligraba la democracia en el mundo era porque, junto al desempleo, los pueblos no recibían una justa proporción de la explotación de sus riquezas naturales ni del producto de su trabajo. Poco después, Daniels hizo ver a Hull que las compañías debieron aceptar la mejora en los salarios de sus trabajadores, en vez de oponerse a las decisiones de los tribunales mexicanos. JDP, Caja 750, Daniels a Hull, 26 de julio de 1938.
[39] JDP, Caja 752, Daniels a Welles, 25 de marzo de 1938; E. David Cronon, Josephus Daniels in Mexico, p. 187.
[40] En carta a Bower, Daniels dijo: "Nuestro Departamento de Estado está exigiendo vigorosamente un pago a este país pobre y no dice nada a Gran Bretaña y a Francia. No puedo entender esta clase de diplomacia". JDP, Caja 732, 6 de septiembre de 1938.

daridad interamericana.[41] Daniels consideró que debía presionarse a las compañías para obligarlas a llegar a un acuerdo con el gobierno mexicano y poner fin rápidamente a una situación que estaba perjudicando el conjunto de la política exterior norteamericana.[42] Durante los tres años y medio siguientes a la expropiación, Daniels procuró servir más como intermediario y punto de enlace entre las partes en conflicto, que como representante de los intereses afectados; su deseo de impedir que la falta de flexibilidad del Departamento de Estado desembocara en un rompimiento con el vecino del Sur, le hizo insistir en la conveniencia de la visita del Presidente Roosevelt a México, y aun le llevó a tomar decisiones sin precedente, como retirar una nota de protesta del Departamento de Estado sin el conocimiento de Hull.[43] A pesar de las dificultades que el programa de reformas de Cárdenas ocasionó en las relaciones entre ambos países, Daniels nunca renunció a apoyarle.[44] Esta actitud le valió que en la propaganda de las compañías y en el Congreso norteamericano se le acusara de complicidad o negligencia en el conflicto petrolero.[45]

La posición adoptada por el Presidente Roosevelt ante la expropia-

[41] Desde 1938 hasta el final de su gestión, Daniels pidió a Roosevelt que, a semejanza de Wilson, no se dejase llevar por las opiniones de aquellos que exigían una política agresiva hacia México: no era justo. Con ello, además, se ponía en peligro a la política de Buena Vecindad que era la única solución para preservar la democracia en Hispanoamérica. JDP, Cajas 16, 17 y 803, Daniels a Roosevelt, 22 de marzo de 1938 y 4 de mayo de 1940; discurso de Daniels de 2 de diciembre de 1939 en Dallas, Texas.

[42] Daniels pensaba que ante tal prueba de buena voluntad, México trataría de pagar antes de los diez años que estipulaba su ley de expropiación. El embajador sugirió al Departamento de Estado que él podía entrevistarse con Rockefeller y convencerle de que debía aceptar la expropiación como un hecho irreversible y negociar con el gobierno mexicano. El Departamento de Estado se opuso. Josephus Daniels, *Shirt-Sleeve Diplomat*, pp. 230, 241.

[43] El embajador Daniels insistió en varias ocasiones ante Roosevelt —sin buen éxito— sobre la conveniencia de llevar a efecto el plan trazado con anterioridad a la expropiación, para que visitara México. JDP, Caja 17, Daniels a Roosevelt, 12 de mayo, 24 de julio y 6 de noviembre de 1939. Sin notificar a Hull, y a instancias de Hay, Daniels aceptó que se diera por no recibida la nota que había entregado a la Secretaría de Relaciones el 26 de marzo de 1938. En esta nota el Departamento de Estado había empleado un tono particularmente ofensivo y que Daniels consideró podía llevar a un rompimiento de relaciones entre ambos países. JDP, Daniels a su hijo, 23 de julio de 1938; E. David Cronon, *Josephus Daniels in Mexico*, pp. 196-198; Josephus Daniels, *Shirt-Sleeve Diplomat*, pp. 235-236. En opinión de Wood, la actitud de Daniels en esta ocasión fue "casi única en los anales de la diplomacia moderna de los Estados Unidos de América", y sólo su amistad con Roosevelt la hizo posible. Bryce Wood, *op. cit.*, pp. 210-213, 218.

[44] A fines de 1938, Daniels dijo a su hijo que el Presidente Cárdenas tenía una de las funciones más difíciles del mundo, "pero espero que por esta vez logre sus propósitos y dé a los indios la oportunidad que nunca han tenido". JDP, Caja 9, 29 de octubre de 1938. Cuando la gestión de Daniels al frente de la embajada tocó a su fin en 1941, el viejo político demócrata escribió a Cárdenas, que ya había entregado el poder a Ávila Camacho, una corta nota de despedida en la cual le dijo: "Su lugar en la historia, al lado de Juárez, está a salvo." JDP, Caja 749, 6 de noviembre de 1941.

[45] Daniels informó a su hijo que un alto funcionario de las compañías había asegurado que la expropiación había sido resultado de un plan elaborado por Cárdenas, Daniels, Castillo Nájera, Beteta, Múgica, Trotsky y Lombardo. JDP,

ción, parece haber sido intermedia entre las asumidas por Daniels y el Departamento de Estado, a la vez que constituyó un fiel reflejo de su política interna. El objetivo del programa de Roosevelt, en última instancia, era ayudar a la empresa privada norteamericana a adaptarse al mundo que surgió de la gran crisis; esta readaptación requería poner coto a los aspectos más negativos y abusivos de las grandes empresas privadas, precisamente como los que habían originado el conflicto con México. Roosevelt recibió constantes peticiones de su embajador en México instándole a no permitir un rompimiento con ese país. México no podía compensar a las compañías en la forma que éstas exigían, pero tampoco podía dar marcha atrás sin peligro de su estabilidad. El régimen mexicano, dijo, apoyaba firmemente la política internacional de Roosevelt; era indispensable mantener la confianza de Hispanoamérica en Estados Unidos y no caer en las viejas prácticas imperialistas.[46] El embajador tampoco dejó de prevenir al Presidente norteamericano sobre la poca disposición que mostraba el Departamento de Estado para sustituir el *big stick* por la Buena Vecindad.[47]

Aun antes de que surgiera el problema petrolero, a raíz de las expropiaciones agrarias, Roosevelt no sólo mostró poca disposición a continuar con la rígida defensa que de los terratenientes norteamericanos habían hecho sus predecesores, sino que se inclinó a aceptar que fueran tratados en igualdad de condiciones que los terratenientes mexicanos.[48] Al producirse la nacionalización de marzo de 1938, el Presidente norteamericano reconoció de inmediato el derecho que México tenía para hacerla, aunque no estuvo dispuesto a aceptar con igual facilidad que la indemnización fuera pagada de acuerdo con la legislación mexicana, es decir, en un plazo de diez años.[49] En general, Roosevelt no dio muestras de querer sacrificar lo más por lo menos: la unidad del sistema interamericano en los momentos en que

Caja 7, 2 de julio de 1938. Para examinar las críticas y la defensa que se hicieron en el Congreso norteamericano sobre la actuación de Daniels, puede consultarse el *Congressional Record*, Vol. 84, N? 37. de 23 de febrero de 1939, p. 2569.

[46] Al producirse la expropiación, Daniels dijo a Roosevelt que los obstáculos en las relaciones con México eran la intransigencia de las compañías petroleras y las arcas vacías del gobierno mexicano. En agosto, Daniels le recordó que por primera vez en mucho tiempo las relaciones entre los dos países eran cordiales; México consideraba que Roosevelt comprendía sus problemas y aspiraciones, y "sería una calamidad si ese espíritu se perdiera, [aunque] ya ha sido perturbado y puesto en peligro". El Presidente no debía ceder a las presiones de los petroleros y sí tener paciencia; en realidad, Cárdenas no pretendía otra cosa que hacer su propio *New Deal*. Cárdenas deseaba, también, una estrecha colaboración con Estados Unidos para impedir que la América Latina se viera envuelta en la pugna mundial. JDP, Cajas 16, 17 y 19. Daniels a Roosevelt, 30 de marzo y 31 de agosto de 1938, y 4 de noviembre de 1939.

[47] JDP, Caja 16, Daniels a Roosevelt, 15 de septiembre de 1938.

[48] Hull no estuvo de acuerdo con Roosevelt porque consideró que los propietarios mexicanos estaban siendo tratados por debajo de las normas internacionales de justicia. E. David Cronon, *Josephus Daniels in Mexico*, pp. 146-147.

[49] Un año después, el 7 de octubre de 1939, Cárdenas envió un mensaje personal a Roosevelt manifestando su satisfacción por la comprensión mostrada ante el derecho mexicano a expropiar la industria petrolera. Francisco Cuevas Cancino, *Roosevelt y la Buena Vecindad* (México: Fondo de Cultura Económica, 1954), p. 286.

se perfilaba un conflicto mundial, a cambio de la devolución de los bienes de las compañías petroleras. Esta determinación posiblemente se robusteció a principios de 1939, cuando era obvio que, pese a las dificultades, México saldría adelante con la industria petrolera nacionalizada. Roosevelt se vio ante una disyuntiva: o bien presionaba seriamente a México haciendo a un lado sus propósitos de solidaridad continental, o aceptaba —sin renunciar a sus demandas— el éxito de la expropiación. Fue así como, contra los deseos de los petroleros, el Presidente norteamericano aceptó casi desde el principio que la indemnización debería hacerse sólo teniendo en cuenta el capital invertido menos la depreciación, sin incluir el valor del petróleo existente en el subsuelo.[50]

El Departamento de Estado, con Hull a la cabeza, se mostró decidido a seguir en contra de Cárdenas la política más agresiva dentro de los límites permitidos por Roosevelt. La idea de recurrir a la fuerza fue desechada desde el principio, lo mismo que la de fomentar una revuelta anticardenista que podría dar origen al ascenso de un gobierno fascista;[51] por otra parte, se estuvo de acuerdo en la necesidad de "hacer algo" para impedir que los derechos de las compañías petroleras fueran ignorados por México:[52] Hull dijo estar decidido a enseñar al grupo de "comunistas" que integraban el gobierno mexicano —a pesar de la actitud de Daniels y Roosevelt— a respetar el derecho internacional.[53] Al tener noticia de la expropiación, el Departamento de Estado trazó rápidamente un plan que comprendía tres puntos: a) presentar una enérgica protesta, b) suspender las compras de plata a México, y c) llamar al embajador.[54] Posteriormente se añadió otro elemento: apoyar el boicot que las compañías afectadas decretaron contra México, desanimando a los compradores potenciales de combustible mexicano e impidieron su consumo por las dependencias gubernamentales norteamericanas.[55] Los cuatro aspectos del plan corrieron

[50] JDP, Caja 17, Roosevelt a Daniels, 15 de febrero de 1939; E. David Cronon, *Josephus Daniels in Mexico*, pp. 201, 236.

[51] En este punto, el Departamento de Estado coincidió con Daniels, quien dijo a Hull que fomentar una revuelta en México sería "el peor crimen perpetrado en el Hemisferio Occidental desde los días de Huerta". Josephus Daniels, *Shirt-Sleeve Diplomat*, p. 230. El secretario de Estado adjunto, A. Berle, manifestó en privado que una revuelta en México sería "un error en extremo peligroso", Bryce Wood, *op. cit.*, p. 221. Los intentos por pasar armamento para Cedillo a través de la frontera fueron frustrados por las autoridades norteamericanas. Paul Nathan, *op. cit.*, p. 153. Las compañías, según dijo el senador Chávez, de Nuevo México, no dejaron de mostrar su insatisfacción por esta renuncia a emplear la fuerza en defensa de sus intereses. JDP, Caja 16, Daniels a Roosevelt, 4 de abril de 1938.

[52] Josephus Daniels, *Shirt-Sleeve Diplomat*, p. 227.

[53] Henry Morgenthau, secretario del Tesoro, señala en su diario que Hull le informó que si bien Daniels y Roosevelt habían hecho creer al gobierno mexicano, formado por comunistas, que podía salirse con la suya, él haría lo posible por impedirlo. Bryce Wood, *op. cit.*, p. 217.

[54] E. David Cronon, *Josephus Daniels in Mexico*, pp. 193-194.

[55] El Departamento de Estado no intentó prohibir la compra de petróleo mexicano por particulares norteamericanos, pero procuró disuadirlos advirtiéndoles que "pescaban en aguas peligrosas", E. David Cronon, *Josephus Daniels in Mexico*, p. 203; Bryce Wood, *op. cit.*, pp. 230-232.

diversa suerte: el propósito de Hull de retirar a Daniels en marzo de 1938, acción que podía considerarse como preámbulo a un rompimiento, no pudo llevarse a cabo porque el embajador —interfiriendo abiertamente con sus planes— retrasó su salida a Washington hasta que el secretario de Estado revocó su orden; [56] las protestas y las sanciones económicas, en cambio, fueron puestas en práctica sin tardanza.

Inmediatamente después de conocer el decreto de expropiación, el Departamento de Estado ordenó a Daniels protestar verbalmente ante Cárdenas en los términos más enérgicos, a la vez que explorar las posibilidades de que la medida fuera anulada. El gobierno mexicano confirmó su posición: esta vez mantendría la sanción contra los petroleros.[57] Tras la negativa, Hull, siguiendo los lineamientos de Roosevelt, hizo público —para disgusto de los petroleros y de la Gran Bretaña— el reconocimiento de su gobierno del derecho de México para tomar las propiedades de las compañías petroleras.[58] Sin embargo, condicionó tal reconocimiento a la indemnización previa de las empresas en forma pronta, efectiva y adecuada, a sabiendas de que México carecía de los recursos para satisfacer tal demanda.[59] Así,

[56] E. David Cronon, *Josephus Daniels in Mexico*, p. 197.

[57] E. David Cronon, *Josephus Daniels in Mexico*, p. 187. Sumner Wells se entrevistó con el embajador mexicano, y le hizo ver que si no se derogaba el decreto, México se embarcaría en una política suicida, pues no estaba en condiciones de manejar la industria que había tomado. Cárdenas personalmente informó a Castillo Nájera que no había posibilidades de que el decreto quedara sin efecto. Francisco Castillo Nájera, *op. cit.,pp.* 41-42; Bryce Wood, *op. cit.*, p. 207; E. David Cronon, *Josephus Daniels in Mexico*, pp. 187-188.

[58] El gobierno inglés, dirigido entonces por los conservadores de Neville Chamberlain, nunca aceptó la legalidad de la expropiación y dio su apoyo incondicional a "El Águila". Su cancillería hizo saber a México en tres notas diplomáticas recibidas entre abril y mayo de 1938, que la ley de expropiación de 1936 había sido empleada arbitrariamente y exigió la devolución de los bienes de la compañía. México negó al gobierno de Su Majestad Británica todo derecho a protestar en nombre de una empresa que legalmente era mexicana. Como Inglaterra reclamara a México en forma poco comedida el retraso en el último pago de su deuda por concepto de reparación de los daños causados por la Revolución, la Secretaría de Relaciones hizo entrega de la suma adeudada y retiró a su embajador en Londres; la Foreign Office hizo lo propio con el suyo, y las relaciones entre ambos países quedaron suspendidas por varios años. Holanda también hizo llegar a México su protesta pidiendo el pago pronto, adecuado y efectivo o la devolución de las propiedades; pero ambos países habían dejado ya de tener una influencia decisiva en los asuntos mexicanos y sus protestas en poco afectaron al gobierno de Cárdenas. Gobierno de México, *Notas diplomáticas cruzadas entre los gobiernos de México y la Gran Bretaña con motivo de la expropiación de la industria petrolera* (México: DAPP, 1938); Merrill Rippy, *op. cit.*, pp. 125-127; Manuel González Ramírez, *El petróleo mexicano: La expropiación...*, pp. 29-34; Jesús Silva Herzog, *Petróleo Mexicano*, pp. 57-58. En septiembre de 1939, a raíz del conflicto europeo, Holanda e Inglaterra intentaron atraer al Departamento de Estado a su posición y conseguir la devolución de sus propiedades, pp. 235 s., pero Hull se negó a formar un "frente común". William S. McCrea, *op. cit.*,

[59] Hull nunca fijó el monto de la indemnización, pero aparentemente basó sus cálculos en las cifras dadas a la publicidad por las compañías, las que consideraban el valor del petróleo en el subsuelo, a pesar de que Roosevelt no había aceptado esta posición. E. David Cronon, *Josephus Daniels in Mexico*, pp. 201-202, 236-237.

detrás de un aparente respeto por la soberanía mexicana, se encontraba el mismo propósito de las compañías: obligar al gobierno cardenista a restablecer el anterior *status quo* petrolero. En las notas enviadas entre marzo de 1938 (cuya entrega oficial fue dilatada varios meses por Daniels) y abril de 1940, Hull empleó un tono enérgico. La presión llegó a tal punto, que en ocasiones se temió un rompimiento.[60] Esta correspondencia no siempre se refirió a la expropiación petrolera; parte de ella trató exclusivamente de las expropiaciones agrarias y las reclamaciones por daños a la propiedad norteamericana, pero a nadie escapó el trasfondo petrolero de los argumentos empleados; como en otras ocasiones, y para sorpresa y disgusto del Presidente Cárdenas, el problema agrario era reavivado para aumentar la presión en torno al conflicto petrolero.[61] Los argumentos manejados por Hull en estos años fueron los siguientes: la política de Buena Vecindad requería reciprocidad y México se había negado a reconocer este hecho, afectando las propiedades agrícolas y petroleras de los ciudadanos norteamericanos sin compensarlas debidamente. De acuerdo con el Departamento de Estado, el meollo del problema entre ambos países era el hecho de que México —como se dijo en la nota de 3 de abril de 1940— "ha asumido, y continúa asumiendo, el ejercicio de un derecho sin cumplir con la condición necesaria para dar a tal ejercicio un evidente carácter de legalidad". La condición que el derecho internacional imponía, según Washington, para que una expropiación no se convirtiera en una confiscación, era que se efectuara un pago pronto, efectivo y adecuado. Las pretensiones de Hull colocaban al gobierno mexicano en la situación de tener que subordinar sus necesidades internas a los intereses del capital internacional; esto equivalía a anular la reforma agraria y el derecho de expropiación de los países subdesarrollados.[62] El gobierno mexicano sostuvo que no se le podía exigir una compensación cuando las empresas afectadas no habían consentido en discutir el monto de los bienes expropiados; además, no existía la regla universal de derecho a la que hacían referen-

---

[60] Las notas del 26 de marzo y del 22 de agosto de 1938 preocuparon a Daniels en ese sentido. Josephus Daniels, *Shirt-Sleeve Diplomat*, pp. 235-236; JDP, Caja 7, Daniels a su hijo, 27 de agosto de 1938. La nota de 22 de agosto fue vista como un ultimátum por Merrill Rippy, *op. cit.*, p. 63. El 21 de septiembre de 1938, Boal, de la División de Repúblicas Americanas del Departamento de Estado, informó a Daniels que había posibilidades de que las relaciones con México estuvieran llegando al *danger point* debido a que éste no modificaba su actitud. JDP, Caja 754. La nota de 3 de abril de 1940, fue calificada de intervencionista por la prensa mexicana.

[61] En el verano de 1938, Washington reclamó el pago de diez millones de dólares por concepto de las expropiaciones agrarias, negándose a aceptar la propuesta mexicana de una liquidación por etapas. Howard F. Cline, *op. cit.*, p. 245; E. David Cronon, *Josephus Daniels in Mexico*, pp. 212-216. Cárdenas no esperaba esta reacción del Departamento de Estado. Creyó que el gobierno norteamericano se había dado cuenta que era imposible detener tanto el desarrollo de la reforma agraria como la expropiación de propiedades extranjeras, si se quería conservar la paz interna. JDP, Caja 735; Tannenbaum a Daniels, 6 de julio de 1938.

[62] George K. Lewis, *op. cit.*, p. 132. Para Townsend, la actitud de Hull era la de un Shylock demandando a México una libra de su carne. William C. Townsend, *The Truth about Mexico's Oil*, p. 56.

cia las notas norteamericanas, que obligaba a un país a compensar inmediatamente a los afectados por una expropiación de carácter general e impersonal (México no dejó de señalar ciertas expropiaciones efectuadas por el gobierno norteamericano que no fueron compensadas nunca); tampoco aceptó México la propuesta norteamericana de someter el conflicto a un arbitraje, pues consideraba que aún estaban abiertos otros caminos para llegar a una solución y, por otra parte, que podía verse llevado a "celebrar un convenio en el que se obligue a actuar en contra de sus propias leyes". También era cierto que el gobierno cardenista no podía correr el riesgo de que el laudo exigiera el pago inmediato, pues no había fondos para ello.[63] La última nota que se cursó sobre la expropiación fue la que México envió a Washington el 1º de mayo de 1940, dejando sin solución el problema en los términos en que había sido planteado por el Departamento de Estado. Ambas partes mantuvieron invariables sus posiciones primitivas. El siguiente comunicado que se dio a conocer al público fue en noviembre de 1941, anunciando la liquidación general de las reclamaciones entre los dos países; poco después se procedió a buscar la solución definitiva del conflicto petrolero a través de un acuerdo directo entre los dos gobiernos, solución que estuvo más cerca de la posición original mexicana que de la norteamericana, puesto que el pago no se hizo de inmediato sino en un plazo de varios años y no se tomó en cuenta el valor del combustible en el subsuelo.[64]

Al ocurrir la expropiación, el Departamento de Estado suspendió las conversaciones que en ese momento sostenía con México para arreglar definitivamente todos los asuntos pendientes entre los dos países y logró, asimismo, que se dejara de comprar plata mexicana, ¡aunque Washington informó a Castillo Nájera que ambas decisiones no tenían

[63] Gobierno de México, *La verdad sobre la expropiación*..., p. 262; JDP, Caja 7, Daniels a su hijo, 30 de julio de 1938. Castillo Nájera comunicó a Hull el 19 de febrero de 1940 que su gobierno sólo aceptaría someter la disputa al arbitraje cuando todas las posibilidades de un arreglo hubieran probado ser inútiles. En la nota mexicana del 1º de mayo de 1940, se recordó a Washington que cuando México aceptó arbitrar su divergencia con Estados Unidos sobre el territorio fronterizo de "El Chamizal", éste no cumplió el laudo. En la ciudad de México, la CTM organizó manifestaciones en contra del arbitraje.

[64] El 27 de noviembre de 1940, a raíz del triunfo electoral de Roosevelt, el Presidente Cárdenas le envió un mensaje de felicitación, donde le hizo saber que los países americanos, agobiados por la presión "de un capitalismo internacional que aspira al dominio absorbente de las economías nacionales", esperaban una actitud justiciera de parte de Estados Unidos. JDP, Caja 755, 27 de noviembre de 1940. Para un examen de las notas norteamericanas de 26 de marzo, 29 de junio, 21 de julio, 22 de agosto y 9 de noviembre de 1938 y 3 de abril de 1940, y de las respuestas mexicanas de 3 de agosto y 10 de septiembre de 1938 y 1º de mayo de 1940, pueden verse: *Foreign Relations of the United States*, publicación anual del gobierno norteamericano que contiene parte de la correspondencia diplomática de ese país; JDP, Caja 752, Wells a Castillo Nájera, 29 de junio de 1938; Standard Oil Company (N. J.), *Present Status of the Mexican*..., pp. 50-51; Merrill Rippy, *op. cit.*, pp. 62-67; E. David Cronon, *Josephus Daniels in Mexico*, pp. 22, 226-228; Isidro Fabela, "La política internacional del Presidente Cárdenas", pp. 98-99; Jesús Silva Herzog, *Historia de la expropiación petrolera*, pp. 141-147 y 184-185; Josephus Daniels, *Shirt-Sleeve Diplomat*, pp. 232-235.

carácter de represalia ni conexión alguna con la expropiación de las compañías petroleras! [65] El plan trazado por el consejero económico del Departamento de Estado en relación a la plata mexicana, consistió no sólo en pedir a Morgenthau la suspensión de la compra de ese metal, sino en forzar una baja de su precio en el mercado mundial; esto se traduciría en una disminución de la recaudación impositiva, un debilitamiento de la moneda y una agudización de la crisis económica por la que atravesaba México. El plan debía ser conducido en forma tal, que no afectara al resto de los países productores del metal blanco.[66] La suspensión de las compras de plata no funcionó con la eficacia que se supuso originalmente: en parte por la presión contraria que sobre el Congreso ejerció el bloque platista que explotaba la industria minera; [67] de todas formas la baja de las exportaciones de plata mexicana fue muy importante y contribuyó a acentuar la crisis de la economía mexicana.

3. LA INFLUENCIA DE LA SITUACIÓN MUNDIAL

Se ha dicho que en 1938 las compañías petroleras tuvieron sobre el Departamento de Estado una influencia menor que la que habían logrado ejercer en ocasiones anteriores.[68] En realidad es difícil saber hasta qué punto esto se debió a que Hull y sus subordinados se mostraron menos dispuestos que Kellogg o Hughes a defender el *status quo* petrolero en México y hasta qué punto el que no se amenazara a Cárdenas con la violencia o la subversión se debió más bien a que la crisis europea y asiática obligó al gobierno de Washington a limitar sus presiones para no poner en peligro ni la estabilidad del gobierno mexicano ni su nueva política interamericana. Las posibilidades de que la caída de Cárdenas hubiera sido seguida por la instauración de un gobierno fascista no eran remotas, y tal situación hubiera significado un peligro mayor para los norteamericanos que el éxito de la expropiación petrolera. Por tanto, si las compañías no encontraron en esta ocasión en Washington el respaldo a que estaban acostumbradas, fue en gran medida porque la situación internacional contrapuso su interés particular al interés nacional de Estados Unidos.

Cuando se celebraron las conferencias interamericanas de Lima y Panamá, en diciembre y septiembre de 1938 y 1939, respectivamente, en las que el problema principal fue la solidaridad hemisférica ante la amenaza fascista, Hull aminoró sus presiones, a cambio de lo cual el gobierno mexicano puso de manifiesto su voluntad de contribuir a la nueva solidaridad americana construida alrededor de la Buena Vecindad. Daniels, Roosevelt y Hull —en distintos grados— no dejaron de tener en cuenta la influencia fascista en la América Latina y la repercusión que la política norteamericana podía tener sobre el des-

[65] Francisco Castillo Nájera, *op. cit.*, p. 42.
[66] E. David Cronon, *Josephus Daniels in Mexico*, pp. 190-191.
[67] Robert Engler, *op. cit.*, p. 205.
[68] N. B. Tanner, *op. cit.*, p. 66.

arrollo de los grupos fascistas locales.[69] La rebelión de Cedillo mostró a Washington que los movimientos anticardenistas que aparentemente estaban dispuestos a respetar y restablecer los derechos de los capitales norteamericanos afectados por el régimen, se encontraban fuertemente influidos por los grupos fascistas nacionales y los agentes europeos.[70] Por esta razón, Roosevelt tuvo que advertir a las empresas petroleras afectadas que no dieran apoyo a ningún movimiento subversivo.[71] Las organizaciones fascistas mexicanas y los agentes de Alemania, Italia y España se mostraron muy activos, situación que no pasó inadvertida para Washington.[72] El sinarquismo y el movimiento de Acción Nacional, dos de los grupos anticardenistas más importantes, estaban bajo la influencia falangista.[73]

El gobierno mexicano, profundamente antifascista, no dejó de avivar el temor de Washington a un movimiento fascista a fin de aminorar la presión que se ejercía sobre él. En diversas ocasiones México manifestó al gobierno norteamericano que sus exigencias podían orillarle a estrechar peligrosamente sus lazos con los regímenes fascistas, a pesar de su voluntad de cooperar con los gobiernos democráticos para evitar la expansión de esas doctrinas totalitarias.[74] Cárdenas acompañó sus advertencias de gestos de acercamiento hacia el III Reich, por ejemplo, haciendo volver al embajador mexicano a Berlín en el mismo momento en que Roosevelt llamaba al suyo como protesta por la política antisemita de Hitler, o intercambiando saludos con el Führer por el año nuevo. La embajada alemana en México contribuyó al juego al respaldar en varias ocasiones la posición mexicana ante las exigencias del Departamento de Estado; su propaganda aprovechó

[69] Para examinar los puntos de vista del secretario de Estado sobre la influencia nazifascista en el Hemisferio Occidental puede verse: Cordell Hull, *op. cit.*, pp. 493-503, 601 *ss.*, 813 *ss.*

[70] Alejandro Carrillo, *The Mexican People and the Oil Companies* (México: DAPP, 1938), p. 28.

[71] E. David Cronon, *Josephus Daniels in Mexico*, p. 212.

[72] La prensa norteamericana siempre estuvo consciente de la amenaza fascista que existía en México; puede verse, por ejemplo, a Betty Kirk, *op. cit.*, pp. 233, 275, 281 y 285; y el *Dallas News* (13 de junio de 1940). La exageración de la actividad fascista en México, con objeto de desacreditar a Cárdenas, fue también frecuente en la prensa norteamericana; el embajador Daniels se vio obligado a desmentir tales rumores en múltiples ocasiones. JDP, Caja 750, Daniels a Hull, 20 de agosto de 1938. Ver también sus declaraciones en el *San Francisco Chronicle* (15 de mayo de 1940) y en el *Time-Herald* de Washington (15 de junio de 1940).

[73] Betty Kirk, *op. cit.*, p. 275. Otros grupos de orientación semejante eran el Partido Social-Demócrata, la Confederación de Partidos Independientes, la Confederación de la Clase Media, la Asociación Española Anticomunista y Antijudía, la Falange Poblana, la Acción Cívica Nacionalista, las Juventudes Nacionalistas de México y otros. José Mancisidor, *op. cit.*, pp. 322-323.

[74] Cárdenas hizo saber a Daniels en febrero de 1939, que México podía satisfacer las demandas de Hull e indemnizar de forma inmediata a las compañías petroleras, mas para ello debía conseguir un préstamo en los países totalitarios, lo que equivaldría a resquebrajar la defensa del hemisferio en contra del fascismo. JDP, Caja 17, Daniels a Roosevelt, 25 de febrero de 1939. Beteta informó más tarde al embajador norteamericano que el bloqueo a que habían sometido las empresas petroleras a México, le obligaría a cambiar su petróleo por maquinaria de los países fascistas y a echarse en brazos de Alemania. JDP, Caja 9, Daniels a su hijo, 29 de octubre de 1938.

el debilitamiento del prestigio norteamericano como resultado de la controversia sobre la expropiación.[75]

El intercambio comercial de México con su vecino del Norte se vio afectado a causa de las sanciones económicas impuestas por el gobierno norteamericano y las compañías petroleras; en cambio, el trueque de petróleo por mercancías con las potencias del Eje aumentó. El embajador Daniels previno a Hull que de continuar esta tendencia, los intereses norteamericanos en México —tanto políticos como económicos— se verían sumamente afectados, e insistió en la conveniencia de aceptar la oferta de México de no vender más combustible a las naciones fascistas e integrar un frente unido en su contra, a cambio de que acabara el boicot de que estaba siendo objeto por parte de las empresas petroleras.[76]

4. LAS NEGOCIACIONES CON LOS PETROLEROS

Días después de la expropiación, la embajada mexicana en Washington comenzó a recibir lo que sería una larga serie de ofertas y planes para llegar a un arreglo con las compañías afectadas. Tales ofrecimientos fueron obra de charlatanes o bien proyectos inaceptables para México, y a nada condujeron.[77] Desde un principio, y en repetidas ocasiones, las autoridades mexicanas invitaron a las compañías a entablar conversaciones directas.[78]

Las compañías petroleras, que no se encontraban dispuestas a aceptar nada que no fuera la devolución del control de la industria, decidieron esperar, confiadas en que las distintas medidas adoptadas contra el régimen cardenista producirían un cambio de actitud o de gobierno. Daniels y Roosevelt no compartieron este punto de vista y aconsejaron a las compañías que entraran en pláticas con el gobierno mexicano a la mayor brevedad posible; el Presidente norteamericano manifestó muy claramente que debían aceptar la expropiación como un hecho irreversible, y que no habría un cambio violento de gobierno en el país vecino.[79] Las presiones sobre los petroleros para obligarles a negociar no sólo provinieron del presidente Roosevelt, de su embajador en México o de la propia estabilidad del

75 E. David Cronon, *Josephus Daniels in Mexico*, p. 250; Frank L. Kluckhohn, *op. cit.*, p. 1.
76 JDP, Caja 750, Daniels a Hull, 30 de junio y 27 de septiembre de 1938; Caja 16, Daniels a Roosevelt, 29 de septiembre de 1938.
77 Francisco Castillo Nájera, *op. cit.*, pp. 43-48.
78 A guisa de ejemplo puede verse el *New York Times* (22 de octubre de 1938).
79 En abril de 1938, Daniels señaló a Hull la necesidad de hacer comprender a los petroleros que su negativa a entablar negociaciones con Cárdenas no favorecería ni sus intereses ni los de Estados Unidos. La expropiación era un hecho consumado y no se daría un paso atrás, excepto si los petroleros fomentaban una revolución. Según Daniels, Roosevelt tuvo una entrevista con los representantes de las compañías en junio, ocasión en la cual les manifestó que: a) debían aceptar el derecho de México a expropiar; b) debían negociar con el gobierno mexicano el monto y la forma de pago de la indemnización; c) no permitiría ninguna revuelta en México. JDP, Caja 750, Daniels a Hull, 2 y 9 de abril y 24 de junio de 1938.

régimen cardenista, sino también del seno del grupo mismo: Sinclair amenazó muy pronto con romper el frente unido y entablar negociaciones con México. Si tenía éxito en su empeño —y todo indicaba que Cárdenes procuraría que así fuera—, el resto de las empresas no podría continuar sosteniendo su argumento de que era imposible llegar a un acuerdo con el gobierno mexicano sin la presión de Washington.[80]

Fue el Departamento de Estado el que, en noviembre de 1938, puso en contacto al embajador Castillo Nájera con el representante del grupo petrolero, el abogado y ex-funcionario de la Administración Nacional de Recuperación, Donald R. Richberg. El representante petrolero, antiguo colaborador de Roosevelt, era conocido como hábil negociador y elemento progresista, capaz de comprender el origen del conflicto: la necesidad que tenía México de modificar su anterior sistema político y económico.[81] En diciembre, llegó a México Patrick J. Hurley, un representante de la Sinclair y de otras compañías independientes; las grandes empresas se vieron obligadas entonces a acelerar las negociaciones so pena de perder la iniciativa.[82] En enero de 1939, Daniels informó al presidente norteamericano que las principales empresas petroleras continuaban mostrando pocos deseos de entrar en contacto con el gobierno mexicano, en espera de que Roosevelt, Cárdenas, o ambos, fueran reemplazados por gobernantes de orientación derechista en las próximas elecciones.[83] Finalmente, el 6 de febrero del mismo año, Richberg entregó al embajador de México un memorándum que contaba con el visto bueno de las empresas petroleras y la sanción del Departamento de Estado, y que serviría de base a las conversaciones que tendría más adelante con el Presidente Cárdenas. Las principales proposiciones contenidas en este documento eran las siguientes: a) concertación de un contrato a largo plazo para la explotación del combustible entre las compañías expropiadas y el gobierno, b) fijación anticipada del monto de los impuestos y de las condiciones de trabajo durante todo el período, c) compensación a las empresas por los daños ocasionados a raíz de la expropiación, y d) bases sobre las cuales, al expirar el contrato, el gobierno mexicano recibiría las propiedades de manos de las empresas.[84]

[80] Edmund David Cronon, *Josephus Daniels in Mexico*, p. 238.

[81] Richberg explicaría la nacionalización de la industria petrolera como una "parte esencial del esfuerzo destinado a establecer un nuevo sistema político-económico, que es aún el anhelo no realizado de la Revolución Mexicana". Donald R. Richberg, *op. cit.*, p. 23.

[82] Hurley se entrevistó inmediatamente con las autoridades mexicanas; la entrevista fue cordial, según informó Daniels. JDP, Daniels a Departamento de Estado, 17 de diciembre de 1938.

[83] Daniels escribió a Roosevelt que las compañías se hallaban dispuestas a "dejar ese niño [el problema con México] a las puertas del Departamento de Estado, haciendo que el gobierno tome la iniciativa y responsabilidad mientras ellas asumen el papel de inocentes mártires"; si el "niño" moría, la culpa sería de la Casa Blanca. JDP, Caja 17, 31 de enero de 1939.

[84] Francisco Castillo Nájera, *op. cit.*, pp. 53-55; Donald R. Richberg, *op. cit.*, p. 47; Standard Oil Company (N.J.) *Present Status of the Mexican...*, p. 67.

Como es fácil observar, las premisas de este primer contacto entre las compañías y el gobierno mexicano, después de la nacionalización, no auguraban un buen resultado; los petroleros buscaban lisa y llanamente la devolución, a cambio de lo cual estaban dispuestos a aceptar una cierta modificación de las modalidades conforme a las cuales venían operando en el país desde principios de siglo. De todas formas, el hecho de que las empresas hubieran decidido al fin sentarse a la mesa de las negociaciones hizo abrigar al gobierno de Estados Unidos la esperanza de un pronto entendimiento.[85] Roosevelt, que no deseaba ser acusado de haber permitido que México violara impunemente los derechos de los petroleros, informó a Cárdenas por intermedio de la embajada que, en su opinión, el plan que Richberg daría a conocer podía salvar la situación para ambas partes, lo que en el fondo quería decir que era necesario que México ofreciera una compensación adecuada. El proyecto de las compañías, decía el Presidente, era justo, y él "consideraba de la máxima importancia que, en interés de los dos países, se llegara a un acuerdo lo más rápidamente posible".[86]

Las negociaciones de Richberg atravesaron por dos etapas. La primera se inició con las ocho entrevistas celebradas con el Presidente Cárdenas entre el 8 y el 22 de marzo, y sólo sirvió para poner en claro la gran distancia que existía entre las dos posiciones: el Presidente Cárdenas deseaba que se hiciera el avalúo de la industria expropiada, como base para determinar con exactitud la participación del gobierno y la de las compañías en una nueva empresa mixta formada mediante la colaboración y las nuevas inversiones de ambas partes, y en la cual el socio gubernamental sería también el mayoritario en virtud de que aportaría los depósitos petroleros propiedad de la nación;[87] Richberg, por el contrario, se oponía al avalúo,[88] e insistía en la firma de un contrato por 50 años que reorganizara la industria y diera una mayor participación al gobierno, pero sin que éste se convirtiera en socio de las empresas; terminado el contrato, México tomaría definitivamente las propiedades petroleras sin que mediara pago alguno. El Presidente Cárdenas trataba de consolidar la nacionalización, en tanto que Richberg pretendía hacerla nugatoria. Ante la falta de un campo de entendimiento, el Presidente manifestó a Richberg que se encontraba imposibilitado constitucionalmente para aceptar sus propuestas, puesto que éstas comprendían la fijación anticipada, y por cincuenta años, de las condiciones de trabajo y del monto de los

---

[85] Josephus Daniels, *Shirt-Sleeve Diplomat*, p. 263.

[86] JDP, Caja 17, 15 de febrero de 1939.

[87] En el plan de Cárdenas figuraban estos elementos esenciales: *a*) avalúo de los bienes expropiados como base para fijar posteriormente una indemnización; *b*) contrato de cooperación a largo plazo entre México y las empresas; *c*) compromiso de ambas partes de efectuar nuevas inversiones, teniendo en cuenta que el control de la industria quedaría en manos del gobierno.

[88] De acuerdo con los informes que envió Daniels al secretario de Estado, Richberg traía instrucciones de no discutir en absoluto un avalúo: el arreglo, según las compañías, debía basarse en todo caso en alguna forma de devolución. JDP, Caja 754, Daniels a Hull, 17 de marzo de 1939.

impuestos;[89] sin embargo, no era éste el mayor escollo, sino la cuestión del control de la industria. El representante petrolero regresó a Estados Unidos para dar cuenta a sus clientes del resultado de las negociaciones.

Una segunda etapa se inició cuando, después de haber expresado a las compañías y al Departamento de Estado que era improbable que se llegara a un arreglo mientras México insistiera en la necesidad de un avalúo y reclamara el control de la administración de la nueva empresa, Richberg recibió una llamada telefónica del Presidente Cárdenas, el 12 de abril, anunciándole su propósito de posponer el avalúo. Este nuevo giro de la política cardenista permitió que se reanudaran las negociaciones; Castillo Nájera y el enviado de las compañías volvieron a encontrarse en San Antonio, Texas. Richberg presentó al embajador mexicano un nuevo memorándum que sirviera de base a las futuras negociaciones; posteriormente, durante el mes de mayo, ambos se reunieron en Saltillo con el Presidente Cárdenas.[90]

En el nuevo plan se proponía una modalidad diferente respecto al control de la proyectada empresa: la mayoría de los miembros del consejo de administración —que nombraría a los gerentes de cada una de las empresas— serían mexicanos, aunque no designados por el gobierno, y los miembros restantes serían nombrados por las compañías. En opinión del abogado norteamericano, esta dirección conjunta representaba la mejor garantía para ambas partes. El Presidente Cárdenas objetó el mecanismo propuesto para el nombramiento de los gerentes y, sin aceptar o rechazar el plan, prometió estudiarlo. Poco después informó a Richberg que consideraba necesario que tanto los miembros del consejo de administración como los gerentes fueran nombrados por el gobierno, pero el representante norteamericano rechazó esta idea.[91] Entre la reunión de Saltillo y el mes de noviembre de 1939, Richberg y Castillo Nájera continuaron entrevistándose de manera esporádica y sin llegar a un acuerdo, pues ambas partes insistían en ejercer el control de la futura empresa como requisito fundamental de un arreglo.

El fracaso de las conversaciones puso fin a la tregua que durante ese tiempo habían observado el gobierno de México y las compañías. Éstas culparon al Presidente Cárdenas de haber hecho imposible la solución del conflicto y declararon que ya nada podían hacer; dejaban la defensa de sus derechos enteramente en manos del gobierno de

[89] Gobierno de México, *La verdad sobre la expropiación...*, pp. 107-118; Isidro Fabela, "La política internacional del Presidente Cárdenas", p. 92.

[90] Parece ser que en la conversación telefónica del 12 de abril, Cárdenas informó a Richberg que el avalúo se haría al final de las conversaciones o no se haría en absoluto si se encontraba una mejor solución. El Presidente también aceptó, a petición de Richberg, que se abandonara el proyecto de celebrar un contrato colectivo con las compañías y se concertaran contratos individuales. N. B. Tanner, *op. cit.*, pp. 56-57; Donald R. Richberg, *op. cit.*, pp. 47-49; Gobierno de México, *La verdad sobre la expropiación...*, p. 121; Merrili Rippy, *op. cit.*, p. 157.

[91] Gobierno de México, *La verdad sobre la expropiación...*, pp. 119-128; JDP, Caja 800, vicecónsul en Saltillo a Daniels, 3 de mayo de 1939.

Washington.[92] El Presidente mexicano, por su parte, escribió a Roosevelt comunicándole detalladamente el curso que habían seguido sus conversaciones con Richberg y sosteniendo que las compañías habían propugnado tenazmente condiciones inaceptables para su gobierno, tales como el estatuto *ad-hoc* en materia laboral y fiscal; también reiteró su deseo de indemnizarlas por el justo valor de sus bienes, así como la seguridad de que el combustible destinado a la exportación se encontraría libre de trabas. El mensaje presidencial concluía dejando la puerta abierta a nuevas negociaciones.[93]

En un intento por impedir el fracaso de las conversaciones, el subsecretario de Estado, con el consentimiento del Presidente Roosevelt, había presentado, con fecha 2 de agosto de 1939, un nuevo plan a la consideración de las partes en pugna. Sumner Wells proponía que las dos terceras partes de los miembros del consejo de administración fueran personas nombradas en igual proporción (por mitad) por el gobierno de México y las empresas, y el tercio restante fuera seleccionado entre un grupo de "neutrales" que no fueran ciudadanos norteamericanos ni mexicanos. El proyecto fue rechazado por las dos partes, que se mostraron muy recelosas respecto del grupo "neutral".[94] Wells pidió a las compañías que continuaran en contacto con el gobierno mexicano; de lo contrario, su actitud podría ser interpretada como una pausa en espera del triunfo del candidato de la oposición: Almazán.[95] Las empresas hicieron caso omiso de esta recomendación del subsecretario y en agosto de 1939 la Standard anunció oficialmente a Washington que las negociaciones con México habían fracasado.[96] El Departamento de Estado lamentó que sus propuestas hubieran sido rechazadas, y acto seguido reiteró su punto de vista acerca de la obligación de México de compensar pronta y adecuadamente a las compañías expropiadas, señalando con velado tono amenazador que la continuación del conflicto constituía un obstáculo para el mantenimiento de un "estrecho y amigable entendimiento entre México y los Estados Unidos". La embajada mexicana se apresuró a señalar que el país no había cerrado las puertas a nuevas negociaciones y que sus proposiciones anteriores sobre el pago de los bienes expropiados debían ser tenidas en consideración por el gobierno norteamericano.[97]

La Standard y la Shell llegaron a considerar que el envío de la misión Richberg impediría que se las volviera a acusar de resistirse a tratar con las autoridades mexicanas, y que de ahí en adelante el paso de la controversia tendría que ser llevado por Washington. Por esta razón, cuando comprobaron que la Sinclair no rechazaba la oferta mexicana de entablar nuevas pláticas, se sintieron hondamente preocu-

92 Standard Oil Company (N. J.), *Confiscation or Expropriation...?*; Donald R. Richberg, *op. cit.*
93 Isidro Fabela, "La política internacional del Presidente Cárdenas", pp. 97-98.
94 Edmund David Cronon, *Josephus Daniels in Mexico*, p. 243.
95 Bryce Wood, *op. cit.*, p. 221.
96 Betty Kirk, *op. cit.*, p. 178.
97 Josef L. Kunz, *The Mexican Expropriations* (Nueva York: New York University, School of Law, 1940; Contemporary Law Pamphlets), p. 41.

padas.[98] Y, en efecto, poco después de que la Standard anunciara el fracaso de las conversaciones de Richberg, Patrick J. Hurley, quien había estado nuevamente en México como representante de la Sinclair en octubre de 1939, volvió a ponerse en contacto con Castillo Nájera dando principio con ello a una nueva serie de negociaciones.[99]

Durante varios meses las negociaciones avanzaron lenta, pero firmemente; ambas partes fueron encontrando un terreno de acuerdo cada vez más amplio,[100] lo que permitió al Presidente Cárdenas rechazar las demandas de Hull en el sentido de llevar la disputa al arbitraje que, en opinión del secretario de Estado, era la única solución posible.[101] La conclusión de un pronto acuerdo con la Sinclair se convirtió en una necesidad para México, pues se temía que un retraso perceptible fuera aprovechado por las otras empresas o por el Departamento de Estado para frustrar las negociaciones.[102]

Al fin, el 1º de mayo de 1940 se firmó un documento por medio del cual México indemnizaba al grupo Sinclair mediante una suma que oscilaba entre 13 y 14 millones de dólares, 8 de los cuales se pagarían en efectivo en un plazo de tres años y el resto con petróleo.[103] En esta forma, el gobierno mexicano pudo lograr un primer arreglo conforme a sus propios términos con el grupo que en 1938 representaba el 40 % de la inversión petrolera norteamericana y el 15 % de la total.[104] El triunfo era evidente: no se había indemnizado a la Sinclair

[98] Conviene tener en cuenta que ya en una ocasión anterior la Sinclair había roto un "frente unido , negándose a cooperar con el bloqueo impuesto por las grandes compañías a la Rusia bolchevique, que había nacionalizado sus propiedades y, por el contrario, había entrado en pláticas con el gobierno revolucionario.

[99] En diciembre de 1939 se sumaron al grupo negociador el líder obrero norteamericano, John Lewis, y el secretario de Hacienda de México y Jesús Silva Herzog. Francisco Castillo Nájera, *op. cit.*, p. 65; Patrick J. Hurley, *La lucha por el petróleo mexicano. Declaración del coronel..., abogado de la "Consolidated Oil Corporation", ante la Comisión de Ferrocarriles del Estado de Texas* (México: Editorial Cultura), pp. 10-11.

[100] En 1940, el propio Sinclair y algunos funcionarios de la Consolidated Oil Company estuvieron presentes en las reuniones. Sinclair aceptó entonces reducir sus demandas de 32 a 14 millones de dólares. En abril de ese año, Castillo Nájera informó que el petrolero norteamericano había aceptado una indemnización de 9 millones de dólares más un contrato de compra-venta por 20 millones de barriles de petróleo a precios inferiores a los del mercado. Francisco Castillo Nájera, *op. cit.*, pp. 66-67; Jesús Silva Herzog, *Petróleo Mexicano*, pp. 173-175.

[101] Bryce Wood, *op. cit.*, p. 241.

[102] "Si llegamos a un arreglo con esa empresa, dice Silva Herzog, demostrábamos al Departamento de Estado que queríamos y podíamos pagar, y de seguro se influiría ventajosamente en las condiciones políticas internas." Jesús Silva Herzog, *Historia de la expropiación petrolera*, p. 165.

[103] La indemnización abarcó a las siguientes empresas: Mexican Sinclair Petroleum Company, Pierce Oil Company, Compañía Terminal de Lobos, y Stanford y Compañía. En 1948, la Sinclair acordó modificar los términos del contrato de 1940 porque el precio del petróleo en el mercado mundial había subido considerablemente. En vez de continuar pagando 90 centavos de dólar por barril, accedió a subir el precio —aunque no estaba obligada a ello— hasta 1.90 y 2.25 dólares. Antonio J. Bermúdez, *op. cit.*, p. 25.

[104] Conviene hacer notar que el arreglo estuvo a punto de fracasar debido a un conflicto de principios, pues México se negó a que en el documento final se asentara que los bienes de la Sinclair no habían sido expropiados, sino que sus acciones habían sido adquiridas por el gobierno mexicano.

por el petróleo que aún permanecía en el subsuelo; el pago no se haría de inmediato, y parte del mismo se haría en especie. El gobierno de México informó sin tardanza a la embajada norteamericana que el acuerdo concertado probaba, primero, cuán innecesario era recurrir al arbitraje y, segundo, la buena disposición que existía para concertar arreglos similares con el resto de las empresas.[105] La Sinclair tuvo que hacer frente a una ola de propaganda desatada en su contra por la Standard, cuyo objeto era impedir que el petróleo que recibiría como parte de la indemnización entrara a Estados Unidos; sin embargo, el acuerdo se sostuvo.[106] Un último contacto directo entre la Standard y el gobierno mexicano había tenido lugar al finalizar 1940, pero a nada condujo en virtud de que ambas partes seguían adhiriéndose a sus respectivos puntos de vista acerca del control de la administración de posibles empresas mixtas.[107]

5. LA PRESIÓN ECONÓMICA SOBRE MÉXICO

La expropiación de 1938 enfrentó al régimen cardenista con presiones políticas y económicas. Estas últimas provinieron de las empresas afectadas y del gobierno norteamericano. La Standard Oil (N. J.) y la Dutch Shell fueron los artífices del boicot que se estableció inmediatamente en torno a la recién nacionalizada industria petrolera de México. Su carácter internacional y su poderío económico (superior al del gobierno mexicano) les permitió adoptar medidas que amenazaron seriamente el buen éxito de la expropiación. Este boicot —cuyos autores se negaron siempre a reconocer como tal— afectó a varias ramas de la economía petrolera y a otras ajenas a la misma.[108]

Por lo que atañe directamente a la industria nacionalizada, el más fuerte golpe asestado por las dos grandes corporaciones a Pemex fue la pérdida de los mercados mundiales. Es verdad que para 1938 la demanda externa era relativamente menos importante para la industria petrolera mexicana que a principios de la década anterior, cuando experimentó su época de mayor auge; sin embargo, todavía en el momento de la expropiación, el 60 % del combustible extraído por las empresas estaba destinado a ser consumido fuera del país (en 1937, la venta de petróleo y sus derivados al extranjero fue equivalente al 18.2 % de las exportaciones totales). Este mercado desapareció prác-

---

[105] JDP, Caja 9, Daniels a su hijo, 7 de mayo de 1940.
[106] La Standard trató de que el Senado de Estados Unidos bloqueara todas las importaciones de petróleo mexicano. Hurley tuvo que defender el convenio firmado con México ante la Comisión de Ferrocarriles del Estado de Texas, que se negaba a permitir la introducción de petróleo mexicano. Edmund David Cronon, *Josephus Daniels in Mexico*, p. 253; Patrick J. Hurley, *op. cit.*
[107] El 24 de diciembre de 1940, el presidente de la Standard (N. J.), Mr. Farish, vio a Castillo Nájera. La entrevista fue breve, pues el embajador le hizo saber que "México no aceptaba la administración de la industria petrolera por las empresas". Francisco Castillo Nájera, *op. cit.*, p. 63.
[108] La Standard nunca admitió que las empresas expropiadas estuvieran ejerciendo algún boicot contra México. Standard Oil Company (N. J.), *Respuesta de las compañías petroleras al documento del Gobierno Mexicano...*, pp. 7-8.

ticamente en marzo de 1938, y la extracción de petróleo —que constituía la tercera actividad del país por su importancia—[109] hubo de disminuir considerablemente su ritmo de trabajo: el número de pozos en producción se redujo de 981 a 756, y la demanda interna se convirtió de hecho en el principal sostén de esta actividad.[110] Pasados algunos meses, los esfuerzos de México para reanudar sus exportaciones del combustible tuvieron un modesto éxito. El arma empleada contra el boicot fue el bajo precio a que Pemex se vio forzado a ofrecer sus productos. El propósito que inicialmente tuvo el Presidente Cárdenas, de colocar todo el petróleo exportado fuera de los mercados fascistas, no pudo cumplirse; la Mexican Gulf —única empresa extranjera que a la sazón operaba en México— se negó a servir de intermediaria para colocar el producto en el exterior,[111] y cuando se intentó realizar ventas con destino a Norteamérica o a los países europeos no fascistas, las grandes empresas presionaron para cancelar tales operaciones.[112]

La Standard y la Shell obstaculizaron seriamente la adquisición de refacciones para los campos petroleros y las refinerías mexicanas, y firmas como la Westinghouse y la General Electric, que tenían sucursales en México, se sumaron a las empresas petroleras y durante algún tiempo suspendieron total o parcialmente sus actividades en el país.[113] La venta de tetraetilo de plomo, empleado como antidetonante en la gasolina, fue interrumpido por la Standard y la General Motors, que detentaban el monopolio mundial de este producto, impidiendo con ello que el país exportara combustible refinado y obligándole a disminuir la calidad del que se consumía internamente.[114] La presión de las compañías se manifestó en la disminución de la entrada de capitales provenientes del exterior y en campos tan alejados del petróleo como el turismo, pues la campaña de propaganda que emprendieron en Estados Unidos contra el régimen mexicano dio por resultado que la corriente turística y las divisas que aportaba se redujeran en un tercio en 1938 con respecto al año anterior.[115]

Por lo que hace a las esferas oficiales, el Departamento de Estado decidió desde un principio recurrir a la presión económica como un

[109] Las otras dos actividades más importantes eran la agricultura y la minería.
[110] Las fallas técnicas también se hicieron sentir en la baja de la producción petrolera, pero la razón principal fue la pérdida de mercados.
[111] La Gulf temió las represalias de la Standard y la Shell. William C. Townsend, *Lázaro Cárdenas, demócrata mexicano*, p. 279.
[112] Un ejemplo típico fue el caso del financiero francés M. Descombes, quien atraído por los bajos precios del petróleo mexicano concertó en 1938 una importante compra con Pemex, pero la presión inglesa le obligó a cancelarla.
[113] En el caso de las dos firmas mencionadas, sus representantes llegaron a México para examinar la situación con las autoridades mexicanas. Mientras la General Electric quedó satisfecha con las seguridades dadas por el Presidente Cárdenas, la Westinghouse suspendió sus actividades en el país por algún tiempo. JDP, Caja 9, Daniels a su hijo, 6 de marzo de 1939.
[114] Pemex se vio obligado a producir a mayor costo, y tras muchos sacrificios, el tetraetilo que necesitaba. Sólo entonces, ante el temor de que se desintegrara el monopolio, las compañías americanas accedieron a vendérselo nuevamente.
[115] Hurbert Herring, *op. cit.*, p. 74.

complemento necesario a sus notas de protesta. El primer ataque de Hull a la economía mexicana fue la suspensión de las compras de plata que efectuaba el Departamento del Tesoro.[116] El anuncio que a tal efecto hizo este Departamento fue la primera comunicación oficial que recibió México del gobierno de Washington después de la expropiación. El Banco de México, que desde hacía tiempo sostenía con dificultad el tipo de cambio, tuvo que retirarse del mercado de divisas.[117] Fue inútil que el embajador Daniels arguyera ante Roosevelt que semejante decisión, que afectaba seriamente a la economía mexicana, haría más difíciles las relaciones mexicano-norteamericanas sin conducir a la devolución de las propiedades expropiadas.[118] El Presidente no escuchó a su embajador y aceptó la decisión de Hull, que además de la suspensión de las compras directas a México implicaba forzar una baja considerable en el precio mundial del metal blanco.[119]

Las compras norteamericanas de plata mexicana no se detuvieron completamente, pues tres semanas más tarde se empezó a adquirir el metal en el mercado mundial sin importar su origen.[120] De todas formas, en 1938 la exportación de plata mexicana registró una baja del 50 % en relación con el año anterior; en 1939 el descenso se acentuó, y en 1940 —cuando la presión llegó a su punto máximo— la exportación sólo fue equivalente a un sexto de la realizada en 1937.[121] Las compañías y quienes las apoyaban no dejaron de insistir en que la suspensión de las compras de plata debía ser total.[122] Por su parte, poca cosa pudo hacer México ante el severo golpe que le infligió el gobierno norteamericano; la medida adoptada más *ad-hoc*, y que

---

[116] En ese momento el 95 % de la industria minera mexicana se encontraba en manos de empresas norteamericanas, que controlaban el 70 % de la producción de plata. United States Congress, House of Representatives, Committee on Interestate and Foreign Commerce, *Fuel Investigation...*, pp. 3-4; Betty Kirk, *op. cit.*, p. 61.

[117] Se llegó a rumorear que una hora después de conocerse la noticia el Banco de México había vendido un millón de dólares; en todo caso, pronto tuvo que abandonar el mercado de divisas extranjeras ante la posibilidad de que el público agotara sus reservas.

[118] Daniels manifestó a Roosevelt que si bien la Buena Vecindad casi había hecho desaparecer el tradicional antagonismo entre los dos países vecinos, la suspensión de las compras de plata había echado por tierra muchos de los buenos éxitos de esta política. Daniels pidió que su gobierno reanudara la adquisición de plata mexicana. JDP, Caja 16, 29 de marzo de 1938.

[119] El secretario del Tesoro, Morgenthau, no había aprobado el plan de Hull, que fue puesto en conocimiento del Presidente Roosevelt el 25 de marzo de 1938; como el Presidente —que no se encontraba en Washington— no hiciera comentario alguno, Morgenthau supuso que aprobaba el proyecto del Departamento de Estado, y el 27 de marzo lo puso en marcha. Edmund David Cronon, *Josephus Daniels in Mexico*, pp. 191-192; Josephus Daniels, *Shirt-Sleeve Diplomat*, pp. 199-200.

[120] Esta situación fue explicada por Morgenthau en función de la necesidad de permitir al Canadá, a China y a México mantener su demanda de productos norteamericanos. Bryce Wood, *op. cit.*, p. 225; Burt M. McConnell, *op. cit.*, p. 211.

[121] Francisco Cuevas Cancino, *op. cit.*, p. 155.

[122] Puede verse, a modo de ejemplo, la opinión del *New York Times* (10 de febrero, 11 de abril y 9 de mayo de 1940; Wendell C. Wordon, *op. cit.*, p. 97; William O. Scroggs, "Mexican Anxieties", *Foreign Affairs*, Vol. XVIII (enero de 1940), p. 175.

tendía a compensar la disminución de las recaudaciones del gobierno, consistió en poner en vigor, en julio de 1938, un nuevo impuesto que afectó principalmente a los intereses mineros norteamericanos.

El cierre de los principales mercados extranjeros para el petróleo mexicano no solamente fue apoyado por las autoridades norteamericanas mediante la prohibición de que las dependencias gubernamentales consumieran combustible mexicano, sino también dando preferencia a las importaciones de hidrocarburos procedentes de Venezuela y de las posesiones holandesas.[123] Cuando, en noviembre de 1939, Estados Unidos fijó sus cuotas de importación de petróleo, México quedó excluido; únicamente podía competir por el 3.8 % del total de la importación que no quedaba sujeto a cuota.[124] Como si esto no fuera bastante, el Departamento de Estado advirtió a Castillo Nájera que no era prudente que México despachara una sola gota de petróleo a Estados Unidos mientras no se solucionara el conflicto con las empresas expropiadas.[125]

La pérdida del mercado norteamericano fue un escollo serio, pero transitorio. En 1939 hubo un cambio de actitud —seguramente relacionado con el inicio de la segunda Guerra Mundial— y el Departamento de Estado informó que no se opondría a la importación de petróleo mexicano; de esta manera, en 1940 una séptima parte del petróleo importado por Estados Unidos era de origen mexicano.[126]

En parte, fue la crisis política mundial que había venido desarrollándose desde principios de la década de los treinta la circunstancia que permitió a la industria petrolera mexicana contar con mercados externos no estadounidenses, a pesar de la oposición de la Standard y la Shell. Estos mercados fueron principalmente los de la Alemania y la Italia fascistas. Si bien Cárdenas se mostró reacio en un principio a tratar con estos países, el cerco tendido en su derredor no le dejó otra alternativa, y en julio de 1938 dio a conocer su decisión de vender combustible a quien estuviera dispuesto a comprarlo.[127] La Standard y la Shell confiaban en que los estados del Eje no arriesgarían sus buenas relaciones con ambos consorcios a cambio de obtener el petróleo mexicano a un precio más bajo que el del mercado mundial,

---

[123] William C. Townsend, *The Truth about Mexico's Oil*, pp. 37-40.

[124] México sólo pudo introducir, dentro del mencionado 3.8 % de importación norteamericana, una cantidad igual al 5 % del total de combustible refinado en el país el año anterior.

[125] Edmund David Cronon, *Josephus Daniels in Mexico*, p. 247.

[126] La posibilidad de adquirir petróleo mexicano a bajo precio impulsó a la Eastern Petroleum Company de Houston a firmar un contrato con PEMEX para la compra de 15 mil barriles diarios; la City Services Company formó una compañía "de paja" para adquirir más de millón y medio de barriles de Pánuco en 1939; la First National Corporation de Nueva York también adquirió combustible mexicano y lo propio hizo al año siguiente la Petroleum Heat and Power. Gobierno de México, *El petróleo de México...*, p. [24]; Jesús Silva Herzog, *México y su petróleo*, p. 53 y *Petróleo Mexicano*, p. 208; Merrill Rippy, *op. cit.*, p. 140; Patrick J. Hurley, *op. cit.*, p. 25.

[127] En un almuerzo ofrecido por los corresponsales extranjeros al Presidente Cárdenas el 27 de julio de 1938, éste anunció, refiriéndose implícitamente a Alemania, Italia y Japón, que México vendería su petróleo a cualquier país.

pero sus previsiones resultaron equivocadas.[128] Alemania e Italia decidieron que valía la pena adquirir combustible a un precio casi 50 % menor que el prevaleciente en el mercado mundial que, además, no tendrían que pagar totalmente con las escasas divisas extranjeras que poseían, pues el pago se haría parcialmente en especie. A cambio de su petróleo, México estaba dispuesto a recibir equipo petrolero alemán, rayón italiano o frijol japonés. El 28 de octubre de 1938 se concluyó formalmente el acuerdo con Italia, y el 8 de diciembre el convenio similar con Alemania.[129] En esta forma se logró que las exportaciones mexicanas de petróleo no fueran en 1939 muy inferiores a las de 1937. Aunque en menor cantidad, el combustible mexicano se vendió también a países de la Península Escandinava y de Latinoamérica, a Francia, Polonia y aun a Inglaterra. Del total de las exportaciones de petróleo hechas entre 1938 y 1941, una tercera parte se destinó a los países del Eje y el resto a Estados Unidos y otras naciones.[130]

Las compañías petroleras no dejaron de manifestar su oposición a estos embarques. El 21 de julio de 1938 se dirigieron al Departamento de Estado solicitándole que impidiera la exportación de petróleo mexicano a los mercados fascistas. Alegaban que, en tanto no se decidiera acerca de la legalidad de la expropiación en los tribunales mexicanos, o se las compensara adecuadamente, ese petróleo no pertenecía a México.[131] Aparentemente, Hull estimó que no era conveniente ir tan lejos y en esa ocasión no cumplió con los deseos de los petroleros. Por otra parte, los intentos que hicieron las compañías para incautar los cargamentos de combustible mexicano, así como los buques-tanque surtos en puertos extranjeros, no tuvieron éxito ante los tribunales de Estados Unidos, Francia, Holanda, Bélgica y Suecia.[132]

[128] Poco después de la expropiación, el representante de Italia en México hizo la observación de que no era probable que su país provocara a las grandes empresas petroleras —que lo habían auxiliado en la campaña de Etiopía— adquiriendo combustible mexicano. Betty Kirk, *op. cit.*, p. 166.

[129] Las primeras ventas de petróleo mexicano a los países fascistas se hicieron antes de estas fechas por conducto de un aventurero y hombre de negocios norteamericano, William Rhodes Davis. Éste consiguió los buques-tanque, y estuvo dispuesto a afrontar los ataques de las compañías petroleras y de su gobierno a cambio de las pingües ganancias que le producía la venta del combustible mexicano. Davis negoció el 60 % del petróleo mexicano exportado en los años que siguieron inmediatamente a la expropiación. Alberto J. Pani, Apuntes autobiográficos, Vol. II, p. 272.

[130] George K. Lewis, *op. cit.*, pp. 162-163. En 1938 se vendió a Alemania un total de casi tres millones de barriles de petróleo, y al año siguiente un millón y medio, además de gasolina. Italia no hizo compras importantes en 1938, pero en 1939 adquirió más de tres millones de barriles y en 1940, antes de que la guerra obligara a México a suspender estas exportaciones, compró una cantidad casi igual. Los embarques hechos al Japón fueron de menor cuantía. Merrill Rippy, *op. cit.*, pp. 137-138.

[131] William S. McCrea, *op. cit.*, p. 205.

[132] Ver México, Secretaría de Relaciones Exteriores. *Tribunales extranjeros reconocen el indiscutible derecho con que México expropió los intereses petroleros*, (México: Talleres Gráficos de la Nación, 1940).

La pérdida de los mercados de Alemania e Italia, como consecuencia de la segunda Guerra Mundial, hizo descender nuevamente la exportación de petróleo; a partir de entonces, México perdió definitivamente su carácter de exportador de hidrocarburos. El mercado mundial quedó decisivamente controlado por las compañías afectadas en 1938, y la carencia de una flota petrolera hizo imposible que el país compitiera con la enorme red de distribución de estas empresas en el extranjero. Por otra parte, el notable aumento del consumo interno que trajo consigo el desarrollo económico del país, acelerado por el conflicto mundial, absorbió la mayor parte de los hidrocarburos producidos en los campos petroleros nacionales. El petróleo se había convertido en la principal fuente de energía del país.

6. LA PROPAGANDA Y LA ACTITUD DE ALGUNOS "GRUPOS DE PRESIÓN"

La campaña de propaganda desatada por las compañías petroleras después del 18 de marzo de 1938 tuvo carácter mundial, pero se concentró sobre todo en Estados Unidos. La tarea de la maquinaria propagandística se vio facilitada en ese país por el hecho de que los avances de la reforma agraria y el apoyo al grupo de Vicente Lombardo Toledano habían dado al régimen del Presidente Cárdenas un tinte semicomunista mucho antes de que ocurriera la expropiación. Aun cuando la situación en Europa y Asia desvió la atención del público norteamericano de los sucesos de México, de todas maneras las compañías pudieron difundir un hondo sentimiento antimexicano que llegó a preocupar a quienes no compartían los puntos de vista de la Standard Oil.[133]

En un principio, el objetivo de la propaganda de las compañías petroleras fue crear una atmósfera que obligara al gobierno de Roosevelt a emplear la fuerza contra México.[134] Cuando pareció evidente que no se recurriría a la violencia, la campaña de prensa tuvo como finalidad mantener una presión constante sobre el gobierno norteamericano para obligarlo a buscar un arreglo con México conforme a las bases señaladas por los petroleros. El desarrollo de esta campaña requirió la instalación de un sistema publicitario *ad-hoc*. El centro informativo de las compañías, instalado en Nueva York, tenía la misión de dar una "orientación adecuada" a todas las noticias relacionadas con la controversia petrolera. Agentes de las empresas se entrevistaron con los directores de los grandes diarios norteamericanos para convencerlos de que debían tomar su partido en la campaña contra Cárdenas, y la prensa publicaba constantemente artículos escritos por ellos. También organizaron conferencias para atacar la

---

[133] El 6 de febrero de 1939 Daniels informó a su hijo que un profesor norteamericano, Tannenbaum, acababa de llegar a México y pondría en conocimiento del Presidente Cárdenas que la propaganda de las empresas petroleras había creado un fuerte sentimiento en su contra, lo que hacía necesario un rápido arreglo de la controversia. JDP, Caja 800.

[134] Josephus Daniels, *Shirt-Sleeve Diplomat*, p. 225.

actitud de México, como fue el caso de las dictadas por Allen Armstrong y por Henry J. Allen ante la National Foreign Trade Convention y la National Industrial Conference Board, los días 2 y 17 de noviembre de 1938, respectivamente.[135] Las líneas generales de esta propaganda fueron las siguientes: *a*) demostrar que la decisión del gobierno mexicano era contraria al interés nacional de Estados Unidos, por el precedente que sentaba y por formar parte de un complot fascista o comunista (según las conveniencias); *b*) propagar la imagen de un México gobernado por una camarilla de ladrones en donde ninguna propiedad extranjera estaba a salvo de confiscación y a la larga todas ellas serían tomadas por el gobierno (la industria minera sería el próximo objetivo); *c*) poner de relieve que Cárdenas y sus colaboradores estaban arruinando la economía mexicana. Estas ideas hallaron cabida en cientos de editoriales publicados en toda la Unión Americana, lo mismo en diarios locales y sensacionalistas que en periódicos y revistas mejor reputados, como el *New York Times* y *Foreign Affairs*.[136] Uno de los mayores esfuerzos hechos en esta campaña periodística fue sin duda la edición especial del *Atlantic Monthly* pagada por las compañías en 1938; bajo el título *Trouble Below the Border*, se presentó al público de Estados Unidos un amplio análisis del conflicto petrolero desde el punto de vista de las compañías.[137] El resultado de una labor tan amplia y bien organizada no se hizo esperar: algunos sectores del público norteamericano se exasperaron ante la "perversa actitud" del gobierno mexicano, y los políticos antirooseveltianos, así demócratas como republicanos, exigieron un cambio en la política de Buena Vecindad.[138] En general, la posición de

---

[135] William Miller, miembro de la Cleveland Press, informó a Daniels que David Henshaw, de la Standard, estaba entrevistando a los directores de los principales diarios con tal fin. Miller citó los artículos de Henry J. Allen, ex gobernador de Kansas, en el *New York Herald Tribune*, como muestra típica del material distribuido por los petroleros. JDP, Caja 734, 28 de noviembre de 1938.

[136] Se puede obtener una idea cabal de los alcances de esta campaña en el citado libro de Burt McConnell, escrito a base de los editoriales aparecidos en la prensa norteamericana y de otros países. Por su parte, el *New York Times* proporciona un claro ejemplo de la propaganda "objetiva", que sin dejar de mencionar el aspecto humano y positivo de la política cardenista insistía en la imposibilidad de que México manejara la industria expropiada; en el innecesario perjuicio ocasionado a su economía, en la corrupción administrativa o en la alianza del "México socialista" con la "Alemania totalitaria" en contra del interés y el prestigio norteamericanos, etc.; véanse, por ejemplo, las ediciones de 22 de marzo, 25 de junio, 9 de septiembre y 10 de diciembre de 1938 y 20 de enero de 1939; también se puede consultar el libro del entonces corresponsal de ese diario neoyorquino en México, Frank L. Kluckhohn; *The Mexican Challenge*. En *Foreign Affairs*, puede consultarse el artículo de Graham Hutton, "The New-Old Crisis in Mexico", Vol. XVI (julio de 1938).

[137] El embajador Daniels recibió de un funcionario del Departamento de Estado el siguiente mensaje: "Según mis informes, esta publicación fue pagada por las compañías petroleras, y el *Atlantic Monthly* la aceptó debido a la precaria situación financiera por la que atraviesa". JDP, Caja 732, Daniels a Bower, 6 de septiembre de 1938.

[138] Se llegó a la formación de un "National Citizens Committee on Mexico", cuyo propósito era recabar 20 millones de firmas para exigir al Congreso el empleo de la fuerza contra México. Josephus Daniels, *Shirt-Sleeve Diplomat*, p. 232.

las empresas petroleras fue apoyada por los *business groups*, que
desde 1934 habían visto con gran recelo el nuevo "radicalismo mexicano", y por parte de la jerarquía católica, que se sumó al coro de
quienes pedían a Roosevelt mano de hierro en el trato con México.[139]
Siguiendo una práctica ya establecida, el gobierno mexicano envió
a Estados Unidos un grupo de veinte personas —entre las que se contaban Moisés Sáenz y Alejandro Carrillo— a explicar por medio de
conferencias y mesas redondas los motivos que habían llevado a la
nacionalización de las propiedades de las compañías petroleras.[140]
Para complementar la actividad de sus emisarios, el gobierno imprimió folletos y otros materiales en inglés con objeto de distribuirlos
en territorio norteamericano;[141] sin embargo, México no contó ni con
la preparación ni con medios económicos para contrarrestar eficaz-
mente en ese país la propaganda de las compañías. En cambio, tuvieron algún éxito (en Cuba, Bolivia y Chile) las representaciones hechas
por las misiones diplomáticas mexicanas en las repúblicas de América
Latina.[142] El gobierno de Washington se vio obligado, a su vez, a
explicar a esos gobiernos su posición en el conflicto.[143]

En Estados Unidos, la actitud y la propaganda de México recibieron el apoyo de los sectores liberales norteamericanos que simpatizaban con la obra del régimen cardenista. En su opinión, Cárdenas
estaba desarrollando su propio "Nuevo Trato" en el plano interno; si
tenía relaciones económicas con los países del Eje, ello se debía a
que no se le había dejado otro camino, y su ayuda a la República
Española era la mejor muestra de su vocación antifascista. Estos sectores comprendieron perfectamente el origen de la expropiación petrolera y se inclinaron a favor del esfuerzo descolonizador y nacionalista del Presidente de este país: México tenía derecho a disponer de
sus propios recursos rescatándolos de manos de aquellos que se los
habían arrebatado al amparo de un gobierno dictatorial.[144] Los obre-

139 Se puede encontrar un estudio más detallado de la actitud de estos grupos
en la obra de James Dunbar Bell, *Attitudes of Selected Groups in the United
States Towards Mexico, 1930-1940* (Chicago, Ill.: The University of Chicago Press,
1945), pp. 177-188.
140 William S. Townsend, *Lázaro Cárdenas, demócrata mexicano*, p. 291; Alejandro Carrillo, "Pasado, presente y futuro de nuestro pueblo", *Problemas agrícolas e industriales de México*, Vol. VI (julio-septiembre, 1954), p. 89.
141 Uno de los primeros folletos fue el impreso por el consulado mexicano en
Nueva York, *La verdad sobre la expropiación de los bienes de las empresas petroleras*. Obras similares fueron la de Oscar Morineau, *The Good Neighbor* y la
de Alejandro Carrillo, *The Mexican People and the Oil Companies*.
142 William C. Townsend, *The Truth about Mexico's Oil*, pp. 65-66.
143 JDP, Caja 800, circular del Departamento de Estado a sus misiones en
América Latina, 1º de abril de 1938.
144 Samuel Guy Inman, quien desde la época carrancista se había distinguido
como defensor de las medidas nacionalistas mexicanas en el ramo del petróleo,
llegó a sugerir que fuera el propio gobierno norteamericano el que indemnizara
a las compañías por una cantidad de 200 millones de dólares. Samuel Guy
Inman, *Democracy versus the Totalitarian State in Latin America* (Philadelphia:
The American Academy of Political and Social Sciences, 1938). Waldo Frank defendió con gran tino la posición cardenista; véase, por ejemplo, "Cárdenas of
Mexico", *Foreign Affairs*, vol. XVIII (octubre de 1939). La obra de Townsend,
The Truth about Mexico's Oil pertenece también a este grupo.

ros organizados de Norteamérica no dieron abiertamente su apoyo a la expropiación (aunque uno de sus líderes, John Lewis, así lo hizo durante su estancia en México en 1938); sin embargo, continuaron mostrando su solidaridad con el programa de reformas sociales que se estaba llevando a cabo en México y mantuvieron su apoyo a la política de Buena Vecindad.[145]

La lucha propagandística entre el gobierno y las compañías petroleras también se desarrolló en México, pero en este caso la relación de fuerzas fue favorable al régimen cardenista. A los mítines, manifestaciones y conferencias en apoyo de la medida expropiatoria, se añadió la campaña publicitaria dirigida por el Departamento de Prensa y Propaganda de la Presidencia,[146] En México, la propaganda de las empresas petroleras nunca llegó a poner en peligro la popularidad de la nacionalización, a pesar del empeño con que trataron de demostrar que dicha medida era la causa del alza del costo de la vida y de la depresión en que había caído la actividad económica, y no obstante la insistencia con que señalaron que el país estaba incapacitado para tomar sobre sí la tremenda carga de administrar y hacer progresar una industria tan compleja. Los enemigos de la expropiación auguraron la ruina inminente de Pemex.[147]

7. LOS EFECTOS DE LA SEGUNDA GUERRA MUNDIAL

Por un doble motivo, el conflicto mundial llevó a Estados Unidos a buscar un arreglo con México, aun a costa de renunciar a puntos largamente defendidos: en primer lugar, el gobierno norteamericano deseaba impedir un resquebrajamiento de la unidad hemisférica y, en segundo, precisaba de cierta colaboración militar y económica, debido principalmente a la necesidad de defender el Canal de Panamá.

Desde un principio, el embajador Daniels había insistido inútilmente en la urgencia de resolver a la mayor brevedad posible el conflicto creado por la expropiación para cerrar filas en contra del peligro fascista. En octubre de 1939, externó la opinión de que la si-

[145] James Dunbar Bell, op. cit., pp. 178 y 188-190. El apoyo obrero en Hispanoamérica se manifestó a través de la Confederación de Trabajadores de América Latina. Fuera del Hemisferio Occidental también hubo muestras de solidaridad de los grupos laborales para con México, como la expresada en Oslo, el 21 de mayo de 1938, por conducto del General Council of the International Federation of Trade Unions.

[146] Uno de los esfuerzos propagandísticos más importantes del gobierno mexicano fue la publicación de la obra La verdad sobre la expropiación de los bienes de las empresas petroleras, que contiene todos los alegatos de carácter jurídico, histórico y político que esgrimió la administración del Presidente Cárdenas para defender su posición de los ataques de las compañías.

[147] A raíz de la expropiación surgió una revista mensual, El Economista, que no fue otra cosa que un órgano propagandista de las empresas petroleras. Por otro lado, el Instituto de Estudios Económicos y Sociales produjo una larga serie de artículos en contra de la expropiación y de la política cardenista en general; sobre este particular pueden consultarse aquéllos que aparecieron en Hoy, de septiembre y octubre de 1938, publicación en la que también tuvieron cabida escritos similares de Luis Cabrera y M. H. Güereña. Omega, órgano de los grupos derechistas, se sumó a la corriente de oposición a la medida expropiatoria.

tuación era propicia para llegar a un arreglo; en 1940, prácticamente todos los discursos del embajador hacían hincapié en la necesidad de fortalecer la "unidad y solidaridad continental" ante el conflicto que asolaba a Europa.[148] Fue entonces cuando el Departamento de Estado, y el gobierno de Washington en general, empezaron a dar muestras de una menor hostilidad hacia el régimen de México.[149] Cuando el período del Presidente Cárdenas tocaba a su fin, y el suyo también (la mala salud de su esposa le obligaba a dejar su cargo en México), el embajador instó al Presidente Roosevelt a dar una solución definitiva al conflicto con México, pues de lo contrario "Pan América perdería la fe en la política de la Buena Vecindad". Roosevelt estuvo de acuerdo con este punto de vista, y sugirió a Daniels que así lo hiciera saber al Secretario Hull.[150] En el Departamento de Estado, Duggan, jefe de la sección de América Latina, también favoreció una solución del problema tomando como base una propuesta mexicana: el nombramiento de una comisión intergubernamental que acordara el monto y forma de pago de la indemnización correspondiente a los bienes expropiados.[151] Y el Presidente Roosevelt, por su parte, coadyuvó directamente a la creación de una atmósfera conciliatoria: el 15 de abril de 1940, con motivo del Día Panamericano, pronunció un discurso en el que puso de relieve el contraste existente entre la unión interamericana y la lucha en Europa, e insistió en la necesidad de solucionar los conflictos de este Hemisferio sin recurrir a coerción alguna.

Las declaraciones de solidaridad interamericana hechas en la Conferencia de La Habana, en julio de 1940, mal se avenían con la continuación del conflicto mexicano-norteamericano. Estados Unidos comprendía la necesidad de llegar a un arreglo con México que probara, ante este país y ante toda Hispanoamérica, la sinceridad de su política de "buen vecino";[152] además, en lo referente al aspecto militar del problema, el Departamento de Defensa se mostraba deseoso de obtener la cooperación de México para la defensa de Panamá, pues para ello se consideraba necesario que los aviones norteamericanos en vuelo hacia el Canal contaran con bases en México. Se pensó, asimismo, en la posibilidad de construir una carretera que uniera a Estados Unidos con esa zona centroamericana y en establecer bases militares en territorio mexicano.[153] En junio de 1940, algunos oficiales del ejército y la armada de Estados Unidos, así como representantes del Depar-

---

148 Discurso de 12 de abril, pronunciado en la Secretaría de Relaciones Exteriores de México; de 5 de marzo, ante los rotarios; de 4 de julio, 15 de septiembre, 22 de octubre y 8 y 26 de noviembre, este último ante Lázaro Cárdenas. JDP, Caja. 806.
149 Josef L. Kunz, op. cit., p. 3.
150 Josephus Daniels, Shirt-Sleeve Diplomat, p. 267.
151 H. Feis y M. W. Thornburg, consejeros en materia económica y petrolera, respectivamente, se opusieron a que el gobierno de Estados Unidos sentara tan mal precedente. Bryce Wood, op. cit., pp. 245 y 247-249.
152 William O. Scroggs, "Mexican Anxieties", pp. 266-267.
153 Edmund David Cronon, Josephus Daniels in Mexico, p. 258; JDP, Caja 9, Daniels a su hijo, 28 de octubre de 1939.

tamento de Estado, se reunieron con el embajador mexicano para explorar las posibilidades de una cooperación económico-militar entre ambos países. Unas semanas antes, el 22 de mayo, el Presidente Cárdenas había insistido en la neutralidad de México frente a la contienda que se desarrollaba en Europa, pero ello no impidió que Castillo Nájera explicara a los militares norteamericanos que México estaba dispuesto a cooperar sin reservas en la defensa común contra el fascismo, mas antes era necesario llegar a "un acuerdo político general entre los dos países", es decir, solucionar el problema petrolero.[154]

Conviene tener en cuenta que, en la medida de lo posible, México había mostrado una actitud conciliadora hacia Estados Unidos. Las misivas personales de Cárdenas a Roosevelt siempre estuvieron permeadas de un espíritu de cooperación y buena voluntad. Desde 1938, el Presidente de México hizo saber a su colega norteamericano que respaldaba íntegramente su posición ante el conflicto europeo.[155] Con ocasión de las Conferencias de Lima, Panamá y La Habana, México aseguró de antemano al Departamento de Estado sus intenciones de cooperación con las delegaciones norteamericanas para afianzar la solidaridad y defensa hemisféricas. En Lima, la delegación mexicana evitó entablar discusión alguna con Estados Unidos cuando surgió el tema del derecho de expropiación.[156]

El 7 de octubre de 1940, Wells entregó a Castillo Nájera un memorándum que contenía las bases para un arreglo; en ese documento —según afirmó el propio embajador— ya no se hacía mención a los puntos de divergencia acerca de la forma de indemnización, que habían separado las posiciones de México y Estados Unidos desde 1938. Cárdenas, de común acuerdo con el Presidente electo, Manuel Ávila Camacho, respondió el día 24 con un contraproyecto. El Departamento de Estado habría de demorar su respuesta por algún tiempo.[157]

En marzo de 1941 el embajador Daniels informó a Roosevelt que el gobierno mexicano se encontraba en la mejor disposición de cooperar con Estados Unidos en la lucha antinazi: sólo había un "león en el camino": la voracidad de las compañías petroleras. Daniels insistió en la conveniencia de aprovechar la buena disposición del Presidente Ávila Camacho; en el asunto petrolero era inútil defender un *status*

---

[154] Bryce Wood, *op. cit.*, p. 251.

[155] El 28 de septiembre, el embajador Daniels recibió de Cárdenas una carta dirigida a Roosevelt en la que manifestaba su apoyo al mensaje que este último había enviado a Checoslovaquia y a Alemania para que pusieran fin a la lucha; el Presidente mexicano sugería un boicot contra Alemania y otros países agresores, JDP, Caja 16. En varias ocasiones, Daniels recibió seguridades del gobierno de México acerca de su buena disposición para cooperar en la lucha contra la agresión nazifascista. JDP, Caja 17, Daniels a Roosevelt, 28 de junio de 1940; Caja 7, Daniels a su hijo, 6 de julio de 1940.

[156] JDP, Caja 7, Daniels a su hijo, 6 de noviembre de 1938; Caja 9, Daniels a su hijo, 26 de noviembre de 1938 y 6 de septiembre de 1939; Caja 17, Daniels a Roosevelt, 12 de septiembre de 1939 y 28 de junio de 1940; Cordell Hull, *op. cit.*, Vol. I, p. 260.

[157] Castillo Nájera menciona estos documentos sin hacer muchas aclaraciones sobre su contenido. Francisco Castillo Nájera, *op. cit.*, pp. 69-70.

que se encontraba "tan muerto como Julio César".[158] Las instancias del embajador se vieron reforzadas cuando, al mes siguiente, el Senado mexicano aprobó un tratado que permitía a los aviones militares norteamericanos en vuelo a Panamá detenerse en bases mexicanas.[159]

Para 1941, Hull ya no se mostraba dispuesto a continuar apoyando incondicionalmente a las compañías petroleras y empezaba a impacientarse ante su falta de cooperación.[160] Las compañías, por su parte, insistían en mantener una posición invariable y sostenían que no procedía llegar a un acuerdo sobre el valor y forma de pago de sus propiedades a través de un comité intergubernamental.[161] El 27 de septiembre de ese año, tuvo lugar una reunión entre Cordell Hull y los directores petroleros; el secretario de Estado les informó que el interés nacional exigía una solución inmediata al problema que se venía arrastrando desde marzo de 1938, aunque para ello tuvieran que hacerse concesiones de principio, pues realmente existía un peligro de subversión fascista al sur del Bravo, y se necesitaba urgentemente la cooperación mexicana para obtener bases aéreas y navales e impedir que se proporcionaran materiales estratégicos a los países del Eje. Farish, de la Standard, que dirigía al grupo petrolero, no mostró comprensión alguna de la situación que planteaba Hull, insistiendo en que su compañía estaba decidida a perder sus propiedades en México antes que sacrificar el principio en que se asentaban sus derechos de propiedad.[162] No obstante esta oposición, pocos días después, el 2 de octubre, Hull informó a los petroleros que se pensaba llegar a un acuerdo con México para valuar las propiedades que le habían sido expropiadas. Las compañías objetaron el proyecto y el 13 de noviembre, por escrito, manifestaron a Washington su desacuerdo.[163] Pero esta vez el gobierno norteamericano había tomado la decisión de no continuar supeditando sus necesidades estratégicas al consentimiento de la Standard Oil, y el día 19 del mismo mes dio a conocer el primero de los diversos acuerdos que suscribiría con México y que habrían de desembocar en un avalúo de las propiedades expropiadas por una comisión intergubernamental que aceptaría casi sin variación el punto de vista de México.

Por el acuerdo de noviembre de 1941 se convino en la liquidación del conjunto de reclamaciones generales aún pendientes mediante el pago de una indemnización global que ascendía a 40 millones de dólares; en el otorgamiento de un crédito de igual magnitud para estabilizar el peso mexicano; en la firma de un nuevo contrato conforme al cual el gobierno de Estados Unidos haría compras mensuales de seis millones de onzas de plata mexicana, y en la concesión de un cré-

[158] JDP, Caja 17, Daniels a Roosevelt, 11 de marzo de 1941.
[159] En julio de 1941, Ávila Camacho había declarado que México iría a la guerra si Estados Unidos era atacado.
[160] Edmund David Cronon, *Josephus Daniels in Mexico*, p. 260.
[161] Esta opinión se encuentra en el folleto de la Standard Oil Company (N. J.), *The Mexican Expropriations in International Law*, publicado en 1938.
[162] Bryce Wood, *op. cit.*, pp. 254-256; Edmund David Cronon, *Josephus Daniels in Mexico*, pp. 264-265.
[163] *New York Times* (20 de noviembre de 1941).

dito hasta por 20 millones de dólares para rehabilitar el sistema de comunicaciones del país. Con relación al petróleo, se aceptó que no fuera el arbitraje el medio de solucionar el problema, sino que se procedería a "fijar internacionalmente" el avalúo de las propiedades, derechos e intereses de las empresas afectadas.[164] Al finalizar 1941, todo indicaba ya que, por primera vez en esta larga controversia, México iba a ganar la partida a los petroleros, y ello en forma definitiva.

El paso dado por Washington al suscribir este acuerdo, que se conoció como el *Good Neighbor Agreement*, habría de verse retribuido más tarde, cuando el Presidente Ávila Camacho anunciara —ante una opinión pública sorprendida y poseída de escaso entusiasmo— que México había declarado la guerra a las naciones del Eje.

En ciertos círculos norteamericanos se había barruntado el cambio en la política de Washington; desde principios de octubre la prensa había hecho referencia a un próximo acuerdo con México. El *New York Times* se opuso entonces a que se concediera cualquier clase de préstamo a México, pues ello habría sido equivalente a financiar las expropiaciones de bienes norteamericanos en este país.[165] Cuando finalmente se concertó el acuerdo que se acaba de mencionar, ese influyente diario señaló que México había impuesto sus condiciones cobrando un alto precio por su colaboración en la defensa del hemisferio.[166]

8. EL PROBLEMA DE LA COMPENSACIÓN

No había transcurrido un mes de haberse expedido el laudo expropiatorio cuando, el 13 de abril de 1938, la Secretaría de Hacienda giró un oficio a las dieciséis compañías afectadas instándolas a iniciar las negociaciones necesarias para determinar el monto y la forma de pago de los bienes nacionalizados. Las empresas no respondieron a este llamado, pues se negaron a reconocer la validez del decreto de 18 de marzo. En mayo, el gobierno mexicano dio a conocer su propósito de indemnizar a las compañías únicamente por el valor de sus propiedades en la superficie, sin tener en cuenta lo que éstas consideraban más valioso: los hidrocarburos que permanecían en el subsuelo. Esta interpretación, se dijo, estaba de acuerdo con los preceptos jurídicos reconocidos internacionalmente y en nada se afectaba por el hecho de que ciertos títulos petroleros hubieran sido adquiridos antes de 1917.[167]

[164] Stanley R. Ross *et al*, *op. cit.*, pp. 530-531.
[165] *New York Times* (3 de octubre de 1941).
[166] *New York Times* (20 de noviembre de 1941).
[167] El fallo puede verse en la Standard Oil Company (N. J.), *Present Status of the Mexican...* El 2 de diciembre de 1939, la Suprema Corte reiteró esta tesis. En una comunicación dirigida al Presidente Cárdenas el 15 de agosto de 1938, García Téllez había expresado la fundamentación lógica del punto de vista del gobierno mexicano en la siguiente forma: "teniendo la Nación el dominio directo sobre el subsuelo la expropiación no puede comprender los bienes que legítimamente le pertenecen". El 12 de diciembre de ese año, el mismo García Téllez

Después de esta reinterpretación del artículo 27, el gobierno mexicano dio a conocer de manera informal sus propios cálculos acerca de la suma adeudada a las compañías expropiadas. En septiembre de 1938, el Presidente Cárdenas señaló que, hecho el avalúo de los bienes de las compañías afectadas por el decreto de 18 de marzo, y deducidas ciertas deudas que éstas tenían con el fisco y los obreros, México se consideraba obligado a indemnizarlas por un total de 40 208 813 de dólares.[168]

Aunque esta suma estaba muy por debajo de la reclamada extraoficialmente por las empresas, el tesoro mexicano no podía pagarla inmediatamente, y por ello el Presidente hizo repetidas veces del conocimiento de los interesados y del gobierno norteamericano que el país estaba dispuesto a liquidar su deuda con las empresas expropiadas mediante la entrega de petróleo a precios inferiores a los que prevalecían en el mercado mundial. Las compañías rechazaron sistemáticamente tal oferta, ¡no iban a aceptar ser indemnizadas parcialmente... y con su propio petróleo!

La Standard Oil y las compañías que se plegaron a su política jamás aceptaron discutir con el gobierno mexicano el valor de los bienes que éste había expropiado; siempre insistieron en la restitución de sus propiedades y derechos. Consideraron inútil todo intento de avalúo puesto que México no se encontraba en condiciones de efectuar un pago pronto y adecuado.[169] Mientras al gobierno mexicano le interesaba llegar a un arreglo tan pronto como fuera posible, como única forma de dar fin a las presiones de Washington y al boicot que se hacía a su producción petrolera, a las empresas no les corría prisa alguna; su interés radicaba en prolongar el conflicto hasta encontrar una coyuntura favorable que les deparara la devolución de sus bienes o, lo que parecía más improbable, una indemnización inmediata que tuviera en cuenta el valor del petróleo en el subsuelo. Según sus

presentó al general Cárdenas un memorándum proponiendo una reforma constitucional que estableciera definitivamente que la explotación petrolera correspondía sólo a la nación, para evitar así que futuros gobiernos pudieran frustrar la política nacionalista establecida durante su administración. Merrill Rippy, *op. cit.*, pp. 179-180.

[168] Paul Nathan, *op. cit.*, p. 735. De acuerdo con Silvia Herzog, la deuda petrolera fue calculada tomando como base el activo de las dieciséis empresas afectadas, que a fines de 1936 ascendía a 323 800 00 pesos y, descontado el capital circulante —que no fue afectado—, se reducía a 221 800 000 pesos; de este total se dedujeron ciertas sumas adeudadas por las empresas al fisco y a los obreros en el momento de la expropiación. La deuda contraída por México el 18 de marzo era aproximadamente de 150 millones de pesos, o sea poco más de 33 millones de dólares. Según los cálculos de los tribunales mexicanos, el valor de los bienes expropiados en 1938 era de 160 millones de pesos, cantidad a la cual se añadieron otras sumas por varios conceptos que elevaron la deuda a 203 278 185 pesos, es decir, 45 millones de dólares (suma que no incluía el pago hecho en 1940 a cuatro de las dieciséis empresas afectadas). Jesús Silva Herzog, *Petróleo Mexicano*, pp. 152-156.

[169] Como ejemplo pueden consultarse los folletos de la Standard Oil Company (N. J.) intitulados *The Mexican Expropriations in International Law* y *Empty Promises*.

cálculos, las compañías norteamericanas e inglesas deberían recibir una suma de alrededor de mil millones de dólares.[170]

En general, el Departamento de Estado había apoyado a las compañías en su negativa a entrar en negociaciones con el gobierno mexicano mientras no hubiera oportunidades de concertar un arreglo satisfactorio;[171] ello no obstante, en junio de 1938 el subsecretario de Estado, Wells, presentó a México un plan para nombrar una comisión de tres personas que acordara el monto y la forma de la indemnización.[172] El general Cárdenas lo aceptó en principio, pero el Departamento de Estado no siguió adelante con su proyecto, posiblemente debido a la oposición de los petroleros. Desde entonces hasta 1941, como ya se ha dicho, el Departamento de Estado aceptó la posición y las estimaciones de las compañías, o sea, que durante los tres años que siguieron a la expropiación, y no obstante que el Presidente Roosevelt se había mostrado de acuerdo en que México debía indemnizar a los petroleros sin tener en cuenta el valor del petróleo en el subsuelo, Hull consideró que el país adeudaba a las empresas norteamericanas alrededor de 500 millones de dólares. No fue sino hasta 1941 cuando el secretario de Estado dispuso de una estimación hecha por su gobierno sobre el monto de los bienes expropiados, sin considerar el valor del petróleo en el subsuelo. Las cifras resultaron desconcertantes para Hull y no se dieron a la publicidad: según esta estimación, las propiedades petroleras expropiadas por el gobierno mexicano tenían un valor de sólo 23.8 millones de dólares.[173]

El giro que para entonces había tomado la segunda Guerra Mundial, el acuerdo de noviembre de 1941 y el avalúo de ese mismo año, así como el precedente sentado por el arreglo sobre indemnizaciones a los terratenientes norteamericanos afectados por la reforma agraria,[174] permitieron que en 1942 se llegara finalmente a concertar un acuerdo sobre la forma y el monto que habría de tener la indemnización a las compañías petroleras que aún se negaban a llegar direc-

---

[170] Los británicos estimaron que sus instalaciones en la superficie, más el combustible en el subsuelo, tenían un valor aproximado de 500 millones de dólares; el cálculo de las compañías norteamericanas arrojó una cifra similar. Josephus Daniels, *Shirt-Sleeve Diplomat*, p. 245.

[171] En mayo de 1938, Hull se mostró de acuerdo con Farish, presidente de la Standard Oil (N. J.), en que las compañías debían negociar con Cárdenas únicamente si tenían oportunidad de llegar a un arreglo favorable. Edmund David Cronon, *Josephus Daniels in Mexico*, pp. 106-107.

[172] La comisión propuesta por Wells estaría integrada por un representante de cada uno de los gobiernos interesados y por un tercero elegido por los tres diplomáticos más antiguos acreditados ante la Casa Blanca. Merril Rippy, *op. cit.*, p. 156.

[173] Este cálculo fue efectuado por el Departamento del Interior y guardado en secreto por ser menor que la suma que estaba dispuesto a reconocer el gobierno mexicano. Por ejemplo, los bienes de la Sinclair fueron valuados en poco más de 10 millones de dólares, o sea casi una tercera parte menos de lo que México había pagado por ellos. Edmund David Cronon; *Josephus Daniels in Mexico*, pp. 261-262; Bryce Wood, *op. cit.*, p. 252.

[174] En 1938 México y Estados Unidos estuvieron de acuerdo en solucionar el problema de las expropiaciones agrícolas por un avalúo intergubernamental.

tamente a un arreglo con las autoridades mexicanas. Los términos de este convenio fueron obra de una comisión mixta, nombrada por los gobiernos interesados, que inició sus labores en enero y entregó su informe el 17 de abril de 1942, poco después del ataque a Pearl Harbor.[175] El informe de los comisionados asignó un valor de 24 millones de dólares a los bienes de las compañías petroleras norteamericanas que aún no habían sido indemnizadas y proponía que un tercio de esta suma fuera pagado el 1º de junio de ese año y el resto en los cinco años siguientes.[176] Cuando se presentó el informe, México acababa de indemnizar, a través de negociaciones directas, a un grupo de pequeñas empresas por la suma de un millón cien mil pesos.[177]

Hull informó a las compañías que no tenían obligación de aceptar los términos de este acuerdo, pero debían saber que de ahí en adelante no contarían con apoyo oficial para cualesquiera otras gestiones.[178] La Standard tardó más de un año en decidirse a aceptar esta solución; finalmente, el 1º de octubre de 1943, se plegó a la política del Departamento de Estado. Una vez vencida la oposición de mayor peso, la solución cabal del problema no se hizo esperar; el acuerdo, suscrito un mes más tarde, siguió muy de cerca las recomendaciones contenidas en el informe de los comisionados. El gobierno mexicano se comprometió a pagar a las compañías petroleras norteamericanas treinta millones de dólares.[179]

Más de dos décadas de conflicto terminaban así con el reconocimiento de las tesis sustentadas por México a lo largo de la controversia petrolera, pues si bien es posible que la suma que el país se obligó a pagar excediera un tanto del valor real de las propiedades norteamericanas afectadas en 1938,[180] ello no invalida el hecho de que únicamente se cubrió el importe de los bienes en la superficie, lo que implicaba la aceptación del principio de que todo el petróleo en el subsuelo mexicano pertenecía a la nación.

El arreglo concertado entre el gobierno de México y el gobierno y las empresas petroleras norteamericanas tuvo proyecciones en otros

---

175 El representante mexicano fue el ingeniero Manuel J. Zevada, y el norteamericano fue el señor Morris L. Cook.

176 Los comisionados asignaron 18 391 641 dólares al grupo de la Standard Oil (N. J.); 3 589 158 dólares al grupo de la Standard Oil (Cal.); 630 151 dólares al grupo de la Consolidated Oil Company; 897 671 dólares al grupo Sabalo; y 487 370 dólares al grupo de la International Petroleum Company. Merrill Rippy, *op. cit.*, p. 166.

177 Estas empresas fueron: Compañía de Gas y Combustible "Imperio", S. A.; Compañía Mexicana de Oleoductos "Imperio", S. A.; Gulf Coast Company; Southern Fuel and Refining Company; Compañía Petrolera del Agwi, S. A.; Mexican Atlas Petroleum Company, S. A., y Moctezuma Terminal Company, S. A.

178 Betty Kirk, *op. cit.*, p. 352.

179 En este acuerdo se incluyó la indemnización a varias empresas no mencionadas en el informe de los comisionados en 1942, a saber: J. A. Brown, S. en C.; Green y Compañía; Doheny, Bridge y Compañía; Naviera Transportadora de Petróleo, S. A.; Compañía Petrolera Titania, S. A., y Compañía Petrolera Mercedes, S. A.

180 Merrill Rippy, *op. cit.*, p. 166.

campos. En unión del Convenio de 30 de mayo de 1941, suscrito en-tre Suecia y la Unión Soviética, estableció una nueva forma de efec-tuar las compensaciones derivadas de una expropiación, la modalidad del "acuerdo global" (*"lump-sum" agreement*), que se aparta de la norma ortodoxa de derecho internacional relativa al pago "pronto".[181]

Pero, naturalmente, más que en la esfera de las cuestiones legales, el convenio tuvo repercusión en los círculos internacionales de nego-cios por la sanción que implicaba para ciertas formas de inversión extranjera directa. Aunque indudablemente influido por la atmósfera que había creado la participación directa de Estados Unidos en el con-flicto mundial, el Presidente Roosevelt se hizo eco del rechazo implí-cito a esta clase de inversiones cuando, en el curso de su visita a Monterrey, N. L., ya cercano el fin de la controversia petrolera, dijo el 20 de abril de 1943: "Sabemos que los días en que los recursos y el pueblo de un país eran explotados para beneficiar a algún grupo en otro país han acabado definitivamente."[182]

9. LA INFLUENCIA DE LA EXPROPIACIÓN EN EL PROGRAMA CARDENISTA

La nacionalización de la industria petrolera fue uno de los aconteci-mientos de mayor importancia en el proceso encaminado a poner fin al carácter "colonial" de la vida económica mexicana; sin embargo, a corto plazo, al acentuar la crisis económica por la que atravesaba el país, presionó al régimen cardenista a moverse hacia la derecha; se detuvieron los esfuerzos hechos para lograr una profunda y rápida transformación de la economía del país en beneficio de los sectores laborales y, en cambio, se creó un clima propicio para el desarrollo de la inversión privada.

---

[181] Organización de las Naciones Unidas, *Anuario de la comisión de derecho internacional*, VII, 1959 (Nueva York: ONU, 1960), pp. 22-23. El convenio también modificó un tanto los requisitos tradicionales del pago "adecuado y efectivo".

[182] James Fred Rippy, *British Investments in Latin America, 1822-1949* (Minnea-polis, Minn.: University of Minnesota Press, 1959), p. 213.

El problema con los intereses británicos tardó un poco más en ser resuelto. En este caso no fue posible recurrir a un acuerdo intergubernamental puesto que, pese a que las relaciones entre Gran Bretaña y México habían sido reanudadas, éste sostuvo siempre la nacionalidad mexicana de "El Águila". En 1946 los petrole-ros británicos entraron en contacto con funcionarios mexicanos para solucionar el conflicto, pero sus condiciones fueron rechazadas por considerarse demasiado onerosas. Un año después, al asumir el poder el Presidente Alemán, cambió este punto de vista, y el gobierno aceptó indemnizar a "El Águila" con 130 millones de dólares, que terminaron de pagarse en 1962 (Antonio Bermúdez hace ascender la cifra a casi 200 millones de dólares). Este acuerdo ha sido muy criticado, puesto que si los inversionistas ingleses tenían en 1938 casi el 50 % de las propie-dades petroleras, debieron ser indemnizados con una cantidad igual a la pagada al conjunto de las empresas norteamericanas, no con una suma mayor. Bermúdez ha defendido este acuerdo aduciendo el argumento de que en 1938 los ingleses estaban en poder del 70 % de la industria petrolera. Jesús Silva Herzog, *México y su petróleo*, p. 59, e *Historia de la expropiación petrolera*, p. 170; Antonio J. Bermúdez, *op. cit.*, p. 27; Isidro Fabela, "La política internacional del Presidente Cárdenas", pp. 108-109.

La expropiación se produjo en un mal momento desde el punto de vista económico. La mala cosecha del año anterior se aunó a los grandes déficits gubernamentales originados en los programas de obras públicas y de reforma agraria; la baja en las exportaciones de plata y petróleo repercutió desfavorablemente en las recaudaciones del erario; la crisis de confianza producida por la expropiación en los sectores privados extranjeros y en algunos nacionales dio por resultado una fuga de capitales y una retracción de la inversión privada;[183] la moneda se depreció en un 39 % (el tipo de cambio pasó de 3.6 a 5 pesos por dólar) y aumentaron los precios internos, así como el nivel de desempleo. La crisis se hizo sentir sobre todo en los centros urbanos; las áreas rurales, por su mismo atraso y su aislamiento de los sectores modernos de la economía, resultaron, al menos aparentemente, afectadas con menor intensidad.[184]

Esta crisis se tradujo en una disminución del ritmo con que se habían venido desenvolviendo los planes de reforma agraria, obras públicas, salubridad y educación. La ofensiva de los trabajadores contra el capital se vio frenada en favor de la "unidad nacional". Extraoficialmente se reconoció que la mala situación económica había cambiado la orientación del régimen.[185] El programa político que habría de poner a México en "camino hacia el socialismo" dio un giro de ciento ochenta grados.

*   *   *

La expropiación petrolera fue la última confrontación grave con Estados Unidos motivada por la aplicación de los programas revolucionarios. El acuerdo que llevó a su solución significó la aceptación por parte del gobierno de Washington de un principio defendido por México desde 1917 contra los intereses británicos y norteamericanos, el de que el petróleo en el subsuelo pertenecía a la nación. Este triunfo final del gobierno mexicano se debió, en cierta medida, a circunstancias ajenas a él.

Una de estas circunstancias fue el ascenso de Roosevelt al poder. El "New Deal" dio por resultado que las relaciones entre la Casa Blanca y las grandes empresas petroleras fueran relativamente menos cordiales que antaño, pues las medidas antimonopolistas que lo acompañaron convirtieron a Roosevelt en enemigo político de las empresas petroleras.[186] La expropiación petrolera mexicana se convirtió muy

183 Sanford A. Mosk, op. cit., pp. 83-84; Chester Lloyd Jones, op. cit., p. 67.
184 William O. Scroggs, "Mexico's Oil in World Politics", Foreign Affairs, Vol. XVII (octubre, 1938), pp. 172-173; Paul Nathan, op. cit., p. 133.
185 Nathaniel y Silvia Weyl, op. cit., p. 298.
186 Daniels, en carta confidencial al Procurador General de Estados Unidos, R. H. Jackson, expresaba lo que antes había repetido a Roosevelt: "Debemos destruir el monopolio o el monopolio destruirá a la democracia". Dentro de esa perspectiva, aconsejaba un ataque a fondo contra las compañías petroleras norteamericanas en general para dar fin a sus características de agrupaciones monopólicas. JDP, Caja 755, 20 de septiembre de 1940.
Por otra parte, sin embargo, los petroleros no dejaron de aportar fondos al Partido Demócrata. En 1936, por ejemplo, Dougherty contribuyó con 55 000 dólares. Robert Engler, op. cit., p. 357.

pronto en la piedra de toque de la nueva política de la administración demócrata hacia Hispanoamérica; Roosevelt y, sobre todo, el embajador Daniels, consideraron que por esta vez era necesario negar el respaldo oficial a las empresas petroleras y demostrar así, definitivamente, que Estados Unidos iniciaba una nueva etapa en las relaciones con sus vecinos del sur, necesaria para fortalecer el sistema interamericano ante los peligros extracontinentales.

El conflicto entre las grandes potencias, también una circunstancia ajena al control del gobierno mexicano, le permitió burlar en los años que siguieron a la nacionalización el bloqueo establecido por la Standard y la Shell, y vender su combustible a los países del Eje; con el retorno a la normalidad, las grandes empresas volverían a ejercer un control absoluto en el mercado mundial, desplazando a México en forma definitiva. La industria nacionalizada pudo continuar su desarrollo debido a que las características del país lo hicieron depender casi enteramente de los hidrocarburos como fuente de energía, y la demanda interna sustituyó completamente a los mercados perdidos en el exterior. El caso de México se convirtió en una excepción dentro del cuadro de la política petrolera mundial, dirigida por Estados Unidos e Inglaterra. Esta política, que tendía —y tiende— a mantener bajo su control los recursos petrolíferos mundiales (con excepción de los pertenecientes al mundo socialista), tuvo que modificarse en el caso de México aunque, como contrapartida, mantuvo a Pemex fuera del mercado mundial.

CAPÍTULO X

CONSIDERACIONES FINALES

Con el Porfiriato finalizó la etapa de anarquía que había vivido el país desde su independencia, pero en la esfera económica hubo un retorno, por lo menos parcial, a una condición de "colonia". En los treinta o cuarenta años anteriores a 1910, el proceso de desarrollo económico —caracterizado por la especialización en la producción para la exportación— había convertido a México en un apéndice de las economías industriales de Estados Unidos y Europa. Al caer Porfirio Díaz, el carácter "colonial" de la vida económica del país era evidente: más de la mitad de la riqueza nacional era propiedad de extranjeros. Este fenómeno se hace aún más manifiesto si se considera que el capital nacional estaba concentrado en bienes raíces y en las actividades comerciales, en tanto que el proveniente del exterior tenía bajo su control sectores mucho más dinámicos y estratégicos: minería, ferrocarriles, industria, petróleo, servicios públicos y parte del comercio y de la actividad agrícola destinada a abastecer mercados del exterior.

La inversión externa no fue un fenómeno propio del Porfiriato; el capital foráneo había ingresado a México desde el momento en que el país declaró su independencia, pero entonces se trataba más bien de una inversión indirecta. La entrada de una corriente importante de inversiones directas es característica de las dos o tres últimas décadas del siglo XIX.

Los primeros intentos hechos por los mexicanos para recobrar la dirección de la vida económica del país fueron anteriores a la caída del gobierno del general Díaz, pero se intensificaron después de ésta. En 1910 se inicia un rápido proceso de toma de conciencia de la subordinación de los intereses nacionales a los foráneos; la prosperidad de los círculos extranjeros en México —especialmente de los norteamericanos— se relacionó con el evidente estancamiento de los nacionales. Los grupos revolucionarios consideraron que a la desaparición de la dictadura debía seguir no sólo una reforma al sistema de tenencia de la tierra y otras medidas similares, sino el fin de una situación que amenazaba con convertir a los mexicanos en extranjeros en su propia tierra. La gran diferencia entre el desarrollo económico de Estados Unidos y el de México tuvo por consecuencia un claro predominio de los intereses del primero en el territorio del segundo durante el período porfirista. A su vez, esta situación dio por resultado que las principales medidas de los programas de los gobiernos revolucionarios, destinadas a promover el cambio económico y social que consideraron apropiado, y que estaban contenidas principalmente en el artículo 27 de la nueva Constitución, encontraran una gran resistencia de parte de los intereses norteamericanos, que vieron tales reformas como contrarias a su interés nacional.

Dentro del cuadro que presentaba la economía mexicana al triunfo del movimiento revolucionario, había más de un sector que presentaba todas las características de un "enclave", pero fue en torno al petróleo —industria que prácticamente inició su rápido y sorprendente desarrollo en forma simultánea con la Revolución Mexicana— donde se libró la batalla entre el nuevo orden y el capital extranjero. Los problemas internacionales que se presentaron entonces fueron de dos tipos: los relativos al pago de la deuda externa y de los daños causados por la lucha civil, y otros, mucho más importantes, derivados de la aplicación del artículo 27 constitucional a los depósitos petroleros y a las empresas agrícolas propiedad de extranjeros. Fue en el campo de la explotación petrolera donde primero se intentó poner en práctica las disposiciones del artículo 27 y, dada la magnitud de los intereses afectados, esta legislación se convirtió, desde 1917 hasta fines de la cuarta década de este siglo, en el meollo de la controversia entre México y Estados Unidos.

La nacionalización de la industria petrolera en 1938 y los arreglos posteriores se consideran como el principio de una etapa en la que el capital del exterior empezó a perder el carácter marcadamente colonial que había tenido hasta ese momento y pasó a desempeñar un papel relativamente secundario en la estructura económica de México.

Si en el país se llegó a considerar la reforma petrolera como la piedra de toque de la "descolonización" de su economía, las empresas y las cancillerías extranjeras siempre la tuvieron por un injusto intento de confiscación de propiedades que habían adquirido y administrado legalmente, y cuyo aceptación sentaría un precedente de graves consecuencias para sus intereses en otras partes del globo. Para las empresas petroleras, la Revolución Mexicana y los programas de sus caudillos no significaron otra cosa que una lucha por el botín, en la cual se pretendía hacer de ellas la mejor presa.

El empeño de los gobiernos revolucionarios por llevar a efecto una profunda reforma en la industria petrolera, relegando a segundo término otros sectores que se encontraban igualmente bajo control de extranjeros, se explica en gran medida por su carácter estratégico, por la modificación de que fue objeto su régimen de propiedad durante el Porfiriato y por el hecho de que hubiera mantenido un acelerado ritmo de expansión mientras el resto de la economía atravesaba por un período de relativo estancamiento. Las extraordinarias utilidades que produjo esta industria atrajeron la atención de los distintos gobiernos revolucionarios, que hacían frente a déficits presupuestarios crónicos. El choque entre los nuevos gobiernos y las empresas petroleras tampoco se puede desligar de las obvias arbitrariedades cometidas por éstas desde el inicio de sus actividades (que, por otra parte, no fueron más que un reflejo de la conducta que observaron en sus países de origen), y su absoluta falta de preocupación por las necesidades internas del país, presentes y futuras.

El apoyo que recibieron las empresas petroleras del gobierno norteamericano casi hasta el final de la controversia, así como el poder que les confería la magnitud de sus recursos, determinaron que la nacionalización del subsuelo petrolero se convirtiera en un largo proceso que se inició en 1917 y finalizó con los acuerdos de 1942.

Es verdad, como afirman algunos autores norteamericanos, que Estados Unidos pudo haber llevado la defensa de los derechos de propiedad de sus ciudadanos hasta el extremo de la intervención armada, pero no lo hizo, y con ello facilitó decisivamente que el programa revolucionario prosiguiera su marcha. Sin embargo, ésta es una verdad que debe ser matizada: exceptuando el período del presidente Roosevelt —y ello debido en gran parte a la situación internacional, que dividió a las grandes potencias en dos bandos antagónicos que competían por el respaldo de ciertos países periféricos—, el gobierno americano nunca descartó la posibilidad de emplear a fondo su poder militar contra México. El hecho de que los múltiples amagos no hubieran ido, en el terreno de los hechos, más allá de la ocupación de Veracruz o de la expedición de Pershing, tiene un valor secundario, porque México tuvo que actuar siempre en el supuesto de que en cualquier momento las amenazas podían ceder el puesto a una intervención. Esta situación retrasó por más de dos décadas la cabal aplicación de lo dispuesto en el párrafo IV del artículo 27. En la medida en que las empresas petroleras obtuvieron el apoyo decidido e incondicional del Departamento de Estado, la legislación revolucionaria fue impotente para modificar su *status* en México.

En el proceso de la reforma petrolera pueden distinguirse con bastante claridad cinco etapas. En la primera, que va de 1901 a 1917, se estableció el control de las empresas extranjeras sobre los depósitos petroleros conocidos, aunque ya a partir de 1910 aparecieron las primeras manifestaciones de lo que se convertiría en una política encaminada a alterar, en favor de la nación, los derechos de propiedad que el régimen porfirista otorgó a estas empresas. El segundo período se inicia cuando la Constitución de 1917 sienta las bases legales de tal política, nacionalizando los depósitos de hidrocarburos, y se cierra con la expedición de la primera ley petrolera y los acuerdos Calles-Morrow de 1928. Aparentemente, en esta etapa el poder de los intereses creados había logrado frustrar los intentos de modificar la situación heredada del antiguo régimen; el único y modesto triunfo de México fue el reconocimiento de su doctrina de los llamados "actos positivos". El tercer período comprende la época del "maximato" y los primeros años del régimen cardenista, hasta 1935; en estos seis años pareció que la idea de una verdadera reforma petrolera había sido abandonada definitivamente. El triunfo de Cárdenas sobre Calles en 1936 marcó el principio de una cuarta etapa, en la que se reactivó la lucha por el control de la industria petrolera, que culminó con el decreto de 18 de marzo de 1938. El quinto y último período comprende los años de 1938 a 1942, cuando la expropiación se consolidó y fue aceptada, no sin lucha, como un hecho irreversible por las partes afectadas.

En términos generales, las épocas en que se realizaron los mayores progresos en el proceso de nacionalización del petróleo, es decir, la que siguió al triunfo de la facción constitucionalista y la del régimen del presidente Cárdenas, presentan varias similitudes. Ambos períodos coincidieron con graves crisis mundiales provocadas por la rivalidad entre las grandes potencias, que culminaron en las dos Guerras Mundiales; coincidieron también con dos de las más importantes administraciones reformistas y liberales de este siglo en Estados Unidos: las de Woodrow Wilson y Franklin D. Roosevelt. También se puede afirmar que, por el contrario, aquellos intentos realizados por Álvaro Obregón y Plutarco Elías Calles para llevar adelante la reforma petrolera, que terminaron en un relativo fracaso, corresponden a períodos de cierta estabilidad en las relaciones entre las grandes potencias y durante los cuales Estados Unidos estuvo regido por la política conservadora de las administraciones republicanas. Por lo que se refiere a la situación interna, 1917 y 1938 fueron años en que las corrientes revolucionarias de México contaron con mayor fuerza que en otros momentos, situación que no dejó de influir en los resultados de la controversia petrolera.

Junto con la revolución bolchevique, la lucha mexicana por arrancar al control del capital extranjero los depósitos de hidrocarburos y las grandes propiedades agrícolas, fue la primera acometida contra el sistema liberal de inversión internacional de los grandes países industriales, que hasta la primera década del siglo xx se había preservado sin dificultad y sin que país alguno pusiera en duda su legitimidad. La debilidad de México frente a las presiones de los intereses y de los gobiernos extranjeros obligó a los regímenes revolucionarios a llevar la defensa de la reforma petrolera y de su programa general en un tono marcadamente jurídico, aunque el hecho de que la diplomacia mexicana hubiera tenido que recurrir a un derecho internacional elaborado por las propias naciones industriales de Occidente limitó su campo de maniobra. El sistema de normas internacionales en que se apoyó el gobierno norteamericano para la defensa de sus intereses, no permitía cambio alguno en el régimen de propiedad de las compañías petroleras a menos que el Estado mexicano las compensara inmediatamente con la entrega de una suma que no estaba en posibilidades de cubrir. La controversia mostró que, aun basándose en los mismos textos o principios jurídicos, Estados que tienen concepciones jurídicas y políticas diferentes interpretan el derecho internacional de manera contradictoria. La defensa de la posición mexicana, basada en última instancia en el sencillo y claro argumento de que las reformas que se pretendía efectuar se justificaban porque eran necesarias al bienestar popular, nunca fue aceptada por Estados Unidos. La lucha que se desarrolló en torno al petróleo mexicano fue uno de los primeros episodios de una controversia más amplia, que continúa todavía, entre las grandes potencias y los países de la periferia para dar forma a un nuevo sistema de normas jurídicas internacionales que tenga en cuenta las necesidades de estos últimos. Para ello será necesario despojar al derecho internacional de su carácter conservador, y darle, en cambio, una naturaleza tal, que permita aceptar modificaciones al *status quo*, las que hasta ahora se han considerado como una violación de sus normas.

La expropiación de 1938 no sólo fue la culminación de un proceso puesto en marcha en Querétaro veintiún años antes, sino que en cierta medida fue también el punto culminante de la Revolución Mexicana. En el plano de las relaciones mexicano-norteamericanas, esta medida es el hito que señala el fin de una época: a partir del arreglo relativo a la indemnización a las compañías petroleras norteamericanas, estas relaciones revistieron un carácter distinto, mucho menos violento y brutal que en el pasado.

El buen éxito de la expropiación petrolera mexicana fue visto en su tiempo como algo más que el inicio de una nueva era en las relaciones entre los dos países vecinos. Algunos observadores consideraron que esta solución marcaba el principio de una forma diferente de relación entre las naciones fuertes y las débiles, pues se había demostrado que estas últimas podían enfrentarse a los grandes consorcios internacionales sin temor a un ataque armado. Muy pronto la realidad demostró que la significación de la nacionalización mexicana era mucho más modesta: fue sólo uno de los primeros casos que pusieron de manifiesto que el imperialismo de viejo estilo —que había presidido las relaciones entre los países desarrollados y poderosos y los que no lo eran, entre las economías industriales exportadoras de capital y aquellas menos desarrolladas y receptoras de este capital— estaba en proceso de transformación. Pruebas de que el antiguo sistema no había desaparecido fueron los frustrados intentos de nacionalización del petróleo en Bolivia, o mejor aún, en Irán.[1] Sin embargo, es cierto que la actitud de los consorcios petroleros internacionales hacia los países subdesarrollados en que realizan sus actividades ha variado un tanto después de 1938, y hay razones para suponer que su conflicto con México no ha sido ajeno a ello:[2] inmediatamente después de solucionarse el problema en México, en 1943, las compañías aceptaron un arreglo con el gobierno de Venezuela en virtud del cual el 50 % de las utilidades serían transferidas al Estado; y, en general, la proporción de las utilidades que se reparte actualmente entre las empresas y el Estado es mucho más favorable para éste de lo que fue en México.[3]

La industria petrolera nacionalizada salió avante de la crisis en que la sumieron las circunstancias que siguieron a la expropiación, no sólo por haberse concertado un arreglo con el gobierno norte-

[1] La expropiación realizada por el gobierno de Irán en 1951 tiene una mayor semejanza con el caso de México que la boliviana. Esta expropiación se vio frustrada en 1953 con la caída de su artífice, el Dr. Mossadegh. Las negociaciones que siguieron terminaron con la imposición del punto de vista de las compañías petroleras extranjeras.

[2] En 1961, Robert Engler escribía: "Para todo el mundo petrolero y las potencias occidentales que dependen de sus servicios, la experiencia mexicana continúa siendo una experiencia viva y molesta." *Op. cit.*, p. 206.

[3] La proporción de un 75 % de las utilidades para el Estado y un 25 % para la empresa es frecuente en los contratos actuales. Daniel Durand, *op. cit.*, p. 91.

americano, sino también en virtud de factores de orden interno. La producción, que en 1938 había llegado a un nivel bastante modesto comparado con el de su época de auge, fue siendo absorbida por una economía que, principalmente a impulsos de la segunda Guerra Mundial, entraba en rápido proceso de industrialización. Desde mediados de la década de 1940 a 1950, la creciente demanda interna que ha traído aparejada el desarrollo económico del país sustituyó definitivamente a los mercados que abastecían las antiguas compañías petroleras norteamericanas e inglesas.

Índice

INTRODUCCIÓN   7

I. EL DESARROLLO DE LA INDUSTRIA PETROLERA EN MÉXICO   13

1. El dominio externo sobre la producción petrolera   15
2. El desarrollo de la industria petrolera   20
3. La inversión   24
4. La industria petrolera y la economía nacional   28

II. EL ESTABLECIMIENTO DE LAS PRIMERAS EMPRESAS PETROLERAS (1900-1914)   35

1. El capital exterior   36
2. Las primeras empresas petroleras   37
3. La legislación sobre los hidrocarburos   38
4. El primer intento de modificar la legislación sobre los hidrocarburos   40
5. Los intereses norteamericanos contra Díaz   41
6. Madero   43
7. Estados Unidos y el nuevo régimen   44
8. Madero y los petroleros   46
9. Washington y los petroleros   49
10. La caída de Madero   50
11. Huerta y el presidente Wilson   51
12. Washington contra Huerta   52
13. El conflicto entre Washington y Londres   54
14. La protección norteamericana a la zona petrolera   58
15. Los intereses petroleros y la caída de Huerta   59

III. LA FORMULACIÓN DE UNA NUEVA POLÍTICA PETROLERA   62

1. Carranza y los intereses extranjeros   62
2. Carranza y el presidente Wilson   63
3. El conflicto europeo   64
4. Los primeros ataques a la posición de los petroleros   66
5. Los movimientos rebeldes en la región petrolera   72
6. La posibilidad de una intervención   74

IV. CARRANZA Y LA REFORMA A LA LEGISLACIÓN PETROLERA   78

1. La reacción de las empresas petroleras y del Departamento de Estado   83
2. Las bases teóricas de la política petrolera carrancista   85
3. Los motivos políticos y económicos de la política petrolera de Carranza   87
4. El artículo 27 en la práctica   88
5. La defensa de los petroleros   94
6. El peligro de una intervención norteamericana   100
7. Los principales "grupos de presión" mexicanos.   103

V. DEL TRIUNFO DE OBREGÓN A LOS ACUERDOS DE BUCARELI Y
DE 1924   106

  1. La administración republicana   107
  2. Adolfo de la Huerta   109
  3. Obregón y el restablecimiento de las relaciones diplo-
    máticas con Estados Unidos   114
  4. Los esfuerzos por satisfacer las demandas norteameri-
    canas sin suscribir un acuerdo formal   119
  5. Los "grupos de presión" en México y Estados Unidos   126
  6. Las quejas de las empresas   131
  7. Los proyectos de ley reglamentaria   132
  8. Las posibilidades de una intervención o un movimien-
    to subversivo   138
  9. Bucareli   140
  10. El apoyo de Washington y de las compañías al régimen
    obregonista   145
  11. Los arreglos de 1924   146

VI. EL PRESIDENTE CALLES Y LA EXPEDICIÓN DE LA "LEY DEL PE-
TRÓLEO"   149

  1. La administración de Coolidge   150
  2. La reanudación del conflicto: el proyecto de ley regla-
    mentaria   151
  3. La reacción norteamericana ante la legislación de 1925   157
  4. Los diversos grupos que intervinieron en el conflicto   160
  5. Reacción de Washington y de las empresas ante la ley
    reglamentaria   166
  6. La crisis de 1927   172
  7. Las negociaciones de Obregón y Pani con las com-
    pañías   175
  8. Morrow y la nueva política norteamericana   176
  9. La modificación de la ley de 1925   178
  10. El arreglo Morrow-Calles y las compañías petroleras   183
  11. Las relaciones entre los petroleros y el gobierno des-
    pués de la modificación de la ley reglamentaria   185

VII. EL MAXIMATO: UNA PAUSA   187

  1. Las relaciones con Estados Unidos   188
  2. La revisión de la política exterior norteamericana   189
  3. Las nuevas relaciones con los intereses petroleros   192
  4. Los problemas secundarios entre el gobierno y los
    petroleros   193
  5. Los intentos de creación de una nueva compañía pe-
    trolera   195

VIII. EL RÉGIMEN CARDENISTA Y LA SOLUCIÓN DEL "PROBLEMA PETRO-
LERO"   198

    1. Cárdenas y el capital petrolero   201
    2. El fin del acuerdo Calles-Morrow: las primeras se-
       ñales   202
    3. La huelga petrolera y la intervención gubernamental
       directa   205
    4. La comisión de expertos   207
    5. El acuerdo con "El Águila"   209
    6. El laudo de la Junta Federal de Conciliación y Arbi-
       traje   210
    7. La actitud del gobierno norteamericano   212
    8. La expropiación   217

IX. DE LA NACIONALIZACIÓN A LOS ACUERDOS DE 1942   223

    1. La actitud de los intereses afectados   226
    2. La reacción del Departamento de Estado   230
    3. La influencia de la situación mundial   238
    4. Las negociaciones con los petroleros   240
    5. La presión económica sobre México   246
    6. La propaganda y la actitud de algunos "grupos de
       presión"   251
    7. Los efectos de la segunda Guerra Mundial   254
    8. El problema de la compensación   258
    9. La influencia de la expropiación en el programa car-
       denista   262

X. CONSIDERACIONES FINALES   265

Se terminó de imprimir en Gráfica Panamericana, S. de R. L., el 30 de mayo de 1968. Se utilizaron en su composición tipos Aster de 9, 8 y 7 puntos. La edición consta de 2 000 ejemplares. Diseñó la portada *Jas Reuter*; cuidó la edición *Raquel Rabiela*.

Nº 1185